À NOUS LA LIBERTÉ !

*Sous la direction éditoriale
de Catherine Meyer*

L'Iconoclaste
27, rue Jacob, 75006 Paris
Tél. : 01 42 17 47 80
iconoclaste@editions-iconoclaste.fr
www.editions-iconoclaste.fr

Allary Éditions
5-7 rue d'Hauteville, 75010 Paris
Tél. : 01 84 17 42 39
contact@allary-editions.fr
www.allary-editions.fr

Christophe André
Alexandre Jollien
Matthieu Ricard

À NOUS LA LIBERTÉ !

L'ICONOCLASTE — *Allary Éditions*

« La liberté extérieure
que nous atteindrons dépend du degré
de liberté intérieure
que nous aurons acquis. »

GANDHI

Sommaire

PROLOGUE
« On ne bosse pas ! »

C'était notre décision à tous les trois. Nous avions prévu de nous retrouver pour passer quelques jours ensemble, au cœur de l'hiver, comme les années précédentes. «On ne bosse pas, on se voit pour le plaisir, pour bavarder, rigoler, profiter de l'air pur…» Notre chère amie Delphine nous avait invités dans son chalet en bois niché au cœur des Alpes. Tout était réuni pour une semaine de vacances dans ce havre de paix, autour d'un programme de balades dans la neige, de fondues au fromage, de bouquinades et de bonnes rigolades. Mais voilà…

Nous avons fait des parties de luge, traversé des hameaux, observé les traces d'animaux sauvages dans la neige… Et, à la fin du premier après-midi, nous nous sommes retrouvés dans le salon lambrissé de sapin dont les fenêtres ouvrent sur les cimes. Dans la bonne humeur, près de l'âtre, tandis que les flammes crépitaient, la discussion est repartie comme si elle ne s'était jamais interrompue. Des thèmes graves se sont invités au milieu des éclats de rire, dans la douce chaleur d'une complicité inconditionnelle : comment s'en sortir face à la dépendance ? Comment maintenir le cap quand les émotions perturbatrices, les passions tristes ou un épais mal de vivre semblent nous conduire tout droit au découragement ?

Un besoin de noter, de partager, se remet à nous démanger. Nous commençons à nous dire qu'il serait dommage de laisser tout cela se perdre, de ne pas garder, pour nous au moins, une trace de ces échanges qui nous passionnent et nous enrichissent. L'infatigable Matthieu pose alors un micro sur la table, «au cas où, pour ne rien regretter, ne rien oublier…». Ses deux compères ne protestent pas. Après tout, on discute pour le plaisir, pour s'apprendre mutuellement des choses, faire évoluer nos points de vue, alors un micro, qu'est-ce que ça change? Rien du tout. Enfin, *presque…*

Car ce petit objet n'est pas une présence si anodine. L'air de rien, le savoir là nous stimule, nous pousse à ne pas faire la sieste pendant que les copains discutent, nous incite à développer et préciser nos idées. Finalement, il nous rappelle nos lectrices et nos lecteurs, leurs espoirs, leurs attentes, leurs légitimes exigences. C'est comme s'ils étaient là, avec nous, assis à nos côtés sur les canapés. Et peu à peu, nous nous prenons au jeu.

Le thème de la liberté s'impose tout naturellement sous la forme d'une invitation à approfondir, à creuser, à bâtir un art de vivre, à façonner des outils. C'est que nous sommes constamment conviés à quitter le mode de pilotage automatique, à nous désincarcérer de la prison des habitudes pour tenter d'autres voies. Vaste programme qui exige assurément que nous «récidivions», que nous nous remettions au travail pour considérer sous un nouveau jour l'un des grands chantiers de l'existence.

D'instant en instant, nous sommes invités à oser une véritable conversion: nous attaquer aux toxines du mental, laisser les conditionnements pour descendre plus avant vers notre véritable nature, la liberté. Car si l'homme ne naît pas libre mais le devient, tout un entraînement de l'esprit est requis. C'est ce chantier que tous trois, avec notre expérience, nous avons tenté d'explorer. Se déprendre du qu'en-dira-t-on, quitter le narcissisme, l'égoïsme qui nous tirent vers le bas, autant de défis qui appellent un engagement, une écologie de tout l'être que nous avons essayé de dessiner au fil de ces pages.

Nous restons prudents quant à la portée de nos propos, qui pourraient ressembler à des enseignements, mais qui ne sont que des réflexions et le témoignage de trois amis en quête de progrès intérieur, et soucieux de partager leurs expériences, manquées ou réussies, leurs efforts et leurs points de vue. Les propos que nous avons retranscrits ici reflètent fidèlement nos échanges, spontanés et imparfaits, mais sincères, et en accord avec nos choix de vie. Nous les avons simplement passés au tamis de ces questions : ce que nous disons est-il assez clair ? (pas de jargon, nous détestons ça.) Est-ce utile ? (ce qui nous intéresse, c'est de changer, plus que de parler.) Est-ce accessible à chacun ? (et non réservé à quelques sages ou humains exceptionnels.)

La philosophie grecque a forgé un très beau concept : la *métanoïa*, cet effort sur soi, cette conversion intime qui vise à se transformer radicalement pour embrasser un art de vivre apte à nous préserver des passions tristes, des réflexes, de l'égoïsme, de la prison des habitudes. Avancer, progresser, se délester de ce qui alourdit, se libérer, pour les autres et donc pour le monde tout entier, voilà le grand défi placé au cœur de cet ouvrage.

Puisse notre humble dialogue vous donner l'envie, à votre tour, de vous y lancer.

INTRODUCTION

Qu'est-ce que la liberté intérieure ?

MATTHIEU : Le mot « liberté » évoque pour la plupart l'aspiration de tous les êtres à mener une vie exempte d'enfermement, d'oppression ou de privation de droits. Mais ce dont nous aimerions parler ici, c'est de la liberté *intérieure* : nous sommes, presque tous, le jouet de nos égarements, de nos conditionnements, de nos pulsions, de nos conflits intérieurs, de nos pensées errantes et de nos émotions perturbatrices. Cette servitude est à l'origine de nombreux tourments. Comment sortir de la prison de ces mécanismes face auxquels nous nous sentons parfois impuissants, voire résignés ?

La difficulté principale vient du manque de discernement : nous ne parvenons pas à identifier les rouages mentaux ni à repérer le type de pensées qui nous asservissent. La sagesse, la lucidité et la compétence qui nous permettraient de retrouver notre liberté nous font trop souvent défaut. La liberté intérieure peut donc s'acquérir par une meilleure compréhension du fonctionnement de notre esprit et par une élucidation des mécanismes du bonheur et de la souffrance. Ce discernement doit aller de pair avec un *entraînement* qui permettra à notre esprit de gérer les états mentaux afflictifs avec aisance et intelligence.

Nous aimerions que cet ouvrage apporte un éclairage sur les moyens de s'affranchir des causes de la souffrance. La liberté intérieure nous confère une grande force et nous rend moins vulnérables à nos propres pensées qui, parfois, surgissent en ennemies, mais aussi moins désorientés par les conditions extérieures qui ne cessent de changer. Nous sentant moins vulnérables, nous sommes moins centrés sur nous-mêmes et nous ouvrons à autrui.

La liberté intérieure s'exprime donc naturellement par davantage de bienveillance. Bref, tout le monde y gagne.

ALEXANDRE : À l'heure de s'attaquer à l'épineuse question de la liberté, me revient un souvenir. Le père Morand, aumônier de l'institut où j'ai vécu de 3 à 20 ans, m'avait mis entre les mains un robuste bouquin que je feuilletais avec vénération. Les pages jaunies et usées de ce manuel de philosophie en imposaient… J'avais 14 ans, je me trimballais un paquet de complexes et me prenais de plein fouet ma différence, la singularité. Pressentant que je ne serais jamais tout à fait comme les autres, pris d'une sourde panique, je tentais de mettre la main sur quelques repères. Il me fallait une boussole, une direction. Justement, un chapitre de ce pavé traitait de l'aliénation, des esclavages, des passions tristes. Et l'auteur d'évoquer une pierre qui tombe… en chute libre. Drôle d'expression ! Dans mon esprit cabossé, c'était le branle-bas de combat, les questions fusaient de toutes parts : qu'est-ce que la liberté au fond ? Faire ce que nous voulons ? Donner libre cours à nos désirs ? Ne rencontrer aucune entrave, zéro obstacle ? Surtout, je m'interrogeais sur la marge de manœuvre restant au garçon infirme moteur cérébral qui fuyait déjà un destin tout tracé : rouler des cigares dans un atelier protégé. Comment ce gaillard déboussolé pourrait-il éviter cette prison intérieure, cette avalanche de diagnostics, cette ribambelle d'étiquettes ? Y avait-il un *fatum* ? Tout était-il gravé dans le marbre ?

Tomber en chute libre… Comme la pierre, sans ascèse, sans exercices spirituels, je le devinais, j'étais foutu, risquant à tout moment de me casser la figure, embourbé dans un fatras total : complexes, mécanismes de défense, peur du rejet, désirs mal identifiés… Tout contribuait à une vie quasi robotique. Assommé par l'incertitude, insécurisé au possible, je tentais désespérément de mettre un peu de clarté et de joie dans une vie qui s'annonçait un brin compliquée.

Pour la première fois, retentissait un appel. Spinoza, dans sa célèbre lettre à Schuller, en proposant une expérience de pensée, pose le diagnostic : « Cette pierre, assurément, puisqu'elle n'est consciente que de son effort, et qu'elle n'est pas indifférente, croira être libre et ne persévérer dans son mouvement que par la seule raison qu'elle le désire. Telle est cette liberté humaine que tous les hommes se vantent d'avoir et qui consiste en cela seul que les hommes sont conscients de leurs désirs et ignorants des causes qui les déterminent. »

Adolescent, j'étais tombé sur une émission télévisée. Un philosophe professionnel était soumis à la question. Sommé de répondre, il hésitait. Qu'est-ce qui était premier : la liberté, le bonheur ou la sagesse ? Fallait-il donc choisir ? Mettre une coche devant sa préférence ? Établir une hiérarchie là où il n'y a pas d'options ? À l'époque, je voulais tout : sagesse, bonheur, liberté. Devinant qu'on ne peut raisonnablement espérer être heureux sans un minimum de liberté intérieure. Comment foncer vers la sagesse, alors que le manque, la peur et un tas d'attirances, de conditionnements et d'habitudes nous tiennent en esclavage ?

Sur ce terrain, Spinoza reste un lumineux médecin. Nous prêterait-il main-forte pour inaugurer notre expédition ? Son traitement se veut limpide, efficace : il faut s'attaquer à ce qui assombrit notre humeur, influence notre manière d'être, nous aliène. Bref, traquer les déterminismes et les forces qui nous poussent à nous attacher, à aimer, à haïr, à craindre, à attendre toujours.

En t'écoutant, Matthieu, je comprends que sagesse et liberté avancent main dans la main. Et si le premier pas consistait à repérer tranquillement le mode pilotage automatique qui nécrose notre quotidien, pour redécouvrir un rapport lucide, joyeux à soi et au monde, cesser d'être une marionnette, arrêter de confier aux circonstances, au premier venu la télécommande qui régit notre état d'esprit ? Le défi de la vie spirituelle réside donc dans une audace : oser paisiblement slalomer, bâtir une liberté à l'écart de la tyrannie d'un « je » capricieux et de la dictature du « on » qui nous contraint bien souvent à nous plier à la norme, à d'écrasants standards. Spinoza, Nietzsche, Freud et bien d'autres nous prodiguent un tonique enseignement : la liberté ne saurait être donnée. Elle se construit, se découvre au milieu des aliénations et des illusions qui nous enferment dans *notre* monde, loin du réel. Pour en jouir, nous sommes conviés à nous inscrire dans un processus de « libération », à nous mettre en route, à dire adieu aux préjugés, à quitter les projections, la foule d'attentes qui nous tiennent à la gorge. Hâtons-nous d'imiter Épictète. Lorsqu'on lui demandait qui il était, le sage répondait, non sans espièglerie : « Un esclave en voie de libération. » Entreprise cruciale ! Il ne s'agit rien de moins que de progresser vers la joie et la paix avec les forces du jour, en plein chaos. Les philosophes antiques se percevaient comme des *progredientes*, des « progressants » pour qui se départir des passions tristes, quitter les préjugés, embrasser une vie plus grande, demeurait essentiel. Sans plus tarder, imitons-le !

Érasme dit que on ne naît pas homme, on le devient. Et si c'était vrai de la liberté ? Grâce à une ascèse, à la solidarité et à un sacré coup de bol, nous pouvons rompre les liens, larguer les amarres, prendre le large. Avouons-le d'emblée, sur ce terrain, certains doivent plus ramer que d'autres. S'il existe heureusement une égalité de droits, une dignité inaliénable de chaque être humain, dans les faits, force est de constater que nous ne démarrons pas avec les mêmes chances. Certains traînent assurément plus de boulets. D'où tant d'injustices et le scandale de la misère, de la souffrance qui doivent sonner comme un urgent appel à s'engager pour les autres.

C'est avec nos traumatismes, nos blessures, nos dysfonctionnements internes, nos lacunes et nos carences, mais aussi avec une foule de ressources insoupçonnées que nous sommes invités à inaugurer une liberté. Le joueur d'échecs sait composer avec les contraintes. S'il ne peut déplacer à sa guise les pièces, se pliant aux règles, excellant dans son art, il peut construire pas à pas une victoire. De même, épreuves, échecs, fragilités ne sont peut-être pas ultimement des freins à notre progrès, ils forment le terrain, le socle d'où peut jaillir une existence sans psychodrames, sans les entraves du mental. Pour démarrer cet immense chantier, faisons le point : à qui, à quoi avons-nous confié la télécommande de notre existence ? À la colère, aux ressentiments, à la peur, à la jalousie ? À la meilleure part de nous ? Qu'est-ce qui occupe le centre de notre quotidien ? À quoi sommes-nous attachés par l'amour, pour le dire dans les mots de Spinoza ? Quels sont les grands désirs, les profondes aspirations qui charpentent notre intériorité ?

CHRISTOPHE : « La liberté, c'est le droit de faire ce que les lois permettent », disait Montesquieu. Voilà pour la liberté extérieure, celle des corps. La liberté intérieure, celle de nos esprits, procède d'autres lois, les lois de notre cerveau en particulier. L'air de rien, c'est lui qui risque de nous enfermer dans nos habitudes et nos automatismes, nos négligences, nos peurs, nos émotions… D'où la nécessité, pour notre liberté intérieure, de connaître autant que possible le fonctionnement de notre esprit.

En vous écoutant, les amis, je me disais que pour nous, les soignants, la question de la liberté de nos patients est en filigrane de nos efforts, même si notre mission apparente est plutôt de restaurer la santé. La santé est un grand facilitateur de liberté : quand nous sommes malades, qu'il s'agisse d'une grippe, d'une migraine, et plus encore de maladies sévères, douloureuses ou invalidantes, notre liberté de mouvement se restreint, bien sûr. Mais la liberté intérieure, qui pourrait nous sauver, est, elle aussi, menacée. D'abord par la souffrance, qui nous replie sur nous et nous ferme au monde, ensuite par la peur (de ne pas guérir, de mourir) qui absorbe les énergies dont nous aurions besoin pour tout le reste de notre vie. Notre quête ne doit donc pas seulement porter sur le rétablissement de notre santé, mais aussi sur celui de notre liberté, extérieure ou intérieure, menacée par la maladie. Comment rester libres d'agir, d'espérer, de nous réjouir ? Sans doute devrions-nous être, nous, les soignants, plus attentifs à parler avec nos patients de la manière dont ils peuvent préserver en eux ces espaces de liberté.

En tant que psychiatre et psychothérapeute, j'ai bien souvent perçu certaines pathologies comme des pertes évidentes de liberté : les phobies restreignent notre liberté de mouvement, les dépressions étouffent notre liberté de décision et d'action, les addictions nous asservissent… Mais bien sûr, toutes ces pertes de liberté extérieures prennent leur source dans une perte de liberté intérieure : nos souffrances et nos peurs sont les prisons invisibles dont nous avons le plus grand mal à sortir.

Pourtant, la maladie n'est pas la seule cause de restriction de notre liberté, la vie quotidienne nous tend elle aussi de nombreux pièges : le piège des habitudes et des rituels (nous pensons, agissons et vivons toujours de la même manière), le piège des préoccupations et des occupations quotidiennes (nous consacrons l'essentiel de notre énergie mentale et physique à des tâches nécessaires, mais triviales, en négligeant ce qui donne du sens à notre vie). Cette dernière perte de liberté est très importante à mes yeux : les travaux sur les contenus de pensée montrent que l'essentiel de notre vie intérieure est constitué de pensées « triviales » sur nos activités personnelles – payer le loyer, sortir la poubelle – et professionnelles – répondre à ses mails, préparer une réunion. Dégager du temps pour tourner notre vie intérieure vers autre chose – contempler la nature, réfléchir à nos idéaux, méditer sur la gratitude ou la compassion, se réjouir d'être en vie… – relève d'une décision personnelle, pas si compliquée en apparence, mais que nous mettons trop rarement en œuvre dans les faits. Cette liberté-là, de choisir de rester un être humain, et non de me transformer en travailleur-consommateur, c'est une liberté intérieure que je dois faire vivre en moi.

En travaillant sur cette question de la vie intérieure, j'ai découvert à quel point nos modes de vie contemporains nous

« externalisaient », nous exilaient de nous-mêmes, et restreignaient notre liberté.

Ce besoin est universel. Ce serait une erreur de croire que notre discours ne concerne que les nantis, ceux qui jouissent du plus grand confort matériel et politique, et qui veulent soigner leur petite liberté intérieure comme un cocon douillet, alors que ceux qui, extérieurement, sont asservis pour des raisons économiques ou physiques ne pourraient pas en tirer profit. Il me semble que c'est un biais de raisonnement qui appauvrit la réalité et que la liberté intérieure concerne tout le monde.

Ne pas couper l'homme en deux

MATTHIEU : Encore une fois, en aucun cas et d'aucune façon, nos réflexions sur la liberté intérieure ne minimisent l'importance de la liberté extérieure. Tant d'êtres humains sont encore prisonniers d'un régime totalitaire ou, pour toute autre raison, ne sont pas libres de leurs mouvements, de leurs paroles ou de leurs actes. D'autres, bien trop nombreux, sont prisonniers de la pauvreté et d'un accès limité à la santé et à l'éducation. Nous devons tout mettre en œuvre pour leur venir en aide. Mais il ne faut pas pour autant négliger la quête de la liberté intérieure qui est l'objet de nos entretiens. Il ne s'agit pas de dire au galérien : « Continue à ramer en cultivant ta liberté intérieure et tout ira bien ! » Opposer liberté extérieure et liberté intérieure n'a pas plus de sens que d'opposer la santé physique et la santé mentale qui se complètent et s'influencent mutuellement. Il est donc tout à fait possible de faire des efforts pour les conduire toutes deux à leur point optimal. D'ailleurs, nombre d'entre nous unissent une démarche de libération intérieure à un engagement pour la liberté d'autrui, notamment au sein d'associations humanitaires.

Il y a des individus qui jouissent de conditions extérieures favorables et qui, à l'intérieur, se sentent prisonniers de leur mental.

À l'inverse, j'ai vu nombre d'ermites qui rayonnaient d'une grande liberté intérieure et qui, ici, seraient considérés comme des SDF… J'ai également rencontré des Tibétains qui avaient subi des années de détention dans des camps de travaux forcés ou dans des prisons chinoises, et qui disaient avoir survécu grâce à la liberté intérieure qu'ils avaient cultivée. Ani Palchèn, une princesse tibétaine devenue nonne, et grande résistante, est restée emprisonnée par l'armée chinoise pendant six mois dans l'obscurité : elle se fiait au chant des oiseaux pour distinguer le jour de la nuit ! Même chose avec le médecin du Dalaï-lama, Tenzin Choedrak, qui a trouvé dans une forme de liberté intérieure la force de supporter l'enfermement et la torture. Tous deux assurent que c'est le fait de ne pas avoir sombré dans la haine à l'égard de leurs geôliers qui leur a sauvé la vie. Il ne s'agit pas de prôner la résignation ou le sacrifice, mais de souligner l'importance et la nécessité du chemin intérieur. La liberté intérieure n'est donc pas l'apanage des nantis et le privilège de ceux qui vont bien et à qui tout sourit, elle concerne chaque être humain dans la joie comme dans la peine.

CHRISTOPHE: C'est tellement incroyable ce que font ces personnes ! Quand je t'écoute, Matthieu, je me dis que je ne leur arrive pas à la cheville ! Et je me demande comment faire pour que de tels exemples soient motivants plutôt que démoralisants ! Je crois que ce qui peut nous aider, c'est de toujours cultiver en nous les capacités d'admiration pour autrui : toujours voir ce que les autres, ordinaires ou exceptionnels, peuvent nous apprendre, et se dire que même si nous n'arrivons à accomplir qu'un petit bout de leur chemin, ce sera déjà passionnant et libérateur !

Pour ma part, ce que m'apprennent les récits de ces humains hors du commun, c'est que préserver une petite part de liberté intérieure («ne laisse pas le désespoir, la haine, la peur prendre les commandes de ton esprit : tu basculerais alors sous leur dictature») peut nous permettre de résister aux vagues de détresse liées à l'impuissance et à la perte de liberté extérieure. Cela peut paraître dérisoire de chercher quelle part de territoire intérieur peut être un îlot de résistance, mais c'est vital. Et en tout cas, c'est ce que racontent absolument tous les survivants de ces grandes adversités. Nous avons à entendre la leçon et à commencer l'entraînement aujourd'hui, tout de suite! Quelles sont les petites misères qui m'affligent en ce moment? Une maladie, un conflit avec des proches, des soucis d'argent? Alors, me demander quel espace de liberté je fais l'effort de cultiver en moi malgré cela: quelle place je réserve pour le bonheur malgré tout (j'ai ces soucis, mais je suis en vie), pour l'espérance malgré tout (une solution viendra forcément, de moi ou d'autour de moi)? Soyons assez sages pour commencer ce travail intérieur sans attendre que la vie nous emprisonne dans une grave épreuve...

ALEXANDRE: Hâtons-nous de tordre le cou à la caricature du sage qui regarde de loin se déchaîner les passions humaines. Il n'y a pas d'un côté notre liberté intérieure et de l'autre, l'injustice, les inégalités, l'océan de souffrances. Tout est lié, interdépendant. Tous, nous devons retrousser nos manches, y aller franco. Êtres sociaux jusqu'au bout des ongles, nous vivons en communauté, construisant notre bonheur les uns avec les autres.

L'affranchissement de chacun, voilà notre grande affaire! En 1789, la *Déclaration des droits de l'homme et du citoyen* stipulait que la liberté consistait à pouvoir faire tout ce qui ne nuit pas à autrui. Hélas, combien de femmes et d'hommes, aujourd'hui mis sur la touche, sombrent dans une précarité aliénante sans pouvoir espérer jouir du droit à une existence paisible, au minimum vital? Partout, ils ne trouvent qu'obstacles, stigmatisations, portes fermées...

Deviser sur la liberté intérieure, évoquer le travail de soi, ne doit pas nous détourner d'un sain engagement pour un monde plus juste, plus équitable, plus généreux, comme tu l'as souligné

Matthieu. Au contraire, la déprise de soi, un joyeux détachement induit une liberté qui se déploie dans le lien, le don.

Désencombrés du fatras passionnel, nous pouvons œuvrer pour que chacun jouisse d'une égalité des chances, d'une liberté politique et sociale, des ressources nécessaires pour entamer notamment un travail de soi. Certes, ultimement chaque homme, chaque femme peut atteindre à la paix intérieure. Mais, honnêtement, s'il doit galérer jour et nuit, se farcir une maladie grave sans aucun soutien, c'est plus compliqué…

Dans le *Traité des passions*, Descartes définit la générosité comme la conscience d'être libre jointe au désir d'en bien user. Bien user de la liberté, c'est s'affranchir de tout ce qui plombe, ôter nos chaînes, tendre la main, épauler, se vivre tous comme des coéquipiers. Alors, fonçons ! Sur ce chemin, Aristote nous rendrait-il vigilants ? « Celui qui a lancé une pierre ne peut plus la reprendre ; et cependant, il dépendait de lui de la lancer ou de la laisser tomber, car le mouvement initial était en lui. Il en est de même pour l'homme injuste et le débauché qui pouvaient, au début, éviter de devenir tels : aussi le sont-ils volontairement ; mais une fois qu'ils le sont devenus, ils ne peuvent plus ne pas l'être. » Pour initier une ascèse, commençons par détecter les étincelles, les signes avant-coureurs qui annoncent la colère, les émotions qui nous aliènent. Imaginons un homme comme Gulliver ligoté sur le sol. S'il s'agite en tous sens, il s'épuise et n'a aucune chance de s'en tirer. Son unique espoir : repérer, un à un, les fils à la patte pour les trancher.

Le sentiment de liberté

CHRISTOPHE : Il y a aussi la dimension subjective de la liberté ! Parfois, en regardant ma vie, j'ai des petites montées d'inquiétude : je me crois libre, je me sens libre, mais le suis-je vraiment ? Ne suis-je pas comme la vache dans le pré, le coq dans le poulailler ? Et là, les réflexions des philosophes sur le libre arbitre me rassurent, par leur sèche lucidité. « Les hommes se trompent en ce qu'ils se croient libres », dit Spinoza. De fait, il ne faut surtout pas que notre illusion de liberté – car cette dernière est foncièrement incomplète et fragile – nous dissuade de travailler inlassablement sur nous. Notre ami commun André Comte-Sponville dit volontiers : « On ne naît pas libre, on le devient, et ce n'est jamais fini ! » Nous sommes en permanence en chantier, amenés à travailler sur la préservation ou la restauration de nos libertés, qu'elles soient intérieures (s'affranchir de nos peurs et de nos habitudes) ou extérieures (nous libérer de nos attachements excessifs et de nos dépendances).

La question de savoir si je suis totalement libre ne m'intéresse finalement pas tant que ça : je sais bien que je ne serai jamais totalement libre (en ce qui me concerne en tout cas). Mais ce qui me réjouit, ce sont toutes les fois où je perçois que je me suis libéré d'une inquiétude, d'une dépendance, d'une habitude ! Je peux alors regarder les contraintes et les chaînes qui persistent, me dire que, pour certaines, je les ai librement choisies, et que je les assume, comme certains engagements familiaux ou professionnels ; et pour d'autres asservissements, le travail est encore devant moi ! Mais au moins, je suis au courant et je ne m'en tourmente pas trop. Travailler à ses libertés, garder sa lucidité sur ses zones de non-liberté (servitudes et habitudes) et ne pas oublier de nous réjouir d'être en vie !

ALEXANDRE : Le génialissime Chögyam Trungpa est formel : l'itinéraire spirituel ne saurait tenir d'un voyage organisé. Nous pouvons oublier les feuilles de route, les guides, tout mode d'emploi… Le quotidien nous invite à improviser, à inaugurer, à tenter des voies inédites, à avancer avec les moyens du bord. Mille fois par jour, le progressant se casse la figure, emprunte des chemins de traverse, trébuche, se décourage… Le défi ? L'essentiel ? Maintenir le cap, oser une attitude un brin contemplative pour observer sans se laisser démonter les champs de bataille intérieurs, repérer les forces qui nous tiennent à la gorge, le chaos qui nous traverse, en faire une sorte de terrain de jeu, une école de vie. Pourquoi fatalement associer la libération à une corvée, un sacrifice quand il s'agit de s'amuser, de trouver sa joie tout au long de la route ?

MATTHIEU : Le Dalaï-lama disait que nombre d'entre nous se croient libres alors qu'ils ressemblent à des vis qui tournent dans leur trou sans jamais en sortir. Il faisait allusion à l'illusion de liberté que nous entretenons lorsque nous poursuivons notre train-train quotidien sans chercher à nous affranchir de nos conditionnements ni essayer de nous libérer des causes de nos souffrances, à l'état plus ou moins larvaire dans notre esprit. Nous ne pouvons être libres que si nous nous sommes dégagés des brumes de la confusion mentale et de l'ignorance qui travestissent la réalité.

CHRISTOPHE : Ce qu'il y a de compliqué avec la liberté, c'est qu'il s'agit d'un concept dont la traduction dans notre quotidien n'est pas si évidente. Bien sûr, il y a le *sentiment* de liberté qui nous habite parfois – nous avons l'impression joyeuse qu'aucune contrainte, aucune chaîne ne pèse sur notre vie – ou qui nous manque, à d'autres moments, quand nous prenons conscience de tous nos devoirs et servitudes : travailler pour gagner notre vie, nous occuper des personnes fragiles autour de nous, réparer et entretenir notre cadre de vie… Mais, même dans ces moments-là, nous pouvons toujours nous rappeler qu'il est possible d'habiter ces contraintes différemment.

Par exemple, lorsque je rentre de l'hôpital après une journée de travail fatigante auprès des patients et de leurs souffrances, si ma femme me dit que telle personne m'a téléphoné, qu'elle n'est pas en forme et que ce serait bien que je la rappelle, mon premier mouvement est de soupirer, de penser que cela me pèse. Je ne me sens pas du tout libre de faire ce que je veux : « Non seulement j'étais prisonnier de mon métier toute la journée, et me voilà maintenant prisonnier de mes proches. Marre de faire de la psychiatrie jour et nuit… » Pourtant, je tente de percevoir l'absurde de cette situation et de me dire qu'il ne faut pas doubler mon manque de liberté extérieure par un manque de liberté intérieure. Non que je doive me sentir «obligé», mais choisir de m'engager vraiment dans des actes, même si je ne les ai pas choisis, parce qu'ils ont du sens.

Alors, je m'efforce de m'engager dans un deuxième mouvement qui consiste à me dire: «Rappelle-toi que cette personne a besoin de toi, c'est important pour elle.» Et dans un troisième temps, je me murmure: «Rappelle-la, joyeusement.» Je m'évertue à réinjecter de la liberté et de la joie face à une situation dans laquelle je n'ai pas librement choisi de m'engager (les soirs d'hôpital, je préfère largement être tranquille chez moi, sans que personne ne me demande rien). Avant de passer ce coup de téléphone, je me dis: «Même si cette conversation ne dure que dix minutes, sois vraiment présent, et fais-le à fond.»

C'est la même chose lors des séances de dédicaces avec mes lecteurs: chaque rencontre dure en moyenne une à deux minutes, mais j'y suis totalement présent. J'écoute de toutes mes forces chacun et j'essaie de rentrer dans ce que me dit la personne en face de moi pour lui donner des conseils ou des paroles d'encouragement: elle s'est déplacée pour me voir, elle me fait confiance; je lui dois respect, écoute et affection. Après deux heures, je suis épuisé, et c'est pour cela je ne fais jamais de dédicaces avant mes conférences. Je suis certes «prisonnier» des dédicaces (même pas le temps d'aller aux toilettes tant la file des lecteurs est longue), mais j'ai librement choisi de m'engager là-dedans, et ce choix est libérateur. Si je le faisais en soupirant, je serais doublement prisonnier, et doublement malheureux !

Tout cela pour dire que je me sens libre d'accepter certaines servitudes, pourvu qu'elles soient transitoires, et encore mieux si elles servent autrui à moins souffrir ou à aller mieux.

ALEXANDRE: L'ascèse, les exercices spirituels se conjuguent ici et maintenant. La liberté implique toute une série de mini-actes réitérés d'instant en instant. Il est facile de gloser sur la persévérance, l'effort, mais tenir, progresser, c'est une autre paire de manches. Pas à pas, la paix, l'acquiescement au réel gagnent du terrain. Doucement sommé par de généreux médecins, j'ai dû me mettre à la diète, haut lieu de l'acrasie, perpétuel déchirement entre la volonté et l'appel des boyaux… Pour me requinquer en cas de rechute, éviter les tentations, je suivais une devise : « Le match se joue au présent. »

CHRISTOPHE: Chez nos patients, la guérison s'accompagne du retour de nombreuses petites libertés, mais elles ne se présentent pas comme telles de manière évidente. Par exemple, chez les anxieux et les phobiques, c'est le retour de la spontanéité ; ils sont libérés, au moins en partie, de leur tendance à toujours tout anticiper et planifier pour éviter les dangers. Chez les dépressifs, c'est le retour de la légèreté : prendre une décision ne nécessite plus des efforts épuisants, mais se met en place facilement.

MATTHIEU: Pour résumer : tout en nous efforçant de conquérir notre liberté extérieure et de contribuer à celle d'autrui, nous ne devons en aucun cas négliger de progresser vers la liberté intérieure, celle qui nous permettra d'aborder sereinement les hauts et les bas de l'existence et, au bout du chemin spirituel, de nous affranchir de l'ignorance et des causes de la souffrance. Nous souhaitons donc maintenant nous interroger sur les obstacles qui se dressent sur le chemin de cette liberté intérieure, sur les moyens de la cultiver, de l'amplifier et de l'approfondir, afin qu'elle devienne une véritable manière d'être.

LES OBSTACLES À LA LIBERTÉ INTÉRIEURE

« *Récemment, j'ai dû me résoudre à me mettre à la diète. Ventre à terre, j'ai foncé dans une librairie avec le furieux espoir de dénicher un livre qui aurait réponse à tout. De retour chez moi avec une montagne de bouquins, je me suis vautré devant la télévision en dévorant un immense paquet de chips. Déléguant aux auteurs du guide le soin de me faire maigrir, je pouvais y aller carrément, me sentant libéré, pris en charge. J'avais fait ma part du boulot. À eux de jouer désormais !*

Consternant divorce entre mon désir le plus profond et ces tiraillements qui me pourrissent la vie. Gouffre abyssal qui semble séparer irrémédiablement intentions et actes. Où trouver la force de résister aux sirènes qui essaient de nous éloigner des chemins du bon sens, de la raison, de la sagesse ? Oui, m'attaquer aux chips, c'était me tirer une balle dans le pied, je le savais pertinemment et pourtant je m'y suis précipité. Comment tordre le cou aux forces d'inertie, aux habitudes, aux conditionnements ?

Dans un hôpital, un homme me délivre une tonique leçon. Atteint d'un cancer, il se trimballe un goutte-à-goutte. En tirant sur sa cigarette, il me lance : "Foutu pour foutu, vous comprenez…" Comment désobéir à ce pessimisme foncier, à ce fatalisme qui déclare forfait, et introduire un brin de liberté au sein même des désirs, des appétits qui nous gouvernent ? Joyeux et magnifique défi ! »

Alexandre

1

L'ACRASIE, FAIBLESSE DE LA VOLONTÉ

ALEXANDRE : Placer sa vie sous le signe de la liberté, c'est avant tout progresser, inscrire le quotidien au cœur d'une dynamique. Cet élan vers la paix, la joie, l'amour que ralentissent égarements, illusions, découragements, voilà notre véritable périple ! Mais que de vents contraires ! Tout semble se liguer pour faire chavirer cette chétive embarcation : passions tristes, angoisses, maladies, handicaps… Et tous ces conflits intérieurs, cette volonté qui chancelle… Y aurait-il plusieurs pilotes qui se disputent la barre ? Ne se mettront-ils jamais d'accord pour maintenir un cap et nous conduire à bon port ?

Qu'est-ce que l'acrasie ?

Les Grecs ont forgé un concept fort éclairant pour décrire les champs de bataille, les conflits intérieurs qui se déchaînent au fond d'un cœur : *acrasie*. Étymologiquement *acratos* signifie «non-pouvoir». Nous pourrions aussi traduire ce terme par «faiblesse de la volonté». Saint Paul résume à merveille les déchirements, la pagaille, les luttes qui peuvent se déchaîner au fond de soi : «Car je ne fais pas le bien que je veux, et je fais le mal que je ne veux pas.» D'où un sentiment de guerre civile, un émiettement façon puzzle et d'interminables tiraillements. Impuissante, la volonté indique une direction mais pulsions, émotions, peurs, colères n'en font qu'à leur tête. Qui n'a jamais éprouvé cette aliénation qui nous laisse sans ressource ? C'est plus fort que nous...

L'acrasie peut gangrener bien des régions de l'existence. L'alcoolisme, l'addiction, la toxicomanie, bref, tous les lieux de déchirements intérieurs viennent révéler la difficulté à suivre le meilleur de nous-mêmes. Notre impuissance à changer envahit bien des domaines. Je sais pertinemment qu'une relation est nocive, et pourtant je m'y engouffre jusqu'au cou. Comment sortir de l'engrenage, ne plus entretenir la funeste mécanique qui nous aliène et réduit à néant tous nos efforts ?

Sans parler de la culpabilité qui ronge celui qui, désemparé, voit s'ouvrir le gouffre qui sépare un idéal de vie, des convictions, de hautes aspirations, et les comportements, les actes. D'où la nécessité d'une ascèse, d'une pacification interne pour oser la grande santé et tordre le cou aux tyrans pulsionnels. Souvent, Matthieu, tu soulignes la cohérence, l'accord parfait qui règne chez le sage. L'intention et l'acte coulent de source. Aucun mensonge, nulle illusion ne subsiste. Pour le progressant, celui qui marche vers la liberté et se coltine une foule de tiraillements, il est un obstacle redoutable : le découragement, le sentiment de l'impuissance totale, de l'imposture peut-être. Comment ne pas abdiquer quand, frêle pantin de désirs qui nous dépassent, et de loin, du matin au soir, on est entraîné dans une gigantesque essoreuse, complètement lessivé ?

Suivre Chögyam Trungpa dans ce chaos, c'est déjà tenter l'approche du garagiste et renoncer à nous accuser, à nous blâmer pour réparer les vivants. Oui, même l'intention altruiste la plus sincère peut plier devant la peur, les fantasmes, le manque. Et la meilleure volonté du monde ne suffit peut-être pas à dissoudre l'égocentrisme, à dézinguer le narcissisme. Se lancer dans une ascèse joyeuse, c'est déjà, sans broncher, repérer les dégâts, contempler sans crainte comme un bon carrossier les tôles froissées, les bobos de l'âme et du cœur.

CHRISTOPHE : D'un point de vue pratique, l'acrasie désigne l'incapacité à tenir ses engagements et ses résolutions. Par exemple, je souhaite me montrer plus souvent bienveillant, manger moins de desserts, faire plus de sport ; mais je n'y arrive pas. Pour démêler ce qui relève ou non de l'acrasie, je dirais qu'elle concerne ce qu'on *pourrait* faire (si c'est au-dessus de nos forces, on passe dans une autre dimension, qu'on abordera plus tard dans l'addiction), mais qu'on ne fait pas, tout en jugeant qu'il serait souhaitable de le faire. Ces trois dimensions entrent en jeu : je veux, je peux, mais je ne le fais pas.

Parler d'acrasie, en langage philosophique, ou de procrastination, en langage psychologique (remettre sans cesse à plus tard le début de ses résolutions) a déjà un grand avantage : on évite de porter un jugement moral sur une difficulté personnelle ! Sinon, on va être étiqueté (ou s'étiqueter soi-même) velléitaire, indécis, irrésolu, paresseux, négligent…

Il m'arrive parfois d'être pris dans ce genre de piège : je suis devant mon ordinateur, je n'arrive pas à rédiger un article, et je me laisse aller à regarder mes mails ou à chercher vaguement quelque chose sur Internet ; je me détourne de mon boulot, je me laisse du coup happer par des leurres, tout en culpabilisant, en me disant que je perds mon temps. Mais une grande partie de moi, la partie acrasique, n'a pas envie de retourner vers la difficulté !

Bien évidemment, on est rarement acrasique par plaisir, mais souvent par incapacité à affronter une difficulté, ou aussi par habitude : si on lui laisse trop de place, elle prend vite ses aises en nous.

MATTHIEU : Dans le bouddhisme, l'acrasie, cette funeste contradiction entre ce qu'il serait bon de faire et ce que l'on fait, correspond à l'un trois aspects de la paresse. Le premier consiste à en faire le moins possible et à se la couler douce. Le deuxième est de renoncer à la tâche avant même d'avoir commencé en déclarant : « Oh là là ! ça, ce n'est pas pour moi. Je n'y arriverai jamais », non pas parce qu'on en est vraiment incapable, mais parce qu'on n'a pas envie de faire des efforts. Or, stagner dans le *statu quo* de nos tendances habituelles relève d'une inertie qui nous contraint à répéter les mêmes comportements. La troisième forme de paresse consiste à savoir ce qui est vraiment important, et pourtant, à faire une centaine de choses plus futiles au lieu de s'atteler à *la* tâche essentielle. Tout cela en ayant constamment une petite voix qui chuchote : « Attention, ce n'est pas très malin. Tu ne fais qu'enfoncer le clou, t'enferrer dans la souffrance, perpétuer des tourments et des dépendances dont tu voudrais bien te débarrasser. » Céder aux tendances est facile. S'en dégager demande des efforts soutenus. De plus, l'aspect attrayant, séduisant, sous lequel se présentent parfois ces tendances a vite fait de nous leurrer, comme dans le cas des paradis artificiels. « Je peux résister à tout, sauf à la tentation », disait Oscar Wilde.

Pourquoi l'acrasie est un piège

CHRISTOPHE : Ces « paradis artificiels et éphémères » dont tu parles sont fréquents dans nos environnements matérialistes. Nous vivons dans un monde de tentations, de superficialités, de déstabilisations. Nous devons y naviguer de notre mieux, oscillant entre nécessaire méfiance et indispensable insouciance.

Parfois, j'ai l'impression que nos sociétés pourraient être qualifiées d'« acrasiogènes » par leurs contradictions : tout en nous délivrant beaucoup d'informations sur ce qu'il faudrait faire pour aller bien, elles laissent les firmes et entreprises nous submerger de tentations (consommer de la mauvaise nourriture, du sexe, du tabac, de l'alcool, etc.). Je n'ai jamais compris par exemple comment l'État français pouvait laisser les stations-service vendre de l'alcool : quand on va régler son plein d'essence, on tombe sur des murs entiers d'alcools forts ! Plutôt violent et incohérent pour les conducteurs alcooliques, ex-alcooliques, ou pour les buveurs excessifs qui essaient de lutter et de se modérer !

Et puis il y a aussi une manière de penser notre psychologie qui est encore trop répandue et s'avère très décourageante et démotivante : nous serions manipulés par un inconscient animé de désirs insatiables, il serait impossible de chasser le naturel sans qu'il revienne au galop, etc.

Souvent aussi, nous sommes seuls face à la tentation. Il me semble qu'autrefois il y avait plus de liens sociaux et de « surveillance » de la part de nos proches : non seulement on était moins exposé à certaines tentations (pas de pubs, pas d'écrans), mais on était presque toujours entouré, au sein d'un groupe, et non solitaire et abandonné à soi, tel un enfant face au pot de confiture… Comme un vampire, l'acrasie se nourrit de nos détresses et de nos solitudes.

Enfin, tenir des résolutions, c'est tout simplement difficile ! Et faire face à l'acrasie consiste bien souvent à *stopper* à la fois des comportements (moins manger, moins fumer), des émotions (moins de colère, moins de stress), des pensées (moins de pensées négatives ou pessimistes) et dans le même temps à *développer* d'autres comportements (manger plus de légumes, ranger davantage), des émotions (se montrer plus bienveillant) ou des pensées (cultiver les pensées optimistes). Il y a donc à la fois du « moins » et du « plus », ce qui explique peut-être nos difficultés à y faire face, car il s'agit de circuits cérébraux différents.

Les travaux d'Olivier Houdé, professeur de psychologie à la Sorbonne, sur les apprentissages, et sur ce qu'il appelle la « pensée libre », sont très intéressants. Ils montrent que pour faire évoluer nos jugements et nos comportements, nous devons à la fois activer certaines capacités psychologiques (de flexibilité, de logique, de recul), mais aussi en inhiber d'autres (raisonnements pré-logiques, automatismes, habitudes et préjugés). Ces capacités inhibitrices se situent dans le cortex préfrontal inférieur. Cette fonction de « résistance » psychologique est fondamentale pour tout apprentissage (chez les enfants) et toute évolution psychologique (changer d'avis ou de comportement chez les adultes).

ALEXANDRE : La tradition philosophique nomme « tempérance » *sôphrosunê*, la modération dans les désirs. Mais comment progresser sur ce terrain-là ? Où s'apprend le juste équilibre ? Comment pacifier l'affectivité, la sexualité, le cœur ? Un immense gouffre sépare la théorie de la pratique. Sauf à tomber dans l'esclavage et s'aliéner carrément, une ascèse, un art de vivre seraient les bienvenus en la matière. Quand tu évoques l'autocontrôle, Christophe, tu soulignes la puissance du sage, son autodétermination, sa maîtrise. Pour le progressant, c'est une autre paire de manches ! Le défi ? S'extraire de la cupidité, ne plus se perdre dans les émotions, accueillir la sensualité pour en faire un haut lieu de liberté, de générosité, de don de soi. Pour barrer la route au découragement, notons que l'acrasie est plus ou moins régionale. Elle envahit certains pans de notre existence pour en laisser d'autres indemnes. À certains moments, elle vient gangrener le quotidien sans aliéner l'intégralité de notre être. Comme dit Nietzsche, nous demeurons bien portants dans notre totalité. Et si nous repérions nos vulnérabilités pour y voir des points de vigilance ?

La pente addictive est bien savonneuse. Il n'est qu'à penser au bête exemple des cacahuètes. Difficile de s'arrêter une fois mis le doigt dans l'engrenage. Dans le quotidien, il est mille et une situations cacahuètes : films, téléphones portables, réseaux sociaux, soif de sensations, dépendance affective… Se lancer sur les chemins de la liberté, n'est-ce pas déjà repérer les régions acrasiques de notre être, ces comportements, ces tendances plus fortes que nous : de la razzia en librairie aux actes de violence, de l'abus d'alcool aux besoins d'affection ? Il est mille occasions où la volonté déclare forfait. Sans nécessairement blâmer ni condamner, pourquoi ne pas s'avancer dans l'humilité la plus complète en ouvrant les yeux sur la faiblesse, les manques, les blessures… Le volontarisme qui croit que tout est en notre pouvoir et qu'il suffit de claquer des doigts pour opérer un changement à 180 degrés est une illusion qui n'a jamais libéré personne. Non, l'intempérant n'a pas besoin de coups de pied au derrière ni de reproches. Toujours, il s'agit pour se libérer de comprendre, de décortiquer les mécanismes et de poser des actes pour s'extraire de prisons en contractant de saines habitudes qui ouvrent à une nouvelle vie.

MATTHIEU: Effectivement, donner des coups de pied à un enchaîné en le sommant de se remuer n'est pas la meilleure manière de procéder ! Il vaut mieux lui montrer comment se libérer de ses chaînes. Il ne sert à rien non plus de donner des leçons aux autres si l'on n'a pas soi-même actualisé la liberté que l'on prône. Une mère, accompagnée de son gamin, vint un jour rencontrer Mulla Nasrudin, un sage espiègle dont les exploits sont racontés depuis des siècles de l'Inde au Proche-Orient. La mère demanda à Nasrudin de sommer son enfant d'arrêter de manger des friandises, espérant que l'autorité du sage aurait plus d'effet que la sienne. Nasrudin regarda l'enfant, puis dit à la mère : « Revenez dans quinze jours. » Quinze jours tard, la mère ramena son fils en présence de Nasrudin qui regarda l'enfant droit dans les yeux et déclara d'une voix de stentor : « Arrête de manger des bonbons ! » L'enfant, impressionné, acquiesça timidement de la tête. La mère ne put s'empêcher de demander à Mulla pourquoi il ne lui avait pas dit cela quinze jours plus tôt. « Parce que je voulais vérifier moi-même s'il était possible d'arrêter d'en manger. »

Qui plus est, ne pas pouvoir est différent de ne pas vouloir. Si une tâche dépasse nos capacités de prime abord, il faut progresser pas à pas. Le fait que le voyage puisse être long ne doit pas nous décourager. L'important est de savoir que nous sommes dans la bonne direction. Dans ce cas, chaque pas accompli a un sens et est gratifiant. Enfin, si cette tâche s'avère irréalisable, le reconnaître et se tourner vers autre chose ne relève ni de l'acrasie ni de la résignation, mais de la sagesse.

ALEXANDRE : Force d'inertie, conditionnements, habitudes… Dégageons-nous de ces prisons pour oser une vie nouvelle ! S'avancer vers la liberté procède du marathon plus que du sprint. Et la volonté, dans cette aventure, tient lieu de gouvernail plus que de moteur. Elle indique une direction, aide à maintenir le cap, à persévérer. Mais à trop vouloir ne fonctionner qu'à la volonté, nous finissons complètement lessivés, sur les jantes, exsangues.

CHRISTOPHE : Est-ce qu'on ne peut pas considérer aussi la volonté comme un carburant, dont le gouvernail serait représenté par nos valeurs, nos idéaux, nos objectifs ?

MATTHIEU : Sans carburant, on stagne. Mon oncle, le navigateur solitaire Jacques-Yves Le Toumelin, s'est trouvé encalminé dans le « Pot au noir », près des Galápagos, pendant trois semaines sans un souffle de vent. Son voilier n'avait pas de moteur. Dans une telle situation, tu peux tourner le gouvernail dans tous les sens, tu ne bougeras pas d'un centimètre. Personnellement, je dirais que notre motivation est la barre du bateau : en contrôlant le gouvernail, elle détermine la direction de notre traversée. La volonté est le vent qui gonfle les voiles et nous permet d'arriver à bon port.

ALEXANDRE : Les obstacles qui nous empêchent de traverser la vie, d'y aller franco, de flotter dans l'océan de l'existence, peuvent à la longue ratiboiser nos forces. C'est là que le sage, en bon docteur, accourt pour nous réanimer. Loin de toute condamnation,

« Notre motivation
est la barre du bateau :
elle détermine
la direction.
La volonté est le vent
qui gonfle les voiles
et nous permet
d'arriver à bon port. »

il atteste qu'un autre mode de vie est possible, que les tourments ne sont pas une fatalité. Léger, espiègle, il danse avec l'existence, à l'écart des psychodrames. Sans carburer à la seule volonté, il ne fait pas barrage à la vie, à la joie qui le traversent, il est.

MATTHIEU : Oui, à partir du moment où tu as érodé les tendances habituelles qui entretiennent tes souffrances, toutes les manifestations de tes pensées, en paroles et en actes, seront bénéfiques pour toi-même et pour les autres. Tu agiras avec aise, souplesse et liberté, sans devoir t'astreindre à de laborieux efforts. Tu te trouveras en parfaite cohérence avec tes valeurs profondes. Le sage est un enseignement à lui tout seul, de par ce qui transparaît de sa manière d'être. Le messager est lui-même devenu le message.

Notre mental est intolérant à la souffrance

CHRISTOPHE : Je crois qu'il y a encore une dimension à aborder : j'ai souvent le sentiment que ce qui nous conduit à l'erreur de l'acrasie, ce n'est pas seulement la faiblesse de la volonté, mais l'intolérance à l'incertitude, à l'inconfort et à la souffrance.

Prenons le cas de ce qu'on pourrait appeler une acrasie émotionnelle : si je viens d'apprendre que je suis atteint d'une maladie grave, je suis bien sûr secoué par cette mauvaise nouvelle. Je fais des efforts pour me dire : c'est le réel, accepte-le comme il est, ne te désespère pas, et surtout, pas la peine de ruminer ça, fais ce que tu as à faire et remets-toi vite dans la vie et dans la joie, c'est là que réside ton salut. Mais l'incertitude est tellement insupportable que je « préfère » ruminer des certitudes négatives, des scénarios pessimistes : « Je suis foutu, je ne m'en sortirai pas… » Et là, ce qui ressemble à un manque de volonté n'est en fait qu'un manque de capacité à résister à l'incertitude ou à la souffrance. On manque peut-être de volonté pour continuer d'appliquer des stratégies dont on sait qu'elles nous feraient du bien, mais c'est si difficile d'aller vers ce bien !

Et quand on a du mal à contrôler ses émotions, j'ai l'impression que ce n'est pas tant une faiblesse de la volonté qu'une incapacité transitoire. Je suis aspiré par mes émotions douloureuses et négatives, je contemple le champ de bataille, et je me dis : « OK, attends, reste calme, ne perds pas le nord, tout ça va se calmer, la situation va évoluer, fais juste de ton mieux pour garder le cap… »

ALEXANDRE : Tu fais bien, cher Christophe, de rappeler le caractère transitoire, éphémère des luttes, des champs de bataille. Ce qui plombe, me semble-t-il, c'est précisément d'oublier que tout passe, même les tuiles qui nous tombent dessus, les quintes passionnelles, les tourments de l'âme. C'est fou comme les scénarios catastrophe peuvent se déchaîner. Difficile, en plein tourment, de ne pas croire que l'émotion va nous dévorer tout cru. Sur le coup, la litanie du mental se met illico en branle : « Je suis foutu », « Ma vie est finie », « Je n'aurai pas la force », « C'est le combat de trop ». En pleine acrasie, se souvenir que tout est provisoire, impermanent, c'est se laisser flotter, accueillir la pagaille.

Une amie de Matthieu m'a beaucoup aidé sur ce chemin. À notre retour de Corée, en plein déménagement, alors que je me faisais trop de mouron, elle m'a lancé : « C'est le bordel mais il n'y a pas de problème ! » Depuis, je le tiens, mon mantra. Dès que je traverse une zone de turbulences, dans le chaos, je me dis que c'est effectivement le bordel mais que ce n'est pas forcément un drame. Le mental, cette gigantesque machine à se faire du mouron, est conditionné pour exagérer. Sans verser dans un optimisme béat, nous pouvons prendre conscience qu'il y a deux types de souffrance, deux couches, si j'ose dire : le tragique de l'existence, les maladies, les tremblements de terre, le handicap, la mort, une certaine solitude – et toute la cargaison de psychodrames fabriqués de toutes pièces par l'ego. Heureusement, nous pouvons dézinguer ces dragons intérieurs, les dissoudre progressivement et déjà commencer à ne plus nous laisser totalement berner par les Cassandre qui nous habitent.

Comment sortir de l'acrasie ?

CHRISTOPHE : Cette « imposture du mental » dont tu parles, Alexandre, prend parfois la forme d'une impuissance à s'empêcher de se faire du mal. Par exemple, si un patient a de l'eczéma, il a tendance à se gratter férocement, ce qui aggrave encore ses lésions dermatologiques et lui donne encore plus envie de se gratter. Cela peut dégénérer, provoquer des lésions dermatologiques d'excoriation, qui compliquent le tableau de départ. L'idéal serait de ne pas commencer à se gratter (tout comme psychologiquement, l'idéal est de ne pas commencer à ruminer, à ressasser). Mais c'est trop dur, et surtout, se gratter, se laisser aller, ça soulage pendant… quelques secondes ! On le sait, on sait que ça ne va pas durer, mais on se gratte quand même. On ferait mieux d'appliquer de la crème hydratante (pour ne pas se surdoser en corticoïdes cutanés), de caresser doucement les lésions. Mais que c'est difficile ! La question posée par l'acrasie est alors : comment ne pas se gratter et où trouver la force de ne pas se gratter ?

MATTHIEU : C'est un soulagement de se gratter, mais l'idéal, effectivement, c'est que la démangeaison cesse. D'où l'idée d'un antidote qui finit par dissoudre entièrement les tendances habituelles au lieu de ne pallier que les symptômes. L'acrasie est aussi liée, me semble-t-il, à un manque de cohérence et à diverses formes de dissonances cognitives entre nos idéaux, nos valeurs et nos comportements. On a vu des députés chargés de la lutte contre l'évasion fiscale mettre de l'argent en Suisse pour échapper aux impôts, ou des hommes politiques et des prédicateurs, aux

États-Unis, qui se targuaient d'être les champions de la protection et du respect des femmes et qui avaient eux-mêmes commis des violences sexuelles. Sur un registre plus tragique, on sait que de bons pères de famille se comportaient comme des bourreaux dans des camps de concentration.

Les tendances habituelles résultent de l'accumulation de pensées, d'émotions et de comportements. Si on suspend pendant des semaines un gros poids au milieu d'une longue planche en bois, au bout d'un certain temps, la planche restera courbée, même si l'on retire le poids. Il est impossible de la remettre à plat et si l'on force trop, elle casse. Il faut la retourner et accrocher un poids qui corrige la courbure, jour après jour, jusqu'à ce qu'elle reprenne et conserve sa forme initiale. Il faut donc faire preuve de persévérance pour éroder peu à peu nos habitudes. C'est là qu'interviennent la volonté et la persévérance. Le Bouddha l'a toujours dit : «Je vous ai montré le chemin, mais c'est à vous de le parcourir.» Le Bouddha ne peut pas faire le chemin à notre place et ne va pas nous amener à la libération de la souffrance et à l'Éveil comme on jetterait un caillou du rez-de-chaussée vers le toit. Il nous indique la voie, l'éclaire, et nous donne des conseils pour voyager sans encombre.

Le sage est donc une sorte de pôle magnétique pour la boussole de ceux qui l'approchent. En l'absence de pôle, notre boussole s'affole. Le voyageur qui n'a aucun point de repère se sent impuissant et perd courage. Mais, dès que le pôle apparaît, la boussole s'oriente vers le nord et l'égaré sait quelle direction prendre, ce qui donne un sens à chacun de ses pas.

La dissonance cognitive nous place en porte-à-faux avec nos valeurs, avec ce qu'on pense être juste, ce qui engendre inévitablement un sentiment de malaise. Il est donc souhaitable d'entreprendre une démarche pour être en adéquation avec soi-même. Cette progression exige des efforts, mais ceux-ci sont nourris par l'enthousiasme qui envisage les bienfaits qui se trouvent au bout du chemin. Sachant qu'il y a toujours une possibilité de changement, il faut mettre en œuvre les causes et les conditions susceptibles de faire évoluer la situation.

L'acrasie, c'est donc renoncer à l'idée de faire des efforts soutenus pour nous transformer. L'hésitation que nous ressentons face au changement tient aussi au fait que l'on n'est pas sûr que le résultat soit bénéfique. On se dit : « Bon, je préfère continuer à bricoler, parce que même si ma situation n'est pas idéale, ça pourrait être pire. Qui sait ce que le changement va apporter ? » Nombre de personnes exècrent l'idée d'un travail sur soi. Elles préfèrent improviser au jour le jour.

ALEXANDRE : Génial le coup de la planche tordue, édifiant ! S'il faut du temps pour s'emmurer dans les habitudes et contracter de *vilains* plis, remonter la pente ne se fait pas du jour au lendemain, d'où une infinie patience.

Spinoza nous rappelle que l'être humain n'est pas un empire dans un empire. Insérés dans la nature, pris dans des circonstances que nous n'avons pas forcément choisies, nous ne détenons assurément pas les pleins pouvoirs. Une première étape consiste à repérer les passions tristes, les forces qui nous déterminent, les réflexes, les conditionnements qui pèsent sur le cours de notre vie. Avec une infinie bienveillance, regardons donc les zones de notre vie où nous sommes fragiles pour nourrir une vigilante attention. La nourriture, l'alcool, la sensualité, le sexe, la soif de reconnaissance, où sommes-nous invités à œuvrer pour aller mieux, pour devenir plus libres, plus légers, moins épris de soi ?

Pour ne pas s'écrouler en route, nous devons repérer les ressources qui aident à foncer vers la paix, considérer comme un bon mécano ce qui se passe à l'intérieur de nous, rester très factuels sans convoquer l'armada des jugements culpabilisants. Qu'est-ce qui est en train de m'arriver ? Où sont les grands chantiers de mon existence ? Quelle est la consistance de la tempête qui surgit ici et maintenant ? Les traditions orientales nous conseillent d'adopter la position de témoin. *D'urgence*, il nous faut ralentir, nous donner du temps, regarder les champs de bataille sans vouloir intervenir à tout prix. C'est le bordel, mais il n'y a pas de problème ! C'est la pagaille, mais pourquoi abandonner la confiance, la foi ? La vie gagne du terrain et le défi est de ne pas faire un drame quand le décor se met à tanguer.

Le génial docteur Spinoza nous livre un outil des plus puissants : repérer ce qui nous met véritablement en joie. Ce gai savoir, l'art de se réjouir au fond du fond, quelles que soient les circonstances, constitue le viatique de tout chemin spirituel. Il dégage l'horizon, nous rend disponibles au grand voyage. Ferrailler contre les acrasies ne se réduit pas à une affaire de volonté ni d'autocontrôle. Si du matin au soir, nous nous bornons à résister aux tentations, le quotidien peut vite tourner à l'aigre. D'où la nécessité de faire circuler la vie, de tenter une ascèse enjouée, légère. Spinoza a cent fois raison : ce n'est pas la privation qui conduit au détachement mais la joie qui débouche sur la liberté. Oui, seul un cœur léger, espiègle, rieur, généreux peut allègrement renoncer aux miettes de bien-être, aux shoots d'oubli de soi et glaner le bonheur au-delà de tout faux-semblant.

Pour s'en tirer, il existe une stratégie : régionaliser, circonstancier, délimiter les lieux acrasiques. Nul ne saurait se réduire à ses combats. Nous pouvons être un excellent père de famille et péter un câble à un moment de la vie. Nous pouvons pratiquer l'altruisme et demeurer des grands brûlés, fragiles, vulnérables, désarmés. La douceur envers soi n'est pas seulement un baume mais un tonifiant qui autorise la persévérance et nous aide à sortir la tête de l'eau.

« On ne peut pas changer » : encore une idée fausse !

MATTHIEU : Certains affirment qu'en fin de compte « on ne change pas ». Certes, si nous continuons à entretenir, voire à renforcer nos habitudes, à moins de bouleversements majeurs dans notre existence, nos traits de caractère resteront généralement stables, ou ne feront que s'aggraver. En revanche, si nous convenons qu'il y a des points à améliorer dans notre manière d'être et que nous décidons de nous mettre à la tâche, il est tout à fait possible d'évoluer.

On sait maintenant que la « neuroplasticité », c'est-à-dire la capacité du cerveau à se modifier en fonction de notre expérience, nous permet de changer à tout âge. Cette plasticité peut être provoquée par un changement des conditions extérieures, mais aussi par le développement de capacités restées jusqu'alors à l'état latent. On peut apprendre à lire, à jongler, à jouer aux échecs, mais aussi à cultiver des qualités humaines essentielles, comme l'attention, l'équilibre émotionnel et la bienveillance. Dans tous les cas : pas d'entraînement, pas de changement.

Il ne s'agit pas ici de proposer un manuel de « développement personnel en cinq points et trois semaines », mais de partager une somme de connaissances acquises pendant deux millénaires d'exploration du fonctionnement de notre esprit, et corroborées par les sciences cognitives et les neurosciences contemporaines.

Par ailleurs, l'expérience montre que bien des gens partis d'un état insatisfaisant, ou douloureux, ont parcouru le chemin menant à une plus grande liberté intérieure. La résilience, notamment, est une qualité que l'on acquiert par l'expérience, mais aussi en la cultivant par l'entraînement mental. En outre, il y a des sages qui sont allés encore plus loin et se sont affranchis de toute forme de confusion mentale ; ils jouissent d'une liberté intérieure irréversible. La force du témoignage montre que si cette transformation est possible pour d'autres, pourquoi ne le serait-elle pas pour nous ?

Il faut donc faire la différence entre le pessimiste qui se dit : « Je suis nul, je suis incapable de m'en sortir. C'est comme ça et je ne peux rien y faire », et celui qui constate : « Voilà, j'ai des points faibles, mais aussi des qualités et surtout de la volonté. J'ai là une plaie douloureuse, mais le reste du corps est sain et je pense qu'en prenant soin de cette blessure elle finira par cicatriser. » Plus réaliste que le pessimiste invétéré, l'optimiste sait que le changement est possible, qu'il existe toutes sortes d'opportunités à saisir et de voies à explorer. L'enthousiasme né de la contemplation des bienfaits du changement peut nous sortir de l'acrasie. Pour cela, il est bon de définir une série de tâches précises, bien circonscrites, qu'il est plus facile d'accomplir une par une. Sinon, nous risquons de nous dire que la globalité de la tâche est au-dessus de nos moyens.

BOÎTE À OUTILS
FACE À L'ACRASIE

ALEXANDRE

- *Ne pas faire un drame* des combats, des rechutes, des faux pas. Tous les 1er janvier, je me fends d'engagements impossibles à respecter sur le long terme. Découvrir une liberté, c'est d'abord repérer toutes nos chaînes, faire le point de nos ressources et dissoudre un à un les psychodrames.

- *Il y a du pain sur la planche, mais ce n'est jamais foutu...* Le chemin spirituel tient plus du marathon que du sprint. En route, nous pouvons trébucher, nous casser la figure. Pour ce grand voyage, repérons ce qui nous ragaillardit, ce qui nous réconforte, nous revigore. Un marathonien qui se doperait ou s'anesthésierait ne pourrait tenir le coup sur la durée. La sagesse exige d'identifier ce qui nous nourrit en profondeur. Ce gai savoir, cet art de se réjouir quelles que soient les circonstances, procède de la joie inconditionnelle.

- *Nous décentrer* : Prendre frontalement les combats intérieurs, c'est à coup sûr foncer droit dans le mur. Aussi, la prudence exige de nous décentrer un peu, de cesser d'installer les problèmes au cœur de nos vies, sans les fuir pour autant. Et concrètement, quand je vais mal, rien ne m'interdit d'appeler quelqu'un qui, lui aussi, se bat contre l'acrasie, pour le soutenir, l'épauler, l'écouter.

MATTHIEU

- *Le premier pas* : La pratique bouddhiste recommande de commencer par repérer les états mentaux et les émotions perturbatrices qui nous affectent le plus et face auxquels nous sommes le plus vulnérables. Ensuite, il faut identifier les antidotes appropriés et les mettre en œuvre. Il faut également comprendre que ce qui nous tourmente ne dépend pas d'une seule cause, mais de très nombreuses causes et conditions qui agissent en interdépendance et qui doivent être prises en considération.

- *Un pas après l'autre* : Shantideva, le grand maître bouddhiste indien, disait qu'il n'y a pas de grandes tâches difficiles qui ne peuvent être décomposées en petites tâches faciles.
- *La motivation* : Si entraîner son esprit par des moyens appropriés permet de devenir moins coléreux, moins anxieux, moins arrogant, cette possibilité vaut sans doute la peine d'être explorée. Si vous vous êtes cassé la jambe, la rééducation exige des efforts, mais cela vaut mieux que de marcher avec des béquilles jusqu'à la fin de vos jours. Regardez autour de vous, des centaines de personnes s'en sont sorties.

CHRISTOPHE

- *Éloge des résolutions* : L'acrasie se nourrit de l'absence de projets. Bien sûr, la faiblesse de la volonté peut freiner le processus de décision, le compliquer, mais envisager et prendre des décisions est une démarche profitable ! Les études montrent que nombre de nos solutions sont utiles : 40 % sont encore tenues à six mois et 20 % à deux ans. Alors que sans résolutions, on obtient 0 % de résultat !
- *Éloge du non-jugement* : Simplement, nous devons accepter qu'il y ait de la perte dans nos résolutions, sans nous agresser ni nous dévaloriser.
- *Éloge du discernement* : À nous de voir si le problème de l'acrasie est passager (parce que nous sommes fatigués ou trop exposés à des tentations) ou s'il est répété (peut-être l'objectif est-il alors trop difficile pour ce moment de notre vie, ou bien notre manière de faire est à revoir).

« *Je n'ai pas l'impression d'être très vulnérable face à la dépendance : je déteste le tabac, je contrôle sans trop d'efforts ma consommation d'écrans ou d'alcool. Mais j'ai fait un jour une expérience addictive qui m'a montré à quel point cette perte de liberté pouvait s'installer très vite et concerner n'importe qui, même des gens qui vont bien, ou à peu près bien (on a souvent l'image que la dépendance vient compenser un mal-être intérieur).*

J'étais en vacances chez mon frère, à l'époque où commençaient à apparaître ces magnifiques jeux vidéo, à la fois narratifs, stratégiques et d'un réalisme donnant vraiment l'illusion du réel. Après le dîner, vers 21 heures, mon frère m'a proposé de tester un jeu qui s'appelait Civilization. Il s'agissait de créer et de diriger une civilisation depuis l'âge de pierre jusqu'à l'ère moderne : on commençait par construire une ferme, puis on la fortifiait, on volait les vaches du voisin, on devenait un conquérant, et tout ce genre d'actions… Un peu un truc de vieux gamins, mais tellement fascinant que lorsque j'ai regardé ma montre pour la première fois, j'ai vu qu'il était 3 heures du matin ! Je suis allé me coucher, mais en luttant contre mon envie de continuer "encore un peu" ; j'ai réussi à être raisonnable, pour être en forme le lendemain.

Le jour suivant, pendant le dîner, je n'avais qu'une hâte : retrouver ce jeu, mon royaume, mes paysans et mes soldats virtuels, laissés en plan, et qui attendaient mes ordres et ma stratégie ! Malgré les avertissements de ma femme, j'ai "replongé", plusieurs soirs de suite. À notre départ, mon frère m'a proposé de m'offrir le jeu. J'ai répondu : "Surtout pas !" Depuis, aucun de ces jeux n'est entré chez moi ! D'ailleurs, je me souviens d'une publicité d'un de ces fabricants de jeux si intelligents et diaboliquement addictifs : "C'est plus fort que toi !" Dans ce slogan, il y avait à la fois le défi (qui sera le plus fort ?) et la promesse de dépendance, dont la formule "C'est plus fort que moi" pourrait être la devise… »

Christophe

2
LA DÉPENDANCE

CHRISTOPHE : Médicalement, être dépendant, c'est ne plus pouvoir se passer d'une substance (alcool, tabac, drogues), d'un lien (dépendance affective ou sexuelle) ou d'un comportement (dépendance au regard d'autrui ou aux compliments). Il existe des dépendances normales : nous dépendons tous de l'eau, de l'oxygène, du soleil, des autres humains, mais ce dont nous allons parler, ce sont des dépendances qui nous font souffrir.

Si la dépendance est problématique, c'est parce qu'elle génère de la souffrance – pour soi et pour les autres – et parce qu'elle a un côté incontrôlable. Toutes les activités qui nous procurent un plaisir intense ou rapide peuvent déboucher sur une dépendance : sexualité, alcool, nourriture. Si la dépendance consiste à boire un verre de vin tous les soirs, c'est, à la limite, un problème comportemental, mais tant qu'il n'y a pas d'accoutumance qui nous oblige à augmenter la dose avec une restriction du plaisir apporté, ce n'est pas pathologique. On est plutôt dans le registre de l'habitude, une forme de petite dépendance de confort ou de plaisir, dont nous pourrions nous passer au prix d'un simple inconfort.

La dépendance toxique réduit considérablement notre liberté : le dépendant ne vit que dans l'attente d'une autre prise. Il subit un appauvrissement de sa vision de l'existence. C'est à mes yeux l'aliénation suprême. De l'acrasie à la dépendance, il y a une perte supplémentaire de liberté. Dans le cas de l'acrasie, on sait ce qu'on devrait faire – c'est dans les limites de nos capacités actuelles –, mais on n'y arrive pas durablement. Dans la dépendance, on sait ce qu'on devrait faire, mais c'est impossible pour nous de l'accomplir. Parfois, on n'en a même pas vraiment envie, au fond de soi (nous savons tous qu'à ce stade-là c'est très compliqué d'aider les personnes dépendantes) : « C'est plus fort que moi » est la devise du dépendant.

MATTHIEU : On pourrait décrire la dépendance comme une accumulation d'égarements qui finit par nous précipiter dans le gouffre de l'addiction. Ce n'est pas un blâme mais une constatation clinique. Le travail de l'esprit consiste, dans ce cas, à s'affranchir des chaînes qu'il a forgées. Dans le cerveau, la dépendance comme l'entraînement de l'esprit qui aide à s'en libérer modifieront les réseaux neuronaux impliqués dans l'addiction.

ALEXANDRE : D'où l'intérêt d'une sacrée dose de patience. Il en faut du temps pour sortir du trou…

Les mécanismes cérébraux de la dépendance

MATTHIEU : Être dépendant, c'est désirer malgré soi, ou continuer de désirer ce que l'on n'aime plus. Il y a quelques années, j'ai été très frappé par les découvertes d'un neuroscientifique, Kent Berridge, que j'ai rencontré à plusieurs reprises, notamment lors de l'une des conférences organisées par l'Institut Mind and Life. Nous avons passé cinq jours à discuter de la question du désir, du besoin et de l'addiction. Ses travaux montrent qu'il y a dans le cerveau des réseaux neuronaux différents pour ce que l'on *aime* et pour ce que l'on *veut*. Lorsque l'on aime ce qui procure du plaisir – une bonne douche chaude après une balade dans la neige ou des mets délicieux, par exemple –, ce ne sont pas les mêmes réseaux neuronaux qui sont activés que lorsque l'on veut cette chose. Or le plaisir que l'on éprouve à faire certaines expériences, souvent d'ordre sensoriel, est très volatile. Il peut très vite se transformer en indifférence, en dégoût voire en aversion. Un gâteau à la crème, c'est délicieux, cinq, ça donne la nausée.

Kent Berridge et d'autres chercheurs ont montré qu'à force de répéter des expériences plaisantes on renforce les réseaux cérébraux qui nous font désirer et vouloir ces expériences. Mais il arrive un moment où l'on n'éprouve plus de plaisir, que ce soit pour l'usage d'une drogue, un plaisir sensuel ou toute autre forme de sensation qui était à l'origine plaisante. Et pourtant, on continue à désirer cette expérience, encore et encore. Qui plus est, ce désir, cette soif, est beaucoup plus stable que les sensations plaisantes qui sont, par nature, éphémères. De ce fait, les plaisirs intenses sont plus rares que les désirs intenses. Lorsque le désir devient puissant et constant et que nous sommes hyper-sensibilisés à son objet, on peut parler de dépendance. En fin de compte, on se trouve dans la triste situation de ne pouvoir s'empêcher de désirer quelque chose qui ne nous procure quasiment plus aucun plaisir et qui peut même nous dégoûter.

Kent Berrigde décrit une situation extrême : il est possible d'induire un rat à désirer une chose qui non seulement ne lui a jamais procuré de plaisir mais qu'il avait jusqu'alors considérée comme repoussante. Si l'on active de manière répétitive les aires du cerveau liées au désir au moment où l'on donne au rat une eau aussi salée que celle de la mer Morte (qui est trois fois plus salée que les autres mers), on arrive rapidement à un point de conditionnement où, dès que l'on active l'aire du désir, le rat délaisse immédiatement le levier qui donne accès à une solution d'eau sucrée, pour aller activer celui qui donne de l'eau trop salée, alors qu'avant ce conditionnement il évitait systématiquement ce levier.

On voit à quel point la situation est vicieuse, car il ne suffit pas de dire à la personne en situation de dépendance «Vous n'avez qu'à considérer l'alcool, la drogue ou l'addiction au sexe comme quelque chose de répugnant», parce que, bien souvent, elle est déjà dégoûtée par l'objet de sa dépendance. Il ne suffit donc pas de considérer quelque chose comme indésirable pour ne plus le vouloir. Certains sujets affirment qu'ils ne peuvent pas s'empêcher d'aller vers l'objet de leur désir, tout en détestant leur addiction. Il me semble qu'il y a de grandes leçons à tirer de ces recherches.

CHRISTOPHE: Certains critiquent l'exploration neurobiologique de nos désirs, de nos rêves, de nos fantasmes, de nos rouages psychologiques. Ils taxent notre approche de réductionniste: l'humain ne se «réduit» pas à sa biologie. C'est vrai, mais je trouve cependant réconfortant de savoir que si je suis victime d'une dépendance, c'est à cause des mécanismes dysfonctionnels qui se sont mis en place dans mon cerveau, et parce que je me suis abandonné à ces mécanismes pulsionnels sans les réguler. Cela me responsabilise – personne ne va pouvoir agir sur mon cerveau à ma place –, mais sans me culpabiliser – je ne suis pas un indolent qui a choisi de devenir dépendant. Il y a une dimension biologique que je n'ai pas choisie, mais contre laquelle je vais devoir me mobiliser.

Par ailleurs, cette dimension biologique rend bien compte de cette dissociation qui nous saisit: d'un côté, nous allons vers ce qui nous apporte un plaisir, et de l'autre, nous savons parfaitement qu'il y aura des inconvénients très fâcheux: inconvénients médicaux, car l'addiction nuit à mon corps; inconvénients psychologiques, car je me sens faible, déficient, j'ai le sentiment de perdre mon libre arbitre dans un champ de mon existence; inconvénients relationnels, car peu à peu l'addiction nous isole. Donc, au mieux, nous éprouvons de la déception et de la dévalorisation; au pire, ce sentiment de vide existentiel: je suis happé par un désir qui ne m'apporte plus rien, et qui finit, dans un second temps, par me désoler et ravager ma vie; et je suis impuissant à l'en l'empêcher.

MATTHIEU: Hier, nous avons vu dans la neige des traces d'animaux sauvages qui nous ont permis de dire: «Ici est passé un lapin, un renard, une belette. » De même, en étudiant le cerveau, on découvre les traces laissées par divers modes de pensée, par nos tendances, nos émotions, notre égarement ou notre sagesse. L'analyse de ces traces peut être très révélatrice. Loin de dépoétiser la nature humaine, ces recherches scientifiques ont agi sur moi comme un révélateur qui a cristallisé une intuition. Comprendre cette dissociation entre ce que l'on aime et ce que l'on veut nous donne les outils pour nous affranchir d'une funeste dépendance et mieux cibler notre manière d'intervenir. On sait que l'entraînement de l'esprit peut remodeler nos connexions neuronales par le biais de la neuroplasticité. Il faut donc nous déconditionner, pensée après pensée, émotion après émotion, afin d'affaiblir peu à peu les réseaux cérébraux associés aux tendances qui nous font désirer sans fin ce qui nous nuit.

CHRISTOPHE : Ce qui est frappant dans les études sur les rouages cérébraux de la dépendance, quelle qu'elle soit, c'est que ce circuit du plaisir est fragile et labile : il se désintègre rapidement. Alors que le circuit cérébral de l'addiction est beaucoup plus solide, beaucoup plus stable, et qu'il résiste à l'effacement avec le temps. Être dépendant, peu à peu, cela revient à rester « accro » à ce qui ne nous donne plus de plaisir, que de la douleur ou de la peur...

Pourquoi est-il si difficile de sortir de la dépendance ?

MATTHIEU : Se libérer d'une addiction est un vrai défi. L'expérience vécue, corroborée par les neurosciences, montre qu'outre les efforts de volonté et la nécessité de maintenir ces efforts suffisamment longtemps, il y a quatre obstacles supplémentaires. Premièrement, il s'avère qu'il est plus difficile d'activer les aires du cerveau liées à la volonté chez les sujets en état de dépendance! Ils sont ainsi handicapés au niveau de cette volonté dont ils ont tant besoin.

Deuxièmement, l'addiction modifie le cerveau de manière stable en le rendant plus réactif aux stimuli qui déclenchent les comportements addictifs. Cette sensibilisation du cerveau nous fait réagir plus facilement et plus fortement aux facteurs qui déclenchent la consommation d'une substance toxique ou à l'allumage d'un jeu vidéo.

Pis encore, dans tout entraînement, qu'il s'agisse d'une pratique méditative ou de l'apprentissage du piano, la neuroplasticité, c'est-à-dire la transformation de certaines assemblées de neurones dans des aires cérébrales déterminées, se produit essentiellement dans l'aire du cerveau appelée hippocampe. On sait par ailleurs que l'activité de l'hippocampe est inhibée dans la dépression, ce qui rend le changement plus difficile. En revanche, elle est sollicitée lorsque l'on apprend à jongler, à méditer, ou si l'on fait du sport. Hélas, l'hippocampe est lui aussi inhibé chez le dépendant. Celui-ci se retrouve donc avec moins de volonté et une capacité de changement affaiblie. Un quadruple obstacle donc: un renforcement du désir, une hyper-réactivité au stimulus addictif, un affaiblissement de la volonté et une inhibition de l'aire du cerveau qui actualise le changement. Pour réussir à s'en sortir, il est précieux de savoir tout cela. Nous devons mobiliser au maximum la volonté qui nous reste et la renforcer jour après jour avec patience.

ALEXANDRE: Comme le souligne la philosophe Simone Weil, il existe un ascétisme du passionné. C'est dingue tout ce que nous sommes prêts à faire, à sacrifier pour calmer le manque, obéir à un désir. Au fond, il y a peut-être deux types de libération: l'une radicale, subite, le fameux déclic... Je réalise que je suis dans une impasse, je vois le gouffre dans lequel je me précipite et trouve l'énergie, la force de dire adieu aux habitudes, de changer de vie...

À côté, il est une conversion plus longue, plus ardue. Pas à pas, il faut interrompre les guerres civiles, pacifier, unifier notre intériorité. Gardons-nous d'absolutiser un de ces chemins. Chacun s'affranchit et progresse là où il se trouve avec ses ressources, ses faiblesses.

À l'heure où je me coltinais une dépendance affective du tonnerre de dieu, une distinction m'a profondément aidé : plaisir et désir ne sauraient se confondre. Matthieu, tu m'as donné un outil fabuleux. Grâce à toi, j'ai compris que les zones cérébrales liées au plaisir étaient très labiles, changeantes, fluctuantes, tandis que les régions du cerveau responsables du désir étaient plutôt coriaces, solides, stables. Concrètement, je peux éprouver un plaisir immense au côté d'un individu, à passer du bon temps en sa compagnie, à combler une solitude… Mais le hic, c'est d'en venir à désirer cet être, les circonstances que je partage avec lui, sans en éprouver la moindre joie. Dès lors, un vouloir, une pulsion tournant à vide, me rendent esclave sans jamais me rassasier. Incapable de tout contentement, réduit au manque, je deviens un malheureux pantin.

D'où une question salvatrice : qu'est-ce qui me fait réellement plaisir, qu'est-ce qui me comble au plus profond de moi ? Ce n'est pas le moralisme qui soigne. Rien ne sert de diaboliser la dépendance quand il s'agit plutôt de descendre au fond du fond, d'écouter notre boussole intérieure qui nous renseigne sur ce qui nous réjouit véritablement. Spinoza a une nouvelle fois raison : la joie nous libère. Elle nous donne la force de passer, en fredonnant, à côté des faux biens.

CHRISTOPHE : Il faut garder à l'esprit l'idée que nos efforts vont forcément s'inscrire dans une durée, puisqu'on va reconfigurer nos circuits cérébraux. Lorsqu'on veut s'affranchir de nos dépendances, la difficulté vient de ce qu'on doit lutter contre des mécanismes très enracinés. Nos progrès sont régulièrement suivis de rechutes ou de régressions, qu'on doit surtout ne pas interpréter comme des preuves de l'inaptitude à changer, mais comme le signe qu'on a trébuché sur le chemin et qu'on doit « simplement » se remettre en marche.

Ce modèle du changement psychologique n'est pas encore installé dans nos esprits : on est encore au modèle de la transformation par déclic, comme si tout s'arrangeait une fois qu'on a compris la situation, alors que le changement s'effectue par un nouvel apprentissage qui contrecarre le premier, ou par l'apprentissage de nouvelles capacités. Et il est vital de faire passer ce message : la plupart des changements psychologiques qui surviennent dans notre esprit sont, à 90 % ou plus, le fruit de nos efforts, réguliers, patients, constants. Le modèle cinématographique – je comprends quelque chose et *pouf*, grâce à un sursaut salvateur, le changement survient pour toujours – est plus sexy, mais beaucoup moins réaliste.

MATTHIEU : Savoir que notre souffrance provient des traces laissées dans le cerveau par nos mauvaises habitudes nous montre aussi que rien n'est gravé dans la pierre et que l'on peut inverser ces processus.

CHRISTOPHE : Cela dit, je comprends qu'il soit incroyablement compliqué de sortir de ces situations. On sait qu'il ne faut pas attendre de résultat immédiat, qu'il faut s'engager avec confiance, se dire : « Fais tous ces petits efforts et tu y arriveras. » Mais on ne sait pas *quand* cela va marcher. Et en attendant, on souffre. C'est pourquoi la solution de simplicité consiste souvent à se jeter sur ce à quoi on est accro. Il y a des dépendances à des substances, mais il existe aussi des accros de la plainte et de la rumination. C'est tentant de gémir, de se dire qu'on est malheureux, qu'on n'a pas de chance. Et paradoxalement, c'est une solution que l'on adopte pour ne plus faire d'efforts, sans s'en rendre compte. D'autant qu'on est devenu un expert de la plainte. Il est facile de glisser vers cela, je le sais : je suis assez doué dans ce sport, même si je m'efforce aujourd'hui de ne plus m'y adonner !

MATTHIEU : C'est ce qu'Eckhart Tolle appelle le « corps de souffrance ». Lorsque l'ego échoue dans sa quête de triomphe, il se reconstitue une identité en devenant une victime. Cette permutation lui permet de cristalliser une nouvelle forme d'existence et de distinction entre « moi » et l'« autre ». Il se dit que : « Tout le monde est contre moi » et se forge ainsi une « niche » où il peut se retrancher, une identité à laquelle il peut se raccrocher.

Le point de bascule

MATTHIEU : Il y a une autre situation fascinante et pas facile à comprendre. Nombre de personnes témoignent qu'après avoir tenté maintes fois de s'en sortir, il y a eu, à un moment donné, un point de bascule. Elles s'en sortent d'un seul coup, une fois pour toutes. Elles restent vulnérables toute leur vie à la drogue ou l'alcool, elles le savent bien, mais elles n'y touchent plus jamais. C'est tout ou rien. Il faut arrêter complètement. Parce que dès qu'on recommence, c'est la planche à savon. Une amie m'a confié comment, à un moment donné de sa vie, elle est devenue alcoolique pour soulager ses crises d'angoisse et son agoraphobie quotidiennes. « Je savais, dit-elle, que l'alcool ne résolvait rien, mais qu'il me permettait une pause plus euphorique et amnésiante que les tranquillisants. Il ne faisait baisser le niveau d'anxiété que quelques heures et je la retrouvais fidèle au poste le lendemain matin, avec en prime tous les désagréments physiques de l'alcool que mon corps ne supportait pas. Au fil des ans, je déclinais, je mentais, et surtout j'avais honte. Un soir, je me suis "vue". J'ai brutalement compris que j'étais en train de perdre mon mari, ma famille, mes amies chères, mon travail. Et moi-même. J'ai décidé cette nuit-là de ne plus boire une goutte d'alcool. C'était à la fois rationnel et émotionnel. Une "vision" claire et puissante de la réalité. Un éclair qui m'a profondément ébranlée, comme si je pouvais voir le passé, le présent et l'avenir en même temps, avec ce qui m'attendait si je persistais dans ma déchéance. J'ai tenu bon, même si cela n'a pas été facile. L'angoisse a évidemment redoublé, mais je me battais à mains nues, sans adjuvants ni faux-semblants. Cette expérience m'a soutenue lors de toutes les tentations. Cela fait plus de vingt ans que je suis abstinente ; maintenant, il peut y avoir sur une table tous les élixirs mondains, ils ne me tentent plus ; mieux encore, ils me sont juste indifférents. »

ALEXANDRE : Dans le zen, gradualistes et subitistes se côtoient ! Pour les premiers, l'Éveil arrive progressivement tandis que les seconds pensent qu'il survient d'un coup. Pourquoi vouloir catégoriser à tout prix, tenir un discours universel, quand chacun est appelé à inaugurer une voie, à s'en sortir avec les moyens du bord ? Dire à un accro gangrené jusqu'au cou de suspendre du jour au lendemain ses habitudes, son mode de vie, peut carrément avoir l'effet inverse, accroître le sentiment de privation et créer une panique infernale. Le défi, c'est de se demander concrètement ce qui peut m'aider ici et maintenant à faire résolument un pas vers la grande santé, à quitter un à un les esclavages.

CHRISTOPHE : Il est compliqué et glissant de lancer des ultimatums aux gens. Je crois que ça ne marche que quand on se parle à soi-même.

On dit parfois qu'il faut toucher le fond pour changer, non pas pour le plaisir de toucher le fond et de se faire mal, mais parce que dans ces états de dépendance extrême, notre vie est devenue tellement vide et déserte que nous pouvons alors être très réceptifs à un événement, même simple et banal, qui nous ouvre les yeux de force et produit dans notre cerveau un état d'éveil particulier. Comme il y a des états d'éveil à la grâce, il y a des états d'éveil à la souffrance, à la détresse, qu'il s'agisse de celle des autres ou de la nôtre. Et ces états ne sont pas juste des constats intellectuels. Quand tu es dépendant, tous les jours, tu fais le constat de ta déchéance, de ta faiblesse, de la connerie de ce dans quoi tu t'engages. Tu le fais en général intellectuel-lement, en sachant au fond de toi que tu vas replonger ; mais il peut exister des moments de révélation, et dans ces instants, c'est tout à coup un embrasement cérébral, un bouleversement complet, esprit et corps.

MATTHIEU : D'après ce que j'ai compris, nos points de vue et nos décisions résultent d'un état de cohérence entre différentes aires du cerveau. Mais cette cohérence est un état dynamique sus-ceptible de se reconfigurer soudainement dans un nouvel état qui représente un équilibre différent du précédent. Ces états résultent de l'interaction d'aires cérébrales liées aux principales émotions – attirance, répulsion, plaisir, déplaisir, peur, dégoût, etc. – ainsi que d'autres aires impliquées dans la régulation de ces émotions, le cortex préfrontal notamment.

CHRISTOPHE : Ce que suggère cette vision, c'est qu'effective-ment ce genre de changement survient de manière brutale et globale. Lorsqu'il survient. Je ne sais plus qui disait un jour : il est certaines habitudes qu'il faut reconduire en bas de chez soi en leur faisant descendre l'escalier marche après marche ; et d'autres qu'il faut jeter d'un coup par la fenêtre ! Nous sommes en train de parler de cette seconde voie !

MATTHIEU : L'image qui me vient à l'esprit est celle des nuées d'étourneaux, ou des bancs de poissons qui se déplacent de manière synchronisée par milliers, comme un nuage, puis qui changent soudainement de forme et de direction lorsqu'ils sont

« La dépendance
toxique réduit
considérablement
notre liberté :
le dépendant ne vit
que dans l'attente
d'une autre prise. »

poursuivis par des prédateurs. Dans le cerveau, tout peut donc basculer soudainement d'un état de cohérence à un autre, très différent du précédent. Dans certains cas, cette nouvelle attitude devient stable et irrévocable pour le reste de nos jours, ce que je trouve fascinant.

On m'a parlé du cas d'un prisonnier aux États-Unis auteur de plusieurs meurtres. Pour passer le temps, il s'était inscrit aux séances de méditation proposées dans la prison. Il raconte qu'un jour il a eu l'impression qu'un mur s'écroulait en lui. Il s'est rendu compte avec une évidence fulgurante que, jusque-là, il n'avait pensé et agi que sur le mode de la haine et de la violence. Tous ses rapports à autrui étaient fondés sur la domination, la brutalité et le désir. Il a alors commencé à envisager le monde et les autres sous un jour totalement différent. Il s'est mis à faire preuve de bienveillance, à apaiser les conflits et à encourager ses codétenus à renoncer à la violence. Un an plus tard, il a été poignardé avec une lame de verre dans les toilettes de la prison – la vengeance d'un crime qu'il avait commis dans le passé.

CHRISTOPHE : Il savait sans doute qu'il se mettait en danger en renonçant à l'usage de la violence dans un milieu ultra-violent. Mais c'était plus fort que lui. Tous les travaux contemporains montrent que parfois, notre cerveau lance le processus décisionnel avant que nous en soyons conscients et que nous ne l'ayons voulu, et nous ne faisons alors que suivre. C'est une espèce d'état de révélation, partie du plus profond de nous, on se dit : je ne peux pas continuer comme ça !

MATTHIEU : Selon le neuroscientifique Wolf Singer, il est désagréable de ressentir une situation de conflit et d'indécision, ce qui correspond à un processus inachevé au niveau de l'activité cérébrale. La résolution de ce conflit intérieur et la prise de décision sont ressenties comme un soulagement.

CHRISTOPHE : Mais je crois qu'il y a aussi, malheureusement, un confort, ou plutôt une habitude de l'inconfort, quand ce dernier a duré trop longtemps. Puis de l'habitude, on passe à la résignation, à la soumission, on suit la pente du moindre effort, même si elle est douloureuse et nous conduit au pire. À la difficulté et à l'inconnu, on préfère la facilité, même destructrice, et la prévisibilité.

ALEXANDRE : Pour qui bataille avec l'addiction, il est tentant de combler le vide, de gérer le manque par tous les moyens, même à bas prix. Comment, face à ces tristes mécanismes, émerger de cette souffrance abyssale ? L'accro qui fume un pétard, le sex-addict qui visionne un film X devinent que ce shoot n'apporte qu'une trêve fort brève. Fuir le monde, c'est risquer un atterrissage des plus massifs. Singulier paradoxe, derrière l'addiction se cache peut-être la volonté d'une maîtrise : foncer vers une bouteille, descendre un verre, c'est sans doute encore *s'évertuer*, en désespoir de cause, de calmer la détresse, de chasser le tourment, de s'anesthésier. Devant le mal qui nous ronge, chacun se débrouille comme il peut. Parfois en usant d'expédients qui nous coulent encore plus. Comment abandonner ces moyens contre-productifs et tenter d'autres voies sur le long terme ? Consommer, nous adonner au comportement addictif, c'est toujours chercher du réconfort, une consolation, du répit. Bien sûr, sur cette voie, nous ne trouvons qu'un pis-aller, des miettes, passant à côté du meilleur, de la liberté, d'une joie profonde.

Comment nous mettre réellement en route, nous lancer dans l'ascèse, trouver le plaisir ailleurs que dans ces conduites nocives ? Les changements à 360 degrés relèvent peut-être de l'illusion, de l'utopie ? Le spectacle quotidien nous montre la difficulté de se dégager des habitudes, des réflexes et des schémas qui n'en finissent pas de tourner en boucle. Et si, pour commencer, nous repérions les moyens inefficaces que nous mettons en œuvre pour tenter de nous soulager, de combler le vide et tordre le cou aux blessures ?

CHRISTOPHE : C'est vrai que ces histoires de changements brutaux ne sont peut-être pas la manière la plus fréquente de s'arracher à une dépendance. Mais les étudier et les comprendre pourrait nous donner des armes nouvelles : nous sommes tellement démunis pour aider les personnes dépendantes à lutter ! La question est de savoir ce qui s'est passé en amont du changement, que les gens ne perçoivent pas toujours clairement. Est-ce qu'il y a un temps d'incubation, de préparation ? Est-ce que le déclic de se dire « ça ne peut plus continuer comme ça » peut arriver alors qu'on n'a fait aucun effort ? Ou est-il en général précédé d'un inconfort qui dure depuis plusieurs semaines, plusieurs mois, et d'une progressive évolution de la conscience, avant la bascule ?

MATTHIEU : Selon l'amie qui m'a confié son témoignage, ce « déclic » est le point culminant d'efforts continus et de moments progressifs de prise de conscience, de petits pas qui sont autant de mini-détachements face à l'objet addictif. Il y a un temps d'incubation durant lequel l'intensité de l'inconfort grandit par rapport au plaisir de l'addiction, aussi émoussé soit-il. Quand il devient clair que les inconvénients sont devenus intolérables, le point de bascule est atteint. C'est un peu comme un fruit mûr. Si tu essaies de cueillir une pomme encore verte, tu casses la branche et la pomme est immangeable. Quand le fruit est mûr, tu l'as à peine effleuré qu'il te tombe dans la main.

La dépendance affective

ALEXANDRE : Être de lien, ouvert, sensible, l'homme n'est pas une *causa sui*... pour le meilleur et pour le pire ! Le pire réside peut-être dans la dépendance, le manque affectif, les projections, les malentendus, les attentes déçues. Le lien à l'autre peut souvent tourner au vinaigre. Sans parler de ces relations toxiques qui nous pourrissent carrément la vie. Sur ce chapitre, un mien ami m'a délivré une leçon, précieuse… Dès qu'il s'apprête à rendre visite à sa mère dans un foyer pour personnes âgées, il se prépare pour, comme il le dit, «descendre dans la fosse contaminée de Tchernobyl». Et d'ajouter: «Je m'attends à recevoir dans la tronche une tonne d'ondes négatives, une cargaison de reproches, un wagon de critiques.» Et Dieu sait qu'il aime sa mère, raison pour laquelle il met tout en œuvre afin d'éviter de gâcher la relation. Il ose introduire un peu de liberté au cœur de la pagaille. Combien de fois dans notre vie, nous nous attachons à des êtres qui ne nous donnent que des miettes d'affection sans jamais rassasier notre cœur? Pire, nous pouvons nous lier, nous boulonner à des femmes, des hommes qui nous tirent à tous les coups vers le bas.

Swâmi Prajnânpad résume: un chien revient toujours vers son maître dans l'espoir d'obtenir sa gamelle même si ce méchant propriétaire le bat. Par fidélité, par nécessité, la brave bête est prête à se ramasser de vilains coups, à revivre indéfiniment les traumatismes, à s'enchaîner à son bourreau. Que sommes-nous prêts à subir pour combler nos besoins et accéder enfin à la pitance qui nous manque tant? Faute d'avoir été comblés d'amour inconditionnel, il y a fort à parier que certains, et moi le premier, rampent pour glaner quelques miettes. D'où le sérieux danger de la dépendance, de l'aliénation.

Heureusement, il est mille et un chemins qui nous arrachent à cette prison. Pourquoi devrait-on conférer à quiconque le droit de vie ou de mort sur notre joie? À quoi bon déléguer notre paix intérieure? Spinoza, là encore, nous éloigne de tout charlatanisme. C'est par un affect plus grand, écrit-il, que nous parvenons à vaincre une passion triste. Oui, pour dézinguer un attachement nocif, sans s'épuiser dans la lutte, il s'agit d'embrasser une aspiration plus grande, plus vaste: le désir de s'entourer, de s'en sortir, de nouer de vraies relations, de cheminer vers l'Éveil, par exemple. Cette joyeuse ascèse nous tire peu ou prou de ce que tu as si bien expliqué, Matthieu, de l'autonomisation du désir, de ces schémas qui tournent en boucle.

Le rapport au corps est crucial. Si nous ne pouvons pas nous piffrer, si nous nous haïssons nous-mêmes, comment ne pas courir vers le premier venu pour y chercher une sorte de distributeur automatique de récompenses, de pansements ? Et ce n'est plus l'autre que j'aime mais une image idéalisée, un fantôme.

À propos de gamelle et de miettes, je ne peux passer sous silence un épisode cocasse de ma vie que j'ai raconté dans un livre (*La Sagesse espiègle*). De retour de Corée, je me suis entiché d'un bonhomme jusqu'à perdre toute once de liberté. Tous les jours, sur les coups de 15 heures, il me lançait un appel Skype. C'était ma dose, mon shoot. Je voulais devenir cet homme, lui voler sa silhouette, sa carrure si légère, si belle, si bien bâtie. Dans l'exacte mesure où je me méprisais, j'adorais mon *idole.* Complètement déboussolé, ne sachant vers qui me tourner, j'ai dû user de pas mal d'expédients pour me départir de cette tenace addiction. En compagnie des écrits de Chögyam Trungpa, j'ai bien sûr essayé d'adopter la posture du mécanicien pour envisager ce bordel complet sans en faire une affaire d'État, sans sombrer tout à fait dans la culpabilité, ni croire que j'étais à jamais condamné, foutu. J'ai aussi, grâce à toi, cher Matthieu, pu regarder en face ce lien qui ne me donnait plus aucun plaisir, qui m'asséchait et gangrenait le cœur de mon quotidien. Afin de retrouver une grande santé, il m'a fallu finalement emprunter bien des voies, des chemins pour faire péter le monopole de l'affection et découvrir un gai savoir, la capacité de dire oui à un corps handicapé, au tragique de l'existence, à oser un amour inconditionnel pour glaner et donner de l'affection en tous lieux. Oui, il est mille et une manières de se libérer, de décamper de nos prisons. Et la blessure n'est jamais honteuse.

MATTHIEU : Il est essentiel de ne pas stigmatiser les troubles psychiques, l'addiction et la dépression en particulier, comme des tares ou des fautes dont nous serions entièrement responsables, mais de les aborder comme des maladies, ou des dysfonctionnements liés à d'innombrables facteurs – sociaux, environnementaux, génétiques, physiologiques et cérébraux – qui participent activement à la formation de nos dispositions. C'est une maladie, écrivait mon père qui souffrait d'une dépendance à l'alcool, dont il faut « apprendre à contenir les ravages au moyen d'une batterie de stratagèmes ». Le contrepoids le plus efficace, poursuivait-il, « c'est de porter en soi un désir plus fort que celui de l'alcool et incompatible avec lui ». Chez lui, c'était le désir d'écrire. Le discernement et la volonté d'utiliser avec persévérance notre potentiel de transformation sont des éléments clés pour nous libérer de ces maux.

CHRISTOPHE : Les dépendances affectives ne sont pas rares : elles se manifestent par le besoin d'un contact permanent (coups de fils, SMS), par une hyper-vigilance à toute forme d'éloignement ou de prise de distance, une intolérance à toute forme de critique, une angoisse d'être abandonné, et une hyper-exigence quant aux marques d'affection ou d'amour, qui doivent être sans cesse renouvelées. Comme toutes les dépendances, les dépendances affectives se nichent dans des besoins normaux, dont nous perdons le contrôle.

Car personne n'est parfaitement et totalement autonome et indépendant sur le plan affectif. Ça, ça n'existe pas dans l'espèce humaine : l'humain est un animal social, qui ne peut survivre correctement en solitaire, et doit tisser avec son entourage de nombreux liens. Nous sommes tous dépendants les uns des autres, nous sommes tous codépendants. Mais de manière adaptée !

Nous avons besoin de liens affectifs forts et sécurisants avec notre entourage, mais ces dépendances sont partielles et non totales : nous n'exigeons pas de *tout* partager avec une seule personne. Elles sont flexibles et non rigides : nous pouvons supporter des périodes d'éloignement affectif transitoires sans nous sentir en détresse ou en danger. Et surtout, ces dépendances sont multiples : nous ne faisons pas peser le poids énorme de toutes nos attentes sur une seule personne, mais nous disposons de nombreuses figures d'attachement.

Rousseau écrivait dans l'*Émile* : «Tout attachement est un signe d'insuffisance : si chacun de nous n'avait nul besoin des autres, il ne songerait guère à s'unir à eux.» Ainsi, nous sommes dépendants parce que nous sommes insuffisants. C'est pourquoi nous devons nous *aimer* et nous *aider* les uns les autres. Mais pas nous *étouffer* les uns les autres... comme dans le cas des dépendances affectives, où le fantasme de la personne touchée, c'est la fusion, la satisfaction permanente de ses besoins affectifs.

La vision de l'existence s'appauvrit alors considérablement : celui qui souffre de dépendance affective perd la dimension de la liberté, sa capacité à apprécier la richesse du monde et à s'en nourrir. Il n'a plus qu'une source de soulagement et de réassurance : la figure d'attachement. Tout le reste passe au second plan, voire disparaît de nos pôles d'intérêt. C'est en cela que c'est une addiction.

ALEXANDRE : Ce qui rend si tenace la dépendance affective réside peut-être dans une mythologie intime, une erreur d'appréciation : croire que l'autre a la capacité de combler notre besoin viscéral de consolation, nos manques. L'addict ainsi enchaîné se ramasse l'accablante série d'effets secondaires et s'inflige une maltraitance inouïe. Il n'est pas sûr que, sur ce terrain-là, la raison froide et la seule volonté ne guérissent. Il ne suffit pas de dresser un tableau Excel des avantages et des inconvénients d'une relation et de voir que l'on n'y gagne que des miettes pour arrêter net la dégringolade et cesser de demeurer emmuré, scotché à l'autre.

CHRISTOPHE : C'est une dimension essentielle de la dépendance affective. Au bout d'un moment, les personnes qui en sont victimes se rendent compte que les inconvénients (perte de liberté, peur de l'abandon) sont bien plus importants que les avantages. Mais les avantages concernent un besoin fondamental : recevoir de l'amour et de la sécurité. On préfère renoncer alors à sa liberté et à sa dignité. Souvenez-vous de la chanson de Jacques Brel, « Ne me quitte pas » : « Ne me quitte pas / Je ne vais plus pleurer / Je ne vais plus parler / Je me cacherai là / À te regarder danser et sourire / Et à t'écouter chanter et puis rire / Laisse-moi devenir l'ombre de ton ombre / L'ombre de ta main / L'ombre de ton chien... » Quand on en arrive à ce stade, la liberté intérieure est bien loin...

ALEXANDRE : Ce qui vient corser encore la dépendance, c'est cette vie semi-clandestine qu'elle induit. Qui oserait y aller franco et avouer sans ambages : « Je suis complètement dépendant, accro à la bouteille », « Je n'en peux plus, je deviens fou de ce type, dingue de cette femme » ? Comment ne pas craindre les réactions de l'entourage et cesser de dissimuler aux proches, aux autres, au médecin, à soi, le mal-être qu'on se trimballe ? Les amis dans le bien, celles et ceux qui nous aiment sans conditions peuvent véritablement devenir des artisans de la *guérison intérieure*. Mais comment peuvent-ils œuvrer si on leur cache nos plaies, nos traumatismes, le terrible engrenage dans lequel on s'est fourvoyé ? Le premier pas, c'est peut-être d'oser une transparence, quitter la gêne et la honte : « Voilà, je suis accro à cette personne, j'en suis dingue. Au secours ! » C'est d'ailleurs un signe. Dès qu'on commence à raconter des bobards, à mentir, à jouer un rôle, à manigancer, tout laisse à croire qu'il y a péril en la demeure.

Sans compter sur ce sentiment de culpabilité qui empêche de s'attaquer aux vrais problèmes et retarde notre avancée. Comment tordre le cou à cette insidieuse voix intérieure qui ne cesse de répéter : « Tu vaux bien mieux que ça ! » ? Matthieu, quand tu évoques notre véritable nature, le bonheur qui habite le fond du fond, tu autorises une dynamique gigantesque qui dissout le désespoir, le fatalisme, la résignation. En pleine dépendance, on peut totalement oublier que nous sommes, comme tu le dis, faits pour le bonheur, que la nature de bouddha qui rayonne en nous procède d'une liberté inconcevable.

Foncer vers la grande santé, s'extraire de l'addiction, c'est peut-être, dans un premier temps, oser une lucidité totale, une transparence, cesser de se mentir et de raconter des bobards. La dissociation que tu évoquais entre plaisir et désir est immensément libératrice. Ce type me fait tourner la boule, je rêve de cette femme, j'ai besoin de cet anesthésiant, de cette drogue sans y trouver aucune joie, aucun plaisir. Vainement, je tente d'éteindre l'insatisfaction par tous les moyens, quitte au passage à tout foutre en l'air. D'où l'intérêt vital, crucial : observer ce chaos, poser un diagnostic, repérer les différents chantiers d'une existence.

CHRISTOPHE : Mais ce qui rend la lucidité et le partage difficiles, c'est que parler aux autres sans aucun masque de sa dépendance, c'est afficher sa faiblesse et se mettre à nu ! Ce qui représente un gros effort ! Or, Matthieu l'expliquait, un des problèmes dans la dépendance, c'est qu'on a beaucoup de mal à faire des efforts, à changer notre manière d'être.

MATTHIEU : D'où vient le sentiment de manque ? D'une manière générale, il peut être déclenché par l'inassouvissement de besoins fondamentaux – nourriture, boissons, sommeil, etc. L'état de manque ressenti par celui qui est sevré d'une substance dont il était dépendant est également provoqué par des réactions physiologiques. Quant à l'état de manque qui fait désirer intensément une situation ou une personne, dans le cas d'une dépendance affective, il relève d'un sentiment d'incomplétude qui n'est pas exempt, lui non plus, d'interactions physiologiques : on a l'impression qu'il manque une chose sans laquelle il est inconcevable d'éprouver une satisfaction durable. Ce faisant, on est victime d'une illusion en se figurant que l'état de plénitude résulte d'un cumul d'objets, de situations et de personnes indispensables à un bonheur imaginaire. Or la « plénitude » n'exige pas que l'on soit « plein » de toutes sortes de choses. Il s'agit plutôt d'un sentiment de cohérence et de satisfaction profonde qui est « plein » en lui-même. C'est la liberté intérieure par excellence : un sentiment de paix et d'unité, libre d'attirance et de répulsion, de manque et d'assouvissement. C'est vers l'accomplissement de cette liberté que tendent les méditants au fil d'années de pratique. Mais bien avant d'en arriver là, il est certes possible de faire l'expérience de moments de plénitude lorsqu'on se promène en forêt avec des amis chers, que l'on est assis au bord d'un lac de montagne, au sommet d'un col à contempler un immense paysage, devant un feu de bois en écoutant une musique sublime, ou en toute autre circonstance, lorsque l'agitation des pensées se décante pour laisser place à la simplicité naturelle de l'esprit. Goûter à cette forme de liberté dépend de notre niveau de familiarisation avec la manière dont fonctionne notre esprit, mais aussi de notre capacité à nous libérer de nos automatismes de pensée. Une fois la liberté intérieure obtenue plus rien ne manque.

La force de la solidarité face à l'addiction

ALEXANDRE : Une de mes connaissances doit son salut, sa « liberté », aux Alcooliques Anonymes (AA). Quel soutien, quelle joie de pouvoir s'en sortir grâce à des amis dans le bien qui, loin de nous fliquer, nous épaulent, nous tendent la main ! Au fond, nous sommes tous invités à oser une solidarité, à prêter main-forte plutôt qu'à condamner celui qui fait face à l'acrasie. Voilà notre grand défi : dépasser ce manque quasi congénital de compassion, cette cruelle incapacité à se donner à la vie sans réserve, à aimer inconditionnellement. Face à l'addiction pèsent non seulement le poids des habitudes, mais aussi la dictature du «on», la peur du rejet, la crainte du regard de l'autre, cette angoisse de passer pour le lâche, le faible de service. Seul l'amour vient à bout de ces redoutables obstacles!

MATTHIEU: L'une des forces des Alcooliques Anonymes ou des thérapies de groupe, c'est précisément que ceux qui sont dans un état de dépendance n'ont plus besoin de se cacher et peuvent se confier aux autres. Ils sont tous dans le même bateau et savent comment ils y sont arrivés. Ce n'est pas le moment de dissimuler quoi que ce soit ni de se raconter des histoires : le but partagé est de s'en sortir en s'épaulant les uns les autres et en acceptant d'être guidés dans ce processus. Sinon, à la souffrance de la dépendance s'ajoutent celles du blâme et de la solitude.

CHRISTOPHE: Pour ma part, en tant que soignant, je suis impressionné depuis toujours par les résultats auxquels les Alcooliques Anonymes peuvent aboutir pour certains patients (même si tous ne supportent pas leur approche, très enveloppante et impliquante). En vous écoutant, je me disais qu'il y a chez eux trois ingrédients extrêmement puissants, trois leviers d'action : 1. la compréhension sans jugement, 2. le soutien social et 3. la spiritualité. Quel que soit l'état dans lequel les patients arrivent, même alcoolisés, on les accepte (ce qui n'est pas le cas dans nos thérapies de groupe). Quoi que tu dises, quoi que tu fasses, quel que soit ton état, tu es écouté. Ce qui importe, ce n'est pas d'être à jeun à cet instant, mais d'être sincèrement habité par le désir d'arrêter l'alcool. Et ce désir, la plupart des alcooliques l'ont ; c'est le passage à l'étape suivante, la mise en œuvre, qui leur est difficile. Le soutien social est un autre pilier : ils s'entraident beaucoup les uns les autres. Ils ont un parrain, qui est là à toute heure du jour ou de la nuit, à qui ils peuvent parler de leurs détresses et de leurs tentations. Et puis il y a la spiritualité, c'est très important chez les Alcooliques Anonymes. Au début, ça m'effrayait un peu en tant que thérapeute, et puis peu à peu j'ai compris que c'était une partie intégrante et importante du programme. Leur programme annonce ouvertement cette dimension spirituelle, et évoque une «puissance supérieure» qu'on peut appeler Dieu ou destin, ange gardien ou bonne étoile. Le réconfort est souvent grand d'imaginer une présence bienveillante supposée, car ils savent qu'il y a aussi au-dessus d'eux, bien tangibles, les forces malveillantes de la dépendance.

Aujourd'hui, comme je suis un vieux thérapeute, je suis plus à l'aise avec le besoin de spiritualité de certains patients, et je comprends mieux l'aide que cela leur apporte. La spiritualité permet de voir dans quoi je vais placer ma foi. Dans des situations extrêmes, on place notre espérance dans les mauvais objets, les mauvaises personnes, les mauvaises attentes. Les Alcooliques Anonymes ont un système qu'on peut approuver ou non, mais qui apporte cette dimension spirituelle dont certains ont besoin pour lutter, et croire qu'une solution est possible dans leur cas à eux.

Mais même si le système des Alcooliques Anonymes ne nous convient pas, dans toute lutte contre la dépendance, il faut vérifier qu'on a autour de soi des personnes qui comprennent et qui écoutent sans juger. Et comme tu l'évoquais, Alexandre, il faut aussi avoir d'autres sources de joie que la substance ou que la personne à laquelle je suis accro. Là je ne me contente pas de lutter contre la dépendance, mais je rééquilibre dans ma vie tout ce qui peut me nourrir et me rendre plus fort par ailleurs. Ces deux fronts, ces deux combats sont nécessaires : faire reculer le mal, mais aussi travailler à tout ce qui peut me faire du bien, même si au début, ce «bien» me semble moins puissant, moins agréable que ce que m'apportait la dépendance à ses débuts.

MATTHIEU : La devise des AA est : «Partager, parler, écouter, s'entraider.» De plus, ils n'essaient pas de contrôler ceux qui viennent aux réunions, ni même de vérifier s'ils continuent à boire ou pas. Rien n'est obligatoire. Le mouvement des Alcooliques Anonymes est né dans un milieu chrétien. L'aspect spirituel est essentiel ; il amène chaque dépendant à se dire : « J'ai longtemps lutté, je suis au fond du trou et je suis devenu totalement impuissant. Je dois donc m'en remettre à une aide, à une force supérieure à laquelle je dois m'ouvrir. Cela implique donc une croyance en Dieu, quelle que soit la forme que cette croyance puisse prendre. Dans les spiritualités non théistes comme le bouddhisme, on pourrait trouver un équivalent, celui de la nature de bouddha qui se trouve en chaque être. L'approche consisterait alors à demander à un alcoolique ou à un drogué, baignant dans la culture bouddhiste, de penser : « À présent, je me trouve impuissant face à mes habitudes, aux flots de pensées qui me submergent, mais au fond du fond il y a cette nature de bouddha, la nature fondamentale de mon esprit, jamais altérée ni corrompue. Je peux donc m'y relier et m'en sortir. »

CHRISTOPHE : Tu penses à la méditation en pleine conscience ? Car il existe désormais beaucoup de travaux montrant son intérêt dans les addictions, aux côtés des autres approches, médicamenteuses ou psychothérapiques.

MATTHIEU : C'est plus profond que le simple exercice de la pleine conscience, mais cette dernière peut certainement aider. Lors de la rencontre Mind and Life sur l'addiction, il y avait une femme qui a offert un programme de pleine conscience à des alcooliques SDF avec des résultats étonnants : six mois plus tard, la moitié d'entre eux continuaient à pratiquer la pleine conscience et un bon nombre avait cessé de boire. C'est remarquable au vu des conditions adverses auxquelles ces SDF sont confrontés.

BOÎTE À OUTILS
FACE À LA DÉPENDANCE

CHRISTOPHE

- *Admettre que la solution simple et unique n'existe pas.* On constate souvent que les gens qu'on aide sous-estiment la complexité des stratégies à mettre en œuvre pour se libérer des dépendances. Ce n'est pas seulement une question de volonté. Autrement dit, ce n'est pas juste le mental contre l'affectif ou contre la pulsion. Il s'agit en fait d'un chantier très vaste, à trois niveaux :
  - chantier psychologique (avec les deux axes : comment lutter contre l'addiction ? comment enrichir ma vie, m'ouvrir à d'autres intérêts, et ainsi me renforcer ?) ;
  - chantier environnemental (qu'est-ce qui, dans mon environnement, me ramène inlassablement à mes erreurs ? qu'est-ce qui m'aide à lutter ?) ;
  - chantier relationnel (vers qui me tourner pour avoir du réconfort, des informations ?).
- *Réfléchir aux retours de la tentation.* Il faut savoir qu'un jour ou l'autre on sera réexposé au déclencheur de l'addiction (alcool, drogue, tabac, images de sexualité, etc.). Comment réagirons-nous alors ? Mieux vaut se poser la question à l'avance, voire s'y entraîner. Dans certains cas précis, et à certains moments, des addictologues comportementalistes font faire de tels exercices à leurs patients : ils leur proposent de rester en présence d'une bouteille, de respirer le verre de vin, de prendre une gorgée dans la bouche, de la recracher, de vider la bouteille dans l'évier. L'avoir fait « en vrai » augmente les chances de pouvoir le reproduire seul, plus tard.
- *Savoir que les addictions sont redoutables* : Elles ne portent que sur nos besoins fondamentaux. On n'est pas addict d'une paire de chaussettes

ou d'une lampe électrique! On est addict d'alcool, d'amour, de sexe, de sucre, de choses qui satisfont nos besoins... Et donc, bien souvent, on ne peut se contenter de s'en passer, parce qu'en s'abstenant on se prive d'un besoin fondamental. Il faut nous réorienter vers d'autres façons de nourrir ces besoins et donc nous interroger: qu'est-ce que je cherche dans cette dépendance? Quelles autres voies pour satisfaire ce besoin dois-je faire l'effort d'explorer? Que serait une vie sans cette dépendance, mais qui me rendrait tout de même heureux et qui satisferait ce besoin?

- *Ne jamais oublier que la vie est la plus efficace des thérapies.* J'ai beau être thérapeute, et croire à ce que je fais, je constate que la vie peut faire autant de bien, voire plus, que les psychothérapies ou les médicaments, parce qu'elle apporte tous les nutriments en même temps! L'exemple que je donne souvent est celui de la vitamine C. On la trouve en comprimés, certes, mais aussi et surtout dans les kiwis, les oranges, et beaucoup d'autres fruits: la vitamine C ainsi absorbée est bien meilleure, car elle est accompagnée de nombreux nutriments (absents des comprimés) qui en amplifient l'effet. De même, dans la vie, il y a des tournants, des circonstances qui font surgir, simultanément, des rencontres, des sources de plaisir différentes, un nouvel environnement, des émotions nouvelles. Et tout à coup, tous ces éléments, associés à nos efforts, entrent en résonance et nous aident à aller dans la bonne direction. Alors, de son mieux, ne pas se mettre à l'écart, mais rester dans la vie quotidienne: actions, sorties, rencontres, découvertes... C'est là que réside le plus grand gisement de solutions et de ressources!

MATTHIEU

- *Éviter les facteurs déclenchants*: S'abstenir d'appuyer sur la détente en s'exposant aux facteurs qui amorcent un désir irrésistible. Sortir du champ visuel les substances, images, et tout autre chose ou objet reliés à l'addiction. Si ce n'est pas possible, prendre ses distances, s'éloigner de tout, aller dans un lieu naturel, en randonnée avec des amis, le temps de redevenir plus fort et résilient.

- *Le moment critique* : Les recherches montrent que le moment critique est celui de la confrontation avec le stimulus : on voit la poudre blanche, la bouteille, dans la réalité ou dans une image mentale qui s'impose avec force. C'est là que tout devient très vite irrépressible. Si on laisse le processus s'enclencher, il prend tellement de force qu'il est très difficile de l'enrayer. On ne peut pas se dire : « Bon, je vais en prendre un petit peu et puis je m'arrête. » Une pratique méditative peut aider en « agrandissant » l'espace temporel de ce moment de confrontation, pour jouir d'une plus grande marge de manœuvre. En contemplant directement les pensées engendrées par l'image mentale de l'objet du désir, et en laissant notre esprit reposer dans le moment présent, on laisse à ces pensées le temps de perdre de leur intensité et de s'évanouir d'elles-mêmes, à la manière d'un dessin à la surface de l'eau qui s'efface à mesure qu'on le trace. Si l'on arrive à suspendre le processus des pensées qui nous affligent suffisamment longtemps en reposant dans le moment présent, on peut éviter d'être happé par l'enchaînement au cours duquel on perd tout contrôle.

- *Observer la pulsion dans l'espace de la pleine conscience* : Le grand sage bouddhiste Nagarjuna disait : « Ça fait tellement de bien quand on se gratte, mais c'est tellement mieux quand ça ne vous démange plus ! » À cette fin, il est recommandé de regarder suffisamment longtemps la démangeaison avec l'œil de la présence attentive, jusqu'à ce qu'elle s'estompe et que l'on se sente de nouveau libre. Certains peuvent se gratter jusqu'au sang. Si l'on suspend ce geste, il est certes difficile de supporter la démangeaison pendant quelques moments, mais celle-ci finit par s'évanouir. Si l'on applique cette métaphore au contexte de la dépendance, il faut donc mobiliser suffisamment de détermination, de force d'âme, pour laisser cette pulsion lancinante diminuer d'elle-même, à la manière d'un feu auquel on cesse d'ajouter du bois : le feu brûlera de moins en moins fort, jusqu'à ce qu'il s'éteigne. C'est dans la nature des choses.

ALEXANDRE

- *Se mettre à l'école de Spinoza* : S'ouvrir à un gai savoir, c'est repérer ce qui nous met réellement en joie, ce qui nous nourrit au fond du fond, pour de bon.
- *Briser le monopole* : Varions les plaisirs, mieux, récoltons la joie en tout. La vie est dure : doutes incessants, insatisfaction tenace, épreuves, tuiles, usure, deuils. De là à se jeter sur la première miette venue pour s'anesthésier, il n'y a qu'un pas. Pour s'extraire de l'addiction, et Dieu sait si c'est facile à dire, brisons l'exclusivisme pour ne jamais donner à quiconque la télécommande capable de nous envoyer droit en enfer. Personne, rien, ne saurait devenir le « tout » du monde.
- *Oser la transparence* : Demander de l'aide, s'ouvrir des bobos de l'âme et ne jamais oublier que l'homme n'est pas une *causa sui*, une entité étanche, séparée, autarcique. Il est assurément d'autres manières de se lier aux êtres humains sans devoir se farcir la peur, la jalousie, l'attachement.
- *Savoir discerner* : Apprendre à distinguer ce après quoi, jour et nuit, nous courons et ce que nous désirons vraiment, au fond du fond. Prêter l'oreille pour identifier les besoins et les plaisirs de notre cœur.

« *En Corée, j'ai eu droit à une retraite zen de trois mois à la campagne. Les premières semaines se sont écoulées sans ombre, en plein paradis sur terre. Un jour, les enfants et ma femme m'ont rejoint. Ensemble, nous avons joyeusement gambadé dans les bois, dévalé les pentes, goûtant un bonheur parfait. Le moment venu, ils sont repartis à Séoul. Alors, les réminiscences d'un lointain passé ont rappliqué illico. Je me suis rappelé ces calamiteux dimanches soir où je perdais en quelque sorte mes parents pour regagner l'institut. Je ne sais quelle mouche m'a piqué, mais je suis allé pianoter sur Internet pour découvrir que, dans la région, il y avait eu par le passé un cas de rage. Si cette maladie n'est pas rapidement traitée, elle est fatale. Il n'en fallait pas plus pour déchaîner une angoisse de dingue… Je me faisais un sang d'encre à l'idée de m'être assis par inadvertance sur un raton laveur enragé. Je me souviens de certaines méditations où je devais me mordre les lèvres pour ne pas crier tant la peur me ravageait. J'ai tout essayé – méditer, me balader, regarder des films – rien ne calmait cet état d'alarme permanente.*

Tout près de perdre la boule, je suis tombé sur une vidéo qui préconisait un exercice bizarre : il fallait imaginer qu'on pouvait augmenter le volume de l'angoisse en convoquant des images terrifiantes. Je me figurais donc un de mes enfants, mordu par un animal enragé, mort à tout jamais. Au bout de dix minutes, la vidéo conseillait de doubler la dose pour observer l'inconfort, les tourments, la sueur, les crispations. Cet exercice, pour le moins contre-intuitif, m'a beaucoup aidé. J'ai pris conscience que si j'étais en mesure de monter le volume de mes angoisses, je pouvais aussi arrêter de les alimenter. Sur mon téléphone portable, en fond d'écran, je plaçai l'image d'un immense bouton de volume. L'enfer a duré des mois. Malgré cette précieuse pratique et son petit effet sur l'angoisse, il a bien fallu constater que la volonté n'était pas souveraine. Mais l'exercice présentait un autre intérêt. Il révélait que mes tourments étaient totalement créés par mon esprit. »

Alexandre

3
LA PEUR

CHRISTOPHE: En psychologie, la peur désigne l'ensemble des réactions du corps et de l'esprit face à un danger. On la distingue de sa cousine l'anxiété qui regroupe les réactions face à la *possibilité* d'un danger, c'est-à-dire un danger qui approche ou qu'on imagine. Comme on le dit souvent, et comme tu l'as raconté, Alex, l'angoisse est quant à elle une peur sans objet. Sans objet actuel et présent, mais pas sans réalité, tant elle asservit notre corps et notre esprit !

La peur, sous toutes ses formes, est sans doute l'une des émotions les plus inhibitrices de la liberté. Qu'il s'agisse de liberté extérieure, puisqu'elle nous pousse souvent à la fuite ou aux dérobades. Ou de liberté intérieure : la peur pollue nos pensées, nous pousse à surveiller notre environnement, à anticiper tous les dangers possibles, à calculer à l'avance ce qui serait le plus sûr pour nous et nos proches : notre cerveau est transformé en machine à surveiller, à éviter, à planifier.

Même un risque imaginaire est capable d'envahir et d'asservir notre esprit, notre vie, comme le raton laveur enragé qui t'a mis dans cet état, Alexandre. Sous l'emprise de cette improbable projection, ta vision du réel s'est distordue, ton univers s'est rétracté. Tu as perdu toute flexibilité, tout moyen d'envisager d'autres possibilités ou même une action.

La peur est l'émotion la plus archaïque. Même chez des organismes primitifs, il existe deux mouvements fondamentaux, quasi réflexes : l'approche (recherche de ressources et de plaisirs) et l'évitement (protection face aux dangers). Ainsi, on peut considérer la peur comme la mère de toutes les autres émotions douloureuses : la honte procède de la peur du regard des autres, la tristesse de la peur d'un manque durable, la colère de la peur de l'échec ou de l'humiliation... Si on y réfléchit bien, on héberge toujours une (ou plusieurs) peur(s) de quelque chose, quels que soient notre âge ou le moment de notre vie !

Les crises d'angoisse

CHRISTOPHE : La projection dans le virtuel et dans des scénarios catastrophe improbables, avec l'impression de frôler une forme de folie (et donc la peur de devenir fou ou folle) sont des constantes dans les crises d'angoisse. On perd le contrôle de soi et l'esprit nous inflige des souffrances dont on sait, au fond de nous, qu'elles sont absurdes et créées par nous-mêmes. Mais le corps, lui, y croit, il ne fait pas de différence entre virtuel et réel. Pour lui tout est vrai, et il s'affole, comme un spectateur qui a peur au cinéma, alors qu'il sait bien que ce n'est qu'un film d'horreur.

ALEXANDRE : Les fantômes de ratons laveurs enragés m'ont acculé à une impuissance. Je me suis retrouvé désarmé, en lutte contre des idées, des fantasmes, du rien. Inutile de dire que, face à l'angoisse, les raisonnements ne tiennent pas. Pourquoi la logique ne convainc-t-elle pas, alors que l'évidence des faits devrait triompher ? Et que dire des vaines tentatives de celui qui, avec les moyens du bord, tente de désamorcer une peur irrationnelle : « Regarde-toi de la tête aux pieds ! Tu vois la moindre trace d'une morsure ? » Pitoyable impuissance des démonstrations face à l'emballement du mental qui invite à tenter une autre voie !

MATTHIEU : Pourquoi le raisonnement n'a-t-il aucune prise sur des peurs aussi extravagantes ? La cause apparente de l'angoisse

– s'asseoir par hasard sur un raton laveur enragé – ne tient pas la route, mais se le dire ne suffit pas. Donc il faut identifier la vraie cause de l'angoisse qui s'est cristallisée sous la forme d'un raton laveur. Quand on incite ces personnes à analyser et à décortiquer leurs peurs, on s'aperçoit que la composante principale est généralement la peur de la mort. Si l'on réussit à identifier la cause profonde, on peut s'efforcer d'y remédier d'une façon ou d'une autre, même si c'est loin d'être facile. À défaut de pouvoir remédier à la cause profonde, on peut favoriser une « décompression » de la peur, par exemple en accompagnant cette personne dans un lieu clairement dépourvu de danger – une terrasse donnant sur un vaste paysage de montagne, sur un océan calme –, en lui suggérant de prendre quelques grandes respirations, puis de mêler son esprit au ciel vaste et lumineux, au paysage qui s'étend à l'infini, et de laisser les pensées perturbatrices se dissoudre dans cet espace. Ce faisant, nos tourments peuvent s'éloigner plus facilement.

Si cela n'est pas possible, on peut aussi visualiser ces paysages ou toute autre situation apaisante, dans lesquels l'esprit échappe temporairement au rétrécissement de la peur et à l'état d'urgence aliénant qu'elle engendre.

CHRISTOPHE : La plupart du temps, on ne se rend pas compte que les anxieux ont quitté notre monde pour entrer dans un autre monde, qui n'obéit plus aux mêmes règles. Les informations sont traitées de façon très différente dans ce monde virtuel : si un risque ne représente qu'une chance sur un milliard, on est aspiré par cette minuscule possibilité. Ce n'est plus la même logique que chez un non-anxieux. Et tous les efforts qu'on peut faire pour aider ces personnes, c'est de les ramener dans le réel. Par des moyens parfois tout bêtes : marcher, contempler la nature, travailler, sortir, agir, parler avec des amis, tout cela ré-ancre dans le réel. C'est pour cela que les angoisses qui nous saisissent au milieu de la nuit sont les plus violentes : on est seul et on ne peut pas se protéger par l'action ou la distraction. Heureusement, il y a aussi la méditation : ce n'est pas étonnant, car méditer, ce n'est pas réfléchir les yeux fermés, mais impliquer son corps tout entier. Quand on médite, on prête attention à son souffle, on se reconnecte à son corps, on écoute les sons autour de nous. Le corps, même angoissé et affolé, est toujours dans le réel, jamais dans le virtuel.

Dans ton cas, Alex, tu étais dans une retraite, coupé de toutes les voies d'action et d'interactions possibles. J'ai pas mal de patients qui ont présenté des crises d'angoisse lors de retraites spirituelles ou méditatives. Autrefois, quand les protocoles adaptés aux patients n'existaient pas (comme la MBCT ou la MBSR[1]), beaucoup de nos anxieux ou de nos déprimés voulaient méditer et allaient faire des retraites vipashyana, ou zen… Un sur trois explosait en vol ! Parce que les maîtres zen ou vipashyana ne sont pas des thérapeutes, et sont même parfois assez durs et exigeants.

Mais comment en es-tu sorti ? À quel moment as-tu eu l'impression de revenir dans le réel ?

ALEXANDRE : Je n'ai pas su trouver les ressources intérieures capables de terrasser l'angoisse. Une fois de plus, le salut est venu par l'extérieur. D'ailleurs, le voici mon salut, en chair et en os !… Au beau milieu de la nuit, j'ai réveillé le bon Matthieu qui m'a convaincu que j'avais autant de risque de m'asseoir par inadvertance sur un raton laveur enragé que de me recevoir une météorite sur la figure… Ta douceur, ton calme, ta voix souriante à des milliers de kilomètres de là ont eu raison de mes frayeurs.

---

1. MBCT : Mindfulness-Based Cognitive Therapy (thérapie cognitive basée sur la pleine conscience) destinée aux troubles anxieux et dépressifs ; MBCR : Mindfulness-Based Stress Reduction (réduction du stress basée sur la pleine conscience) destinée aux troubles médicaux et psychologiques associés à un niveau de stress élevé.

MATTHIEU : S'asseoir sur un raton laveur endormi dans la forêt… tu serais probablement le seul au monde à qui cela est arrivé. Mais en plus, enragé !…

ALEXANDRE : À cette occasion, tu m'as délivré un bien profond enseignement : contempler la nature, cesser de la considérer comme une ennemie, une présence hostile, un danger permanent. Voilà qui m'a assurément apaisé.

MATTHIEU : Le monde entier apparaît parfois comme un ennemi potentiel. En fait, c'est notre esprit qui devient notre pire ennemi : «Il arrive qu'il élargisse tellement autour de lui ce lac imaginé, écrit Charles Ferdinand Ramuz, qu'il ne puisse plus le franchir. »

ALEXANDRE : La folie du mental qui tourne à vide récupère une certaine logique pour contre-argumenter la voix de la raison. Processus véritablement diabolique qui donne décidément du fil à retordre à toutes celles et ceux qui essaient de rassurer celui qui a peur. Cependant, on aurait tort d'abdiquer. Je me rappelle avec une immense gratitude du docteur Olivier, un mien ami, que j'appelais et qui me présentait des éléments scientifiques pour contrer les délires de mon imagination.

Comment se libérer de l'angoisse

MATTHIEU : J'ai une amie, très équilibrée et sereine dans la vie quotidienne, qui me confiait qu'elle se réveille parfois en pleine nuit avec une angoisse tenace qui n'a pas forcément d'objet, une sorte d'angoisse diffuse. Il reste toujours la capacité d'observer cette angoisse et de voir qu'elle est vide d'existence véritable : elle n'est qu'une puissante construction de l'esprit, semblable à un gros nuage d'orage. Avec un peu d'entraînement à la méditation, on peut la regarder, tout droit, et déconstruire sa puissance apparente. La part de notre esprit qui observe l'angoisse n'est pas angoissée, elle est simplement consciente. Ce n'est certainement pas facile, au cœur de la crise d'angoisse, d'accéder à cette part de la conscience non angoissée qui observe l'angoisse, mais cette alternative existe. Dans ce cas, on dispose d'un espace au sein de la conscience qui n'est pas sous l'emprise de l'angoisse. Comme un pied qui maintient une porte entrouverte. Si l'on parvient à soutenir cette observation, l'espace de liberté prend naturellement de plus en plus d'ampleur, la porte s'ouvre de plus en plus grand. L'angoisse sera toujours là – elle ne va pas brusquement disparaître –, mais elle perd graduellement de sa force, elle devient moins réelle, moins contraignante, puis elle finit par disparaître de notre paysage mental.

CHRISTOPHE : Tout cela est très précieux. Effectivement, observer l'angoisse en pleine conscience, sans chercher à l'éteindre tout de suite, mais juste à en observer les manifestations, nous aide à nous en déprendre, à nous en sortir doucement. La méditation m'a énormément apporté, à la fois pour aider mes patients, mais aussi pour mes propres angoisses : quand on sent qu'on commence à être aspiré par l'angoisse, se mettre en position d'observer ce qui se passe, se ré-ancrer dans la respiration, dans le corps, regarder ses pensées, tout ce qui est en train de déferler... On s'imagine sur le bord d'une rivière, on observe le torrent des angoisses qui charrie tout. De temps en temps, on glisse à nouveau dans le courant ; il faut ressortir et recommencer... Après les thérapies et le traitement des périodes de crise, nous apprenons à nos patients anxieux (et aussi aux dépressifs) à méditer en pleine conscience, et presque tous parviennent ensuite à tenir à distance leurs crises d'angoisse ultérieures, si d'aventure elles reviennent (à l'occasion de fatigues ou de difficultés existentielles, par exemple).

MATTHIEU : Ne pas être emporté par le flot, le contempler de la berge…

CHRISTOPHE : À propos de nos peurs, il y a aussi une grande question : peut-il exister des angoisses insondables, ontologiques, sans contenu visuel, mental ? Dont il serait, du coup, plus difficile de s'extraire. Elles constitueraient les vraies « peurs sans objet »… Des angoisses simplement liées au fait d'être un humain qui va mourir un jour, qui le sait, et qui est impuissant face à ça. Beaucoup de philosophes considèrent que c'est constitutif de notre humanité, et donc inévitable.

MATTHIEU : Mon père était un peu comme ça, il disait que, de toute façon, le bonheur est à jamais hors de portée parce que la mort est inéluctable.

CHRISTOPHE : Et le problème avec la mort, ce n'est pas tellement la mort elle-même, notre mort, puisque nous ne serons plus là ensuite, c'est la peur de la mort, si elle est constante, si elle accompagne tous les moments de notre vie. Affronter l'idée de notre mort, c'est affronter la peur la plus fondamentale, tandis qu'affronter l'idée de la mort des personnes qu'on aime, c'est affronter la tristesse la plus fondamentale.

Tous nos moments de bonheur ne peuvent relever que d'un oubli de cette condition, d'un oubli de la mort qui vient vers nous, ou vers laquelle on avance. Sur cela, tu m'as ouvert les yeux, Matthieu, tu m'as poussé à me dire : si tu as encore ces peurs et ces tristesses en toi, c'est peut-être que tu n'as pas assez travaillé, que tu n'es pas descendu assez profond. Car si tu vas assez loin, tu rencontres la paix. Il y a beaucoup de gens qui ont peur de la psychothérapie, de l'intériorité, de l'introspection, de la méditation même, parce qu'ils ont peur de rencontrer tout au fond d'eux un océan de peurs, et des ténèbres insondables. L'enjeu est de les rassurer et de les amener plus loin en leur disant : « On va rencontrer ça, mais on va le traverser, et on ressortira de l'autre côté de vos peurs, on ira encore au-delà, et elles seront alors derrière… »

MATTHIEU : J'ai eu exactement cette réponse de quelqu'un âgé d'une vingtaine d'années qui n'osait pas regarder par crainte de ce qu'il pourrait y découvrir. C'est pourtant le seul moyen d'aller au cœur du problème et d'apprendre à reconnaître la présence éveillée au sein de laquelle les pensées se forment et se dissolvent. Le bouddhisme tibétain est très riche en techniques permettant de déconstruire les pensées qui nous asservissent et de les laisser s'évanouir d'elles-mêmes. Ces pensées qui ont tant d'emprise sur nous sont-elles comme un feu ardent ? Comme des rochers qui dévalent de la montagne pour nous écraser ? Comme un général et son armée ? Rien de tout cela. Elles ne sont que des fabrications de l'esprit. Le reconnaître, c'est déjà faire un pas vers la libération. Si c'est l'esprit qui a fabriqué tout cela, il peut donc y remédier. On comprend qu'il n'y a rien d'irrémédiable à cette situation et qu'avec de la patience et des moyens appropriés l'esprit lui-même a les capacités de s'affranchir des tourments qu'il a créés.

ALEXANDRE : Pour éliminer la peur et dissoudre l'anxiété, le livre de Mingyur Rinpotché, *Le Bonheur de la sagesse*, peut s'avérer d'un grand secours. Assurément, il aide à démasquer les mécanismes qui nous mettent à la torture : la peur surajoute au réel une couche, un brouillard ; elle plaque sur les faits des interprétations fallacieuses. L'ascèse consiste à dissoudre, à contempler, ainsi que vous l'évoquiez, la brume des émotions. La tradition zen nous guide vers la conscience nue : observer ce qui se passe sans colorer ni teinter l'expérience de nos projections, des attentes et des catégories de l'ego. Toutefois, pour les amateurs de mon acabit, méditer peut s'accompagner d'un irrémédiable sentiment de solitude. Après tout, je suis seul à regarder passer la peur. Comment se débrouiller quand on a viscéralement besoin de l'autre pour rejoindre la paix ? Parfois, je me demande si derrière la panique, la crainte, perce une petite voix, un appel à l'aide : « Aidez-moi, bon sang ! » Démunis, esseulés, sans ressources, nous pouvons posséder le bagage théorique et toujours avoir besoin de l'autre pour connaître du réconfort, pour avoir le courage, le cran de descendre au fond du fond.

MATTHIEU : Être relié à un maître spirituel authentique fait une immense différence, mais malheureusement, ce n'est pas une solution à la portée de tout le monde.

ALEXANDRE : Distinguons les remèdes palliatifs des traitements de fond ! La méditation en est assurément un, efficace, redoutable, durable, pour les poisons mentaux. Qui nierait son utilité ? Comment ne pas conseiller cette voie ? Yongey Mingyur Rinpotché propose un exercice tout simple qui dissipe à coup sûr l'épais brouillard du mental. À longueur de journée, nous commentons tout à tort et à travers. À la salle de bain, devant le miroir, « Mental FM » s'enclenche : « Quelle mine de déterré ce matin ! Et ces valises sous les yeux… » Apprendre à vivre l'expérience sans rien ajouter, voilà le défi que ce maître tibétain nous lance ! À ce propos, le zen nous apprend à distinguer la perception des conceptions, du baratin intérieur : qu'est-ce que j'ai sous les yeux ? Quels sont les faits ? J'observe le miroir, je rencontre Matthieu, Christophe… Pourquoi toujours ajouter une couche et comparer : « Il est meilleur », « C'est bien », « C'est mal » ? L'exemple de la pratique de Mingyur Rinpotché me touche particulièrement car ce sage, comme il le dit lui-même, est passé par là. Il a connu lui aussi la peur avant de s'affranchir des passions tristes, des émotions perturbatrices. Il est notre devancier qui atteste qu'un autre mode de vie est possible.

« La peur, sous toutes ses formes, est sans doute l'une des émotions les plus inhibitrices de la liberté. »

MATTHIEU: Dans son enfance, il avait beaucoup de mal à gérer ses attaques de panique. Pour lui aussi, elles étaient liées à la peur de la mort : la peur que la maison s'écroule, que la foudre tombe sur lui, que son cœur s'arrête, ou qu'il ne puisse plus respirer. Sans rien dire à personne, dès l'âge de 6 ans, il partait parfois dans une grotte, près de sa maison, dans les montagnes de Noubri, au Népal. Il s'asseyait et méditait, avant même qu'on lui ait appris la méditation. Ça le calmait sans toutefois résoudre le problème. Ensuite, à l'âge de 13 ans, il a commencé une retraite contemplative de trois ans, de son propre gré. Il voulait absolument méditer. C'est évidemment un cas assez exceptionnel. Au bout d'un an, il souffrait toujours d'attaques de panique. Un jour, il s'est dit : « Ça suffit. Je m'enferme dans ma chambre et je vais mettre en application jusqu'au bout les enseignements sur la nature de l'esprit que m'a donnés mon père (Tulkou Urgyen, un maître spirituel très respecté, qui était aussi le maître de Francisco Varela). Je ne sortirai pas avant d'avoir résolu ce problème. » Il a donc mis en œuvre ces instructions méthodiquement et, en trois jours, il s'est débarrassé, une fois pour toutes, de sa panique. Même s'il a reconnu avoir encore pris « quelques coups » qu'il savait désormais résoudre, comme il le raconte dans ses livres *Le Bonheur de la méditation* et *Le Bonheur de la sagesse*. Aujourd'hui, il rayonne d'une liberté joyeuse et contagieuse, et d'une sagesse impressionnante. On ne pourrait jamais imaginer qu'il a été ainsi la proie pendant des années de crises de panique. Il a poursuivi ses retraites et enseigne d'une façon limpide et profonde la nature de l'esprit.

Il conseille notamment de ne pas considérer la panique comme une ennemie, ce qui engendre une tension supplémentaire – on a peur que la panique survienne – mais d'essayer d'en faire une amie : « Bonjour panique, bienvenue ! », et de l'utiliser pour progresser vers la liberté intérieure. Plus précisément, il propose quatre stratégies : commencer par observer attentivement la panique, en particulier les sensations physiques qu'elle déclenche, à la manière d'un spectateur qui observe un fleuve en crue. Dans ton cas, mon cher Alexandre, ce sera plutôt l'anxiété, pour d'autres cela peut être la jalousie ou le désespoir. S'il advient qu'au lieu de diminuer la panique augmente, la deuxième stratégie consiste à se concentrer sur autre chose : les sons qui nous entourent, le va-et-vient de notre souffle, un paysage qui s'offre à nos yeux. On peut aussi se concentrer sur une autre émotion perturbatrice. Dans son cas, Mingyur Rinpotché engendrait artificiellement de la colère, puis se concentrait sur elle. Cela permet de se familiariser avec la manière de gérer les émotions perturbatrices et de s'entraîner avec une émotion, la colère en l'occurrence, qui est moins envahissante que la panique.

C'est plus facile, car la colère que l'on a ainsi engendrée est moins perturbatrice que l'anxiété qui est notre difficulté principale. Si cela n'aide toujours pas, la troisième méthode consiste à prendre du recul et à observer ce qui se cache derrière la panique : la peur de la panique, l'aversion envers la panique, la résistance à la panique. Finalement, si rien ne marche, la dernière option est de faire une pause : faire une balade, prendre une douche, jouer avec ses enfants, aller voir des amis, etc.

ALEXANDRE : Mingyur Rinpotché donne aussi un fabuleux outil : la vision panoramique, cette immense disponibilité intérieure qui rejoint l'esprit vaste prôné par le zen. Dans l'angoisse, par une étrange illusion d'optique, la conscience se fixe, se focalise sur un point, sur les tracas du jour, oubliant tout le reste. Dès lors, l'exercice consiste à prendre conscience de ce qu'il y a autour, à côté de l'angoisse, et de s'ouvrir au monde qui est bien plus grand que ce moi agité.

CHRISTOPHE : Apprendre à affronter les crises, à ne plus craindre leurs retours est essentiel. Cependant, ça ne se décide

pas, ça se travaille, sur le principe de l'adage latin « *Si vis pacem,
para bellum* » (« Si tu veux la paix, prépare la guerre ») ; si tu veux
vivre heureux, quand tu es un anxieux, sois capable d'affronter les
vagues de l'anxiété pour ne plus t'y noyer. Il s'agit d'un véritable
entraînement. Et ce que tu viens de décrire est l'un des moyens
d'agir sur l'angoisse : on travaille le « muscle » de son attention.
Toutes les études scientifiques montrent que plus on est anxieux,
plus l'attention est focalisée sur l'objet de l'angoisse. Et on néglige
tout le reste. Or la vision que nous devons privilégier, dans notre
vie en général, mais prioritairement dans les périodes d'anxiété, est
à l'inverse une vision panoramique : voir le problème ou la possibilité du problème, mais aussi toutes les ressources au problème,
tout ce qui existe aussi et qui n'est pas le problème.

C'est ce à quoi s'attache par exemple la psychologie positive, qui
est ainsi une psychologie des ressources : régulièrement s'attacher
à élargir son regard et à apprécier ce qui va bien dans sa vie, ce
qui fonctionne bien, ce qui aide et rend fort. Lorsque les peurs
surviendront, ces ressources permettront de mieux lutter contre
l'adversité, avec ses multiples parts : sa part réelle (les anxieux
ont aussi de vrais problèmes, comme tout le monde !), sa part
amplifiée (mais les anxieux les voient avec un effet grossissant),
sa part imaginée (car les anxieux s'embarquent souvent dans leurs
scénarios catastrophe improbables, avec des ratons laveurs enragés
et bien d'autres choses encore !).

MATTHIEU : De plus, ce qui surgit dans l'imaginaire peut
prendre des formes infinies, toutes plus menaçantes les unes que
les autres.

CHRISTOPHE : Oui, et c'est la part la plus difficile à affronter.
Finalement, les personnes anxieuses ne s'en sortent pas si mal
face aux difficultés réelles et concrètes, mais elles s'épuisent face à
tout le reste. Parce que le cerveau anxieux traite le risque comme

la réalité, avec autant de sérieux et d'énergie. Puisque le risque existe, alors je réagis comme si c'était réel. Parce que mon esprit est focalisé sur la crainte, sans recul. Ce qui peut nous aider, c'est d'accepter de laisser la peur en place, mais justement de ne pas la laisser prendre *toute* la place. Et d'inviter notre esprit à tout le reste : prêter attention au souffle, au corps, aux sons, bien regarder notre environnement, bref nous ancrer dans le réel, le tangible ; puis, à partir de là, observer nos pensées de la même manière, avec recul, les laisser filer, comme on laisse filer chaque expiration. Et chaque fois que l'on voit son esprit se resserrer, se rétracter sur les peurs, recommencer, rouvrir encore et encore son attention à tout ce qui est là, et pas seulement la peur...

Il existe tout un tas d'autres techniques, mais ce que les personnes anxieuses doivent comprendre, c'est qu'on ne peut pas les utiliser au cœur de la tempête : ce n'est pas quand l'avion s'écrase qu'on apprend à se servir d'un parachute. Une sorte d'entraînement existentiel est nécessaire, si l'on part du principe que la condition humaine implique de ressentir régulièrement des moments d'anxiété ou de désespoir. C'est un bagage psychologique, dont, à mon avis, on ne peut pas se passer. Au risque d'être ravagé par les crises d'angoisse lorsqu'elles nous tombent dessus, ou d'être dépendant des tranquillisants, de l'alcool, des autres, pour se rassurer.

Au cœur de la guérison, la confiance et l'attention aux bons moments

CHRISTOPHE : Ce qui m'interpelle beaucoup en t'écoutant, Matthieu, c'est qu'à un moment donné, au cœur de l'angoisse, pour s'en sortir, il y a quelque chose qui relève d'un acte de foi. Si je souffre de peurs ravageuses, j'ai du mal à croire ce que dit le thérapeute, ce que disent Matthieu ou les maîtres tibétains !

« Quand
on commence à être
aspiré par l'angoisse,
se ré-ancrer
dans la respiration,
dans le corps,
regarder ses pensées,
tout ce qui est en
train de déferler… »

Pourtant, il le faut, je dois y aller à fond, je dois essayer d'appliquer leurs conseils, puisque c'est une voie qui a été validée par la science, expérimentée par ces maîtres. Et cet instant où l'anxieux cesse de se croire lui-même, cesse de penser qu'il a raison, qu'il est en danger, que ses enfants sont en danger, ou de croire dur comme fer à toute autre peur, ce tout petit instant est déterminant. C'est celui où la situation peut basculer, celui où il se dit : « J'ai peut-être tort, je suis perdu, aveuglé et asservi par mes peurs. Tout ça ne marche pas. Alors, mieux vaut essayer, lâcher mes certitudes négatives, me lancer dans le vide et attraper la main que me tend le maître ou le thérapeute, écouter ses conseils, appliquer sa méthode. »

MATTHIEU : C'est ce qui distingue la croyance de la confiance. La croyance ordinaire consiste à croire en quelque chose qui n'est justifié par aucune preuve. La croyance aveugle, c'est continuer à croire, même s'il est prouvé que cette croyance est erronée. La croyance peut suivre des modalités infinies, puisqu'elle n'a pas besoin d'être fondée sur la réalité. La confiance, elle, consiste à fonder son opinion soit sur l'expérience directe, soit sur le raisonnement logique et l'inférence valide, soit sur un témoignage digne de confiance.

CHRISTOPHE : Mais c'est aussi un acte de foi, d'une certaine façon : en latin, *fides* signifie en même temps « confiance » et « croyance ». Et c'est sans doute pourquoi beaucoup d'anxieux ont du mal à franchir le pas, sans être éclairés, rassurés voire accompagnés par un soignant. Tout leur esprit leur dit : « Nooooon ! il y a un danger, ne prends pas le risque, n'y va pas ! » Les conseils ne peuvent porter que s'ils proviennent de quelqu'un en qui l'on a confiance. C'est très émouvant de constater comment des personnes sont aidées par nos livres, par nos voix, à distance, sans nous avoir jamais rencontrés. Ce n'est pas seulement parce que ce que nous écrivons a du sens et est utile, c'est aussi parce qu'ils ont une relation de confiance avec nous.

MATTHIEU: Pour cela, il faut aussi ressentir une grande bienveillance chez la personne en qui nous plaçons notre confiance. Il faut pouvoir se dire, comme c'est le cas en présence d'un maître spirituel : « Cette personne semble tellement sage et bienveillante, que je peux, sauf preuve du contraire, lui accorder ma confiance. »

CHRISTOPHE: Oui, rencontrer des humains qui incarnent cette possibilité d'aller au-delà de nos peurs nous fait du bien. Les maîtres spirituels, les personnes qui incarnent la force et le réconfort d'une tradition spirituelle peuvent nous apporter beaucoup sur le plan de nos interrogations existentielles, mais ils nous offrent déjà, concrètement, des remèdes à nos souffrances, surtout s'ils ne sont pas trop loin de nous, là-haut sur leurs sommets, s'ils font preuve d'écoute, de compassion, de bienveillance. Ce sont ces qualités qui nous les rendent proches et qui réduisent la distance entre eux et nous ; si elle est trop grande, ils ne peuvent pas être sources d'aide ou d'inspiration. S'ils sont proches de nous, ils nous montrent qu'en continuant sur ce chemin on va réellement traverser nos peurs et trouver une zone d'apaisement.

MATTHIEU: J'ai été témoin de la façon dont certains enseignants tibétains aident discrètement et habilement certaines personnes qui éprouvent des difficultés psychologiques et ne se sentent pas bien dans leur peau. Très souvent, ils n'essaient pas de les convaincre de gérer leur déséquilibre par l'intellect ou par le raisonnement. Ils leur proposent de partager leur quotidien et de les accompagner dans les voyages qu'ils font pour enseigner ici et là. Et ainsi, peu à peu, par osmose, les disciples s'imprègnent de la tranquillité et de la sagesse de celui ou de celle qu'ils accompagnent. Un climat de confiance est créé et lorsqu'ils recevront des instructions plus formelles sur la pratique elle-même, ils les mettront en œuvre avec un esprit serein et confiant. C'est la force silencieuse de l'exemple.

CHRISTOPHE : Mais les vrais maîtres sont rares, et il arrive que leurs messages ne soient pas toujours assez concrets, à mes yeux de soignant du moins ! C'est là qu'interviennent les thérapeutes, plus faciles à trouver, moins intimidants, et plus ancrés dans le concret ! Je pense à ces patients qui sont hantés par l'anxiété ou la tristesse. On a le sentiment qu'ils ne regardent pas dans la bonne direction : ils accordent beaucoup plus d'importance aux expériences existentielles de malheur qu'à celles de bonheur. Et ils passent à côté de moments de vie qui pourraient contribuer à les sauver – par exemple lorsqu'ils marchent dans la nature ou qu'ils sont avec des amis –, parce qu'ils ne s'y rendent pas présents, parce que leur esprit ne les regarde pas, parce que leur cœur ne les accueille pas. Mon rôle en tant que soignant est de les aider à corriger cette petite erreur ; je dis « petite » parce que l'effort à faire n'est pas bien grand, et qu'il peut engendrer des changements immenses. Il y a des moments où un coin de ciel bleu, une parole amicale pourraient les toucher en plein cœur. C'est capital de leur ouvrir les yeux sur cela : « Est-ce que la vérité de votre existence n'est pas dans les deux territoires ? Le territoire de la souffrance, mais aussi celui de l'apaisement, de l'amour, de l'affection, de l'admiration ? » On essaie de rééquilibrer ces deux types d'expériences de vie, d'amener aussi leur attention sur ces toutes petites parcelles d'apaisement, et de les interroger sur le fait qu'elles aussi disent des choses sur ce que peut être la condition humaine : un pied dans l'adversité, un pied dans la félicité.

MATTHIEU : L'avocat du diable vous dira : « Oui, c'est un moment magique, mais qu'est-ce que cela va changer ? Cela ne durera pas. » Sans doute, mais on peut aussi s'efforcer de comprendre pourquoi on a ressenti de la paix durant ces moments privilégiés. Pourquoi ne pas essayer de prêter plus d'attention aux caractéristiques de cet état, comme tu le dis, et de les cultiver ?

CHRISTOPHE : La difficulté qu'ont nos patients, c'est qu'ils ne sont pas vraiment présents à ces moments de beauté, d'amitié, de réconfort – boire une tasse de thé offerte par un ami qui nous aime, etc. Ils sont encore engagés, parfois acharnés, dans leur tristesse, leur souffrance, leurs angoisses, et ils n'ont qu'un objectif : trouver des solutions durables, des réponses définitives. Des bons moments, ils vont dire : « C'était agréable, mais ça n'a rien résolu, ça ne m'a pas empêché de revenir ensuite à mes angoisses. » Et ce que nous avons à leur dire, tout ce que nous devons les amener à comprendre par eux-mêmes, c'est ceci : « Tant que vous verrez les bons moments comme des remèdes aux mauvais moments, ça ne va pas marcher. Ce qui est important, c'est de vous livrer pleinement à l'amitié, à l'admiration, à la nature, à ces instants, sans leur fixer de finalité. Si vous les asservissez à vos angoisses, si vous continuez à établir une hiérarchie et à considérer que l'anxiété, la peur, la tristesse, le sentiment de solitude sont intrinsèquement plus importants, plus vrais que ces moments heureux, apaisés, ça ne marchera pas. Rendez les moments de sérénité aussi réels que vos inquiétudes, ruminez les bons moments comme vous ruminez les mauvais, traitez-les sur un pied d'égalité, et vous cesserez de boiter ! »

ALEXANDRE : Oui, il faudrait davantage prêter l'oreille à l'intériorité et oser carrément nous déconnecter de ce qui nous incline en permanence à l'hyperactivité. Sans se la jouer passéiste, comment ne pas s'apercevoir qu'aujourd'hui la vie intérieure, l'introspection sont comme parasités par les mille sollicitations qui nous happent : Facebook, Twitter, mails, infos. Comment, au milieu de ce tumulte incessant, envisager un sain retour au fond du fond ? Qui nous empêche de nous octroyer des mini-retraites, autant d'étapes pour quitter le mode pilotage automatique et déménager vers la profondeur ? Hyper-stimulés, savons-nous encore cohabiter avec l'ennui, les fantômes, l'âpreté de ces heures qui, en apparence, ne portent aucun fruit ? Jusqu'en nos méditations, nous voulons trouver des expériences exceptionnelles, des sensations fortes. Comment ne pas instrumentaliser la voie, le chemin ? Plonger au fond du fond, c'est déjà se déprogrammer, croire qu'aucune circonstance n'interdit la joie véritable. Le pessimisme de l'ego relève d'un mensonge, d'une supercherie.

Mille fois par jour, il s'agit de persévérer dans l'ascèse, de dissiper les nuages adventices qui empêchent d'accéder à notre nature de bouddha. Quitter une logique de consommation, se relier à plus grand que soi, à l'environnement en l'occurrence, voilà le défi ! De nos jours, paraît-il, il existe des enfants qui n'ont jamais vu une vache en vrai et qui pensent qu'un poisson ressemble à un truc carré et pané… Mais gardons-nous de jouer aux moralistes quand il s'agit plutôt de se dépêtrer des addictions affectives, de faire la sourde oreille aux sirènes des apparences.

Accro à l'angoisse ?

ALEXANDRE : Une question me taraude : y aurait-il au cœur de l'être humain un mécanisme d'autodestruction ? D'où vient qu'en pleine connaissance de cause nous continuions à persévérer sur une route qui nous conduit droit dans le mur ? Pourquoi, à certains moments de notre vie, nous obstinons-nous dans des comportements qui nous tirent vers le bas ? Quelles forces impérieuses nous rendent addicts aux causes de notre souffrance ? Et voilà qui nous replonge dans le thème de l'acrasie et de l'addiction…

CHRISTOPHE : Accro à ses angoisses ? Je n'aime guère accuser les personnes qui souffrent de « complaisance » vis-à-vis de leurs symptômes. Mais effectivement, il peut y avoir, chez chacun de nous, une dépendance, bien involontaire, à nos souffrances. Parfois, quand on essaie de réconforter quelqu'un de très anxieux, on a l'impression qu'il tient à ses angoisses. Et à certains moments, on se livre à une sorte de bras de fer argumentatif, où il essaie de te convaincre qu'il a bien raison d'être anxieux, et où toi, aussi bêtement, tu essaies de le convaincre qu'il faut qu'il soit moins anxieux. C'est une impasse : conviction contre conviction.

ALEXANDRE : Serait-ce que nous préférerions une habitude nocive, douloureuse plutôt que de s'ouvrir à l'inconnu, de faire bon accueil au vide ?

CHRISTOPHE : Exactement. C'est pourquoi, bien que thérapeute, je pense que dans toute guérison, à un moment donné, il y a un acte de foi : on lâche ses certitudes négatives pour se jeter dans le vide, pour saisir le trapèze que tend le maître spirituel, le thérapeute, ou un ami dans le bien. On est accroché au-dessus du gouffre, ça balance de tous les côtés, on ne contrôle rien, et là-bas il y a quelqu'un qui te crie : « Lâche tout, jette-toi et essaie d'attraper la solution que je te lance ! » C'est normal qu'on ait peur de se lancer, et qu'on soit tenté de rester accroché au trapèze de ses souffrances : lui au moins, à cet instant, il est tangible et bien entre nos mains !

MATTHIEU : On pourrait définir le samsara, c'est-à-dire l'océan de l'existence conditionnée par l'ignorance et la souffrance, comme une addiction aux causes de la souffrance.

ALEXANDRE : Quels sont les mécanismes d'une telle addiction ? D'où provient-elle ?

MATTHIEU : De la distorsion de la réalité caractéristique de l'égarement : nous nous précipitons vers les causes de la souffrance et nous tournons le dos à celles du bonheur. Un texte bouddhiste dit aussi qu'il nous arrive de traiter le bonheur comme s'il s'agissait de notre pire ennemi. Il ne s'agit donc pas de complaisance à l'égard des symptômes de la souffrance, mais d'un manque de discernement.

ALEXANDRE : Mais parfois, pour notre grand malheur, il semble qu'il y ait carrément un acharnement à nous berner, à nous leurrer, à persévérer dans l'illusion et l'ignorance.

MATTHIEU : C'est bien l'une des caractéristiques de la confusion mentale que de s'entêter à reproduire les causes de nos souffrances. L'un de mes maîtres qui enseigne en Dordogne affirmait : « Ce que les gens appellent bonheur, nous l'appelons souffrance. » Cette affirmation drastique fait référence à notre quête de buts qui sont incapables de nous apporter un bien-être véritable : la soif de possessions, de renommée, de pouvoir, de plaisirs superficiels, et nos craintes de déplaire, de perte, d'échec, d'anonymat, de critiques, etc.

ALEXANDRE : Comment incarner dans le quotidien les hautes aspirations qui habitent notre cœur ? Je sais pertinemment que la générosité est un trésor, une clé pour les relations humaines, un cadeau du Ciel. Il n'y a pas photo, la non-fixation apporte un remède à beaucoup de maux, et pourtant… je peine à retrousser mes manches et à persévérer sur cette voie tant les forces d'inertie, les habitudes se montrent dures à cuire.

MATTHIEU : Nous manquons de modèles dans notre monde contemporain. Qui admirons-nous vraiment ? Et qui mérite d'être pris pour modèle humain ? Nous aimerions jouer aux échecs comme Bobby Fisher, l'un des plus fulgurants génies de l'histoire des échecs, mais qui voudrait être comme lui – une personne profondément perturbée, impossible à vivre. Quand nous regardons autour de nous – parents, éducateurs, grands de ce monde, penseurs, artistes –, nous sommes quelque peu décontenancés. Il y a des personnes admirables, mais aussi beaucoup de gens auxquels nous ne voudrions certainement pas ressembler, en tant qu'être humain, quels que soient leurs talents particuliers. En revanche, lorsque nous rencontrons un être empli d'une vraie sagesse, animé d'une inépuisable bienveillance, on aimerait tant posséder les qualités de cette personne.

BOÎTE À OUTILS
FACE À LA PEUR

MATTHIEU

- *Observer la peur* comme on observerait un feu ardent et la laisser peu à peu se dissoudre d'elle-même sous le regard de cette «présence attentive», qui ne s'identifie pas à la peur.
- *Sortir de l'étroitesse de notre esprit angoissé* en contemplant ou en imaginant un vaste paysage, l'immensité du ciel.
- *Utiliser la raison pour se reconnecter à la réalité*: Parmi nos mille et une peurs, combien se sont réellement matérialisées en situations dramatiques dans la réalité?
- *Analyser la peur* pour comprendre qu'elle n'est rien d'autre qu'une fabrication de l'esprit et qu'il n'y a aucune raison de s'y soumettre.

Ces outils concernent les peurs imaginaires et non les dangers réels, face auxquels la peur peut être salutaire.

ALEXANDRE

- *La thérapie par le réel*: Les stoïciens conseillaient en cas d'émotions perturbatrices, de pagailles intérieures, de javas émotionnelles, de revenir aux faits. Qu'ai-je sous les yeux? De quoi ai-je peur? Qu'est-ce qui me met dans un état pareil?
- *Élargir le champ de conscience*: Quand l'esprit se focalise mordicus sur le tracas du jour, tenter une vision un brin plus panoramique, oser regarder ce qui se passe autour de soi, se connecter aux sensations, s'ouvrir à la grandeur du monde.
- *Pour s'extraire de la spirale infernale de la peur*: Voir que la logique n'a pas forcément réponse à tout, que les arguments ne parviennent pas toujours à démonter les craintes irrationnelles et pratiquer, au besoin, l'art du détour, envisager ce qui nous décentre de la crainte.

- *Ne pas surestimer nos forces.* Il est des combats qui épuisent et nous laissent exsangues. Afin de ne pas rester seul avec un poids, oser s'entourer d'amis dans le bien quand on perd pied.

CHRISTOPHE

- *La peur, atteinte durable à notre liberté* : Le véritable problème de la peur en nous, ce n'est pas tant l'inconfort ou la douleur qu'elle provoque, qui finissent par passer, mais notre liberté qu'elle réduit durablement. Pour ne plus avoir peur, nous passons notre temps à éviter ce qui nous semble dangereux. Sans savoir si c'est vraiment le cas : l'évitement ne nous apprend rien, ni sur les dangers ni sur nos capacités.
- *Désobéir* : C'est la première chose à faire chaque fois que possible : la peur nous dit de reculer ? On avance, pour voir ce qui se passe ! Elle nous pousse à ne plus penser qu'à elle ? On ouvre notre champ attentionnel pour penser à tout le reste (notre respiration, notre corps, le monde qui nous entoure) !
- *S'entraîner à affronter les petites peurs* : Si faire face à nos plus grandes peurs est trop difficile, on en cherche de plus petites, accessibles à nos efforts. Et on s'entraîne à les affronter de manière répétée, car une fois ne suffit pas. Les mécanismes de la libération sont les mêmes, quelles que soient les peurs. Les efforts pour s'affranchir de petites peurs sont les mêmes que ceux qui vont nous servir pour les grandes.
- *Ne pas oublier la psychothérapie* : C'est sur nos peurs et nos angoisses qu'elle obtient ses meilleurs résultats, notamment grâce aux thérapies comportementales et cognitives, aux thérapies d'acceptation et d'engagement, et aux thérapies basées sur la pleine conscience.

« *En Bretagne, j'ai rencontré une mère qui tous les jours, à 17 heures, était bouleversée. C'était l'heure où son fils unique était mort, cinq ou six ans auparavant, en rentrant de l'école. Son deuil n'a jamais cessé.*

J'ai connu une autre mère qui a trouvé son fils noyé dans leur piscine. Au moment du drame, elle s'est dit : "J'ai un choix dans ma vie maintenant, soit je vis avec ce désespoir jusqu'à la fin de mes jours, soit je décide que je vais vivre et rendre hommage à mon fils, différemment."

Ce fut un moment décisif, où elle choisit de vivre pleinement sa vie et de dédier à la mémoire de son fils de nombreuses actions caritatives qu'elle a dès lors entreprises avec sa fortune. Elle a senti un point de bascule, et quoi que l'on puisse penser du libre arbitre, à ce moment-là, dans ces conditions extrêmes, elle a vu la possibilité de partir d'un côté ou de l'autre, et elle a dit "j'ai choisi la vie", plutôt que le désespoir. »

Matthieu

4
LE DÉCOURAGEMENT ET LE DÉSESPOIR

CHRISTOPHE : Ce sont là deux histoires impressionnantes, deux exemples de réactions opposées face à la tentation du désespoir, ce ressenti premier qui prend à la gorge lorsqu'on perd un enfant. Mais commençons peut-être, les amis, par un ressenti moins tragique et plus courant : le découragement. Il m'apparaît comme une sorte de trépied qui repose à la fois sur une usure, une fatigue (je suis découragé parce que j'ai longtemps essayé), sur une absence de résultat ou du moins de résultat satisfaisant (ça ne marche pas) et sur une perte d'espoir (je n'y arriverai jamais). C'est l'écolier désemparé face à un devoir de maths qu'il n'arrive pas à résoudre, le bricoleur énervé qui échoue à réparer quelque chose, le proche attristé qui s'épuise à aider un ami dépressif…

Le risque du découragement, c'est le renoncement, qui en représente la conséquence concrète. Et c'est aussi une perte de liberté insidieuse : je peux échouer sans me décourager, et je garde alors l'espoir qu'une solution viendra plus tard. Alors que le découragement m'enferme dans la certitude qu'il n'y a pas de solution qui puisse venir de moi, et même, si le découragement est profond, du monde extérieur.

Précisons qu'il existe deux sortes de renoncements : le renoncement choisi et le renoncement subi. Dans le premier, on s'aperçoit de sa fatigue et de son incapacité transitoire à affronter la situation, à résoudre le problème ; on l'accepte, on lâche prise, et on s'accorde du repos, de la réflexion, on demande de l'aide. Ce renoncement choisi est une forme de prévention du découragement. Mais le renoncement subi, conséquence d'un acharnement et d'un épuisement, nous affaiblit et réduit notre sentiment d'efficacité et de liberté.

L'optimisme des souris

MATTHIEU : Un des aspects de la liberté, c'est de disposer d'un large choix de possibilités. Le découragement nous fait renoncer à ces potentiels, qu'il rejette d'emblée. On se dit à soi-même « je n'en suis pas capable », ou « ce projet est voué à l'échec ».

On dit souvent que les optimistes sont naïfs et que les pessimistes sont plus réalistes. Il a été démontré que cette idée reçue était fausse : les pessimistes exagèrent beaucoup les aspects négatifs d'une situation, et si on leur propose des solutions, ils ne les mettent pas en œuvre parce qu'ils pensent que ça ne va pas marcher. À l'inverse, le degré de liberté de l'optimiste est beaucoup plus vaste : il entreprend des dizaines de choses dont certaines finissent par réussir. Le pessimiste est victime d'une sorte de découragement chronique.

CHRISTOPHE : Il existe des études intéressantes à ce sujet en psychologie expérimentale. On plonge des souris dans un grand récipient d'eau où elles n'ont pas pied. On mesure combien de temps elles nagent avant de se laisser couler, autrement dit, avant de se décourager parce qu'elles sont épuisées et concluent qu'il n'y a plus d'espoir de survie. C'est comme cela d'ailleurs qu'on testait autrefois les antidépresseurs : ils devaient augmenter le temps de nage des souris, et on ne retenait que les molécules qui avaient cet effet « antidécouragement ». Mais il existe une autre façon, non médicamenteuse, de prolonger leur temps de nage : en leur faisant connaître au préalable une expérience de succès à leurs efforts. On les plonge dans un bac où, sous l'eau, non visible, mais à portée de patte au cours de leur nage, se dresse un promontoire. À un moment donné, elles tombent dessus, par hasard, et peuvent alors s'arrêter de nager et se dire (peut-être, dans leur cerveau de souris !) que leurs efforts sont récompensés, que ça valait la peine de persévérer et qu'il y a toujours de l'espoir au bout des efforts. De telle sorte que si, par la suite, on les plonge dans le bac sans promontoire, elles continuent de nager bien plus longtemps que les autres, mues par ce souvenir et cet espoir. C'est ce qu'on a appelé le « sentiment d'efficacité apprise ».

À l'inverse, on a réalisé d'autres expériences avec des chiens. On les met dans une cage qui comporte deux parties séparées par une petite barrière facile à sauter, et dont le sol grillagé peut être électrifié. On les soumet alors à des petits chocs électriques désagréables : évidemment, les chiens sautent dans l'autre partie de la cage pour éviter le choc. Puis on modifie les conditions de l'expérience, et on leur impose les chocs en les attachant pour les empêcher de sauter : ils ne peuvent plus agir pour se protéger. Ensuite, on s'aperçoit que même si on les détache, les deux tiers d'entre eux sont résignés et ne cherchent plus à éviter les chocs en sautant la barrière. C'est l'inverse de ce qu'on a mis en évidence avec les souris. Martin Seligman a appelé ce phénomène l'« impuissance apprise », ou la « désespérance apprise ».

Ces recherches, qu'on a transposées chez les humains, évidemment sans chocs ni nage forcée, éclairent certains comportements qu'il ne faut pas juger trop vite : les individus trop régulièrement confrontés à des situations face auxquelles ils se sentent impuissants finissent par être totalement résignés : dans certaines trajectoires de vie, où l'on a été battu par ses parents, moqué par ses camarades, où les professeurs vous ont traité de minable, où les expériences d'échec se sont accumulées, le découragement et le renoncement jaillissent tout de suite, face à la première difficulté rencontrée. Ces personnes sont en doute constant et violent sur leurs capacités à affronter la vie. Leur découragement récurrent les enferme dans une cage, comme ces animaux longtemps captifs et qui, même si on ouvre les portes de leur cage, commencent par y rester, et continuent d'y tourner en rond. Il y a ainsi des cages mentales dans lesquelles on s'est trouvé enfermé longuement, et qu'on a du mal à abandonner, même si les conditions extérieures de notre vie ont changé. On est victime de doutes ravageurs sur sa capacité de liberté et d'autodétermination, parce que être libre, cela suppose d'affronter beaucoup d'obstacles, et on ne croit pas assez en soi : doute constant et découragement récurrent.

Du doute et de l'espoir

ALEXANDRE : Le doute, l'esprit critique, ces instruments de vie, peuvent vite se retourner contre soi, tourner à vide et faire de sacrés dégâts. Et le découragement, le désespoir peuvent ronger un cœur. La tradition du zen décèle dans le doute un instrument de libération. Prendre conscience que l'ego ne peut résoudre les problèmes de l'existence, qu'il n'est pas vraiment conçu pour nous apporter la paix, apprendre à s'en méfier, cesser de le prendre au mot, voilà un grand pas vers la sagesse ! Rien à voir avec l'hésitation, les tergiversations qui diffèrent toujours l'occasion du progrès et nous enlisent dans un état de perplexité, d'insécurité avancée. D'où l'incitation des maîtres à se montrer déterminé, à s'engager sans pourquoi sur le chemin de la vie spirituelle avec la confiance que, tôt ou tard, nous arriverons à l'éveil, à l'image d'un fleuve qui, descendant la montagne malgré les détours et les obstacles, aboutit inéluctablement à la mer. Difficile pourtant de garder cette foi, cette conviction en pleine tempête mentale. Pourtant, nous voilà en route pour de bon, quels que soient le décor et les circonstances extérieures.

Quant au découragement, à mes yeux, il trouve peut-être son origine dans l'absence de confiance. Je me lève le matin sans force ni énergie, complètement anéanti face aux travers que j'essaie de corriger depuis belle lurette. Je ne cesse de me casser les dents sur les mêmes contradictions. Un pas de plus et je plonge carrément dans un noir désespoir si je n'entrevois aucune solution, aucun sens à ce désert intérieur, au vide total que je traverse certains jours et qui, dans le pire des cas, nous expose à la tentation du suicide.

Sur ce chemin, ce qui m'inspire, c'est assurément tous ces hommes et ces femmes, ces maîtres, ces sages, mais aussi la foule des anonymes qui en ont bavé, qui sont passés par là et s'en sont sortis. Ils raniment la flamme, donnent foi à la bonté de la vie, nous aident à maintenir le cap. Ce qui plonge dans le découragement, c'est l'immobilisme, l'impossibilité d'inscrire la vie dans une dynamique et l'impression de se retrouver face à un mur.

Découragement et désespoir proviennent aussi de ce sentiment d'impuissance quand aucune issue ne peut être entrevue. Soudain rien n'a de sens... La sagesse sait faire feu de tout bois et intégrer dans une dynamique échecs, tracasseries, tourments et peut-être même trahisons et douleurs. Ici, il n'est pas inutile de distinguer l'espérance de l'espoir. Ce dernier me semble borné, limité, focalisé sur un objet précis : « J'espère gagner au Loto. » Je me lève chaque matin, les yeux braqués sur cet objectif, le reste du monde n'existe pas ; je veux décrocher le jackpot, trouver un bon boulot, rencontrer une femme ou un homme, acheter une belle bagnole, que sais-je. L'espérance, la confiance, tient d'une disponibilité intérieure, d'une ouverture. C'est elle qui donne le cran à Etty Hillesum de dire au milieu des camps de concentration, quoi qu'il arrive : « J'aurai la force. » L'espoir s'accroche à une sécurité, l'espérance nous plonge dans la confiance et l'abandon. Elle ne se cramponne pas à un bonheur sur-mesure, mais nourrit la conviction que l'existence autorise toujours des occasions de joie et de progrès.

« L'important est
de ne pas s'identifier
au désespoir.
On ne va pas
chez le médecin en
déclarant : "Docteur,
je suis la grippe". »

CHRISTOPHE : Oui, dans le découragement, il y a la notion qu'il peut s'agir d'un état transitoire : je suis découragé parce que j'ai fait des efforts et qu'ils n'ont pas abouti, ou qu'il me semble qu'ils ne vont pas aboutir. Dans le désespoir, c'est figé dans la certitude : quoi que je fasse, ça ne marchera pas. Le désespoir, c'est du découragement figé, cristallisé, enraciné...

Dans le vocable « découragement », il y a un mouvement qui va de plus de courage vers moins de courage. Ce courage-là, ce n'est pas l'attitude face au danger, mais plus largement, dans l'usage ancien du mot, une force morale ou une énergie à agir. Ce que l'on souhaite quand on dit « bon courage » ! Le découragement n'a pas à voir avec l'émotion de peur, mais plutôt avec celle de tristesse. Et avec tous les degrés d'intensité, qui vont de la lassitude, au découragement, puis au désespoir.

Dans ce que tu viens de dire, Alex, je retrouve l'idée d'André Comte-Sponville dans son imposant et passionnant *Traité du désespoir et de la béatitude*, ou dans son adaptation très très résumée pour le grand public *Le Bonheur, désespérément* : la meilleure chose à faire, parfois dans nos vies, c'est de renoncer à espérer, autrement dit renoncer à attendre, renoncer à s'attacher pieds et poings liés, les yeux fermés, à des objectifs. On est tous d'accord en théorie, mais c'est quand même bien agréable d'avoir des projets, des espoirs, des espérances !

MATTHIEU : La détermination, la flexibilité, la lucidité, le pragmatisme, la sérénité et la force d'âme sont les qualités que les psychologues ont associées à l'espoir et qu'ils ont identifiées chez les personnes de nature optimiste, qui ne s'abandonnent pas volontiers au découragement. Ces mêmes psychologues définissent l'espoir comme la conviction qu'il est possible d'accomplir les buts que l'on s'est donnés et de trouver les moyens nécessaires à cet accomplissement. On sait que l'espoir améliore les résultats des étudiants aux examens et les performances des athlètes, mais aussi qu'il aide à supporter les maladies et les infirmités douloureuses. Une étude a montré que les personnes enclines à espérer supportent deux fois plus longtemps d'avoir la main plongée dans l'eau glacée – une façon de mesurer la tolérance à la douleur.

Les effets curatifs indéniables des placebos reposent sur l'espoir de guérir associé à la décision de suivre un traitement dont on pense qu'il va nous faire du bien. L'effet placebo consiste à changer d'attitude par rapport à la maladie et au remède. Il opère un changement chez le patient qui engendre de l'espoir puis acquiert la conviction que tel médicament peut le guérir. De ce fait, il va recentrer son attention et ses ressources physiques et mentales sur la guérison dont le médicament est un vecteur porteur d'espoir. L'effet placebo ravive le désir de survie. Les médecins et les infirmières savent que des malades animés par une détermination farouche à survivre résistent mieux aux moments critiques. Ceux qui cèdent au découragement et estiment qu'ils sont fichus sombrent dans une résignation passive et meurent plus vite.

Toutefois, une exacerbation chronique de nos espoirs et nos craintes peut également déstabiliser notre esprit. Ce dysfonctionnement s'explique le plus souvent par une tendance à être excessivement centré sur soi-même. Face aux événements de la vie, la personne se demande constamment : « Pourquoi moi ? » ou « Pourquoi pas moi ? » On sait que l'excès de rumination du passé et d'anticipation anxieuse de l'avenir est l'un des signes précurseurs de la dépression. S'affranchir des tiraillements de l'espoir et de la crainte nous rapproche donc de la liberté intérieure.

CHRISTOPHE : Parfois, j'ai des patients dont les espoirs sont tellement forts que je me fais du souci pour eux, et je vérifie toujours qu'ils sont dans une attitude active. Espérer gagner au Loto et ne rien faire de sa vie, ce n'est pas la même chose que d'avoir l'espoir de gagner tout en continuant à travailler et à se réjouir avec ses amis. Je pense que nos espérances ne sont toxiques que si elles s'accompagnent d'une forme de rétraction sur l'objet des attentes et de désertion de tout le reste de notre vie. On peut être très amoureux de quelqu'un et espérer qu'un jour une liaison puisse se concrétiser avec la personne, mais ce n'est pas une espérance pathologique si, par ailleurs, on continue de voir ses copains, de travailler, de se réjouir de toutes les autres choses de la vie. Et une fois de plus, ce qui me semble être la grande source de souffrance, c'est la rétraction sur un unique objet d'espérance. Nous n'avons pas à nous affoler qu'il existe dans nos vies des sources de souffrance, des sources d'espérance, mais il nous faut bien vérifier qu'elles s'inscrivent dans un lien au monde qui reste ouvert, fluide, vivant, actif...

MATTHIEU : Le problème commence quand on surimpose nos attachements aux choses et aux personnes : « Sans lui – ou sans elle – je ne peux absolument pas être heureux » ou « Si je ne me débarrasse pas de cela, je ne pourrai jamais être en paix. » Nous avons tendance à penser que certaines choses, certaines situations ou certaines personnes sont intrinsèquement désirables ou détestables, alors que ces caractéristiques sont, comme toute chose, changeantes et qu'elles résultent en bonne partie de nos projections mentales.

Se libérer du désespoir

CHRISTOPHE : Que dire face à quelqu'un de désespéré ? Même moi qui suis thérapeute j'ai parfois des ondes de détresse pour la personne en proie au désespoir, j'ai peur de ne pas arriver à l'aider. Dans ces moments-là, j'essaie de transmettre à mes patients des paroles proches de celles que je me tiens aussi, parfois, à moi-même !

« Ce n'est pas un état forcément anormal, tu as le droit d'être découragé, tu as le droit d'être désespéré ; tu n'as peut-être même pas fait d'erreur, ni de bêtise. Peut-être que ce qui te désespère aujourd'hui aura disparu demain ? Même si tu n'y crois pas, à cet instant, prends tout de même le temps de respirer et de te répéter cette phrase, sans la juger, sans la repousser. Tous les humains peuvent être découragés pour de bonnes ou de mauvaises raisons. Tu n'as rien à te reprocher. C'est juste une composante de la condition humaine.

De ton mieux, fais quelque chose, un petit truc pour toi, un petit truc pour autrui, même si ça n'a rien à voir avec la situation. Ne reste pas focalisé sur le problème, à te ravager intérieurement. Si tu es découragé ou désespéré, c'est peut-être tout simplement que la situation est réellement décourageante et désespérante et que, pour l'instant, il n'y a pas de solution simple. S'il y a une solution, elle se présentera ; s'il n'y en a pas, d'autres choses surviendront. Dans les deux cas, ne te fais pas de sur-souci et ne reste pas enfermé dans la toute petite pièce de ton esprit face au problème. Sors, bouge, range, cours. Ne reste pas seul, parle à quelqu'un, pas forcément de ton problème, trouve un lien avec une personne qui t'aime, qui va te changer les idées ou te conseiller, te consoler.

Et après, quand tu seras sorti de cette période de découragement ou de désespoir, surtout ne passe pas tout de suite à autre chose : prends le temps de regarder ce qui s'est passé, assieds-toi, écris, réfléchis, observe où tu en es aujourd'hui de ce désespoir. Cherche à comprendre pourquoi il n'est plus là, comment il a disparu – peut-être s'est-il juste transformé en tristesse. Aujourd'hui, tu n'es plus désespéré. Pourquoi as-tu pu alors tomber dans ce gouffre de désespérance ? Dans quel état étais-tu ? Quelles ont été les étapes de ce cheminement qui t'a conduit à en sortir ? Souviens-toi de tes moments de "désespoir pour rien", ou presque rien, auxquels tu as finalement survécu. Pense à ce que dit Cioran : "Nous sommes tous des farceurs, nous survivons à nos problèmes." »

Tout comme il faut nous souvenir des grands moments de bonheur, nous ne devons jamais oublier les moments où nous nous sommes auto-intoxiqués, complètement hypnotisés par notre désespoir. Il est essentiel de savoir jusqu'où chacun de nous est capable de s'enfoncer dans ses erreurs et ses points faibles, d'en avoir une conscience très claire, non pas pour nous juger, mais afin d'être capables de bienveillance pour soi, aujourd'hui, et demain, de prudence face à nos prochains découragements.

« Ici, rien n'est jamais raté »

MATTHIEU : Je pense à ma sœur Ève : en tant qu'orthophoniste, elle s'est occupée d'enfants issus de milieux très défavorisés, à l'hôpital Sainte-Anne, pendant trente ans. Des enfants qui refusaient parfois de parler, et qui avaient beaucoup de mal à apprendre à lire et à écrire. L'un d'entre eux, qui ne se souvenait plus du nom de ma sœur, l'avait appelée la « Dame des mots ». Certains lui avaient confié qu'ils avaient toujours échoué dans les différentes institutions par lesquelles ils étaient passés. Elle leur avait répondu : « Ici, rien n'est jamais raté. » À la fin de la séance de rééducation, l'un des enfants avait noté une seule phrase dans son cahier : « Ici, rien n'est jamais raté. » Il a expliqué à Ève qu'il était très heureux d'être accepté tel qu'il était.

Face à des personnes désespérées, il faut rester très humble et ne pas prétendre avoir réponse à tout. Parfois, une simple présence bienveillante est ce que l'on peut offrir de mieux. Si les circonstances s'y prêtent, on peut rappeler que, quelle que soit la magnitude du désespoir, il y a toujours en nous un potentiel de changement. Si la personne semble réceptive à cette idée, on peut aussi suggérer qu'il y a toujours quelque chose au plus profond de nous qui n'est pas touché par le désespoir, cette « présence éveillée » dont j'ai parlé précédemment. Il est clair que la détresse et la souffrance ne vont pas s'évanouir d'un seul coup, mais en reconnaissant un espace de paix au cœur de nous-mêmes, nous pouvons laisser cet espace prendre peu à peu de l'ampleur. On peut aussi suggérer à la personne d'évoquer les moments paisibles qu'elle a connus dans sa vie. Ces évocations vont l'aider à se rappeler que cette paix est une réelle possibilité. L'important est de ne pas se laisser définir par son état mental et de ne pas s'identifier au désespoir. On ne va pas chez le médecin en déclarant : « Docteur, je suis la grippe. » Or nous ne sommes pas plus le désespoir que nous ne sommes la grippe. C'est un mal qui nous affecte et auquel nous pouvons remédier.

ALEXANDRE : Pour ne pas nous identifier totalement à nos états mentaux, aux tracas du jour, il est peut-être bon de nous départir de cette volonté vorace de résoudre les problèmes sur-le-champ. Parfois, lorsque je suis envahi par de multiples tâches, je me convaincs que pour aller plus vite, il faut ralentir. Piétiner dans l'agitation, c'est risquer de griller les étapes et commettre des impairs. Pourquoi ne pas oser la non-précipitation ? Et si je me couche le soir sans avoir réglé tous les problèmes, est-ce forcément une catastrophe ?

Paradoxalement, pour apprendre la patience, il convient de poser des actes, de sortir du mental et de briser l'inaction. Il y a peu, j'attendais une nouvelle d'un médecin et le téléphone tardait à sonner. La panique s'en est donnée à cœur joie. Alors, je me suis souvenu de l'enseignement du zen qui invite à se livrer corps et âme à l'action. Je me suis muni d'un balai, j'ai rangé ma chambre. Puis j'ai médité en dédiant ma pratique à tous celles et ceux qui souffraient à travers le monde.

Repérer les engrenages avant de s'y engouffrer, voilà le défi majeur du pratiquant ! Souvent, à Séoul, je traversais le quartier des prostituées, apercevant des hommes qui attendaient sur le seuil. Spectacle tragi-comique que de voir ces individus hésiter à franchir le pas ou non. La vie spirituelle tient dans ces microchoix, ces fractions de seconde où nous pouvons encore éviter de cuisants regrets. Comment avoir un brin de recul dans ces instants cruciaux ? Pour calmer le mental qui s'agite, rien de mieux que de revenir au présent, sur la terre ferme, au « fais ce que tu fais ». On connaît la formule du sage : « Quand tu marches, marche, quand tu es assis, sois assis, surtout n'hésite pas ! » Quand tout va mal, lorsque l'ego nous tourmente avec ses délires, osons une fidélité au quotidien et continuons d'amener les enfants à l'école, de répondre à un mail d'une personne qui a besoin d'aide, à oser nous extraire, nous détourner du cinéma intérieur.

BOÎTE À OUTILS
FACE AU DÉCOURAGEMENT

ALEXANDRE

- *Inscrire sa vie dans une dynamique* et concrètement se demander quel acte je peux poser ici et maintenant pour ne pas m'enliser dans l'échec. La persévérance, l'art de maintenir le cap, puissant antidote à la résignation, se joue au présent.
- *Ne pas retourner le doute contre soi en sombrant dans la culpabilité et l'autodénigrement,* mais user de cet instrument de vie pour dégommer l'ego et avancer vers la vraie confiance qui ne saurait relever du mental.
- *Oser la non-précipitation,* ralentir quand tout nous entraîne à arracher à tout prix des solutions, à nous précipiter.

CHRISTOPHE

- *S'interroger*: Le découragement peut être légitime, il est parfois le signal qu'il vaut mieux arrêter nos efforts, mais comment le savoir? Peut-être quand il relève d'un libre choix: je pourrais continuer, j'en ai la force et la capacité, mais il me semble avoir déjà suffisamment essayé, et il me semble aussi qu'il existe d'autres possibilités.
- *Une devise anti-découragement* peut parfois nous donner l'énergie pour continuer et repousser le découragement. Une des plus connues et énigmatiques est celle de Samuel Beckett dans son roman *Cap au pire*: «Déjà essayé. Déjà échoué. Peu importe. Essaie encore. Échoue encore. Échoue mieux.» Et, plus scolaire, l'épilogue du *Chartier embourbé* de La Fontaine: «Aide-toi, le Ciel t'aidera.»
- *Deux règles*: Le désespoir impose avant tout deux attitudes: chaque fois que nous le sentons monter en nous, d'abord, ne pas rester seul; ensuite, ne prendre aucune décision importante sous son emprise.

MATTHIEU

- *Confiance*: Le découragement peut nous conduire à renoncer à nos efforts, alors qu'il est encore possible de surmonter les difficultés. Il importe donc de rassembler nos réserves d'énergie pour transformer l'obstacle en accomplissement.
- *Optimisme*: Les optimistes restent plus sereins que les pessimistes, ils cèdent moins facilement au découragement et réservent leur énergie pour de vrais dangers.
- *Sérénité*: Si, pour une raison ou un autre, nous échouons, il est inutile de nous sentir découragés. Voir la réalité telle qu'elle est n'a rien de décourageant. Il est préférable de garder sa sérénité et de tourner nos efforts dans une autre direction.

« *Un jour, tandis que je pataugeais gaiement dans la piscine municipale, j'ai aperçu, au loin, le dos d'un enfant complètement cramoisi. Il s'était payé un de ces coups de soleil du tonnerre de Dieu. Pendant une fraction de seconde, mon cœur s'est serré : "Bon sang, mon fils Augustin s'est cramé le dos !" Puis je me suis totalement détendu, m'apercevant que, par bonheur, ce n'était pas mon fils...*

C'est fou comme je me désintéressais de la santé de cet autre bambin qui risquait l'insolation. Quelle illusion d'optique, quel sacré dysfonctionnement me rend indifférent au sort de l'autre ! L'ascèse, la pratique sert précisément à corriger ce rapport biaisé, nombriliste, autocentré au monde. Pourquoi se blinder face à la souffrance d'autrui ? Pourquoi ne pas être également touché par le coup de soleil qui s'est abattu, là-bas, sur cet inconnu ? »

Alexandre

5
L'ÉGOCENTRISME

MATTHIEU: Bien des gens pensent que si l'on ne se réfère qu'à soi, on jouit d'une liberté maximale : on n'est pas obligé de se plier à la volonté des autres, on décide de ce que l'on aime, de ce que l'on fait et de ce que l'on vit, on ne prend en considération ni le bien d'autrui ni l'ensemble de la situation. Mais ce faisant, on risque de devenir des Narcisses dont la principale préoccupation est de savoir comment on se sent, prêtant attention aux moindres réactions de son moi, envers lequel on est aux petits soins.

L'égocentrisme est fondamentalement un obstacle sur le chemin de la liberté et un rétrécissement du monde : si l'on vit avec le sentiment exacerbé de l'importance de soi, si l'on se représente l'ensemble de nos rapports aux autres et au monde en fonction de notre ego, on instrumentalise les êtres (est-ce qu'ils vont m'apporter quelque bienfait ou menacer mes intérêts ?). On est ainsi soumis aux diktats de ce petit potentat qui ne possède aucune limite dans ses caprices et ses exigences. L'univers apparaît comme une sorte de catalogue où l'on pourrait commander tout ce que l'on souhaite. Et l'on est malheureux parce que le monde n'est pas configuré pour satisfaire nos demandes sans fin. L'égocentrisme mène à la frustration et au tourment. On finit par être obsédé par le moindre plaisir ou déplaisir, on devient le jouet de ces microclimats de réactions d'attirance ou de répulsion, et loin d'être libre, on devient très vulnérable.

CHRISTOPHE : De manière générale, quand le mot « ego » apparaît dans une conversation, ce n'est pas bon signe ! Il désigne le plus souvent un *excès* d'attachement à soi, à ses intérêts, à son statut. Dans la terminologie psychologique, nous disposons de nombreux termes pour évoquer le lien que nous cultivons à nous-mêmes. Il y a par exemple l'égotisme, un terme plutôt technique que d'usage quotidien, que l'on retrouve dans l'œuvre autobiographique de Stendhal, *Souvenirs d'égotisme*. Le terme désigne, selon Paul Valéry, le « développement de la conscience pour les fins de la connaissance » : il s'agit d'accepter que le regard que nous portons sur le monde ne peut provenir d'ailleurs que de nous-mêmes. C'est un premier mouvement spontané, et c'est pourquoi l'essentiel de nos efforts, par rapport à cet « ego », doit être de nous en affranchir plutôt que de le nourrir, puis d'aménager un rapport lucide plutôt que de vouloir à tout prix nous en débarrasser.

Ce que l'on nomme « égocentrisme » désigne la tendance à se placer au centre, à considérer ses intérêts avant ceux des autres. Par exemple, dans une discussion, cela pourrait consister à parler systématiquement le premier avant de donner la parole à autrui ; ou lors d'un repas, à se servir avant tout le monde : même si on ne finit pas le plat, même si on en laisse aux autres, on passe tout de même avant eux ! L'égocentrisme ne s'accompagne pas forcément de regard négatif sur autrui, de mépris, de méconnaissance, il est juste une attention prioritairement portée sur soi. C'est une vision naïve et incomplète de la vie en collectivité, qu'on retrouve, à un moment donné, chez les jeunes enfants, plus qu'une philosophie existentielle organisée.

Dans l'égoïsme, on passe au cran supérieur. L'égoïste se fiche que les autres existent, il ne se préoccupe pas de leurs besoins. La devise « Après moi, le déluge » est caractéristique de l'égoïsme : une fois mes besoins satisfaits, ce qui arrivera à d'autres dans l'avenir m'indiffère. Je ne leur veux pas de mal, mais je ne fais

« Quand on souffre
beaucoup, on écoute
les autres en pensant
à soi, on regarde
le monde en pensant
à soi. C'est épuisant
et stérilisant. »

aucun effort pour leur faire du bien. C'est une philosophie de vie basée sur le « chacun pour soi ».

Enfin, il y a le narcissisme, au sens où nous l'utilisons en psychologie et en psychiatrie : un égoïsme important, une surévaluation de sa valeur (autrement dit un « complexe de supériorité ») qui s'accompagne de mépris des autres, auxquels on se sent supérieur, et de droits que l'on s'arroge de ce fait. Les individus narcissiques ne se sentent pas obligés de respecter les règles de vie sociale puisqu'ils pensent que leurs droits sont supérieurs à ceux des autres : droit de parler plus que les autres (puisqu'ils disent des choses plus intelligentes), de dépasser les autres dans les files d'attente (puisque leur temps est plus précieux), de rouler plus vite (puisqu'ils conduisent mieux), de les déranger, mais sans pour autant tolérer de l'être par eux, etc. Dans le narcissisme, il y a combinaison d'égoïsme, de sentiment de supériorité et d'une relative amoralité. Le président américain actuel, Trump, en est hélas un assez bon exemple. La philosophie de vie narcissique est pathologique et toxique pour les groupes humains : elle les fait régresser, là où la collaboration et le respect d'autrui sont associés aux progrès de toutes sortes.

MATTHIEU : Le narcissisme est décrit en psychologie comme une tendance au grandiose, un besoin d'admiration et un manque d'empathie. Le narcissique est un admirateur inconditionnel de sa propre personne – la seule chose qui l'intéresse – et il cherche inlassablement à renforcer l'image flatteuse qu'il a de lui-même. Il a peu de considération pour les autres, qui ne sont pour lui que des instruments susceptibles de rehausser son image. On a longtemps pensé qu'au fond d'eux-mêmes les narcissiques ne s'aimaient pas et se surévaluaient pour compenser un sentiment d'insécurité. Les travaux de recherche ont montré qu'en vérité les personnes narcissiques souffrent bel et bien d'un sentiment de supériorité. Lorsque le narcissique finit par être confronté à la réalité, il se met généralement en colère, envers les autres ou envers lui-même. Des études ont montré que ceux qui se surestiment présentent une tendance à l'agressivité supérieure à la moyenne.

La psychologue Jean Twenge a révélé que l'Amérique du Nord souffre depuis une vingtaine d'années d'une véritable épidémie de narcissisme. En trente ans, le nombre d'adolescents qui sont d'accord avec l'affirmation «Je suis quelqu'un d'important» est passé de 12 à 80%. Aujourd'hui, toujours aux États-Unis, un collégien sur quatre peut être qualifié de narcissique. D'après les chercheurs, l'une des raisons de cet égocentrisme vient de l'usage des réseaux sociaux, qui sont en grande partie consacrés à la promotion de soi.

À l'opposé, toutes les religions nous rappellent les vertus de l'humilité. Les chrétiens insistent sur «l'oubli de soi» (*kénosis*). La règle de saint Benoît décrit les douze échelons de l'humilité que le moine doit mettre en pratique. Du côté de l'hindouisme, la *Bhagavad-Gita* nous dit: «L'humilité, la modestie, la non-violence, la tolérance, la simplicité [...] la maîtrise de soi [...] le non-ego [...], telle est, je l'affirme, la connaissance. Le contraire de cela, est ignorance.» Le bouddhisme considère l'humilité comme une vertu cardinale semblable à une «coupe posée à même le sol, prête à recevoir la pluie des qualités». Les humbles ne sont pas des gens remarquables qui s'évertuent à se persuader qu'ils sont nuls, mais des êtres qui font peu de cas de leur ego. Ils s'ouvrent plus facilement aux autres et sont particulièrement conscients de l'interdépendance entre tous les êtres et du sentiment d'appartenance à la grande famille humaine. Les chercheurs ont aussi mis en évidence l'existence d'un lien entre l'humilité et la faculté de pardonner. Ceux qui s'estiment supérieurs jugent plus durement les fautes des autres et les considèrent comme moins pardonnables.

La souffrance peut nous rendre égocentriques

ALEXANDRE: Peut-être se dissimule en nous, au tréfonds de notre personnalité, un «mini-Trump» qui claironne non pas «*America first*» mais «*Me first*», «Moi d'abord». Sept milliards d'êtres humains vivent sur notre belle planète. Pourquoi ce mental nous leurre à ce point, en s'obstinant à se hisser au-dessus de cette multitude d'hommes, de femmes, d'enfants?

MATTHIEU: Si nous traçons une ligne et plaçons d'un côté notre personne et de l'autre les sept milliards d'êtres humains, et que nous persistons à penser que nous sommes plus importants que ces sept milliards d'individus, nous faisons une grossière erreur de calcul! C'est là l'exemple même d'un asservissement aveugle à l'ego.

ALEXANDRE: Quelle aberration! Quelle absurdité que de s'enliser dans cette grossière illusion: un, moi > sept milliards! Fatale erreur qui ne relève pourtant pas de la perversion. En pleine souffrance se met en place comme un réflexe qui nous replie sur nous-mêmes jusqu'à nous inciter à oublier le monde entier. J'ai si peur de morfler que je m'accroche au personnage que je joue. Pourquoi jour et nuit, à plein temps, m'acharner à vouloir protéger, chouchouter, sauver le petit personnage auquel j'ai fini par m'identifier? À trop vouloir sauver sa peau à tout prix, on risque fort cependant de négliger voire de mépriser les autres. À coup sûr, on se tire une balle dans le pied.

CHRISTOPHE: Ce que tu décris, Alex, me frappe en tant que médecin: régulièrement, nous régressons vers l'égocentrisme, notamment sous l'effet de la souffrance. Elle capte nos ressources attentionnelles et nous remet inlassablement au centre de tout, en nous remplissant de nous-mêmes. Quand on souffre beaucoup, on écoute les autres en pensant à soi, on regarde le monde en pensant à soi. C'est épuisant et stérilisant.

Il existe des travaux scientifiques très intéressants, réalisés à l'hôpital de la Pitié-Salpêtrière, à Paris, par Philippe Fossati et son équipe : on fait lire des listes de mots – dont des mots négatifs (égoïste, cruel, lâche, menteur, etc.) – à des personnes déprimées et à d'autres non déprimées, tout en observant ce qui se passe dans leur cerveau avec des appareils de neuro-imagerie. Chez les déprimés, on voit une activation très importante des zones de référence à soi (comme le cortex préfrontal ventro-médian), notamment à la lecture des mots négatifs (ce qui correspond à leur tendance à s'auto-accuser et à se dévaloriser). Ils sont très centrés sur eux, mais, à l'inverse des narcissiques, c'est pour se critiquer. Les non-déprimés ne se sentent, en revanche, concernés que par certains mots négatifs, pas par tous : ils ne ramènent pas tout à leur personne, mais seulement ce qui a du sens par rapport à eux.

On pourrait dire qu'il s'agit à propos de la dépression d'un égocentrisme autotoxique. Et autoaggravant : en se centrant ainsi sur nous-mêmes de manière négative lorsque nous souffrons, nous aggravons encore notre souffrance (en nous focalisant sur cette partie de nous qui va mal et en l'assimilant à toute notre personne) et nous nous éloignons des solutions et des soulagements possibles (qui ne résident pas en nous à cet instant, mais plutôt dans l'intérêt porté vers le monde qui nous entoure). C'est pourquoi les personnes déprimées peuvent paraître égoïstes : c'est un égoïsme involontaire, car elles n'ont pas l'énergie, la capacité de faire l'effort de détourner leur attention d'elles-mêmes pour la porter vers autrui.

À un degré moindre, c'est ce qui se passe avec les personnes mal dans leur peau et dans leur vie : elles parlent trop d'elles, dans toutes les conversations, elles ramènent sans cesse la discussion vers leur nombril. Je me souviens ainsi d'une cérémonie de crémation d'une amie proche : dans la voiture qui nous reconduisait chez sa famille, pour une soirée de partage, nous parlions de ses cendres, en nous demandant quelles avaient été ses dernières volontés à ce sujet (les disperser ? les préserver ?) ; aussitôt, une des passagères de la voiture interrompit la conversation pour raconter que, pour sa part, elle avait demandé que ses cendres soient dispersées au sommet d'une montagne qu'elle avait gravie plusieurs fois, etc. Il y eut un grand malaise dans la voiture, jusqu'à ce qu'un de ses proches la remette sèchement à sa place en lui rappelant que, pour l'instant, ce n'était pas elle qui était morte…

Pour être tout à fait honnête, j'ai aussi observé cette tendance chez moi ! Lorsque je ne vais pas bien, je suis trop plein de moi et de mes souffrances, et si je ne me surveille pas, j'ai tendance à laisser mon ego souffreteux envahir mes pensées (ça, c'est mon problème) et mes discussions (ça, c'est un problème pour les autres). Plus je souffre, plus je me surveille pour m'efforcer de limiter mon temps de parole égotique : parler de mes soucis un temps, si l'on m'y invite ou si j'en ressens le besoin, puis vite redonner la parole à l'expérience des autres ! Je sais que cela me fera davantage de bien ! J'en avais un jour parlé avec une de mes tantes, très sympathique et drôle, mais très centrée sur elle-même et ses proches (ses enfants et petits-enfants), qui reconnaissait son égocentrisme avec humour en m'avouant : « Je suis malade de moi-même ! » Elle incarne à mes yeux ce que peut être une personne égocentrique sympathique : amusante quand on est soi-même de bonne humeur, mais agaçante le reste du temps. Heureusement qu'elle a beaucoup d'autres qualités !

Il est important aussi de rappeler que l'égocentrisme est un passage obligé dans le développement de la psychologie humaine : il y a une période de la vie où l'enfant, lorsque son identité émerge, est naturellement et transitoirement égocentrique (ou au moins égotiste, comme dirait Stendhal), il commence par voir et comprendre le monde à partir de lui-même, en référence à lui-même, à son échelle et selon ses règles. Un point essentiel de toute démarche éducative va donc consister, entre autres, à lui apprendre à dépasser cet égotisme enfantin, et à lui enseigner, par l'exemple et les conseils, l'existence et l'importance des autres. Toute éducation trop « narcissisante » va fabriquer des enfants tyrans, intolérants à la frustration, inaptes au bonheur et au bon compagnonnage avec leurs semblables. Mon ami le psychologue Didier Pleux a bien montré dans ses ouvrages comment les « enfants rois » deviennent très souvent des « adultes tyrans » et narcissiques. Malheureux et rendant les autres malheureux…

L'ego n'est ni un vice ni une solution

CHRISTOPHE : Il est important de ne pas porter de jugement moral sur l'égoïsme. Bien évidemment, il n'est pas une bonne solution. Mais il relève avant tout d'une erreur émotionnelle (quand la souffrance en est la source) ou intellectuelle (quand on calcule qu'on obtiendra davantage en faisant cavalier seul qu'en collaborant). Le plus souvent, donc, c'est une faute d'intelligence et non une faute morale. Même si l'on ne cherche pas à faire du bien aux autres, et que l'on ne s'intéresse qu'à l'atteinte de ses objectifs personnels, je pense qu'on se trompe fondamentalement en s'enfermant dans « la bulle de l'ego », comme tu l'appelles, Alexandre. Se refermer sur l'ego, c'est s'appauvrir et s'affaiblir : c'est un oubli profond de ce que peuvent nous apporter les autres (par leur aide, leurs conseils, leurs points de vue, leur affection, leur regard), un oubli aussi du bien-être que peuvent nous procurer les échanges avec eux (une part notable de ce qui nous rend heureux vient de ce que nous donnons et recevons). Ne demandons pas aux égoïstes de devenir altruistes, mais juste de comprendre cette vérité : sans les autres, ils se coupent les ailes !

Outre les intérêts matériels, les conséquences émotionnelles de l'ouverture aux autres devraient les motiver. De nombreuses études ont toutes conclu dans le même sens : plus il y a d'égoïsme et de narcissisme, moins il y a de bonheur dans nos vies. Et c'est dans le bonheur que nous nous sentons libres, car le bonheur est un état qui nous apporte l'énergie, l'envie, l'ouverture... Notre liberté est accrue par de bonnes relations aux autres : même si cela nous demande quelques efforts au départ. Ne pas s'occuper des intérêts d'autrui semble au début nous laisser plus libres («un effort et une contrainte en moins»), mais à la fin nous serons perdants. La quête de la liberté demande aussi des efforts !

MATTHIEU : En physique, en chimie et en mathématiques, l'expression «degré de liberté» indique la possibilité pour un système d'évoluer sans contrainte dans une direction particulière. Quand le système ne peut pas changer d'état, on considère que c'est le degré de liberté minimum. Un degré faible de liberté nous permet de passer d'un état A à un état B. Et dans un degré de liberté très grand, de multiples états et configurations sont possibles.

Dans la vie, l'égocentrisme est un appauvrissement parce que tout ramener à sa petite prison constitue une autolimitation de son potentiel : le monde est centré sur soi, alors qu'on est seulement un individu parmi un nombre infini d'autres êtres. On limite ainsi son degré de créativité, de liberté et son potentiel d'action. Les possibilités de l'existence sont tronquées et notre marge de manœuvre est réduite.

On demandait à Edison pourquoi il avait été nécessaire qu'ils se mettent à dix-sept pour inventer l'ampoule électrique, et il répondait : «Si j'avais pu le faire tout seul, je l'aurais fait...»

ALEXANDRE : Pour envoyer paître l'ego, cessons déjà de jouer au procureur général, renonçons à le considérer comme un péché, un vice, quand il s'agit d'un boulet. Pourquoi se sentir coupable de se trimballer ce fardeau ? Les égocentriques, dont bien souvent je viens grossir les rangs, ressemblent à des convalescents, des grands brûlés plus qu'à des pervers.

Ne jamais oublier la leçon de Spinoza : considérer nos tares, nos passions tristes, comme s'il s'agissait de courbes, de volumes ou de lignes, tenter de les comprendre, de nous attaquer au problème sans juger, à la manière du mécanicien de Chögyam Trungpa. Rien ne sert de condamner le chauffard qui a eu le malheur de planter sa bagnole dans le décor, quand il s'agit de retaper les tôles froissées, de réparer illico le véhicule. S'atteler à zigouiller l'égoïsme ne tient nullement de l'autoflagellation. Lançons-nous sans tarder sur un joyeux chemin, sorte de jeu de piste où se traquent les erreurs, les faux pas, sans esprit de sérieux ni psychodrame. L'égocentrisme procède plutôt de la pauvreté, d'une indigence, comme vous l'avez signalé. Il tient d'une limitation du champ de vision, d'un repli de la conscience sur notre seul intérêt. Étouffant en lui-même, il se met, comme qui dirait, dans une situation de handicap, coupé de l'infini, du monde, des autres.

Un pas de plus et nous voilà enlisés dans le narcissisme du pantin qui adore et chérit sa propre image. À ce stade, il y a carrément double peine, double restriction : d'abord, on se recroqueville sur soi, puis sur l'album-photo d'un ego perçu comme une entité étanche, autarcique. Le diagnostic du Bouddha est d'une vibrante actualité : toute fixation engendre de la souffrance. D'où l'on comprend que le narcissique n'a pas fini de morfler… En réduisant le monde à ses catégories, il s'ampute de l'essentiel. Fasciné par une image qui le coupe de la réalité, il erre dans une illusion totale. Face aux diverses pathologies du nombril, il ne sert à rien de jeter la pierre sur des prétendus pervers, alors qu'il est urgent de dépister les illusions d'optique. Toujours cet épineux et coriace problème de l'acrasie. J'ai beau savoir pertinemment que je cours droit vers l'abîme, comment oser bifurquer, ôter mes œillères, ouvrir les yeux ?

L'art culinaire possède ses exhausteurs de goût, ces condiments qui relèvent la saveur des mets. Existerait-il des exhausteurs d'ego ? Coups du sort, épreuves, souffrances, mépris de soi, manque de confiance, instinct de conservation, peur de mourir, comparaisons,

« L'égocentrisme
est un obstacle
sur le chemin
de la liberté
et un rétrécissement
du monde. »

blessures, tout concourt à ce que le petit moi s'arc-boute et se replie sur lui. Que dit le bouddhisme sur les facteurs qui durcissent le sentiment de ce fameux moi ?

MATTHIEU : On dit que le Bouddha est un thérapeute. On doit donc se considérer comme un malade et non se blâmer. Tu parlais de l'instinct de survie. Le postulat du bouddhisme est que chaque être animé et sensible souhaite ne pas souffrir et rester en vie. Son aspiration la plus fondamentale est d'aller vers la libération de la souffrance et, par voie de conséquence, de vivre pleinement son existence. Si l'on doit se défaire de la souffrance et de ses causes, la sagesse et la connaissance sont nécessaires. Dans les sociétés tribales, en Amazonie par exemple, l'une des raisons pour lesquelles les personnes âgées sont très respectées est qu'elles ont réussi à survivre jusqu'à un âge avancé, ce qui est un exploit dans des conditions souvent très pénibles. Ce que l'on respecte, c'est donc les enseignements qu'elles ont tirés de leur expérience de la vie, qui leur ont permis de survivre dans des circonstances difficiles. Le discernement, l'expérience et la sagesse sont donc les valeurs clés qui nous permettent d'identifier les causes de la souffrance et de nous affranchir de leur servitude. Si cette démarche commence par soi, elle ne suppose nullement que l'on néglige les autres.

Comment lutter contre les exhausteurs d'ego ?

CHRISTOPHE : Oui, nous avons à faire cet effort de raisonner et d'agir sur les deux dimensions conjointes. Ce n'est pas « moi OU les autres », mais « moi ET les autres ». Qu'il s'agisse de bonheur ou de malheur. Ce n'est pas « mon » bonheur contre celui des autres ; je dois apprendre à me réjouir du bonheur d'autrui, d'abord par principe, puis par logique : il n'enlève rien au mien, et s'il doit avoir un effet, il sera positif car un entourage heureux sera plus à même de m'aider, de m'écouter, de m'aimer.

De même, attention à la compétition toxique du «qui est le plus malheureux?»: parfois, les personnes qui souffrent ont tendance à comparer à l'excès, que ce soit pour se rassurer («il y a pire que moi») ou pour se plaindre encore plus («ma souffrance est la pire»). Il est préférable de tourner le dos à ce genre de comparaisons, et de respecter toute souffrance, celles des autres ou les nôtres, sans hiérarchiser, de notre mieux.

Pour compléter ce que disait Alex sur le fait que l'égocentrisme n'est pas un vice, il est important, pour nous médecins, de rappeler: «Ne vous accusez pas! Ne vous culpabilisez pas! Repérez simplement ces moments où vous êtes excessivement autocentrés et demandez-vous de quoi ils sont le symptôme. Où est le problème derrière les "moi je moi je"? Où est la souffrance?»

Quand je prends conscience que j'ai une envie excessive (une fois de plus, il existe des envies légitimes) de parler de moi, de me plaindre, je peux me demander de quoi j'ai besoin. De plus d'attention, de compréhension, d'affection, d'amour? Et voir si je peux les obtenir autrement qu'en tirant la couverture à moi. En exprimant directement ces besoins, par exemple...

Ce qui complique encore la tâche, c'est que nos tendances égocentriques sont régulièrement réactivées par la société dans laquelle nous vivons, qui nous pousse à nous accorder beaucoup d'importance. Toute la société de consommation abuse des «exhausteurs d'ego», selon la formule d'Alexandre. Et pas pour notre bien, pas pour nous remonter le moral ou nous valoriser sans arrière-pensées, mais pour le bien des actionnaires des trusts qui ont des leurres à vendre! Les flatteries sur nos petites personnes auxquelles la pub a recours, «Vous êtes fantastiques, vous méritez le meilleur, tout de suite, sans attente, sans contrainte», ont évidemment pour but de nous faire acheter quelque chose. J'attends le jour où une pub nous dira: «Vous êtes géniaux tels que vous êtes, n'achetez rien, vous n'avez besoin de rien de plus!» Je pense que je peux attendre longtemps! Chaque fois que nous sommes ainsi valorisés, il y a un exhausteur d'ego, dont le but est de déréguler nos appétits : manger plus de denrées trop sucrées ou salées ou trafiquées, pour les exhausteurs de goût, ou acheter des choses inutiles et socialement valorisantes, pour les exhausteurs d'ego.

Grâce à La Fontaine et à sa fable *Le Corbeau et le Renard*, nous savons pourtant que « Tout flatteur vit aux dépens de celui qui l'écoute » ! Mais au bout d'un moment, nous l'oublions et nous croyons à ces flatteries mercantiles et factices. Ces dérégulations publicitaires nous poussent donc à acheter et à consommer pour accroître notre bonheur (grâce à ce nouveau canapé, cette nouvelle voiture), notre beauté (grâce à ces nouveaux vêtements), notre jeunesse (grâce à ces nouveaux produits cosmétiques)… Mais aussi notre liberté : la pub nous dit sans cesse « occupez-vous de vous ! écoutez-vous ! au diable les contraintes ! cédez à vos tentations ! ». Cette vision de la liberté est une impasse. Nous allons rapidement nous cogner au réel : celui de notre compte en banque, celui des besoins réels de notre entourage (nos enfants seront plus heureux de passer du temps avec nous que de se voir offrir un nouvel écran, même s'ils ne le savent pas eux-mêmes).

MATTHIEU : À New York, les magasins d'une chaîne de pharmacies affichent au-dessus de leur vitrine la phrase suivante : « De quoi ai-je l'air ? Comment je me sens ? De quoi ai-je besoin, *maintenant* ? » J'avais envie d'écrire en dessous : « Je me fiche de mon apparence ; je me sens très bien, merci, et je n'ai besoin de rien. »

ALEXANDRE : Dégommons sans tarder l'affreux malentendu qui laisse accroire que l'altruisme tient du sacrifice. Comment tordre le cou à cette petite voix qui peut nous fourvoyer : « Jusqu'ici, je me suis consacré aux autres, j'ai donné, mais qu'ai-je reçu en retour ? » La générosité, la compassion, le don de soi ne saurait être une affaire d'expert-comptable, de bilan, de retour sur investissements. Quelle calamité que de reprocher à ses enfants une quelconque ingratitude. «Après tout ce que l'on a fait pour eux!» L'altruisme s'élève au-dessus de tout placement. La niaise attente d'un renvoi d'ascenseur ne le concerne pas.

CHRISTOPHE: «Trop bon, trop con», dit-on parfois. D'abord, est-ce vrai? On peut aussi être con par égoïsme, par mesquinerie. Ce n'est pas réservé aux gentils. Ensuite, cela concerne surtout la question de la déception qui menace ceux qui donnent avec une attente d'amour, de reconnaissance ou de réciprocité. En soi, il n'est pas anormal d'être heureux qu'on nous dise merci. C'est un plaisir et une source de motivation supplémentaire pour continuer. Mais c'est une attente à dépasser et dont il ne faut pas rester prisonnier: «OK pour attendre un retour, mais acceptons aussi qu'il n'y en ait pas, parfois!» Prenons un exemple: vous invitez des amis chez vous, plusieurs fois de suite, et eux-mêmes ne vous invitent jamais en retour. Le réflexe, souvent, consiste à se dire: «Puisqu'ils ne m'invitent pas, je ne les invite plus», au lieu de se dire: «Est-ce qu'on ne passe pas de bons moments ensemble?» Et de se poser la vraie question: «Qu'est-ce que je recherche? L'équité comptable ou le plaisir?»

MATTHIEU: Le Dalaï-lama dit lui-même: «Si vous avez une attitude altruiste, il n'est pas sûr qu'elle va plaire à l'autre. Mais de toute façon, vous êtes gagnant à 100%. Car c'est un état d'esprit éminemment gratifiant en soi.»

Raphaëlle, l'une de mes amies proches qui travaillait au Tibet à la construction d'écoles et de cliniques, a connu des moments de découragement et a été blessée à force de se heurter au machisme de certains qui la traitaient durement et injustement. Elle est venue demander conseil à l'un de nos maîtres, qui lui a dit: «Ton travail n'est pas de rendre les gens parfaits – ça c'est le travail du Bouddha – mais de construire des écoles et des cliniques.» On ne peut pas s'attendre à ce que les gens se comportent bien, simplement parce qu'on les aide. Lorsque l'on s'engage dans des projets humanitaires, il est important de reconnaître que le but est de soigner, d'éduquer, même s'il arrive que l'on rencontre en chemin des gens peu reconnaissants, véreux, voire malfaisants. Le jugement moral est une chose, la compassion une autre : elle vise à remédier aux souffrances, quelles qu'elles soient, où qu'elles soient et quelles que soient leurs causes.

CHRISTOPHE : Ce que tu dis est essentiel, Matthieu. Finalement, l'altruisme est une solution joyeuse à l'égotisme. Mais il en existe sans doute plusieurs versions, plusieurs étapes.

Il y a des personnes assez naturellement altruistes, question de gènes, d'éducation ou de trajectoire de vie. C'est merveilleux qu'elles existent et soient des sources d'inspiration, elles chez qui l'altruisme est une évidence et qui le pratiquent avec simplicité, comme elles respirent. Pour les autres, dont je suis, il faut des efforts réguliers ! On commence souvent par un altruisme avec des attentes : comme tous les apprenants, nous avons besoin d'être récompensés et guidés ! Rien de méchant si ce n'est qu'une étape ; mais attention aux déceptions ! Régulièrement me rappeler que si je suis déçu, c'est mon problème, pas celui de l'autre.

Puis il y a l'altruisme sans attente, vers lequel on s'efforce de progresser. Selon les contextes, selon les moments de notre vie, on peut y arriver, on peut parvenir à se comporter comme un bodhisattva, ainsi que l'évoquait Matthieu. Pour faire simple, il s'agit, dans le bouddhisme, d'êtres humains qui ont le souci d'aider les autres à progresser tout en progressant eux-mêmes (on ne laisse personne derrière soi) ; le bodhisattva cherche à s'approcher de l'Éveil, mais en aidant aussi les autres à s'en approcher. Bien évidemment, fonctionner en permanence ainsi est difficile pour la plupart d'entre nous. Parfois, on a mal aux dents, mal au dos, on a des soucis et on n'y arrive tout simplement pas !

Mais quand on a réussi à fonctionner sur ce registre, à vivre ainsi, à raisonner, ressentir et agir ainsi, cette expérience laisse un goût de «revenez-y». Les personnes dont parlait Alexandre, qui régressent de l'altruisme avec attente vers l'égocentrisme, par déception, par fatigue, sont peut-être des gens qui n'ont pas assez souvent goûté aux bénéfices de l'altruisme sans attente. Car là, on est vraiment dans la liberté intérieure, on vit la légèreté de l'altruisme sans rien attendre en retour. Attendre quelque chose, c'est être moins libre.

Quand on est médecin, il arrive qu'on ait des patients qui râlent tout le temps, qui ne sont pas gratifiants. Certains jours, c'est pesant, et en ce qui me concerne, je me dis alors que mon rôle n'est pas d'avoir des patients gentils, mais de les soigner. Et je les traite comme s'ils étaient «gentils». Je m'efforce de ne pas lier mon attitude à la leur. Je m'y évertue en général en tant qu'humain, mais encore plus en tant que médecin : il y a dans la relation de soin trop d'enjeux pour que je me laisse aller à des exigences de réciprocité. Ce n'est d'ailleurs pas une relation tout à fait égalitaire et symétrique : du fait de leur souffrance et de leurs attentes, les patients sont en position de vulnérabilité par rapport à moi. Mais c'est vrai aussi à chaque fois que nous sommes en face de quelqu'un qui souffre.

Néanmoins, je pense qu'il faut être soi-même en forme pour être capable de cette attitude. D'où l'importance du soin de soi !

MATTHIEU : Il faut savoir rester altruiste dans la mesure de ses capacités pour éviter le burn-out. Préserver nos facultés de pouvoir aider autrui. En dépassant ses limites, on accomplit moins qu'on ne le pourrait.

CHRISTOPHE : Encore une fois, l'étape de l'égocentrisme n'est pas à éradiquer, mais à dépasser. Elle est un point de départ, et parfois un point de régression nécessaire et justifié. Par exemple, si nous traversons des épreuves importantes.

J'aime bien l'exemple du masque à oxygène : dans les avions, lorsque l'équipage déroule les consignes de sécurité aux passagers, on nous explique qu'en cas d'incident conduisant à une dépressurisation de la cabine des masques à oxygène tomberont devant nous. Et on dit aux parents : placez d'abord le masque à oxygène sur votre visage, avant de le mettre sur celui de vos enfants. On commence par soi pour pouvoir mieux aider autrui ensuite ; ce n'est alors pas de l'égoïsme, mais du pragmatisme.

Quand je prends cinq minutes entre deux patients, pour récupérer émotionnellement, respirer en pleine conscience, me détendre et me recentrer, c'est du temps que je me consacre au lieu de leur consacrer. Mais je le fais tranquillement parce que je sais aussi que je vais mieux les écouter et les aider ensuite.

MATTHIEU : On peut transcender deux types d'attente : la reconnaissance et le succès à tout prix. Évidemment, lorsqu'on se lance dans une cause, on s'attend à ce qu'elle porte ses fruits. Mais il faut aussi être capable de lâcher prise si la tâche entreprise, pour une raison ou pour une autre, ne rencontre pas le succès escompté. Être dévasté si l'on est confronté à l'échec relève, pour une part, de l'égocentrisme. Vouloir à tout prix que le projet réussisse procède d'une certaine arrogance. Lorsqu'il échoue, mieux vaut se dire que l'on a fait de notre mieux, que l'on n'a rien à se reprocher (si c'est bien le cas !) et passer à autre chose en gardant l'esprit serein.

ALEXANDRE : Rousseau apporte de l'eau à notre moulin lorsqu'il distingue l'amour de soi (se protéger des maladies, des intempéries, prendre soin de son être…) et l'amour-propre, qui nous expose dangereusement au désir de s'imposer, de briller, de se démarquer, bref au narcissisme ; pire, à la volonté de puissance, à l'égoïsme le plus effréné.

BOÎTE À OUTILS
FACE À L'ÉGOCENTRISME

ALEXANDRE

- *S'amuser à repérer les exhausteurs d'ego* : peurs, traumatismes, impossibles attentes, pour retrouver le goût, la saveur de la vie.
- *Sans s'autoflageller, adopter l'attitude du mécanicien et repérer les grands chantiers d'une existence.* Pourquoi suis-je boulonné à ce que les autres pensent de moi ? Qu'est-ce que j'attends ultimement de la vie ? Qui suis-je au fond du fond ?
- Si la relation à l'autre est bien des fois épuisante, c'est peut-être parce qu'il s'y immisce une cargaison d'attentes forcément déçues. Dès lors, *abandonner peu à peu la mentalité d'expert-comptable vis-à-vis des autres*, c'est se départir de la logique de l'intérêt, cesser de miser, d'investir, pour rencontrer l'autre par pur amour.

CHRISTOPHE

- *Se montrer attentif aux petits détails* : Dans notre façon de parler par exemple, on fait la chasse aux « moi, je » pour qu'ils n'inaugurent pas trop souvent nos phrases ; quand on échange avec des proches ou des connaissances, on évite de trop s'étaler sur soi et on demande des nouvelles de l'autre…
- *Être lucide* : Quand nous avons été autocentrés – ça peut arriver ! – nous poser la question : qu'est-ce qui n'allait pas en moi à ce moment-là ? De quoi avais-je peur, de quoi avais-je besoin ? Peur qu'on ne s'intéresse pas spontanément à moi, besoin qu'on m'aime ? Est-ce que j'aurais pu m'y prendre autrement qu'en centrant tout sur moi ?
- *Agir* : Commencer par se soigner au travers d'un engagement bénévole ou caritatif au service des autres, avant de se précipiter sur une psychothérapie. Ou envisager les deux, si notre cas est sérieux !

- *Régime digital* : Méfiance avec les réseaux sociaux qui poussent souvent à la promotion de soi.

MATTHIEU

Les meilleurs outils sont ceux qui nous permettent de comprendre comment accomplir le double bien de soi-même et des autres.

- *Dans l'égoïsme, tout le monde y perd* : On rend la vie misérable à tous ceux qui nous entourent, ainsi qu'à soi-même.
- *Dans l'altruisme tout le monde y gagne* : On contribue au bien d'autrui et c'est aussi la meilleure façon de s'épanouir soi-même.
- *L'égoïsme rétrécit notre univers*, l'altruisme l'ouvre à l'ensemble des êtres sensibles.

« Un ami indien m'a raconté l'histoire suivante.

Un pêcheur est assis à l'ombre d'un arbre, au bord d'un lac. Il joue avec ses enfants. Survient un homme de la ville, qui contemple la scène et entame la conversation.

– Bonjour, que faites-vous dans la vie, mon bon monsieur ?

– Je suis pêcheur. Mon bateau est là, sur la berge. J'ai pêché toute la matinée.

– Pourquoi ne pêchez-vous pas l'après-midi ?

– J'ai de quoi nourrir ma famille pour les deux jours à venir.

– Mais si vous pêchiez toute la journée, vous pourriez aussi vendre votre poisson.

– Et alors ?

– Alors, vous auriez de quoi payer un associé, vous pêcheriez plus de poissons et augmenteriez vos revenus.

– Qu'est-ce que j'en ferai ?

– Eh bien, vous pourriez acheter un deuxième bateau et prospérer davantage !

– Et après tout ça ?

– Vous pourriez arrêter de travailler et passer du bon temps à vous détendre et à jouer avec vos enfants.

– Mais c'est exactement ce que je suis en train de faire ! »

Matthieu

6
L'ÉGAREMENT

De multiples erreurs de perspective

CHRISTOPHE : S'égarer, c'est perdre son chemin, le chemin de ce qui est bon pour nous, important pour notre vie. Étymologiquement, « égarement » vient de « gare », comme dans l'expression « gare au loup ! », qui signifie, « attention au loup ! ». On se perd, en quelque sorte, parce qu'on ne fait pas attention à surveiller ce qui compte, à rester sur la bonne route. Voilà qui nous éclaire sur les efforts constants à produire pour ne pas nous égarer trop longtemps ou trop souvent !

On peut être égaré de trois manières : soit parce qu'on n'a pas défini de chemin (on est parti à l'aventure, sans objectif), soit parce qu'on n'a pas défini le bon objectif, soit parce qu'on ne s'y est pas pris de la bonne façon. Dans tous les cas, on est désorienté, confus, troublé, on erre, on se fourvoie. C'est amusant de constater qu'en français la liste des synonymes de l'égarement est beaucoup plus longue que celle de ses antonymes – ou contraires – tels que la lucidité ou le discernement, par exemple. Il y a un mot pour désigner quelqu'un qui s'est perdu, mais pas de mot inverse pour parler de quelqu'un de bien orienté.

Si l'on veut décliner l'égarement dans la vie quotidienne, avec ses trois sources possibles, on peut prendre l'exemple de l'éducation des enfants : si l'on ne se donne pas pour objectif de les éduquer, en espérant par exemple que la vie va s'en charger, on s'égare par absence de but. Si l'objectif est seulement de les rendre obéissants et savants, on s'égare, car on n'a pas choisi un objectif satisfaisant. Et si l'on se fixe un objectif accessible (qu'ils soient épanouis, autonomes et heureux), mais qu'on ne s'y prend pas de la bonne façon (en étant trop laxistes, en vivant nous-mêmes à l'inverse de nos messages éducatifs, stressés et crispés), on s'égare tout autant.

Même chose avec la quête du bonheur : on s'égarera si l'on attend qu'il tombe du ciel ; ou en le recherchant seul dans son coin de manière égoïste ; ou encore, cherchant à devenir heureux par des moyens seulement matérialistes, en accumulant argent, possessions et plaisirs achetables… C'est notre ami commun Christian Bobin qui a eu un jour cette remarque : « C'est par distraction que nous n'entrons pas au Paradis de notre vivant, uniquement par distraction. » Notre distraction et notre dispersion nous égarent ; elles nous détournent de l'essentiel, gentiment, l'air de rien.

En psychologie et en psychothérapie, on insiste beaucoup sur les obstacles à notre bonheur que représentent les émotions mal régulées, le passé mal digéré, mais peut-être pas assez sur l'idée d'égarement. Sans doute parce que cette constatation implique de réfléchir sur nos choix existentiels (quels objectifs à ma vie ?), ce qui n'est pas si souvent abordé en psychiatrie, où l'on travaille davantage à déblayer le chemin des souffrances accumulées qu'à fixer des horizons plus lointains.

MATTHIEU : Être égaré, désorienté, c'est n'avoir aucune idée de l'endroit où aller, des choix à faire, de la direction à donner à sa vie. Une première forme d'égarement vient de ce que nous ne possédons pas les éléments ni les connaissances pour trouver le bon chemin, notamment dans des situations complexes. On est de bonne foi, mais on est perdu, comme un promeneur solitaire dans une grande forêt, incapable de s'orienter. Pour ce type d'égarement, la solution consiste à se tourner au préalable vers des sources de connaissance valides : consulter un guide expérimenté ou se munir d'une carte détaillée avant de partir en randonnée. Face aux choix et aux défis de l'existence, cette source pourra être une personne d'expérience qui a beaucoup vécu ou, dans le meilleur des cas, un sage ou un maître spirituel.

Une deuxième forme d'égarement procède d'un manque de discernement et de lucidité : par exemple, nous voulons être heureux, et nous estimons que, pour cela, il faut être riche, puissant, célèbre. On apprend un jour que certains de ceux qui avaient réuni toutes ces conditions pour l'être sont en réalité déprimés, toxicomanes ou se sont suicidés. On se dit alors : « Bizarre, moi, si j'avais tout cela, je serais heureux bien sûr. » Mais si l'on s'était donné la peine de réfléchir, on se serait rendu compte que cette fausse route ne mène à aucune satisfaction profonde. On a donc fait preuve d'un manque de perspicacité et on a tourné le dos à des valeurs comme l'amitié, la sérénité, la paix intérieure, et l'équilibre émotionnel, qui pouvaient engendrer un épanouissement durable. Être égaré, c'est contredire ses aspirations (être heureux, être une bonne personne) par ses choix et ses actions. Ce qu'a bien compris le pêcheur de notre histoire initiale.

Parfois, on s'entête dans cette direction. Ni la raison ni la logique ne semblent avoir de prise sur cet entêtement : on ignore les conseils de personnes avisées qui vous alertent sur le fait que nous tournons le dos au bien-être. Parfois même, ces conseils renforcent notre obstination. On agit comme si l'on gardait sa main dans le feu tout en espérant ne pas être brûlé.

Le bouddhisme envisage une troisième forme d'égarement : une appréhension erronée de la réalité. Si, par exemple, nous nous attachons aux choses comme étant permanentes alors qu'elles sont par nature impermanentes, tôt ou tard, nous allons perdre les objets ou les personnes qui nous entourent. Et si ce n'est pas nous qui les perdons, ce seront eux qui nous perdront ! C'est là une source de souffrance. Beaucoup de conséquences malheureuses découlent de cette erreur, de cette distorsion de la réalité.

Pour prendre un autre exemple d'égarement : dans les premiers temps d'une relation, on trouve qu'une personne est 100 % désirable et on ne perçoit aucun de ses défauts. Puis viennent les disputes et les mésententes et on la juge alors 100 % haïssable, alors que fondamentalement, à quelques changements près, elle est toujours la même. Dans les deux cas, il s'agit bien d'une distorsion de la réalité. Comme tout un chacun, les gens sont un mélange de qualités et de défauts. Nous sommes prisonniers de nos fabrications mentales, entravés par une vision incorrecte de la réalité, passant de l'attirance inconditionnelle à la haine pure. Asservis par l'égarement, nous réagissons de façon excessive et inappropriée.

CHRISTOPHE : Tu décris là l'égarement par refus ou incapacité à voir le monde tel qu'il est. Nous nous racontons souvent des histoires, soit rassurantes en idéalisant le réel, soit angoissantes en le dramatisant. Dans les deux cas, nous sommes à côté de la plaque, nous perdons lucidité et liberté, car nous sommes dans des mondes en partie virtuels, correspondant à nos attentes. Tôt ou tard, nous nous cognerons de nouveau au réel. La seule liberté qui vaille, sur la durée, c'est celle qui nous inscrit dans la réalité, et l'égarement, c'est quitter cette réalité, ou parfois aussi n'en percevoir qu'un petit bout, celui qui confirme nos attentes, celui qui nous rassure, en bien ou en mal.

MATTHIEU : Oui, la capacité de voir les choses telles qu'elles sont nous libère. Toute vision erronée du réel nous impose un joug qui engendre fatalement des tourments. Il y a toutes sortes de façons d'être prisonnier de visions fausses, mais une seule façon d'être libre, c'est-à-dire en conformité avec la réalité. Pour cela, il faut comprendre que cette réalité est impermanente et interdépendante, que les caractéristiques que l'on attache aux choses et aux êtres résultent en grande partie de nos projections mentales.

Les blessures de l'exil

ALEXANDRE : Certains soufis compare l'itinéraire spirituel à un caravanier qui progresse dans le désert. D'oasis en oasis, étape par étape, pour se mettre en route sans s'épuiser, repérons les sources, les coins où se désaltérer, se recréer. Gai savoir par excellence... Prêter l'oreille à ses peurs, obéir au doigt et à l'œil à ses fantasmes, c'est dégringoler dans un mal-être et finir par ressembler à une girouette. Pas pratique en plein désert ! Pour s'extraire des psychodrames, l'ascèse nous invite à prendre pied sur le réel. Sans cesse exilés du fond du fond, il nous faut rentrer au bercail, oser descendre, quitter le moi de surface, dire adieu à cet ego constamment agité. Une sorte d'exil intérieur nous rend étrangers au monde, nous enferme dans notre bulle. Mille fois par jour, le caravanier doit ré-atterrir, quitter peurs et mirages, ouvrir les yeux pour maintenir le cap avec les forces du jour.

La tradition bouddhiste nous livre aussi un précieux outil, la conscience nue : se rendre disponible à l'expérience, vivre le quotidien sans rejet ni saisie, sans étiqueter, sans apposer sur le réel nos tampons bien-mal, agréable-désagréable.

Au fond, laissons brailler radio Mental FM, quittons ces conceptions fabriquées, abandonnons cette vision du monde autocentrée pour ouvrir les bras à la beauté, à l'extrême richesse du présent que tous nos psychodrames ne parviendront jamais à souiller. L'exercice spirituel ici consiste en un joyeux détricotage de notre égocentrisme. Dès que je m'égare, que je prends la poudre d'escampette, aussitôt que j'emprunte un masque, oser aller nu, sans armure. La vulnérabilité ne saurait tuer, quand jouer un rôle à longueur de journée épuise, biaise la rencontre. Le premier pas ? Repérer l'immense carnaval, les divertissements de l'ego, les craintes, les lubies du mental. Bref, tout ce qui nous détourne et nous divertit, nous fourvoie. Les philosophes antiques parlaient des faux biens pour désigner tout ce qui ne saurait nous

« La capacité de voir les choses telles qu'elles sont nous libère. Toute vision erronée du réel nous impose un joug qui engendre fatalement des tourments. »

rassasier durablement : reconnaissance, honneur, gloriole, plaisirs débridés, richesse... Impossible de trouver la liberté de ce côté-là. Tu parlais tout à l'heure, Matthieu, de bien factice. Comment déraciner de soi toutes ces attirances, ce cinéma intérieur, ces miroirs aux alouettes ?

Boèce compare l'homme, dans sa recherche du bonheur, à un ivrogne qui essaie de rentrer chez lui. Certes, il se souvient vaguement de l'endroit où il réside. Cependant, il hésite, trébuche, titube, tombe sans savoir très bien où se diriger. Rentrer au bercail, s'en retourner d'exil s'inaugure peu à peu par une question : quelle est ma véritable patrie intérieure, où réside le centre de ma vie ? Dès lors, à tout moment, je peux tenter une retraite, descendre à la rencontre de qui je suis, surtout quand, dans la journée, la dictature du on, les sirènes des faux biens me piègent de quelque façon.

Saint Augustin, dans ses *Confessions*, retrace une errance, un chemin de conversion, une descente vers lui-même. Le suivre, c'est oser ce déménagement intérieur, tendre l'oreille à son invitation, ne pas se fuir car, il l'assure, à l'intérieur de chaque homme, habite la vérité. Se libérer, c'est aussi écouter, comme Socrate, notre démon, nous rendre disponibles au maître intérieur, pour reprendre les mots de l'évêque d'Hippone.

Le quotidien peut vite tourner au désert aride, sans oasis. Comment ne pas s'y perdre carrément ? Où trouver une boussole intérieure ? Se lancer vers la liberté, c'est traverser bien des sols rocailleux, se heurter à des murs, tomber d'épuisement et se remettre en route. Une foule de raisons nous poussent à l'exil : lassitude, ennui, écrasantes banalités, appel du large... Les psychologues nomment *habituation hédonique* ce singulier processus qui affadit les plaisirs et les joies, qui nous rend blasés et avides de sensations fortes, de nouveauté. Dans le désert, dans notre course au bonheur, comment éviter ces mille chemins de traverse, ces périlleux détours, ces culs-de-sac ?

Tourner en rond, se perdre, se planter n'est peut-être pas une fatalité. D'où le besoin d'une ascèse, d'exercices spirituels pour nous arracher aux liens toxiques, à l'attrait du sensationnalisme. La volonté seule ne saurait être le moteur de notre périple. Elle sert à la limite de gouvernail. Elle indique une direction.

À côté de l'égarement qui peut nous bousiller de fond en comble, il y a l'abandon, la déprise de soi, une audace qui nous pousse à trouver la plénitude hors des frontières de notre individualité, à nous perdre, à cesser de vivre repliés en nous. S'il est dangereux de s'exiler du fond du fond, il faut un certain courage pour quitter les autoroutes toutes tracées par l'ego. Maître Eckhart nous préparerait-il à ce grand saut : « Observe-toi toi-même et chaque fois que tu te trouves, laisse-toi, il n'y a rien de mieux. » ?

Chögyam Trungpa nous assiste aussi dans nos virées en plein désert. Il préconise, répétons-le, que le progressant emprunte le point de vue du mécanicien pour considérer les grands chantiers de sa vie. Quand on lui apporte des tôles froissées, un pare-brise en miettes, une portière voilée, un garagiste s'abstient de juger. Il constate et, sans délai, il essaie de réparer la casse. De même, observons sans drame cette singulière faculté à nous duper. Pourquoi préférons-nous parfois crever plutôt que d'avoir tort ? Quelles étranges forces nous ligotent à notre point de vue, à nos habitudes ?

Comment retrouver le chemin

CHRISTOPHE : Il est normal de s'égarer, nous avons tous connu des périodes d'égarement, au moins momentanées. Comme les périodes d'adversité, elles peuvent être riches d'enseignements : elles nous permettent de comprendre que nous nous sommes trahis.

Pour ma part, il m'est arrivé de m'égarer. Par exemple, j'ai compris, à un moment de ma vie, que j'étais en train de perdre de vue ma boussole intérieure en travaillant trop. Je reproduisais l'objectif de mes parents – ne pas finir dans la pauvreté, assurer la sécurité matérielle de mes enfants – et ce n'était pas un mauvais objectif, mais il avait pris trop de place, je lui sacrifiais trop. À un moment, je me suis dit : si je meurs demain, qu'est-ce que je regretterai ? De ne pas avoir assez travaillé ? Ou de ne pas avoir assez profité de la vie et de mes proches ? Cela paraît évident, presque idiot de dire ça, mais que d'années passées dans cet état d'égarement !

Et pourtant, nous pourrions faire autrement. Ces fausses routes nous sont souvent révélées par des signaux émotionnels : il est rare que le fourvoiement soit confortable. Pour ma part, quand je me suis égaré, chaque fois, j'ai eu la chance, en quelque sorte, de ressentir des émotions douloureuses qui m'ont rappelé à l'ordre : je dormais mal, j'étais en permanence malade, agacé par ce qui habituellement me fait plaisir et, finalement, je n'étais pas heureux. Nos émotions sont un système intelligent, elles sont faites pour nous aider. Les émotions agréables nous signalent que nous nous rapprochons de ce qui est bon pour nous. Et les désagréables, que nous nous en éloignons. On peut certes décider de ne pas les écouter malgré ce qui bringuebale, mais j'ai pu observer que, sur la durée, l'égarement dans le confort absolu n'est pas possible.

ALEXANDRE : La vie nous donnerait-elle des indices quand l'égarement nous guette, lorsque nous fonçons droit dans le mur ? Se réfugier dans la clandestinité, vouloir cacher à ses proches un comportement, débiter des bobards, autant de signes qui devraient nous mettre la puce à l'oreille. Pourquoi tenter de dissimuler une action, une habitude ? S'en libérer exige un préalable : s'approcher des amis dans le bien, oser une transparence, douter de ces petites voix qui nous leurrent, traquer dès que je me la raconte : « C'est pour un temps », « C'est tout à fait provisoire », « Fais-toi plaisir », « On n'a qu'une vie après tout ». Autant de baratin, de preuves qui attestent qu'il y a combat, que ça grince.

J'ai raconté ailleurs la triste passion qui m'a lié à un garçon et les chemins peu orthodoxes qui m'ont arraché à une addiction carabinée. Dans ma quête, j'ai pris part à un groupe de dépendants affectifs et sexuels, y trouvant des maîtres en transparence, des ressources, des guides alors même qu'ils se dépêtraient dans des enfers autrement plus extrêmes.

CHRISTOPHE: Oui, c'est important de ne pas se sentir seul et de ne pas se critiquer à l'extrême, mais simplement de reconnaître son égarement, même si l'on n'a pas tout de suite la solution pour en sortir. Mais cela ne doit pas nous dispenser de nous mettre au travail rapidement. J'ai vu une étape où beaucoup de gens se faisaient piéger et avaient du mal à passer au travail de libération, parce qu'ils disaient qu'ils n'avaient pas le choix. Par exemple, s'ils travaillaient de manière excessive, ils répliquaient qu'ils ne pouvaient pas faire autrement. Égarés, désolés, mais aussi obstinés ! *Lâcher* quelque de chose de solide, qui existe déjà, qu'il s'agisse d'une relation, d'une profession, d'une situation, cela fait peur, même si ce sont nos erreurs qu'il faut lâcher !

ALEXANDRE: Nietzsche, Freud, Marx et bien d'autres nous apprennent à traquer toute forme d'illusions, de mensonges. L'exercice ici exige de repérer la peur qui nous boulonne à nos jugements, à nos croyances, à nos credos. Pourquoi ne pas carrément nous amuser à examiner notre mythologie personnelle, nos convictions auxquelles nous nous accrochons bec et ongles ? Dégommer les idoles, larguer la cargaison de préjugés qui empêchent de vivre nu, voilà l'immense défi !

MATTHIEU: Beaucoup de gens me disent: «Ça a dû être vraiment dur pour vous de tout quitter, l'Institut Pasteur, la vie parisienne, votre carrière, pour partir dans l'Himalaya.» Mais, dans mon cas, c'était une évidence telle que cette transition s'est faite avec joie, tout en douceur, comme lorsque l'on découvre une belle vallée en franchissant le sommet d'un col. Quand la direction à prendre est claire, on se met en route sans hésitation. Aujourd'hui, je me félicite à chaque instant d'avoir fait suffisamment tôt le choix qui répondait le mieux à mes aspirations.

CHRISTOPHE: Parfois, l'égarement, c'est de rester sur les rails, d'accepter des servitudes du quotidien dans lesquelles on ne s'épanouit pas, mais qui ont le mérite d'exister. On préfère un chemin, même inadéquat, à pas de chemin du tout. Nos égarements sont devenus des habitudes, et quoi de plus difficile que de s'affranchir de ses habitudes ?

ALEXANDRE: Dans l'*Éthique à Nicomaque*, Aristote précise que le juste milieu tient de la perfection. Face au mal-être, à l'insatisfaction, tentation est grande de vouloir opérer un virage à 180 degrés. Mais n'est-ce pas se leurrer pareillement ? S'obstiner sur une voie ou changer constamment de décor sans s'attaquer à la racine du mal ? Là aussi, prêtons une oreille attentive à la boussole intérieure pour répondre au mieux aux exigences du réel, à l'appel de la vie.

BOÎTE À OUTILS
FACE À L'ÉGAREMENT

ALEXANDRE

- *La chasse aux étiquettes*: Pour tenir à bonne distance radio Mental FM, le zen préconise un redoutable exercice: quitter les conceptions, la série d'étiquettes, de préjugés, d'arrière-pensées que nous plaquons sur le monde et les êtres pour revenir aux perceptions, aux sensations, à ce qui se passe ici et maintenant. Concrètement, lorsque je rencontre une personne, m'abstenir de l'incarcérer dans mes catégories mentales, de la réduire à son passé et me demander: qui est-ce que je vois? Qui est cet être au fond du fond?
- *Un déménagement intérieur*: Rejoindre le fond du fond, rentrer au bercail, au cœur de son intériorité, exige un déménagement intérieur. Comme des caravaniers qui, d'étape en étape, traversent le désert, repérons les oasis et ce qui nous recrée pour de bon.
- Les mystiques conseillent de *ne jamais confondre les étapes et les états mentaux*. Ravagés de l'intérieur, nous pouvons errer dans la nuit la plus complète et pourtant grandir, progresser, avancer à grands pas.

CHRISTOPHE

- *Il y a beaucoup de manières de s'égarer*: Ne pas avoir d'objectifs (on vit au hasard des influences extérieures ou de celles de notre passé); en avoir trop (on n'arrive pas à hiérarchiser ce qui compte le plus pour nous et la conduite de nos vies); être trop attaché à ses objectifs (parfois l'égarement c'est de continuer à un moment où il faudrait au contraire changer).
- *Nos émotions sont un signal d'alarme*: inquiétudes ou insatisfactions, notamment. Sachons les écouter, et remonter à leur source.

- *Il est normal de régulièrement s'égarer*: La vie est piégeuse et compliquée! Mais à chaque fois que nous en avons conscience, c'est l'occasion de prendre rendez-vous avec soi, ou avec quelques proches, pour identifier quels nouveaux objectifs et équilibres de vie nous fixer.

MATTHIEU

- *Retrouver le chemin*, c'est identifier, après y avoir réfléchi posément et sincèrement, les conditions extérieures et les états mentaux qui favorisent le bonheur – conçu comme une manière d'être optimale – et les distinguer de ceux qui sapent notre bien-être et celui des autres.
- *Analyser de notre mieux la nature de la réalité*, pour comprendre qu'elle est, par nature, impermanente, et que les caractéristiques que l'on attribue aux choses et aux êtres sont, pour une bonne part, des projections de notre esprit: elles ne sont pas aussi «solides» que nous voulons bien le croire.
- *Apprendre à gérer nos pensées et nos émotions* et à «libérer» les états mentaux afflictifs à mesure qu'ils surgissent en notre esprit, c'est-à-dire à les laisser passer comme des oiseaux qui traversent le ciel sans laisser de traces.

CORRESPONDANCE

CHRISTOPHE-ALEXANDRE

Paris, le 15 mai 2018

Mon cher Alexandre,

Parmi les nombreux points qui nous lient figure l'anxiété.

Toi et moi sommes deux inquiets, et de cette inquiétude qui nous habite régulièrement, nous parlons bien souvent.

Tu te souviens sans doute de ces années où tu me demandais conseil par rapport à des sources d'anxiété qui perturbaient ta vie. Et de mes difficultés à te répondre alors, du moins de manière satisfaisante à tes yeux : tu découvrais que je n'avais pas de baguette magique ! Et que, bien que spécialiste de l'anxiété, je ne pouvais te conseiller, à toi mon ami, que ce que je conseillais déjà à mes patients : un mélange entre affrontement et lâcher-prise, selon les moments et selon les angoisses. Sueur, sang et larmes, à la Churchill ! Je me souviens aussi que ça ne te satisfaisait guère, l'idée de ces efforts de gagne-petit, à renouveler sans cesse. Tu rêvais plutôt d'une solution radicale et définitive.

L'anxiété, c'est cette inquiétude du corps et de l'esprit, face à tous les dangers possibles. Et la liste des dangers possibles, dans une vie humaine, est infinie : c'est pourquoi l'anxiété peut elle aussi s'avérer infinie. Elle nous alerte sur les problèmes éventuels, qui ne sont pas encore arrivés, mais qui pourraient survenir : et si ça nous tombait dessus ? Elle nous fait ruminer sur les problèmes réels, et notre imagination se cristallise alors sur leurs conséquences : forcément, ce qui a mal commencé va mal finir… Je résume : tous les dangers possibles surviendront, et tous les dangers déjà là aboutiront au pire. Voilà l'équation mentale que nous, et tous les inquiets du monde, avons à résoudre. Et puis il y a tout le reste : l'emballement de l'inquiétude dans le corps et les douleurs physiques, les tensions, les démangeaisons, les spasmes, etc. L'emballement de l'inquiétude dans l'esprit, aussi, cette sorte de vent de folie dans un cerveau lucide, dont tu es un spécialiste parfois : certains de tes scénarios catastrophe nous font rire ensemble lorsque nous sommes avec Matthieu (tu te souviens des ratons laveurs enragés ?) ; mais on ne peut rire de ses angoisses qu'avec ses amis ; quand on est seul, ça ne nous fait plus rire du tout !

Ton cerveau, comme le mien, est un cerveau d'anxieux : nos inquiétudes démarrent toutes seules, et la lecture des dangers potentiels, inhérents à toute situation de vie, est chez nous une seconde nature. Un pique-nique dans l'herbe avec des enfants, et nous cherchons où se trouve le nid de frelons le plus proche ; une lettre importante mise à la Poste, et nous imaginons qu'elle n'arrivera jamais à bon port ; une blessure ou une maladie chez nous, ou pire, chez l'un de nos proches, et ce sera aussitôt incurable. Tous ces incendies démarrent dans notre esprit sans nous demander notre avis, et nous passons notre vie à les éteindre.

Matthieu est au-dessus de ça, et j'ai l'impression qu'il n'est plus jamais anxieux, si toutefois il l'a été un jour ! Il faudra que nous lui demandions plus précisément. Je me souviens qu'une fois que nous lui en avions parlé il nous avait répondu, citant, je crois, le Dalaï-lama : «Pourquoi se faire du souci ? S'il y a une solution, ce n'est pas la peine de s'inquiéter. Et s'il n'y en a pas, ce n'est pas la peine non plus !»

Mais toi, où en es-tu aujourd'hui ? De mon côté, il me semble avoir progressé…

D'abord grâce à mes patients : les aider à s'en sortir eux-mêmes m'a en permanence inspiré et motivé pour faire reculer mes propres angoisses. Comme un prof de gym affûtant sa condition physique en faisant tous les exercices avec ses élèves, je crois n'avoir jamais terminé une séance de thérapie avec un patient anxieux sans me demander : «Et toi, où en es-tu avec ça ?» Toutes nos techniques de thérapie comportementale et cognitive (TCC) m'ont considérablement aidé ; mettre systématiquement ses inquiétudes à plat, par écrit, bien en dérouler le fil jusqu'au scénario catastrophe, toujours interroger et remettre en question la logique de ces pensées anxieuses automatiques, chercher des hypothèses alternatives, etc. Pas très poétique, comme travail, très besogneux, mais bien efficace pour perturber les automatismes de la pensée anxieuse, qui est finalement une dictature du pire : «Ne nous laissons pas tyranniser», nous disent les TCC!

Puis la méditation de pleine conscience a représenté, pour mes patients et moi, une seconde et immense révolution : à certains moments, ne pas lutter contre l'anxiété, mais se poser et simplement l'observer. Observer les modifications qu'elle provoque dans notre corps, observer les pensées qu'elle pousse devant elle, en les faisant passer pour la réalité; observer les ordres qu'elle nous donne («Inquiète-toi, fais-toi du souci!»), les impulsions qu'elle fait naître en nous («Bouge-toi, téléphone, vérifie, multiplie les précautions et les actions protectrices! Sinon, le pire arrivera et ce sera de ta faute, de ta faute pleine et entière!»). Observer tout ça et le laisser filer : continuer de respirer, de ressentir, d'écouter; continuer de rester dans le monde réel et non dans le monde virtuel où veut nous aspirer l'anxiété; continuer de rester dans l'instant présent, paisible, puisque nous respirons et que nous sommes en vie, sans se laisser aspirer dans le futur, dramatique, de toutes les catastrophes envisageables.

Enfin, la psychologie positive a complété mon arsenal : je me suis mis à observer très attentivement les non-anxieux, les peu-anxieux. À les considérer comme des personnes non pas inconscientes des dangers (comme je le faisais autrefois) mais plus intelligentes que moi face à la vie. Et en les observant, j'ai vu qu'elles avaient souvent raison d'être optimistes, confiantes, enthousiastes. Qu'il ne leur arrivait pas tellement plus d'ennuis qu'à moi. Mais qu'elles savouraient beaucoup mieux l'existence. Alors je me suis mis au travail dans ce domaine aussi, et me suis attaché à muscler mon regard sur les événements heureux de mes journées, à vérifier si mes scénarios catastrophe et mes prédictions pessimistes se révélaient si exactes. Eh bien, non, j'étais un très mauvais voyant, pas du tout extra-lucide : les grandes catastrophes annoncées n'arrivaient jamais, juste des petits ennuis, et moi je survivais haut la main à tous les malheurs entrevus. Mon regard sur la vie s'en est trouvé modifié.

Aujourd'hui, je suis toujours doté d'un cerveau inquiet. Mais j'en suis beaucoup moins le dupe et l'esclave. J'ai repris ma liberté. Je me sens comme un cavalier dont la monture est très nerveuse et très peureuse, prête à s'emballer et à partir au triple galop au moindre truc inhabituel : j'ai appris à la calmer et à la ramener au pas rapidement. Du coup, nous pouvons faire de belles balades ensemble dans la vie, mon cerveau et moi. Peut-être y aura-t-il des rechutes, mais en attendant je savoure !

Mais toi ? Où en es-tu, mon cher camarade, de ce long chemin, de cette progression vers plus de bonheurs et moins de douleurs, qui est notre quête à tous deux, et sans doute à la plupart des humains, les anxieux et les autres ? Est-ce que la philosophie t'a autant apporté que la psychologie l'a fait pour moi ? Et la méditation ? Et la spiritualité ? Et le zen, que tu es parti approfondir pendant des années en Corée ?

Il me tarde de te lire sur ces sujets. Et de continuer d'apprendre de toi comment mieux conduire ma vie.

Je t'embrasse, avec toute mon estime et mon affection.

Christophe

Lausanne, 25 mai 2018

Très cher Christophe,

Merci infiniment pour ton bon message qui a inauguré une sorte de mini-conversion : observer, s'inspirer des gens relax, tranquilles, celles et ceux qui semblent traverser l'existence sans ce fatras d'angoisses, de complexes et de prises de tête. Quelle idée géniale que de contempler les « chanceux » qui se débrouillent bien en matière d'émotion pour s'en nourrir, en se donnant le temps d'avancer au rythme de nos progrès, de nos forces et de nos faux pas.

Il n'existe pas un bouton intérieur qu'il suffirait d'actionner pour lâcher prise ou se détendre une bonne fois pour toutes et se la jouer cool. Nous ne sommes peut-être pas tous égaux face à la morsure de la tristesse, aux griffes de la peur, à l'aiguillon du désir. Faut-il à tout prix se définir ? « Je suis anxieux, dépressif, » etc.

Si un sain diagnostic peut aider considérablement en ouvrant des voies, les étiquettes sont des cachots où on peut sombrer et crever asphyxié. Je me coltine encore de sacrées zones de panique mais suis-je pour autant un anxieux ? Ces méfiances à l'endroit de la vie me sont-elles vraiment chevillées à l'âme ? Vaste question qui débouche sur une autre, épineuse, cruciale : qui suis-je au fond du fond ?

Si le narcissique reste le nez collé à une image et se coupe du monde, des autres et de sa nature profonde, il est une connaissance, un gai savoir, pour le dire à la Nietzsche, qui libère et s'inaugure peut-être par de grands chantiers : qui suis-je justement et qu'est-ce qui m'inscrit durablement dans une dynamique, dans un progrès, dans un itinéraire de libération ?

Il existe sans doute deux approches de la confiance. D'abord, espérer dégoter un jour un gilet de sauvetage, des manchons, une bouée pour traverser les hauts et les bas du quotidien. À côté il y a cet abandon, cette déprise de soi, cette disponibilité intérieure qui aide à envisager la vie sans avoir absolument besoin d'une sécurité, en flottant sans s'accrocher à rien. Tu me demandes où j'en suis de ce long chemin, de cette progression vers plus de bonheur et moins de douleurs…

Comme tu le sais, je reviens de loin. Ce matin, dans mon lit, pour faire un peu le point, j'ai essayé de dresser la liste de… mes angoisses : a. perdre un proche. b. attraper une maladie. c. être rejeté, méprisé et replacé pour tout dire dans une sorte d'institut, séparé des miens. Expérience qui a déterminé les premières années de ma vie. Dès l'âge de 3 ans jusqu'à 20 ans, j'ai vécu l'épreuve de la séparation et quelques traumatismes comme ce souvenir : à 12 ans, je mangeais tranquillement un bon gâteau au chocolat quand des miettes ont volé sur mon pull-over. Une éducatrice qui passait par là m'a lancé : « Les cochons, on les passe au lavage ! » Après m'avoir entièrement dévêtu, elle m'a traîné dans les couloirs au vu et au su de tout le monde jusqu'à la baignoire. Ce jour-là, quelque chose s'est brisé. Difficile, après semblable *traitement*, de ne pas se considérer comme un poids, souillé, un cochon… sale, de trop…

Aujourd'hui, je suis convié à entrer, comme le dit le bon Matthieu, à l'institut de la liberté. Depuis que notre lumineux ami m'a donné ce génial mantra, dès que la peur rapplique, j'essaie de foncer à l'institut de la liberté. Je prends le chemin de cette singulière école qui nous désenseigne, nous désapprend cette mécanique quasi indélébile qui nous porte à envisager le présent avec les yeux du passé.

Dans *Ainsi parlait Zarathoustra*, Nietzsche écrit : « il faut encore porter du chaos en soi pour accoucher d'une étoile qui danse ». Le moins que je puisse dire, c'est que touchant au chaos, j'ai l'impression d'avoir été servi et à la louche : avec mon problème technique de base, il me faut me coltiner un mental assez porté sur l'anxiété et le récent épisode où je me suis épris d'un jeune homme jusqu'à tomber dans une addiction carabinée m'a passablement secoué. Cette dernière péripétie, paradoxalement, m'a peut-être donné plus de fil à retordre que les difficultés inhérentes au handicap que je me trimbale : honte, peur du rejet, acrasie, tout concourait à charger une barque qui prenait déjà l'eau de toutes parts. D'où une question cruciale : qu'est-ce qui empêche, au cœur du tumulte, de ne pas couler carrément ? Dans l'essoreuse, où trouvons-nous la force de continuer et, paradoxalement, de nous laisser, de lâcher pour continuer la route et maintenir le cap une fois l'abandon accompli ?

D'abord, quand plus que tout je redoutais le rejet, les jugements, les index pointés, il est des mains qui ne m'ont jamais lâché. Ma femme, mes enfants et les amis dans le bien ont été les témoins de la bonté de la vie, y compris quand je me perdais tout près du gouffre. Souvent, on me demande ce qui caractérise un ami dans le bien. J'ai tendance à dire qu'un tel camarade, c'est un soutien qui reste dans l'épreuve, dans la pagaille, dans la… Plus exactement, un cœur bienveillant et aimant qui ne détale pas quand le ciel s'assombrit, qui témoigne que la fidélité est bel et bien de ce bas monde. Au cours de la tempête, une interrogation m'a profondément hanté : sur qui pouvons-nous véritablement compter ? Qui est capable d'un amour réellement inconditionnel ? Aujourd'hui, j'ai ma petite idée.

Contre toute attente, une quête de soi m'a entraîné sur des chemins de traverse qui m'ont appris quelques leçons, sorte de gai savoir, de sagesse espiègle : personne ne peut détenir le monopole de l'affection. Nous ne saurions imposer à quiconque la mission de combler le vide, de consoler l'inconsolable en soi. Il faut bâtir un art de la joie au cœur du chaos, trouver la paix au sein même du tourment.

Le défi, ne pas se laisser aigrir par l'échec, ne pas se blinder, toujours s'ouvrir. Nous vivons grâce et avec les autres. Pour le meilleur et pour le pire. Notre sensibilité qui nous rend si vulnérables demeure peut-être une chance, un cadeau, une porte ouverte vers la grandeur qui peut habiter un cœur. Aujourd'hui, pour ne pas trop vite confier la télécommande de mes états mentaux aux circonstances, j'imagine comme une passerelle qui relie le monde, le fond du fond. Tout le travail spirituel est d'établir sur ce mini-pont un bienveillant vigile, un garde du cœur, pour que la première obsession venue, la dépendance la plus désastreuse reste à bonne distance, qu'elle arrête son carnage.

Lorsque nous évoquons le thème de la solidarité, je pense à ces milliers de « bienveilleurs » qui m'aident quotidiennement. En quittant l'institut, je vivais dans la panique d'attraper une maladie. On m'avait éduqué dans l'idée que dehors rôdaient le danger, les menaces, les périls. Or, lors d'un de mes premiers passages à Paris, pris d'angoisse à l'idée d'avoir marché sur je ne sais quelle seringue imaginaire, je m'étais précipité aux urgences du coin pour qu'on m'administre une trithérapie préventive. Ce soir-là, je dînais chez toi avec Bernard Campan, notre ami commun. Évidemment sonné par la panique, le médicament et toutes les péripéties du mental, je me suis esquivé du repas pour m'assoupir, fuyant l'agitation d'un ciboulot malmené par la peur. Bernard et toi, vous vous êtes relayés pour m'épauler, pour regarder si le paniqué de service dormait en paix. Cet amour, cette attention, cette douceur sont aussi indélébiles. Ils viennent contrer les plus noires des projections et donnent cette confiance à la Trungpa, cette audace de ne plus viser à la sécurité, de guérir de l'idée même de guérir, pour se donner pleinement et entièrement à la vie.

Dans *Retour au silence*, Katagiri rappelle qu'il y a trois formes de dons : le soutien matériel, le partage des enseignements et le don de la non-peur. Toute ma gratitude, cher Christophe, pour ce présent qui n'a pas de prix.

À l'heure d'achever cette humble missive, un mien ami me brandit un exercice que je vais m'empresser d'appliquer à fond. Je t'en donnerai des nouvelles. Il me rapporte l'histoire d'une femme qui a basculé dans le non-jugement, la déprise joyeuse de soi grâce à une ascèse fort simple : du matin au soir, ne pas laisser l'ego prendre le dessus, l'observer quand il juge, commente, s'énerve. J'entends encore ses paroles : « Quand tu es révolté, quand tu paniques, au lieu de gesticuler dans tous les sens, de jouer au redresseur de torts, imagine-toi un grand banc à l'intérieur. Tu t'y assieds et tu regardes ce qui se passe sans bouger le petit doigt. Sans réagir le moins du monde, regardes. »

Voilà peut-être le repos, la quiétude que je cherche désespérément. Laisser la vie être ce qu'elle est sans même vouloir accepter. Lui ouvrir les bras, oser une attitude un brin plus contemplative.

Prends grand soin de toi. Cheminons tous ensemble avec les moyens du bord et les forces du jour dans la grande santé !

Merci !

Tous mes vœux t'accompagnent.

Alexandre

DEUXIÈME PARTIE

L'ÉCOLOGIE DE LA LIBERTÉ

ALEXANDRE : *Oikos* désigne en grec « la maison, l'habitat ». L'écologie pourrait être cet art de cohabiter joyeusement. Tous, nous sommes colocataires de cette belle planète bleue. Pourquoi donc se tirer dans les pattes et considérer l'autre comme un rival ? Comment devenir vraiment des coéquipiers solidaires et tenter l'aventure les uns avec les autres ?

Le défi écologique ne saurait se vivre dans la pure abstraction. Il implique une foule d'interrogations concrètes qui façonnent ultimement notre quotidien. Quelle relation entretenons-nous avec la nature ? Constitue-t-elle un magasin, un self-service, une boîte à outils où consommer des arbres, des animaux, utiliser et jeter ? Pourquoi considérer l'univers entier comme un immense supermarché ? Faut-il nous en mettre plein la panse dans une totale indifférence au déluge que nous pouvons déclencher ? Garder la sagesse en ligne de mire, c'est peut-être revisiter la façon d'habiter ce monde, envisager les liens que je tisse avec les hommes et les femmes qu'il m'est donné de rencontrer.

La nature vient sans cesse nous rappeler, et c'est heureux, que nous ne sommes pas le centre du monde. Assurément, il y a plus grand que nous. Ses forces, sa majesté nous extraient plus ou moins gentiment du « moi je », du consommateur qui peut sommeiller en nous et mettent en échec notre sentiment de toute-puissance. Au sommet d'une montagne, au pied d'un arbre, en compagnie d'un être humain, comment ne pas expérimenter la grandeur du cosmos infiniment plus vaste que les frontières étroites et fragiles de notre individualité ? L'écologie nous lance un appel : nous convertir, croître intérieurement, sortir du cachot du mental pour nous donner au monde.

Comment maintenir le contact avec la nature au milieu du béton et respecter en tous lieux le miracle surpuissant de la vie ? Afin de cohabiter tous ensemble dans cette gigantesque maison, il est urgent de réhabiliter le lien à soi, aux autres, au tout, et de nous ouvrir. Quand l'indifférence nous guette, il devient pressant d'ouvrir portes et fenêtres pour que l'air circule et que jamais ne s'installe une odeur de renfermé. Dans le métro new-yorkais s'est déroulé un drame qui pourrait devenir *banal*. Un type s'est fait poignarder dans une indifférence quasi générale. Personne n'a levé le petit doigt pour venir en aide au malheureux. Sans sombrer dans le passéisme, comment ne pas déplorer que dans une société hyper-connectée le lien naturel à autrui se détériore, perde sa force ? Parfois, je suis des cours d'anglais sur Internet. Bizarrement, j'en arrive à connaître davantage mon professeur qui vit à Boston que mon voisin de palier.

D'où un défi écologique majeur : habiter tous ensemble et ne laisser personne sur la touche. Comment soigner notre maison et prendre soin des êtres qui habitent avec nous ? Sans jouer les Cassandre, ne faut-il pas passer en revue les pollutions qui minent le vivre-ensemble ? Dès maintenant, nous pouvons tout mettre en œuvre pour favoriser sans relâche le bon voisinage. Pour Plotin, l'âme devient ce qu'elle contemple. Où se pose notre regard du matin au soir ? De quoi se nourrit-il ? Le spectacle de la méchanceté, de la compétitivité, de la course folle, de la lutte pour la vie nous laisserait-il indemne ? Revenir à la nature, relever le défi, n'est-ce pas déjà faire halte, ralentir, suspendre un peu cette avidité, bref passer du « je » au « nous » ?

CHRISTOPHE : Tu viens de parfaitement définir ces trois dimensions de l'écologie qui peuvent beaucoup nous influencer, en bien ou en mal : la dimension naturelle, la dimension relationnelle et la dimension culturelle. Pour nous changer et changer le monde, nos efforts personnels comptent, mais nos environnements ont

« On ne peut pas être
en bonne santé dans
un environnement
malade, qu'il
s'agisse de polluants
physiques, relationnels
ou culturels. »

une importance fondamentale : ils sont le bain dans lequel nous évoluons au quotidien, sans nous en rendre compte, et ils infusent en nous leurs vices et leurs vertus, ils nous freinent ou nous aident.

Pour le médecin que je suis, ils peuvent par exemple contribuer à notre santé, ou l'altérer. C'est ce qu'on appelle la « médecine environnementale » : on ne peut pas être en bonne santé dans un environnement malade, dans un écosystème humain pollué, qu'il s'agisse de polluants physiques (pollution de l'air, de l'eau, des aliments), relationnels (être sans cesse en compétition ou en comparaison avec les autres) ou culturels (vivre dans une société égoïste et matérialiste). Et inversement, un environnement favorable bénéficie à notre santé et à notre bien-être : le contact régulier avec la nature, le fait de disposer de proches et d'amis prêts à nous aimer et à nous aider, l'appartenance à une culture qui promeut des valeurs de solidarité et de respect et les rend vivantes en nous, tout cela est bon pour notre petite personne, même sans efforts de notre part.

La réflexion écologique ne concerne donc pas seulement la protection de la nature, mais aussi celle des liens humains, des sociétés humaines, dans ce qu'ils ont de meilleur. Et la méfiance ou l'action, par rapport à ce qu'ils ont de pire.

Tout cela compte beaucoup, même si parfois nous n'en avons pas conscience. Un environnement favorable me libère l'esprit en me procurant des émotions agréables, en me donnant un sentiment de sécurité personnelle, en me permettant donc d'avoir un rapport au monde ouvert et apaisé. Il me donne le sentiment de vivre dans un univers prévisible, juste et cohérent. C'est comme des vents favorables qui nous poussent et nous aident à avancer ! À l'inverse, un environnement toxique me stresse, m'attriste, me fatigue, me force à être vigilant, méfiant, à me protéger de lui : autant de chaînes et de restrictions à ma liberté intérieure !

Ce que j'aime dans cette notion d'écologie, c'est qu'elle nous rappelle que nous ne sommes pas des êtres immatériels qui poussent hors sol : là où nous plongeons nos racines, dans notre culture, notre environnement physique, dans les liens que nous tissons avec nos semblables, nous trouvons nos nutriments ! L'arbre dans la ville ne pousse pas de la même façon que l'arbre dans la forêt. C'est pourquoi il peut être précieux de réfléchir à une écologie de notre liberté intérieure, et de définir les conditions extérieures qui peuvent lui être favorables ou défavorables.

MATTHIEU : Du point de vue de la quête de liberté intérieure, notre environnement physique et les personnes que nous côtoyons ont, du moins pour les débutants que nous sommes, une influence considérable sur notre état intérieur, sur notre sentiment de liberté ou de servitude.

《 *Un jour que j'étais à New York avec Rabjam Rinpotché, l'abbé du monastère de Shéchèn, nous nous sommes retrouvés au milieu de Times Square, cette place célèbre dans le monde entier où se concentrent les théâtres, les cinémas et les grands magasins. Les façades des gratte-ciel y sont recouvertes d'immenses publicités lumineuses annonçant les spectacles qui se jouent ou vantant diverses boissons et confiseries.*

Rabjam Rinpotché contemplait les centaines d'enseignes multicolores qui clignotaient dans tous les sens, et il me dit d'un air pensif: "Ils essaient de voler mon esprit!" De toute évidence, ce n'était pas un lieu favorable à la liberté intérieure.

Dans l'Himalaya, au lieu de grandes affiches "Buvez Coca-Cola!" à tous les coins de rue, on découvre, à flanc de montagne, des mantras, comme celui du Bouddha de la compassion, gravés sur des alignements d'innombrables pierres blanches. Les collines sont couvertes de drapeaux imprimés de prières: "Puissent tous les êtres être heureux!" que les vents portent dans toutes les directions. 》

Matthieu

7
L'ENVIRONNEMENT PHYSIQUE AGIT SUR NOTRE ÉTAT MENTAL

MATTHIEU: Les lieux comportent des caractéristiques qui, en elles-mêmes, ont une influence sur nos états mentaux et, par extension, sur notre quête de liberté. Si un méditant aguerri sait préserver sa liberté intérieure en toutes circonstances, dans les embouteillages comme sur les contreforts de l'Himalaya, nous autres novices aurons avantage à mettre tous les atouts de notre côté en choisissant un lieu propice à la contemplation. Notre état d'esprit ne sera pas le même dans un endroit chaotique, bruyant, sale ou vétuste, et dans un lieu harmonieux où tout ce nous voyons et entendons favorise la paix intérieure. Au début, nous sommes trop faibles et vulnérables pour savoir tirer un parti constructif des conditions extérieures défavorables. Il faut donc se donner le temps de cultiver la force d'âme dans un environnement qui facilite cet entraînement au lieu de l'entraver.

Les lieux propices à la vie intérieure

MATTHIEU: Dans les enseignements tibétains, on décrit les caractéristiques des lieux favorables à la pratique spirituelle et celles qui lui font obstacle. Certains lieux et certains environnements psychologiques renforcent nos poisons mentaux – l'animosité, la convoitise, l'orgueil et autres sentiments qui troublent notre esprit et obscurcissent notre discernement. Il convient de les éviter, y compris les milieux sociaux et familiaux tendus et conflictuels. On veillera aussi à ce que les moyens de subsistance (eau, nourriture, abri) soient facilement accessibles. Mieux vaut éviter les lieux où l'on risque d'être constamment préoccupé par des dangers potentiels ou par tout ce qui pourrait interrompre notre pratique, notamment la présence de bandes armées, de brigands ou d'animaux redoutables, le risque d'inondations ou de glissements de terrain, etc. Il ne s'agit certes pas de rechercher un confort douillet, mais d'éviter que les difficultés extérieures n'entravent nos efforts.

Ces enseignements décrivent également les caractéristiques des lieux favorables à des pratiques spécifiques. Lorsque la méditation est centrée sur le calme intérieur, *shamatha*, on recherchera les forêts ou autres endroits abrités et retirés, où la lumière douce et tamisée repose l'esprit et apaise ses tribulations. L'air y est chargé de senteurs apaisantes.

Si l'on souhaite cultiver la vision vaste et pénétrante, *vipashyana*, et méditer sur la présence éveillée, sur la nature de notre esprit – une pratique centrée sur la clarté, l'aspect lumineux de l'esprit –, on choisira des lieux élevés, où l'air est vif, ouverts sur des paysages spacieux, avec une vue dégagée sur le ciel. La luminosité des paysages enneigés favorise celle de l'esprit.

Au bord des torrents puissants et tumultueux, les fabrications mentales sont réduites au silence. Si l'on s'entraîne à maîtriser nos émotions fortes, on recherchera des lieux accidentés, des gorges et ravins qui intensifient nos états mentaux. Si l'on vise à trancher l'ego à la racine, à engendrer de la lassitude vis-à-vis des préoccupations mondaines et à méditer sur l'impermanence et la mort, au Tibet, les pratiquants iront dans les «cimetières célestes», des espaces situés dans la montagne, où l'on donne les corps en pâture aux vautours.

On évitera les lieux pollués, où l'atmosphère est lourde et malsaine, les lieux qui engendrent l'avidité et la convoitise, l'irascibilité et la jalousie, des lieux où les conflits surgissent facilement, où l'on se préoccupe constamment de promouvoir ses intérêts et de venir à bout de ses rivaux, où l'on se livre inévitablement à d'incessantes activités. À mesure que l'on s'éloigne de tels lieux, les perturbations mentales diminuent; l'esprit devient clair, serein, maître de lui-même et confiant dans la justesse du mode de vie que l'on a choisi.

Les textes décrivent aussi avec précision les particularités des lieux favorables à l'établissement d'un monastère ou d'un centre de retraite contemplative. L'idéal est un lieu faisant face au sud, pleinement dégagé à l'est, vers le soleil levant, ainsi qu'au sud. Il doit présenter une légère élévation à l'ouest et une montagne plus élevée au nord, c'est-à-dire derrière le monastère. Il est bon qu'une rivière coule d'est en ouest dans la vallée et que cette vallée soit parsemée de petites collines semblables à des amoncellements de joyaux. Il n'est pas souhaitable en revanche d'avoir devant soi une chaîne de montagnes avec un pic qui se dresse derrière cette chaîne comme une dent menaçante. Il convient donc de choisir avec discernement le lieu de la pratique spirituelle qui est la nôtre.

De manière plus prosaïque, dans le monde contemporain, s'il se trouve que l'on est dépendant à l'alcool, par exemple, on choisira un lieu où rien ne nous rappelle la bouteille. Si l'on est obsédé par les filles ou les garçons, on évitera les plages peuplées de Vénus en bikini ou d'Adonis bien musclés. Des environnements protégés nous donneront le loisir de cultiver une meilleure résilience face à notre dépendance, sans compromettre cet entraînement encore fragile en le confrontant incessamment aux déclencheurs du désir. Ces «ruses de guerre, écrivait mon père, obéissent à un principe commun: fuir les occasions dans lesquelles le réveil de la bête est inévitable».

ALEXANDRE: Lors de mon escapade coréenne, j'ai tenté de troquer, avec les moyens du bord, une vie hyperactive pour une existence un brin plus contemplative, orientant mon quotidien vers la pratique. Très tôt, je me suis aperçu que le décor extérieur n'avait pas un si grand impact sur la qualité de la présence, de la disponibilité intérieure. À quelque endroit que nous fuyions, nous trimballons toujours casseroles, traumatismes et blessures. Rarement les fantômes intimes nous laissent en paix...

En plein cœur de Séoul, au milieu des gratte-ciel et du marché, se dresse un temple bouddhiste: «Jogyesa». Toute la journée, des femmes, des hommes viennent réciter des prières, pratiquer dans les tumultes de la mégapole. Leur sagesse, leur dévouement, leur compassion m'ont convaincu de transformer tout lieu, chaque instant en mini-retraites intérieures. Maître Eckhart invite à s'ouvrir à Dieu en toutes choses et à Le voir continuellement en son esprit, dans ses intentions, que nous soyons à l'église ou dans notre cellule, nous dit-il. À Jogyesa, j'aimais à contempler lotus et nénuphars qui s'épanouissent dans les eaux saumâtres de certains marécages. Rien, aucune circonstance, ne peut nous empêcher de porter du fruit.

Dans la forêt coréenne où j'ai fait une retraite, je me suis ramassé de plein fouet la solitude, le manque. Il y a sans doute des rats des champs et des rats des villes. L'un préférera le désert pour descendre au fond du fond, l'autre trouvera dans la rencontre le chemin vers la paix. Bref, coupé du téléphone, sans Internet, au milieu des arbres et des ratons laveurs, j'ai senti que la vie intérieure suivait ses cycles, ses saisons, qu'elle progressait au-delà de la précipitation et de l'urgence. Le danger, c'est de faire advenir la paix aux forceps, de nous contraindre, de rêver de conditions idéales quand nous pouvons ultimement méditer partout même au pied d'un gratte-ciel...

CHRISTOPHE: Oui, on peut méditer partout, surtout si l'on est expérimenté, mais c'est plus compliqué quand on débute. Dans tous les cas, pouvoir de temps en temps méditer de manière prolongée dans des environnements apaisés et inspirants, cela permet sans doute d'approfondir encore plus sa pratique. Avec plus de facilité, en tout cas, et c'est bien là l'enjeu des «bons» environnements : ils ne suppléeront pas à nos efforts et à nos savoir-faire, mais ils nous rendront la vie plus facile, nous aideront à aller plus loin. Personnellement, c'est lors de méditations prolongées et immergées dans la nature que j'ai éprouvé le plus souvent de moments d'apaisement profond, de plénitude existentielle ou de clarté de l'esprit.

Il me semble que ce qu'on appelle un environnement matériel favorable réunit trois sortes de caractéristiques : la beauté alliée à l'harmonie, le calme et une dose minimale de nature. Cette «dose» de nature me semble vitale. Je me souviens d'avoir un jour assisté à la cérémonie de crémation d'une amie. Nous étions tous assis dans une grande salle sans signes religieux, simple et sobre, mais dépourvue de charme. Tout à coup, toute la cloison du fond, face à laquelle nous étions assis, s'est levée et s'est effacée lentement pour faire place à une très grande baie vitrée qui donnait sur un petit jardin, un plan d'eau, surplombés par un vaste ciel bleu. Je me souviens encore du sentiment d'apaisement et de soulagement que j'ai ressenti tout au fond de moi à l'apparition de ces éléments naturels. C'était comme un allègement de mon chagrin, face à la Nature. Je me rappelle m'être dit : «Tout cela était là avant nous et sera là après nous. C'est simplement l'ordre des choses : naître, vivre et mourir.» J'ai senti qu'à cet instant j'avais besoin de ce message offert par le lien à la nature ; un simple environnement architectural, même réussi, même harmonieux, ne m'aurait jamais fait cet effet.

Et à l'inverse, un environnement matériel défavorable nous prive de ces trois éléments : il est moche et vulgaire, il est bruyant et il est artificiel. Beaucoup d'environnements urbains ou périurbains sont, hélas, ainsi. Ils nous agressent et nous carencent. Alors du coup, nous nous replions sur nous (beaucoup de citadins se réfugient dans leurs écouteurs ou devant leurs écrans) et nous sommes stressés, obligés d'être vigilants, aux aguets (nous devons faire attention de ne pas nous faire bousculer en marchant sur les trottoirs, ou écraser en traversant les chaussées). Toute cette énergie que nous dépensons dans de tels environnements est autocentrée, tournée vers le repli et la protection, et non vers l'ouverture et la découverte. Nous sommes sur la défensive, nous perdons la légèreté, la liberté et le bien-être que procurent les environnements beaux, sécurisants et nourrissants.

Mais que faire lorsqu'on est un citadin ? Lorsqu'on est condamné, en quelque sorte, à subir régulièrement et majoritairement ces environnements ? Beaucoup rêvent de partir vivre plus près la nature, certains le font. Mais la plupart se contentent d'y aller le plus souvent possible, d'où les grandes migrations des week-ends et des vacances ! Légitimes d'ailleurs, car les bénéfices de l'exposition à la nature durent bien au-delà du temps où nous y séjournons.

Les bienfaits avérés du contact avec la nature

MATTHIEU : Les lieux naturels nous attirent et il s'avère qu'ils sont propices à une bonne santé physique et mentale. L'inclination pour tout ce qui vit et l'appréciation des lieux naturels dotés d'une riche diversité de formes et de couleurs a été nommée « biophilie », un concept élaboré par le biologiste E. O. Wilson. Des chercheurs ont montré à des habitants des cinq continents des photographies de paysages variés. Or les plus appréciées sont celles qui représentent de vastes savanes verdoyantes, parsemées de surfaces d'eau et de petits bosquets plus élevés. Cette préférence se vérifie même chez les Esquimaux qui n'ont pourtant jamais vu de tels paysages. Il est probable que pour nos ancêtres, venus des régions subsahariennes, les lieux légèrement surélevés avec une vue dégagée et quelques arbres où s'abriter offraient un point de vue idéal pour surveiller tout aussi bien les proies dont ils se nourrissaient que d'éventuels ennemis ou prédateurs. Les plaines verdoyantes et les surfaces d'eau évoquent l'abondance et les conditions favorables à la survie. La contemplation de tels paysages engendre chez la plupart d'entre nous un sentiment d'harmonie et de sécurité.

Une autre étude a mis en évidence qu'à la suite d'une intervention chirurgicale, les patients récupèrent mieux et plus vite lorsque leur chambre d'hôpital a vue sur un paysage naturel (parcs, pièces d'eau) que sur des bâtiments. Les premiers quittaient en moyenne l'hôpital un jour plus tôt que les seconds ; ils avaient moins besoin d'antidouleurs et étaient plus apaisés.

Dans une ville, la perception de notre propre échelle humaine se trouve réduite, alors que l'évolution nous a formatés pour nous comparer à la taille des arbres, des rochers et autres éléments des paysages naturels. En contrôlant la physiologie des citadins (grâce à des bracelets qui transmettent constamment des données) et en les interrogeant, les chercheurs ont constaté que les passants qui marchent devant une longue façade en béton ou en verre fumé ressentent moins d'émotions et deviennent d'humeur plus maussade. Ils accélèrent le pas comme pour se dépêcher de sortir de la zone morte. Par contraste, ils sont beaucoup plus animés et attentifs lorsqu'ils passent par une rue bordée d'étals, de restaurants et de magasins. Lorsqu'ils parcourent des zones vertes, une avenue bordée d'arbres ou un parc, leurs émotions et humeurs deviennent encore plus positives. Les villes les plus appréciées sont celles où il fait bon être, et non pas celles que l'on se contente de traverser à la hâte.

Plusieurs études troublantes montrent que, pour un enfant, le fait de grandir dans une ville double la probabilité de développer une schizophrénie à l'âge adulte et augmente le risque d'autres troubles mentaux, la dépression et l'anxiété chronique en particulier. Chez ces enfants, l'épaisseur de la matière grise est aussi réduite dans certaines aires cérébrales. Il importe donc de renouveler notre contact avec les milieux naturels, d'accroître ou de préserver les espaces verts dans les villes et de concevoir une architecture plus proche de l'échelle humaine. Il faut également nourrir la qualité des liens sociaux dans les environnements urbains. Près de 40 % des habitants de New York et 58 % des habitants de Stockholm vivent seuls. Or on sait que des relations sociales de qualité favorisent la santé et la longévité et diminuent les risques de dépression et d'addiction.

CHRISTOPHE : Oui, modifier l'agencement des villes et des banlieues est un enjeu capital : bientôt, la majorité des humains seront des citadins, il est important de faire en sorte qu'ils ne soient pas tous stressés, malades et malheureux ! En gros, si l'on veut suivre les recommandations des nombreuses recherches scientifiques que tu viens d'évoquer, Matthieu, il s'agit d'aménager les villes comme une juxtaposition de petits villages, de petits quartiers, en étant attentif à ce que chacun offre aux humains qui les habitent ou les traversent les « nutriments » dont nos cerveaux et nos corps ont besoin : échoppes et petits commerces pour la présence humaine, places calmes avec de la verdure et des bancs pour pouvoir se poser et se rencontrer, trottoirs assez larges pour ne pas être sans cesse aux aguets (surtout pour les personnes âgées) et marcher avec l'esprit libre.

Or nous n'avons pris conscience de tout cela que récemment. D'une part en raison de certaines dérives orgueilleuses de l'urbanisme et du rôle de certains « grands » architectes, comme Le Corbusier, assez indifférents dans le fond à la notion de confort d'usage quotidien et de psychologie humaine – imaginez qu'il voulait détruire toute une partie du centre de Paris, rive droite, pour y bâtir des tours géantes ! À l'inverse, heureusement, d'autres écoles architecturales réfléchissent à construire *pour* les êtres humains et non à leur faire habiter des concepts théoriques flatteurs pour

« Un environnement
favorable réunit
trois sortes
de caractéristiques :
la beauté alliée
à l'harmonie, le calme
et une dose minimale
de nature. »

l'ego de leurs promoteurs. Un ami allemand me racontait qu'une architecte berlinoise contemporaine, Christa Fischer, lorsqu'elle aménage des parcs et jardins publics, n'y trace jamais les chemins : elle commence par mettre de l'herbe partout, et laisse ensuite les usagers du parc emprunter librement les trajectoires qui conviennent à leurs trajets quotidiens ; puis, après quelques mois, elle aménage avec des gravillons les allées dessinées par les passages quotidiens, obéissant à l'usage naturel des humains !

L'autre problème posé par les villes est celui de leur parasitage et, parfois, de la destruction du tissu humain par les grandes compagnies multinationales. Prenez l'exemple de ces grandes enseignes qui livrent à domicile au lieu d'ouvrir des magasins (parce que c'est plus rentable) : en faisant peu à peu disparaître les boutiques (ils livrent à des prix moins élevés qu'en magasin, notamment en échappant à l'impôt) ils font perdre aux centres des villes tout un réseau de relais de sociabilité. Autre exemple, tout aussi pervers, les chaînes de magasins qui offrent certes des lieux de convivialité, mais les détournent à leur profit : ainsi, les galeries marchandes sont souvent des endroits agréables, où les ingrédients dont nous parlons (un peu de nature grâce aux plantes vertes, des endroits pour s'asseoir et déambuler sans peur que ses enfants se fassent écraser par une voiture, des espaces de socialisation où s'asseoir avec des amis pour bavarder...). Sauf que, lorsqu'on y entre, on est incité à consommer et à dépenser ; et que sans une vigilance extrême, on sera tenté... Une étude dans les banlieues pauvres des États-Unis a ainsi montré que les fast-foods étaient les seuls lieux possibles de confort et de convivialité hors de chez soi : chauffés l'hiver et climatisés l'été, confortables et à peu près agréables... Mais qu'on y était poussé à manger une nourriture qui rend diabétique et obèse. Ce qui conduit les auteurs de l'étude à conclure que l'épidémie d'obésité dans les classes sociales pauvres n'est pas tant due à la faiblesse de volonté des personnes pauvres qu'à ces lieux de vie offrant à la fois du confort et de l'empoisonnement. On est bien dans l'écologie, mais l'écologie d'environnements toxiques qui nous poussent, à notre insu, dans la mauvaise direction. Si toutes ces personnes avaient pu bénéficier de jardins publics et de potagers communautaires au lieu de fast-foods, nul doute que l'épidémie d'obésité et de diabète de type 2 (lié au surpoids) ne serait pas si importante.

MATTHIEU: Une autre étude montre que vingt minutes de marche journalière n'apportent pas les mêmes bienfaits physiques et psychologiques en ville qu'à la campagne. On va nous traiter encore une fois de Bisounours prônant le retour à la nature, de nostalgiques de l'âge d'or qui vont embrasser des arbres. Quoi qu'on en dise, il est certain qu'il y a des environnements stressants et déstabilisants et d'autres favorables à la sérénité.

CHRISTOPHE: Ces études sont très intéressantes, parce qu'elles nous mettent sur la piste des mécanismes qui expliquent les bienfaits des environnements naturels. Pourquoi la marche, qui est une activité bénéfique, est-elle encore plus bénéfique en milieu naturel, alors que l'effort physique accompli est le même? Parce que dans la nature il n'y a pas de panneaux publicitaires, pas d'agressions sonores, pas d'interruptions attentionnelles incessantes. Notre esprit peut vivre sa vie, tranquille: libre de réfléchir, de vagabonder, d'imaginer... Dans la continuité et la tranquillité. Dans un environnement urbain ou artificiel, il existe des dispositifs délibérément conçus pour capter notre attention. Soit pour nous protéger (signaux sonores ou lumineux des passages piétons, coups de klaxon de voitures), soit pour nous piéger (les publicités, de plus en plus omniprésentes). Nous ne sommes plus dans l'intériorité, mais dans la réactivité, plus dans la liberté, mais dans la servitude (faire attention à ce qu'on nous montre, au lieu de choisir ce que l'on veut observer).

ALEXANDRE: Nietzsche, qui s'est coltiné la maladie tout au long de sa carrière, nous apprend que la question du climat et du lieu où nous avons élu domicile est essentielle pour la « grande santé ». D'ailleurs, le philosophe nous met en garde contre le *cul de plomb*, ce véritable péché contre le Saint-Esprit qui nous incline, à ses dires, aux préjugés. J'aime quand il nous invite à être assis le moins possible, à nourrir nos idées au grand air, à faire circuler la vie. À ses yeux, le choix de la nourriture, du climat, du lieu où l'on vit, mais aussi les moyens que nous adoptons pour nous recréer sont cruciaux. Bien que nous transportions avec nous notre mal-être, il est peut-être des terrains plus propices pour le dissoudre.

Nous sommes aussi un corps, une physiologie, des muscles, des nerfs, des passions, des désirs. Se croire coupé de l'environnement, fausser compagnie à la nature, c'est à coup sûr se tirer une balle dans le pied. En t'écoutant, cher Christophe, je me suis étonné de constater que, jusqu'à ce jour, je me suis montré peu attentif aux sources de stress. Une fois le nez dans le guidon, comment ne pas foncer dans le précipice ? Comment oser ralentir et repérer les causes d'agitation et les aires de repos ? Dans la vie spirituelle, toujours guette le danger de l'épuisement… D'où la nécessité, vitale, de repérer des oasis, les lieux de recréation, bref, de s'ouvrir à l'environnement.

MATTHIEU: On sait qu'une intensification du contact direct avec la nature a un impact important sur le développement cognitif et affectif de l'enfant. Observer la nature de près, constater le jeu de l'interdépendance de la biosphère, observer comment les plantes et les animaux réussissent à survivre, à s'associer, à coopérer ou à être en compétition, à évoluer, à se régénérer, à résoudre des défis souvent complexes est aussi une forme d'apprentissage précieuse pour trouver des solutions à nombre de problèmes que l'on rencontre dans l'existence, ce qui n'est pas le cas dans l'univers figé des constructions urbaines. Si les enfants d'aujourd'hui ne connaissent même plus les noms des plantes, des oiseaux, des animaux et des poissons, pourquoi devraient-ils les apprécier et vouloir les préserver?

Dans *Last Child in the Woods* («Le Dernier enfant dans les bois»), Richard Louv soutient que les enfants qui vivent en milieu intérieur sont plus sujets à l'obésité et aux troubles de l'attention du fait qu'ils ne profitent pas des avantages spirituels, émotionnels et psychologiques de l'exposition aux merveilles de la nature, laquelle favorise la réduction du stress, le développement cognitif et le jeu coopératif. En Californie, une étude rapporte que les élèves qui bénéficient de classes de plein air dans la nature ont de meilleurs résultats scolaires, une compétence accrue pour résoudre les problèmes, pour exercer leur pensée critique et prendre des décisions. Le temps passé dans un environnement naturel stimule également la créativité des enfants.

CHRISTOPHE: Oui, les données sur l'impact cérébral de l'exposition régulière à la nature ne manquent pas! Regarder des images de nature entraîne une activité accrue dans le cortex cingulaire antérieur et l'insula (zones associées à la stabilité émotionnelle, l'altruisme, l'empathie) tandis que la contemplation de lieux urbains augmente l'activité de l'amygdale cérébrale (zone de réponse aux stimuli émotionnellement aversifs). Différents travaux montrent aussi que le contact avec la nature facilite la récupération mentale après des tâches complexes et améliore les performances subséquentes, qu'il renforce la vigilance, l'attention, la mémoire, etc.

Les mécanismes de ces bienfaits se nichent dans de nombreux détails, par exemple le fait que notre cerveau est sensible, sans que nous en soyons conscients, à la biodiversité: le mieux-être que nous ressentons dans la nature est proportionnel à la multiplicité des espèces de plantes et de chants d'oiseaux! Là encore, c'est logique: nous avons gardé une mémoire ancestrale et inconsciente

« À la suite
d'une intervention
chirurgicale,
les patients
récupèrent mieux
et plus vite lorsque
leur chambre
d'hôpital a vue
sur un paysage
naturel. »

de ce qui est bon pour nous en termes de ressources, qu'il s'agisse de leur abondance, mais aussi de leur variété. Quand on sait que le nombre d'oiseaux de nos campagnes est en plein effondrement (moins 60 % de moineaux friquets depuis dix ans, un tiers d'alouettes des champs disparues en quinze ans), pour ne pas parler de tout le reste, notamment des insectes, ce n'est évidemment pas une bonne nouvelle, ni pour les oiseaux ni pour nous !

MATTHIEU : Lorsque nous nous promenions tous les trois, nous avons remarqué qu'il n'y a pas de sentiment de saturation au spectacle de la nature. C'est un émerveillement constant et pacifiant dont on ne se lasse pas. Les grands maîtres bouddhistes ont tous fait l'éloge des lieux sauvages, comme étant propices à la pratique spirituelle. Shantideva écrivait notamment que, dans les forêts, les animaux, les oiseaux et les arbres sont des amis idéaux, qui ne bavardent ni ne médisent jamais. Il parlait d'aller s'établir, l'esprit et le cœur libre de toute distraction, dans un ermitage, une grotte, ou au pied d'un arbre, avec pour seul souci celui de maîtriser son esprit et de le laisser reposer dans sa nature première. Dans les grands espaces du Tibet, au bord d'un lac, de l'océan, sur une montagne d'où l'on voit presque à l'infini, la méditation est tout aussi bien à l'extérieur qu'à l'intérieur, et l'on n'a pas l'impression, en méditant, de nager à contre-courant, à cause d'un environnement hostile à la concentration et à la paix intérieure. On peut s'ouvrir entièrement au milieu ambiant au lieu de chercher à s'en protéger, comme dans une ville bruyante ou un appartement situé au-dessus d'un grand boulevard où il faut débrancher le téléphone, la télé, voire fermer les fenêtres, si l'on veut passer un moment tranquille. À force d'être pris dans un tourbillon d'activités chaotiques, on finit par perdre le contrôle de son véhicule intérieur.

Dans la nature, tout ce qui nous entoure nous inspire à méditer au lieu de nous en décourager. Les lieux tranquilles offrent donc une continuité, une régularité, favorables à la pratique spirituelle. Personnellement, au début d'une retraite, je trouve formidable de savoir que j'ai devant moi un certain nombre de jours, de semaines, de mois, voire d'années qui vont être dédiées à la pratique spirituelle, et que je ne serai pas interrompu à tout moment.

ALEXANDRE : Certains aspects de la nature ont véritablement de quoi faire froid dans le dos : tremblements de terre, tsunamis, maladies. Tous ces fléaux sont également des phénomènes naturels. Comment trouver un brin de confiance au milieu de ces forces qui paraissent si hostiles ? Je tombe sur le journal télévisé et immédiatement je me rappelle que l'univers n'est pas spécialement organisé pour répondre à nos besoins, pour nous dorloter. Lors d'un voyage en Grèce, j'ai vécu un véritable calvaire. Logeant à la campagne aux abords d'un bois, terrorisé, je n'osais mettre les pieds dehors tant, une fois de plus, la peur des maladies me tourmentait.

Un jour, habillé comme en hiver, je me suis risqué à affronter un paysage pourtant si paisible. Je lisais justement *La Naissance de la tragédie*, de Nietzsche, où le philosophe évoque Apollon et Dionysos. Ces dieux peuvent venir colorer nos styles de vie. Suivre Apollon, c'est peut-être aller vers l'ordre, la maîtrise, se comprendre, *s'introspecter*. Emprunter la voie dionysiaque, c'est faire éclater les limites de l'individualité, oser la non-maîtrise. En compagnie de ces guides, j'ai commencé à me départir de mes épais vêtements, à quitter mes chaussures pour gambader joyeusement dans la forêt. Je percevais qu'il n'y avait rien à protéger, que ma petite individualité allait tôt ou tard claquer et que les hommes et les femmes étaient des êtres éminemment naturels. Ce curieux épisode m'a aidé à cesser de considérer la nature comme le haut lieu de l'adversité, comme une jungle, une menace, des dangers permanents. Plus nous nous sentons séparés de notre environnement, du monde, des autres, plus nous morflons à tous les coups.

BOÎTE À OUTILS
POUR VIVRE DANS UN
ENVIRONNEMENT FAVORABLE

MATTHIEU

Si l'on habite en ville et qu'il faut tendre le cou pour apercevoir un coin de ciel bleu depuis sa fenêtre, comment trouver des oasis dans notre existence, dans l'espace, dans le temps et au milieu des autres ? Il serait dommage de renoncer à nos aspirations à la sérénité parce qu'on n'a pas la chance de vivre dans un ermitage ou en pleine nature.

- *Cette oasis peut être tout simplement chez soi* : Sans offusquer ou gêner la famille, on s'isole une vingtaine de minutes.
- *On peut aussi aller dans un parc* : S'asseoir sur un banc, et se recueillir un instant.
- *Dans les transports en commun* : Au lieu de lire un magazine, si l'on a la chance de ne pas être compressé, on peut fermer les yeux (les autres passagers penseront que l'on somnole !) ou regarder dans le vague les yeux mi-clos. C'est ainsi que l'on met à profit des moments considérés comme des pertes de temps pour se recueillir ou méditer. Dans ce cas, on pourrait presque dire que le corps est l'ermitage et l'esprit l'ermite.
- *Une pratique de la présence* : Si l'on doit marcher tous les jours quinze minutes dans la rue, essayer de maintenir une présence à l'espace que l'on traverse au lieu d'avoir l'esprit ailleurs.
- *Au travail, il y a toujours des petits moments de pause.* Au lieu de chercher des interactions incessantes, on peut se recueillir : à l'Institut Pasteur, j'avais un petit bureau de cinq mètres carrés. Après le déjeuner, je fermais la porte et je restais quinze minutes tranquille. Il faut apprécier la valeur de ces moments.

CHRISTOPHE

Pour ma part, je suis attentif à me rappeler régulièrement la nécessité de ces «nourritures invisibles» que nous apportent les environnements naturels : l'air pur, les bruits doux et réguliers, les changements progressifs, le calme, la lenteur, la continuité. Offrons le plus souvent possible ces nutriments à notre cerveau et à notre corps.

- *Prenons le temps d'immersions dans la nature* si nous vivons loin des villes (marches contemplatives ou méditations en extérieur), et dans les bulles de nature que sont les parcs urbains, si nous sommes des citadins, lors de la pause du déjeuner, plusieurs fois par semaine, mieux vaut prendre le temps d'aller marcher dans un parc que s'enfermer dans un bistrot bondé et bruyant (on peut toujours manger un petit en-cas, en pleine conscience, assis sur un banc).

- *Lors des pauses à notre travail, surtout pas d'écrans* «pour se changer les idées»! On se lève, on s'étire, on va à la fenêtre respirer lentement en regardant le ciel, les nuages.

- *Même épisodique, l'immersion dans la nature est toujours bénéfique* : Les études montrent que, par exemple, une marche de deux heures en forêt continue de bénéficier à notre immunité pendant plus d'une semaine (par rapport à l'absence de marche ou à la marche en ville). Donc, pas un week-end sans balade dans la nature, forêt, campagne, montagne ou rivages!

- *Agissons!* : l'écologie, ce n'est pas seulement profiter des bienfaits des environnements naturels, c'est aussi agir pour les protéger, pour préserver notre écosystème d'êtres vivants. Que ce soit dans notre jardin ou sur notre balcon, pas d'insecticides, ni de désherbant. Dans nos balades, on ne jette rien au sol, et on ramasse ce que les indélicats ont jeté (on a toujours un petit sac plastique avec soi dans son sac). On met la pression sur nos élus pour qu'ils protègent les espaces naturels de nos lieux de vie, pour qu'ils en aménagent de nouveaux. Ou on se fait élire pour conduire ces programmes!

- *Soyons attentifs* : Prenons le temps d'observer dans quel état nous met l'exposition aux espaces naturels, le temps de respirer, d'observer comment ils modifient l'état de notre corps, de nos pensées, de

192

nos émotions… Plus nous serons attentifs à ces bénéfices, plus nous serons motivés à les faire vivre et revivre en nous.

ALEXANDRE

- *Osons une cohabitation solidaire sans fermer les portes à quiconque*! Explorons avec reconnaissance chaque recoin de notre grande maison, veillons avec respect et bienveillance sur notre habitat naturel ! Car sans altruisme, sans générosité, notre bicoque pourrait bien finir par ressembler, pour le dire dans les mots de Schopenhauer, à une taverne d'ivrognes, un asile d'aliénés, un repaire de brigands… L'écologie exige une douce subversion : tout mettre en œuvre pour que triomphe la solidarité et que vraiment personne ne soit laissé sur le carreau.

- *Un bref coup d'œil sur notre lieu de vie peut s'avérer immensément fécond.* Qu'est-ce qui encombre mon logis ? Qu'est-ce qui m'est utile, salvateur et me nourrit véritablement ? À quoi bon entasser si je ne sais pas jouir de tout ce que je reçois quotidiennement ?

- *Sans tomber dans l'obsession et le matérialisme spirituel*, s'adonner à la gymnastique physique et mentale que notre être requiert. Prendre soin de la mécanique, prêter l'oreille aux besoins du corps, ce merveilleux instrument qui nous sert jour après jour, sans le surcharger. Demeurer attentif à son esprit pour ne pas le polluer du matin au soir avec le ressentiment, la haine et les passions tristes. Bref, poser des actes pour que la vie circule en abondance. Et pourquoi pas, par exemple, nous déconnecter un peu des réseaux sociaux pour tisser de vrais liens avec nos voisins de palier, les badauds, des êtres en chair et en os ?

« *Je suppose qu'il vous est déjà arrivé, les amis, de recevoir des courriers de lectrices ou de lecteurs très gentils, accompagnés de petits cadeaux totalement anonymes (un livre, un presse-papiers, un pot de miel, etc.), sans l'adresse qui nous aurait permis de les remercier. Parfois, c'est peut-être un oubli, mais plus souvent, à mon avis, c'est le simple désir d'exprimer de la gratitude pour notre travail, accompagné du souci de ne pas peser en nous "obligeant" à répondre ou en demandant à nous rencontrer.*

Je suis à chaque fois très ému par cette attitude : ces anonymes souhaitent juste embellir notre vie, nous donner sans rien nous demander. Et parmi les humains, il y a beaucoup de personnes semblables. Par exemple les "bienveilleurs" (et les "bienveilleuses" !), ces humains qui font du bien aux autres dans la discrétion. Qui, dans une entreprise, aident les collègues en difficulté, remontent le moral, prennent soin de tout le monde ; ces humains qui, dans l'anonymat des villes, sourient aux inconnus, parlent aux mendiants, s'arrêtent spontanément pour proposer de l'aide aux gens qui ont l'air perdus et cherchent leur chemin. L'omniprésence de ces bienveilleurs, bien plus nombreux qu'on ne le croit, mais tellement discrets qu'on en oublie l'existence, fait partie de ce qui rend possible la vie en société, et qui rend la vie plus belle. Ces humains nous font du bien sans s'adresser directement à nous, comme l'air pur, le ciel bleu, la nature, les fleurs, les rires d'enfants, les belles choses... »

Christophe

8
UNE ÉCOLOGIE DES LIENS

MATTHIEU: Certaines personnes, en effet, nous rassurent par leur présence : elles nous inspirent le calme, nous font du bien par une sorte d'osmose positive. Même s'il ne se passe rien de spécial, il est bon d'être auprès de ces êtres qui sont souvent des modèles. Nous ne ressentons ni emprise ni contrainte : nous sommes « à l'aise ». Et, de fait, cette « aisance » s'apparente de très près à un état de liberté.

D'autres personnes, en revanche, même si elles ne disent rien, nous contraignent, par leur attitude, leur posture, leur comportement, leurs actions... Elles nous donnent le sentiment d'être constamment au bord du conflit. Les fréquenter nécessite une attention crispée : cet état de semi-alerte permanente use notre sérénité et rétrécit notre liberté d'être.

Même chose avec les environnements sociaux. Dans une entreprise ou un bureau, l'atmosphère risque parfois d'être tendue, viciée par l'irascibilité ou l'arrogance des uns et la soumission forcée des autres. C'est là un environnement malsain. En revanche, dans un monastère ou un lieu de retraite, les membres de la communauté veillent à ne pas créer de perturbations, à réduire les heurts et à respecter la tranquillité de chacun. Tous sont conscients du fait que chacun a besoin d'espace, de temps et d'aise. Une communauté peut donc, par sa simple présence et par ses qualités, entraver ou favoriser notre liberté intérieure.

Comment notre entourage nous rapproche ou nous éloigne de la liberté

CHRISTOPHE : C'est effectivement étonnant de voir comment la seule proximité avec certaines personnes suffit à nous influencer, sans qu'il soit besoin de parler ni d'échanger. Il me semble que dans cette écologie des liens sociaux, il y a trois niveaux : celui où ces liens se matérialisent par des échanges ; celui où la simple présence suffit, même sans échanges ou sans paroles ; celui où, même à distance, leur existence exerce un effet sur nous.

Ce dernier point, celui de l'influence à distance, c'est ce qui m'arrive quand je passe du temps seul, loin de Paris, pour méditer ou écrire : je peux très bien ne voir personne pendant des jours et des jours, mais je sais que mes proches et mes amis, mes lectrices et lecteurs, sont là, à distance, que je pense à eux et qu'ils pensent à moi. Cela me réconforte et me fait du bien. C'est aussi, parfois, la joie que nous pouvons éprouver à l'idée qu'il y a sur cette Terre des personnes qui font de belles choses, qui mènent des actions justes : cela nous fait du bien (influence sur nos émotions) et nous inspire (influence sur nos motivations), sans que nous ayons eu à les rencontrer : qu'ils existent, qu'ils appartiennent à notre écosystème humain suffit ! En sens inverse, plus douloureux, pour les victimes de violences, savoir que leurs agresseurs sont là, tranquilles, même à distance, surtout s'ils n'ont pas été désignés, confondus ou punis, est une source de souffrance et de déstabilisation, une obsession et donc une limitation de la liberté intérieure.

Cependant, il est vrai que l'influence de la présence est sans doute plus forte encore. Nous avons tous dans notre environnement des personnes nourrissantes et d'autres stressantes. Même sans leur parler, nous les observons, les écoutons, les voyons vivre, et nous nous sentons imprégnés par ce qu'elles incarnent : allégés et libérés quand elles incarnent la joie de vivre, l'altruisme, l'écoute, la flexibilité, tout ce qui nous semble important, facilitateur, inspirant. Et restreints ou crispés si ces personnes transpirent l'envie de contredire, de parler sans écouter, l'égoïsme… Dans mon travail, avec mes collègues par exemple, même si je ne suis pas directement concerné, je suis sensible aux personnes « facilitantes », celles qui cherchent toujours à aller vers le « oui », la recherche de solutions, la simplification… Alors que d'autres commencent toujours par dire « non » ou « c'est pas possible », et cherchent d'abord la petite bête, argumentent, freinent… Même si ces casse-pieds ont parfois raison sur le fond, cette manière d'être est pesante, voire stérilisante ; elle active en nous des émotions désagréables qui consomment une énergie que nous préférerions consacrer à la recherche de solutions et à la marche avant – au lieu de nous échiner pour desserrer le frein à main mental de nos interlocuteurs !

Mais dans tous les cas, il est important de ne pas les juger : ces personnes n'ont pas choisi d'être des casse-pieds ! Et si nous commencions par l'écoute et l'empathie, avant de les recadrer et de leur rappeler nos besoins et nos convictions ? Pour tenter de mieux les supporter, on peut aussi se rappeler que si la biodiversité est bonne pour notre santé, une certaine dose de psychodiversité l'est aussi ! Apprendre à côtoyer des personnes très différentes de nous, aux opinions qui nous contrarient parfois, est un bon exercice de flexibilité mentale et d'ouverture d'esprit. Tout comme c'est plus l'adversité que le succès qui nous fait progresser, nous progressons souvent plus en acceptant d'écouter et d'examiner les arguments de nos contradicteurs qu'en ne parlant qu'avec des amis qui sont d'accord avec nous (ça, ça nous fait du bien, ce qui est une autre forme de bénéfice !).

MATTHIEU : Il ne m'est pas difficile de côtoyer des gens qui ont une vision ou une manière d'être très différente des miennes, d'autant plus si je sais que nous ne sommes ensemble que momentanément, dans une relation de travail ou en voyage. Je ne veux pas empiéter sur leur façon d'être, tout en étant prêt à en discuter s'ils le souhaitent. En revanche, si une personne exige, comme marque d'amitié, de respect ou de confiance, que je perçoive les choses et que je réagisse de la même façon qu'elle, cela devient très difficile. Un pessimiste, par exemple, qui est offensé si je ne partage pas sa vision. Ou quelqu'un qui a l'impression qu'on ne le soutient pas, notamment en public, si on n'a pas la même façon d'évaluer les situations et les gens, d'agir et de réagir. C'est très contraignant dans la mesure où, pour les satisfaire, il faudrait constamment être différent de ce que l'on est. Ces personnes épuisent nos ressources de résilience parce qu'elles nous obligent à faire les choses à contrecœur.

CHRISTOPHE : C'est la question des attentes que les autres peuvent avoir envers nous. Les personnes intolérantes à la contradiction, les personnes toujours en demande de marques d'attention ou d'affection, restreignent effectivement notre liberté et notre spontanéité. À nous de voir ce que nous pouvons leur donner : il est normal de tenir compte des attentes et des fragilités de nos proches et amis, et même de nos connaissances et interlocuteurs, et de faire des efforts pour leur éviter trop de souffrances. Mais à un moment, cela devient trop pesant, pour nous, et pour eux, cela peut les maintenir dans leurs travers : quand et comment intervenir alors ? Là, nous ne sommes plus vraiment dans une réflexion sur l'écologie (qui concerne l'influence « passive » et diffuse de ces personnes sur nous), mais dans une réflexion sur la communication interpersonnelle. C'est un autre sujet ! Encore que l'écologie, pourrait-on dire, c'est aussi la responsabilité de s'impliquer pour modifier son environnement, qu'il soit matériel, humain ou culturel !

MATTHIEU: Certaines personnes nous montrent aussi, par leur comportement, les attitudes extrêmes à ne pas suivre. Celles qui, par exemple, ne pensent qu'au luxe, aux signes extérieurs de succès et de prospérité, à leur réputation, et qui sont obsédées par la façon dont elles se sentent ainsi que par leur apparence physique. L'étendue du désastre intérieur qu'elles donnent à voir en fait des contre-modèles très instructifs.

CHRISTOPHE: C'est une façon constructive de prendre la question! Lorsque des personnes nous irritent de par leur manière d'être, se dire: prends-les pour contre-modèles! Les humains ont besoin de modèles concrets pour apprendre et progresser, et pas seulement d'enseignements et de conseils. Les modèles inspirants sont les personnes qui incarnent et accomplissent par leur manière d'être les valeurs qui nous sont chères. Et les contre-modèles inspirants sont les personnes qui piétinent ces valeurs ou qui en chérissent d'autres qui nous apparaissent toxiques. Face à elles, de notre mieux, efforçons-nous de mettre en pratique l'enseignement célèbre de Spinoza: «Ne pas juger, ne pas détester, mais comprendre.» De notre mieux, limitons les pensées et émotions négatives, mais comprenons et apprenons au contact de ces personnes contre-inspirantes... Et ne faisons pas trop les malins! J'aime bien la remarque de La Rochefoucauld: «Si nous n'avions point de défauts, nous ne prendrions pas tant de plaisir à en remarquer dans les autres...» J'ai souvent observé ça chez moi: quand je suis en train de travailler à être plus généreux, je remarque plus facilement la mesquinerie des autres; si je suis sur le chantier «être plus optimiste et enthousiaste», je remarque plus facilement le négativisme des autres, etc.

MATTHIEU: On peut aussi considérer les contre-modèles comme des personnes bienveillantes (à leur insu!) qui nous montrent la voie de la liberté dans la mesure où leurs comportements sont l'illustration même de ce dont nous devons nous-mêmes nous garder ou nous défaire. Ces contre-exemples nous fournissent ainsi des outils pour progresser et un encouragement à éliminer nos propres défauts, dont l'impatience… C'est plutôt sympa de leur part! On peut aussi souhaiter de tout cœur qu'ils soient libérés de leurs travers et de leurs vues superficielles.

Les amis dans le bien

ALEXANDRE: Dans le *Soûtra de l'Estrade*, Houei-neng évoque les «amis dans le bien», formule géniale qui rappelle qu'on ne saurait se libérer seul dans son coin quand nous devons nous ouvrir, nous donner, nous encourager, nous épauler, tendre la main. Ce lien spirituel, ce compagnonnage intérieur présente à mes yeux deux caractéristiques majeures. D'abord, il réclame un amour inconditionnel qui ne juge pas et accompagne sans relâche, jusqu'au bout de ses fragilités celui qui rame. Dans le même temps, loin de toute complaisance, il invite son camarade à se surpasser, à sortir de lui, à s'arracher aux mille et un déterminismes qui peuvent barrer la route. Houei-neng, comme Aristote, voit dans l'amitié une complicité qui rend meilleur. Hélas, souvent, le lien à l'autre n'est qu'une relation d'affaires, comme disait Sénèque, qui cesse avec l'intérêt qu'elle apporte.

Comme tu le rappelles, Matthieu, même l'individu le plus rustre, le plus froid peut nous mettre en route sur les chemins de la liberté. Mais comment accueillir les frictions, les malentendus sans se laisser anéantir, user? En bon stoïcien, Épictète donne une piste lorsqu'il invite à se préparer aux maux de l'existence. Son exemple est célèbre, très concret: il conseille à celui qui se rend aux bains publics de ne pas perdre de vue qu'il aura certainement droit à des éclaboussures, à des quolibets, bref, à une bonne dose de stress. L'exercice est simple: essayer de garder sa paix, sa liberté intacte au milieu des inévitables contrariétés, comprendre qu'elles font partie du décor. Si notre relation aux autres est faussée par l'intérêt et le calcul, pourrie par mille attentes, il n'est guère étonnant de ne trouver au final que déception et amertume. Plutôt que de collectionner, d'accumuler les amis dans le bien, nous pouvons nous demander, sans jouer au héros, qui nous pouvons réellement aider dans notre vie ? Pour tout vous dire, voilà une peur qui me tenaille, une interrogation profonde : qui serait là pour me retaper si un jour tout partait en vrille ? Mais je m'égare… La grande question pour l'heure, la voilà : qui puis-je soutenir aujourd'hui ?

MATTHIEU : Il y a toutes sortes d'amis dans le bien. Les uns sont des compagnons de voyage sur le chemin spirituel. Dans le cadre d'une démarche spirituelle, ils jouent un rôle crucial. Par exemple, dans une *sangha*, terme qui signifie littéralement « communauté vertueuse », chacun déteint sur l'autre de manière constructive. De sorte que si tu es tenté de te comporter en contradiction avec tes idéaux, tes compagnons de route t'aident à garder le bon cap. C'est un peu comme une cordée de montagne : lorsqu'un grimpeur glisse ou trébuche, les autres l'aident sans pour autant lui faire des reproches. Chacun à son tour se donne la main pour se relever et poursuivre l'ascension.

J'ai navigué dans ma jeunesse, et j'ai constaté qu'il n'y a rien de pire sur un bateau que les gens qui ne s'entendent pas, parce qu'on est coincé avec eux jusqu'au bout de la croisière. En revanche, si l'on partage les mêmes valeurs, il y a toutes les chances que l'expédition arrive à bon port et qu'elle laisse un excellent souvenir.

Les autres amis dans le bien sont les héros anonymes de la compassion, les millions de bénévoles dans les ONG nationales ou internationales, dans les associations de quartier, les soignants, quel que soit leur statut, pourvu que leur seul but soit le soulagement des souffrances d'autrui (et non pas le statut ou la notoriété médicale).

Bref, les amis dans le bien sont ceux qui partagent les mêmes valeurs, qui sont ouverts, patients, flexibles, entreprenants, qui tiennent compte des sentiments et opinions des autres, qui sont compétents sans être arrogants.

Cela est vrai du chemin spirituel comme de la vie en général. Si nous fréquentons des amis de bien, cela nous aide à faire fleurir nos qualités humaines. Mais si nous nous associons avec des personnes qui se comportent de manière contraire à l'éthique, il y de grands risques que leurs attitudes toxiques finissent par déteindre sur nous.

Il a été montré, au Canada, que si l'on met des jeunes délinquants en compagnie de jeunes non délinquants, ils ont de bonnes chances de s'en sortir. En revanche, si l'on regroupe les délinquants dans des centres de redressement, le pire d'entre eux devient le chef, le modèle, et leurs défauts s'aggravent. Idem avec le système carcéral en général qui, en dépit de quelques initiatives louables, en Scandinavie notamment, reste davantage un système restrictif et punitif que réhabilitant. Les prisons scandinaves fonctionnent de manière beaucoup plus humaine, et la tension entre les gardiens et les prisonniers s'en trouve nettement réduite. L'une d'entre elles est installée sur une île et les prisonniers se livrent aux travaux des champs, prennent soin des animaux d'une ferme, se forment à un artisanat, etc. Tout cela fait que lorsque les prisonniers sont libérés, les taux de récidives sont nettement inférieurs à ceux observés dans les pays où le système carcéral est fondé sur la répression, la peur, la punition, voire la vengeance et la violence.

Quand l'autre nous fait souffrir

ALEXANDRE : Mille questions ici se posent : pourquoi la relation à l'autre fait-elle si souvent souffrir ? Comment se désembourber des projections, des malentendus, des déceptions ? Peut-on seulement nous en prémunir ? Bref, est-il possible de vivre un lien harmonieux, sans les tourments, les parasites qui alourdissent un cœur ?

Si Aristote a raison, si nous sommes des êtres éminemment politiques qui accèdent au bonheur dans une communauté, force est de constater que le rapport à l'autre ne coule pas toujours de source. Freud, dans *Malaise dans la civilisation*, dessine un tableau qui a de quoi faire froid dans le dos. Il identifie trois causes majeures à notre souffrance. D'abord, les forces de la nature qui peuvent se déchaîner : tremblements de terre, tsunamis, catastrophes naturelles, tout concourt à nous vouer à une incertitude quasi permanente. Puis la fragilité de notre corps qui décline, avance chaque jour vers une mort inexorable. Enfin, l'insuffisance des institutions qui régissent les rapports entre les hommes, nous dit le père de la psychanalyse, occasionne de profonds tourments. Tout semble se liguer pour nous pourrir la vie. D'où la nécessité vitale d'œuvrer à l'harmonie, de se faire artisan de paix et d'éliminer tous les poisons mentaux qui transforment la vie en commun en véritable calvaire.

De son côté, Sartre, avec sa célèbre formule, vient rappeler la dureté des regards, le poids des jugements, le danger de la réification. L'enfer serait-il fatalement les autres ?

MATTHIEU : Personnellement, je pense que l'enfer c'est l'égoïsme, le renfermement sur soi, et l'indifférence aux autres.

CHRISTOPHE : Quand une relation à l'autre nous fait souffrir, les questions à se poser vont dans deux directions. D'abord, dans cette souffrance, qu'est-ce qui m'appartient ? Comme tu le disais, Alex, est-ce que certaines de mes attentes, de mes projections, sont excessives ? Si j'attends de quelqu'un plus qu'il ne peut ou ne veut me donner, c'est moi qui fabrique ma souffrance.

Seconde direction, seconde question : qu'est-ce qui vient de l'autre ? Pendant longtemps, dans les difficultés relationnelles, les psys renvoyaient toujours les patients à eux-mêmes et à leurs problèmes : «Si l'autre vous fait souffrir, c'est que vous l'avez cherché ou permis, et peut-être que vous aimez ça» (le tout inconsciemment bien sûr! comme l'inconscient ne peut pas dire «mais non, pas du tout!», il est le coupable idéal). Mais on a fini par reconnaître qu'il y avait aussi des personnes toxiques. Je ne parle même pas des pervers et des autres profils de personnes qui ont, pour une raison ou une autre, l'intention de nous faire mal ou de nous exploiter, de tirer un intérêt de l'ascendant qu'elles prennent sur nous. Mais certains de ces humains toxiques qui nous font souffrir souffrent en fait eux-mêmes de troubles de personnalité, recensés par la psychiatrie. On parle de «trouble de personnalité» quand les souffrances psychologiques s'expriment par des attitudes relationnelles perturbées : égoïsme maladif des narcissiques, méfiance pathologique des paranoïaques, angoisses abandonniques massives des dépendants, plaisir à faire souffrir des pervers, etc. On évalue à 10% environ leur fréquence dans la population adulte. En gros, ces personnes compliquent tout au lieu de simplifier, stressent au lieu d'apaiser, prennent au lieu de donner, etc. Du coup, elles vont nécessiter de notre part des efforts importants d'adaptation, avec trois issues : soit on les évite (quand c'est possible), soit on les recadre (on ne cherche pas à changer leur personnalité, c'est le travail des psys, mais à les faire changer de comportement avec nous), soit on les supporte (mais à la longue, on y laisse des plumes émotionnelles).

ALEXANDRE : Question lien toxique et relation qui fait souffrir, il me semble avoir donné et jusqu'au cas d'école… Grâce à toi, cher Christophe, je comprends que dans une relation, de part et d'autre, nous pouvons être complètement à côté de la plaque sans qu'il y ait forcément un bourreau et une victime. Souvent, deux paumés s'embarquent dans une aventure qui les dépasse totalement.

Un jour que je m'ouvrais à toi, Matthieu, de ma dépendance affective, tu m'as proposé une image fantastique, ô combien libératrice : en compagnie de certains individus, nous finissons par ressembler à des clous, à de la ferraille qui, placés devant un aimant, n'ont d'autre choix que de subir une attraction du tonnerre de Dieu. Deux solutions : essayer de se transformer intérieurement pour cesser d'être influencé, scotché, boulonné à l'objet aimé, pour mettre un terme au magnétisme infernal ou, en attendant, pratiquer l'art du détour, prendre de la distance, voire détaler carrément.

Dans mon cas, l'addiction a commencé ce fameux jour dont je vous ai parlé où un ami qui m'appelait par Skype a ouvert la porte de sa salle de bain. Découvrant une silhouette, des jambes, des bras, bref un être qui semblait léger devant la vie, j'ai été tout de suite aimanté par ce corps que je découvrais dans son plus simple appareil. Il incarnait mon rêve, un corps non handicapé. Fasciné, j'ai voulu devenir ce bonhomme si solide, si à l'aise devant l'existence. Des mois durant, je restais collé à mon aimant. Chaque jour, sur les coups de 15 heures, je revoyais mon idole, sombrant peu à peu dans un enfer. L'amour inconditionnel de mes proches, de ma famille, des amis dans le bien et quelques expédients peu orthodoxes m'ont arraché du gouffre. Dans cette relation fatalement toxique, il fallait briser le monopole. Aussi, la mort dans l'âme, plein de culpabilité, j'ai visité quelques webcams, osé quelques rencontres. Aujourd'hui, je reconnais le mécanisme : mépris du corps, traumatismes, blessures, tout concourt à projeter sur l'autre nos manques, nos complexes, nos blessures...

CHRISTOPHE : La logique qui t'a permis de te libérer de ces obsessions est la même que celle qui permet de surmonter les peurs. Il s'agit de se dire : « Arrête de reculer, arrête de te soumettre à tes chaînes, avance et traverse la peur pour voir si les dangers qu'elles t'annoncent sont virtuels ou réels, c'est le seul moyen de rencontrer le réel et de pouvoir te libérer du virtuel. »

MATTHIEU : Ton problème était celui de l'idéalisation du corps, nous en avions parlé. Le corps est ce qu'il est : si je me visualise en méditation pendant des années sous la forme de Matthieu ou de Bibi Fricotin, cela ne m'avancera pas à grand-chose. Dans le bouddhisme tibétain, on procède autrement. Puisque nous avons en nous la nature de bouddha, pour faciliter la reconnaissance de cette nature, on se visualise sous la forme d'un archétype, le Bouddha de la compassion par exemple. Il ne s'agit pas de surimposer à la réalité une vision idéalisée et artificielle, ni de manipuler son image, comme sur Photoshop, pour avoir l'air plus beau, plus jeune et sans rides, mais d'entrer en contact avec notre nature profonde en nous visualisant sous une forme qui est en harmonie avec cette nature.

ALEXANDRE : À côté de la méditation, c'est ton heureuse distinction qui m'a aussi, comme je l'ai dit, sorti d'enfer. Merci Matthieu ! Répétons-le : les zones du cerveau liées au plaisir sont labiles, éphémères, elles courent après la nouveauté. Au contraire, les mécanismes responsables du désir se montrent plutôt coriaces, tenaces, véritables durs à cuire. Bien sûr, ces Skype m'ont laissé sans joie. Mais une fois cet épisode tragi-comique derrière moi, j'ai pu me rapprocher d'un détachement, d'une liberté. Décidément, il faut de sacrés détours pour accéder à la liberté ! Chögyam Trungpa vient éclairer *a posteriori* mes péripéties : « Le sens ultime de la passion est la communication, créer des liens, des relations. Il renferme donc une sorte d'espace ouvert, la possibilité de communiquer. » S'ouvrir à l'autre sans mettre le grappin sur quiconque, aimer sans se haïr, voilà le défi !

La force du lien et son entretien

CHRISTOPHE : Les bienfaits du lien aux autres, ce n'est pas que du subjectif, du bien-être émotionnel (même si c'est déjà beaucoup). De nombreux travaux ont voulu en évaluer les conséquences concrètes. Sur le plan biologique, par exemple, lorsqu'on est soumis en laboratoire à une situation stressante (improviser une prise de parole devant un public de personnes qui ont un visage désapprobateur!), notre niveau de cortisol salivaire (un indicateur de stress) est moindre si l'un de nos meilleurs amis est simplement présent dans la salle. Mais le lien modifie aussi notre vision du monde et des difficultés que nous avons à affronter. Une amusante étude montre que lorsqu'on demande à des volontaires d'évaluer la hauteur d'une montagne, la montagne leur paraît moins haute et la pente moins raide si leur meilleur ami est à côté d'eux. S'ils sont seuls, la montagne leur paraît plus haute et la pente plus raide!

MATTHIEU: Cela me fait penser qu'au Népal, à l'endroit où se trouve mon ermitage, il y a deux ans une tigresse avec deux petits a été vue à plusieurs reprises. Un soir, je l'ai entendue feuler à une centaine de mètres de moi. Je retournais vers mon ermitage après avoir rendu visite à un lama à cinq minutes de là. Mon sang s'est glacé dans mes veines. Quelques jours plus tard, j'ai fait le même chemin, toujours à la tombée de la nuit, avec quelqu'un d'autre. Face à une tigresse, même à deux nous ne faisions pas le poids, pourtant, nous nous sentions en sécurité.

CHRISTOPHE: Les autres sont une ressource extrêmement précieuse pour nous! Lorsque je rencontre mes patients pour la première fois, je fais toujours l'inventaire de leurs ressources. Quand on parle de «personnes sans ressources», on pense souvent aux ressources matérielles. C'est bien sûr important, l'argent ne rend pas forcément heureux, mais il est, dans nos sociétés, un bon réducteur de stress, qui permet de ne pas trop craindre les soucis matériels du quotidien: si ma voiture ou ma chaudière tombent en panne, grâce à l'argent je peux les faire réparer; si mon travail est épuisant, grâce à l'argent je peux partir récupérer en week-end ou en vacances ; etc. Mais il existe aussi d'autres ressources, notamment les ressources psychologiques – habitudes de réflexion sur soi et de remise en question, attention prêtée à sa vie intérieure, capacités d'autocontrôle sur ses pulsions – et les ressources relationnelles, essentielles ! L'isolement, c'est-à-dire la solitude subie et non choisie, est un grand facteur de risque en matière de santé, mentale et corporelle. Le fait de ne pas avoir de proches, de réseau d'amis et de connaissances sur qui compter est un facteur de fragilité en cas de survenue de problèmes. C'est pour cela que, quand j'étais jeune psychiatre, je m'étais beaucoup intéressé aux patients phobiques sociaux qui, en plus de leurs angoisses ressenties face aux autres personnes, étaient des « sans ressources relationnelles » et donc souvent très vite précarisés. À l'inverse, disposer d'un réseau social vaste et divers (proches, amis, connaissances) est une source de résilience et de bien-être confirmée par toutes les études.

MATTHIEU : Des études ont montré qu'un lien social de bonne qualité favorise la santé, augmente notre longévité, diminue la dépression, le risque de démence et la consommation de substances addictives. Cela implique d'avoir de bonnes relations avec des personnes sur lesquelles on peut compter, à qui l'on peut demander conseil ou qui sont aptes à nous réconforter, mais aussi de manifester de l'amitié et de la sollicitude. Un sondage réalisé par l'OCDE[1] a également montré que, parmi une dizaine de facteurs contribuant au bien-être, la qualité des relations humaines venait en premier (le salaire ne venant qu'au sixième rang).

ALEXANDRE : Décidément, le préjugé qui veut que l'être humain soit une *causa sui*, une self-made-woman ou un self-made-man, est tenace. Entre la suffisance et l'instrumentalisation, il faut

---

1. Organisation de coopération et de développement économiques.

sacrément slalomer. Ce qui vient pourrir tant de relations, c'est bien sûr l'intérêt, le calcul. On court vers l'autre dans l'espoir d'une gratification, d'un renvoi d'ascenseur, d'un baume… Comment, dès lors, les rencontres pourraient nous décentrer, nous élargir, nous libérer ? Dans *La Prisonnière*, Proust dit : « Le seul véritable voyage, le seul bain de Jouvence, ce ne serait pas d'aller vers de nouveaux paysages, mais d'avoir d'autres yeux, de voir l'univers avec les yeux d'un autre. » C'est quand même dingue que le lien nous affranchisse de l'attachement, qu'il ôte nos œillères et nous ouvre au monde.

CHRISTOPHE : Autre chose qu'il est important de rappeler : il peut y avoir des frottements, des discordes dans les liens sociaux, quels qu'ils soient. Le marqueur d'une relation humaine fonctionnelle est la capacité de réparation et non la permanence de l'accord : quand elle existe, tant mieux, après tout, mais on doit pouvoir discuter voire être en désaccord. C'est aussi la différence entre un couple vivant et un couple mort, des amis vivants ou une amitié morte : le vivant c'est ce qui s'autorépare, ce qui cicatrise. C'est pour cela que la capacité à la réconciliation, ou parfois au pardon, est si importante : ce n'est pas qu'une question de principe – parce que la paix vaut mieux que la guerre –, c'est une question de survie ! Si nous ne sommes pas capables de tolérer les désaccords, parfois les conflits, puis de réparer la relation ensuite, nous nous appauvrissons : la contradiction est comme une nourriture parfois amère, mais souvent très riche en « nutriments » (arguments et points de vue) que notre esprit ne sait pas produire lui-même.

Cette attention à la maintenance de nos liens est importante. J'y encourage beaucoup mes patients, même si je ne suis pas forcément le meilleur modèle pour cela. Personnellement, je n'ai pas besoin de voir les gens souvent, je suis moins sensible qu'Alex à cette notion de disponibilité, de présence ; peut-être parce que je

« Certaines personnes nous rassurent par leur présence : elles nous inspirent le calme, nous font du bien par une sorte d'osmose positive. »

me sens moins fragile ? Ou que je crois l'être moins ? Il me suffit de savoir que ces liens sont là ; j'ai beaucoup de relations bienfaisantes, mais dormantes parfois, des gens que j'aime, mais que je ne vois qu'une fois par an, ou moins encore. Par exemple, deux de mes meilleurs amis vivent dans le Sud-Ouest ; nous ne nous voyons qu'une fois ou deux par an et ne nous téléphonons pas bien souvent. Mais à chacune de nos retrouvailles, l'affection et la complicité sont instantanément là. J'ai une plus grande tolérance à ces liaisons épisodiques que mon épouse, par exemple, qui au contraire voit ses amies au moins une fois par mois et leur téléphone au moins chaque semaine. Mais elle est plus extravertie que moi, elle a besoin de temps de socialisation plus nombreux, là où j'ai besoin de temps de solitude.

Il est important de prendre en compte cette notion d'appétit relationnel pour ajuster son mode d'emploi personnel au lien social optimal ! Par exemple (désolé de parler encore de moi, mais je sais que cela rassurera pas mal de nos lectrices et lecteurs), je suis un introverti. En psychologie, on définit l'introversion comme le besoin (et le plaisir) de se trouver fréquemment seul et comme l'intolérance à l'excès de stimulations sociales. Les introvertis ne sont pas forcément des misanthropes, ils peuvent beaucoup apprécier les autres humains, mais fatiguent vite à leur contact. Ils les aiment facilement à distance, et n'éprouvent pas le besoin de vérifier sans arrêt qu'on les apprécie. Du coup, on pourrait définir ces introvertis comme des « solitaires sociables », aimant à la fois le contact et la solitude, mais avec un besoin de 20 % de temps sociaux et de 80 % de temps de solitude. Là où les extravertis ont besoin de proportions inverses : 20 % de temps de solitude et 80 % de temps sociaux. C'est à chacun de nous d'évaluer nos besoins en la matière et d'ajuster notre écologie relationnelle à ces besoins.

MATTHIEU : Je suis un peu comme toi, Christophe, à la différence de notre cher Alexandre qui affectionne des contacts fréquents avec ses bons amis. Lorsque je me trouve dans mon ermitage au Népal, tous ceux qui me sont chers sont dans mon cœur, ainsi que, dans la mesure de mes modestes capacités, tous les êtres sensibles, mais je me sens parfaitement bien face à l'Himalaya et ne ressens aucun « manque » dû à la solitude.

La force des modèles

MATTHIEU : Les textes tibétains parlent de différentes qualités ou « forces » d'un maître spirituel authentique. Ici, la notion de « force » n'est pas synonyme d'autorité, mais elle est la manifestation d'une compassion éclairée qui permet au maître de guider le disciple de la meilleure manière possible. Pour être en mesure d'enseigner, un sage doit pouvoir identifier les aspirations variées des disciples, savoir notamment s'ils aspirent à l'Éveil pour acquérir la capacité d'accomplir le bien des autres ou s'ils ne sont concernés que par leur seule délivrance personnelle. Un maître qualifié peut jauger les facultés, les aspirations et les dispositions mentales des disciples, notamment la prépondérance en leur esprit de certaines émotions négatives, ainsi que leurs prédispositions à la vie contemplative et à la compassion. Fort de son expérience et de sa réalisation intérieure, un tel maître peut également discerner les progrès des disciples et les obstacles auxquels ils se trouvent confrontés.

Pour accomplir véritablement le bien d'autrui, ces sages doivent avoir cultivé une compassion sans limites qui leur permet d'accepter inconditionnellement toute personne telle qu'elle est, avec ses ombres et lumières, animés de la seule aspiration à l'aider à s'extraire de la souffrance et de ses causes. En essence, un maître qualifié, homme ou femme, doit avoir maîtrisé les enseignements de la tradition spirituelle qu'il incarne, atteint une profonde réalisation intérieure et être empli de bienveillance à l'égard de tous les êtres sans exception.

Pour toutes ces raisons, il est crucial de ne se confier à un maître qu'après l'avoir minutieusement examiné, de loin d'abord, en s'informant auprès de tierces personnes, puis de près en vérifiant par soi-même si l'opinion que l'on s'est faite est conforme à la réalité. Il est même conseillé d'attendre plusieurs années avant de lui accorder son entière confiance et de suivre ses enseignements. Se confier à un maître non qualifié revient à absorber du poison.

Toutefois, parmi les personnes qui nous font progresser en liberté intérieure, certaines ne sont pas considérées comme des sages ou des maîtres spirituels, mais nous donnent des leçons de vie par la force de l'exemple. Cela peut être le cas d'une personne qui s'est comportée de manière admirable ou a fait preuve d'une grande force d'âme. Anne-Dauphine Julliand, par exemple, que nous avons rencontrée lors d'une des journées Émergences à Bruxelles : elle a perdu deux petites filles merveilleuses décédées d'une maladie génétique. Son courage et sa force d'âme face à ce drame font d'elle un exemple très inspirant. On a tant à apprendre d'une telle personne. Plus près de moi, je vis cela auprès de ma sœur Ève. Atteinte très jeune de la maladie de Parkinson (à 43 ans), elle nous enseigne le courage avec simplicité, constance et dignité, en faisant face à une maladie éprouvante dont elle sait qu'elle ne guérira pas, tout en maintenant une attitude exemplaire à l'égard du mal qui l'affecte : « Je sais que j'ai une maladie et pourtant je ne suis pas cette maladie et je ne le serai pas… J'abandonne ce qui m'abandonne. » Il y a des moments où elle se sent trop mal et nous dit que ce n'est pas le meilleur jour pour lui rendre visite, mais elle n'a jamais un geste ni un mot de mauvaise humeur, même quand elle est épuisée.

De tels exemples illustrent bien le lien entre la sagesse et la liberté. La sagesse consiste à savoir ce que l'on peut changer et ce sur quoi on n'a pas de prise, à replacer les obstacles et les tragédies dans une perspective plus vaste liée au potentiel que nous offre la vie humaine. La liberté est le courage de ne pas être terrassé par l'adversité et de trouver en soi les ressources qui permettent de mener une vie riche et constructive. On est ainsi libéré non pas des événements eux-mêmes, mais de l'impact destructeur qu'ils peuvent avoir sur notre désir et notre joie de vivre.

CHRISTOPHE : Les modèles sont des figures de sagesse. Pas forcément des maîtres délivrant un enseignement, mais des humains qui s'avèrent hors du commun dans certains domaines ou à certains moments. Ce phénomène est beaucoup plus fréquent que nous ne le pensons. Bien se nourrir de leur exemple, de leur enseignement incarné, nécessite de faire vivre en nous la capacité d'admiration. Car savoir admirer nous est bénéfique. Victor Hugo écrivait : « Il y a dans l'admiration on ne sait quoi de fortifiant qui dignifie et grandit l'intelligence. » L'admiration de beaux comportements humains nous aide à ressentir ce que les chercheurs nomment un « sentiment d'élévation ». Jonathan Haidt a étudié ce phénomène dans son laboratoire, et montré que lorsque l'admiration porte sur des actes moraux (gestes d'altruisme ou de tendresse) et non sur des performances (sportives, artistiques ou intellectuelles), elle stimule notre système nerveux parasympathique (ce qui nous détend et nous apaise) et provoque la sécrétion d'ocytocine, un neurotransmetteur qui augmente notre sociabilité et nos capacités d'attachement et d'affection pour autrui. Admirer nous inspire, nous fait du bien et nous rend plus sociables.

MATTHIEU : Célébrer les qualités d'autrui, se réjouir de leurs accomplissements, est aussi une excellente manière de progresser nous-mêmes. Cette réjouissance est aussi un antidote à la jalousie.

Avec un maître spirituel, nous passons à un degré supérieur. Un sage ne nous inspire pas seulement par un aspect particulier de sa vie, mais par l'ensemble de ses qualités humaines, intellectuelles et spirituelles, par ses connaissances et par sa manière d'être. Il est une parfaite référence pour la sagesse, l'altruisme, l'éthique, la cohérence et la liberté intérieure. De plus, un sage authentique manifestera ces qualités en tout temps et toutes circonstances, en privé comme en public. Mes deux principaux maîtres spirituels, Kangyour Rinpotché et Dilgo Khyentsé Rinpotché, se comportaient de la même manière en face d'un humble paysan ou d'un roi. Il en va de même du Dalaï-lama qui traite de la même façon la personne qui travaille à l'étage de son hôtel et un chef d'État. Enfin, dans le cas d'un maître spirituel, ces qualités doivent se vérifier sur la durée. «Fais ce que je dis, ne fais pas ce que je fais», n'est pas de mise. La parfaite cohérence du sage donne une confiance inébranlable en son intégrité. Bref, pas de belle façade entachée de comportements affligeants en coulisses.

Dans les cultures qui restent en grande partie traditionnelles, au Tibet ou au Bhoutan par exemple, quand on arrive quelque part, on demande où se trouvent les sages de la région, dans l'intention de les rencontrer. On imagine mal quelqu'un arrivant à Paris demander dans la rue où trouver le sage du quartier. On vous prendrait pour un dingue. On se renseigne plutôt sur le supermarché ou la salle de gym la plus proche. J'ai entendu parler d'une délégation d'Indiens Kogis venus des hautes vallées de Colombie qui, arrivés à Paris, ont demandé : «Nous voulons rencontrer vos sages.» Leurs hôtes se sont regardés et n'ont pas su répondre. Leur présenter un ministre n'aurait sans doute pas fait l'affaire. «Désolé, mais on n'a pas l'article.»

Dans nombre de cultures bouddhistes himalayennes, les sages sont encore au cœur de la société. On ne les respecte pas comme on le ferait d'un potentat, mais on leur porte admiration et dévotion. Les gens vont naturellement vers eux comme les abeilles vers les fleurs, sans qu'ils cherchent à les attirer ni à les retenir. Un maître spirituel est un dispensateur de liberté intérieure, pas un tyran qui cherche à contrôler notre existence à son profit. Il n'a rien à perdre ni à gagner, mais tout à donner.

ALEXANDRE: Tes propos, cher Matthieu, me font songer à Cioran, maître ou contre-maître, par excellence. Il ose dire tout haut ce qu'une certaine voix intérieure murmure en nos cœurs. Souvent, je le lis pour évacuer de mon âme tout le brouillard, l'amertume, les ressentiments qui finissent par s'y déposer. Son humour décapant, caustique, porte à une saine autodérision, réveille une lucidité aussi. Justement, dans ses *Cahiers*, mon livre de chevet, il note : « Mes défauts sont trop grands pour qu'ils puissent s'amender au contact des sages. » Plus que de modèle, l'être humain a sans doute besoin de références pour avancer, tenir bon, progresser. J'aime que le sage, l'ami dans le bien, nous délivre de cette tyrannie intime alors que nous sommes si agiles à nous berner nous-mêmes.

MATTHIEU: Une maxime bouddhiste dit que la seule qualité d'un défaut, c'est qu'il peut être amendé, car, comme toute chose, les défauts sont impermanents et dépendent de causes et conditions que l'on peut modifier.

CHRISTOPHE: La question est : pourquoi ces « sages » ne sont-ils plus au cœur de nos sociétés ? Vu tous les bienfaits qu'ils nous offrent, on peut regretter que le contact régulier avec des personnes plus sages que nous ne soit pas davantage présenté comme quelque chose de bienfaisant et de souhaitable. Les sages allient la compétence à la bienveillance, et le cocktail des deux nous aide. Car celui qui maîtrise un domaine et se montre bienveillant n'a pas peur que l'on prenne sa place. Il n'a qu'une aspiration : qu'on soit heureux et qu'on progresse, voire qu'on le dépasse.

J'ai eu un maître en psychiatrie qui était aussi un sage. Je me sentais heureux et libre avec lui : heureux de le savoir prêt à me conseiller et à me faire largement confiance ; et libre de tenter des choses nouvelles avec les patients (du moment que ce n'était pas n'importe quoi tout de même !), libre de l'imiter ou de faire différemment de lui. C'était une figure de sécurité, d'où mon sentiment de liberté, extérieure et intérieure, à ses côtés.

MATTHIEU: La laïcisation des cultures européennes est un fait établi. Il ne faut pas pour autant tomber dans le fondamentalisme laïc qui relève de l'intolérance. L'Inde, la plus grande démocratie au monde, définit la laïcité comme le respect de toutes les croyances et points de vue – y compris l'athéisme – sans prendre parti pour une croyance particulière. Des dérives fondamentalistes se sont produites récemment, mais globalement les multiples religions et points de vue qui cohabitent en Inde ont su trouver les moyens de vivre ensemble. Cela dit, pendant des années, les personnalités les plus populaires et les plus chères aux Français, dans les sondages tout au moins, ont été l'abbé Pierre, sœur Emmanuelle et d'autres personnes qui nous inspiraient par leur qualité d'être. Le pape François est, me semble-t-il, un exemple de simplicité, de compassion envers les plus démunis, les plus exploités, non seulement pour la communauté catholique, mais pour les non-croyants également. Fermer nos portes à ceux qui sont persécutés ou risquent de mourir de famine dans leur pays n'est pas un exemple de bienveillance et d'intégrité morale.

De nos jours, on a davantage tendance à faire référence à des gens d'un certain âge, qui voient les choses selon une perspective un peu plus vaste. Quand Edgar Morin sort un livre par exemple, on s'intéresse à son point de vue, qui considère le bien de l'humanité à long terme, plutôt que la promotion d'une cause politique étroite. Ou encore Stéphane Hessel qui, à 95 ans, inspirait la confiance en tant que survivant des camps nazis, contributeur à la rédaction de la *Déclaration universelle des droits de l'homme*, etc. On se disait que c'était quelqu'un dont les interventions et les conseils n'étaient pas dictés par ses intérêts personnels et que son point de vue devait être plus averti, plus sage, et donc plus digne d'être entendu. Cela dit, aussi intègres, justes et combatives ces personnes soient-elles, de mon humble point de vue, de tels modèles sont encore bien loin des qualités manifestées par un maître spirituel authentique. Elles contribuent toutefois à promouvoir ce que le Dalaï-lama appelle une éthique universelle et laïque.

Thubten Jinpa disait à propos du Dalaï-lama, dont il est l'interprète principal, qu'il n'avait jamais rencontré quelqu'un à ce point concerné par le sort de l'ensemble de l'humanité. Pendant des années, le Dalaï-lama a souhaité la création d'un conseil international composé de sages, de Prix Nobel de la paix, de scientifiques, de penseurs éminents et d'entrepreneurs sociaux. Les Nations unies, ajoutait-il, devraient jouer ce rôle, mais les représentants qui y siègent sont naturellement portés à défendre les intérêts de leur pays et ont donc du mal à donner priorité aux intérêts de la population mondiale et de la planète. Ces sages pourraient donc donner des avis sur de graves questions qui se posent dans le monde en transcendant les intérêts nationaux. Personne ne semblait véritablement intéressé par cette proposition. C'est un peu, malgré tout, ce qu'ont tenté d'accomplir, de manière plus restreinte, le groupe des Elders (les « Anciens »), dont font partie Jimmy Carter, Desmond Tutu, Mary Robinson et une dizaine d'autres. Mais quand ils ont invité le Dalaï-lama à les rejoindre, les Chinois ont fait un tel foin que cela n'a pas marché. Ils se réunissent de temps à autre, mais personne ne fait grand cas de leurs recommandations. C'est fort dommage.

ALEXANDRE : Nietzsche, dans *Ainsi parlait Zarathoustra*, évoque un troupeau sans berger... Où sont nos guides, nos repères ? Qu'est-ce qui nous gouverne ? La dictature du « on », la doxa, la loi du marché, un égoïsme aveugle, un individualisme effréné ? Déjà, se poser la question, c'est avancer à grands pas vers la liberté. Toujours, cet appel à devenir ce que nous sommes en profondeur, à cesser de lorgner sur d'illusoires modèles, sur des idoles pour humblement se détourner de l'aliénation. Pour faire route vers cette nouvelle vie, portons sans tarder notre regard sur celles et ceux qui peuvent nous inspirer et au besoin nous prêter main-forte !

Le quotidien nous offre d'instant en instant des maîtres en humanité. Pris de panique, j'aime à contempler ces privilégiés, sorte d'*hyper-favorisés* qui vivent au-delà de l'angoisse. À côté des philosophes qui me nourrissent et m'épaulent heureusement, il y a des amis dans le bien, ces témoins qui attestent partout et toujours de la bonté de la vie. S'ouvrir aux liens, c'est repartir à l'école, se laisser enseigner, toucher. Et chaque jour apporte sa leçon. Un sourire dans le métro, une oreille attentive, une main tendue, tout est enseignement et occasion de désapprendre les mécanismes de défense pour avancer nuement dans la rencontre. Marc Aurèle ouvre ses *Pensées* en consignant ce qu'il a reçu de ses proches, de ses parents, des dieux… Et si, à notre tour, nous nous livrions à cet exercice de gratitude pour voir que l'autre nous crée, nous nourrit, nous habite ?

BOÎTE À OUTILS POUR UNE ÉCOLOGIE DES LIENS

CHRISTOPHE

Dans notre boîte à outils, je vous propose un peu de théorie sur le soutien social, c'est-à-dire l'ensemble de ce que nous apportent nos liens aux autres.

Les cinq apports du lien

Les recherches montrent que ce soutien social peut se décomposer en plusieurs familles d'apports :

- Le soutien matériel : les autres peuvent nous aider concrètement ; si j'ai une jambe cassée, je suis content que quelqu'un puisse aller faire les courses pour moi ; si je dois déménager, je suis content que mes amis m'aident à transporter les cartons…

- Le soutien informatif : les autres peuvent nous conseiller, nous donner des informations utiles, jouer le rôle de moteurs de recherche humains, aussi intelligents que Google, mais vivants et bienveillants, et ne cherchant pas à revendre ensuite nos données personnelles…

- Le soutien affectif : les autres nous permettent de ressentir des émotions bienfaisantes, ils nous donnent de l'affection, de l'amour, de l'amitié, de la confiance, de l'admiration, etc.

- Le soutien d'estime : les autres peuvent nous rappeler notre valeur et nos qualités, nous dire ce qu'ils aiment chez nous, et soutenir une estime de soi chancelante dans certains moments…

- Il y a aussi un cinquième apport : la valeur inspirante de leur exemple, plus difficile à évaluer scientifiquement, mais bien réelle, comme nous l'avons évoqué.

Les quatre variétés de lien

Autre point important, il est utile de cultiver des liens sociaux très variés (comme il est important d'avoir une nourriture variée). Il existe quatre familles de liens, répartis en quatre cercles concentriques :

- Les intimes, ceux avec qui nous vivons, que nous touchons et embrassons chaque jour ou presque ; il s'agit en général de notre famille et de nos meilleurs amis.
- Les proches, nos amis et collègues, les personnes avec qui nous avons des échanges assez étroits et réguliers.
- Les connaissances, tout le réseau des personnes avec qui nous avons un lien, même occasionnel, dont nous nous souvenons et qui se souviennent de nous.
- Les inconnus, avec qui nous pouvons aussi avoir des liens, selon notre caractère ; leur parler dans la rue, les transports, les magasins… Ils peuvent, eux aussi, être une ressource d'aide ou d'information, comme nous pouvons l'être pour eux.

Les spécialistes du lien social nous rappellent qu'il est important de nous appuyer sur ces quatre cercles – pas seulement sur les intimes ou les proches – et de faire vivre nos liens dans ces quatre sphères relationnelles, en donnant et en recevant de l'aide, des informations, du soutien, des regards, des conseils, des sourires !

Car l'idée n'est pas seulement de recevoir, mais aussi de donner : en nous adressant même à des inconnus, en entretenant des liens chaleureux avec nos simples connaissances, voisins, commerçants, nous nous faisons du bien et nous embellissons le monde, nous l'améliorons, nous le rendons plus humain !

MATTHIEU

- *L'importance du lien social :* Choisir de vivre dans un milieu où les gens sont chaleureux, altruistes, bienveillants. Si ce n'est pas le cas dans tous les domaines de notre sphère d'existence, essayer d'instaurer ces valeurs progressivement. Ou, si cela s'avère impossible, abandonner cet environnement délétère. À cet égard, j'aimerais citer le cas d'une communauté sur l'île d'Okinawa au Japon qui se flatte d'avoir l'une des plus grandes concentrations de centenaires. Il semble que le facteur principal de cette longévité exceptionnelle ne soit pas le climat ni l'alimentation, mais la force de cette communauté, où les gens entretiennent des liens sociaux particulièrement riches. De la naissance à la mort, ils vivent très proches les uns des autres. Les personnes âgées notamment se réunissent plusieurs fois par semaine pour chanter, danser et prendre du bon temps. Elles vont presque tous les jours à la sortie des écoles pour accueillir les enfants (qu'elles aient ou non avec eux des liens familiaux), les prendre dans les bras et leur donner des friandises.

- *S'inspirer des Justes* : des personnalités qui incarnent à nos yeux des valeurs d'impartialité, de tolérance, de compassion, d'amour et de bienveillance. Je pense, en ces temps de crise des migrants, à tous ceux qui, en prenant de grands risques, ont protégé des personnes juives durant les persécutions nazies de la Seconde Guerre mondiale, en les cachant chez elles notamment. Ceux que l'on a appelés depuis les « Justes » ont montré que le seul point commun qui se dégage dans leurs multiples témoignages est une vision des autres fondée sur la reconnaissance de leur humanité commune : tous les humains méritent d'être traités avec bienveillance. Là où nous voyons un étranger, eux voyaient un être humain.
- *Méditer sur l'amour altruiste* : Des études en psychologie ont montré que la méditation sur l'amour altruiste augmentait le sentiment d'appartenance à la communauté, la qualité du lien social et les attitudes bienveillantes à l'égard de personnes inconnues, tout en réduisant les discriminations envers certains groupes (personnes de couleur, sans-abri, migrants, etc.).
- *S'inspirer d'amis dans le bien et de maîtres spirituels* : Je conseille à tous de regarder un documentaire historique réalisé en Inde par Arnaud Desjardins à la fin des années 1960, dans lequel on voit les plus respectés parmi les grands maîtres tibétains qui avaient pris refuge sur les versants indiens de l'Himalaya, à la suite de l'invasion chinoise de leur pays : *Le Message des Tibétains*.

ALEXANDRE

- *L'audace de vivre*: Exister, s'ouvrir à l'autre, c'est courir un risque, abandonner les cuirasses, les protections, se dessiller les yeux pour oser se donner à l'autre et au monde tout entier. On ne saurait investir dans une relation, alors bazardons toute logique de pertes et de profits ! Et si on se lançait dans une journée sans pourquoi, sans instrumentaliser son prochain, demeurant attentifs à tous celles et ceux qui nous sont donnés de croiser pour y trouver des maîtres en humanité ?

- *Repérer nos aspirations profondes*: Souvent aider autrui revient à lui imposer une vision du monde sans réellement prêter l'oreille à ce qu'il veut au fond de son cœur. Un homme avait acheté un éléphant sans se soucier plus avant du moyen de le nourrir. Désemparé, quand il s'est vu obligé de demander de l'aide autour de lui, il s'est heurté à des : « T'aurais jamais dû acheter cette grosse bête ! » Qu'est-ce qu'aider l'autre, s'engager à fond à ses côtés, le rejoindre jusqu'au bout ?

- *L'authentique compassion*: Il peut entrer dans notre élan vers l'autre une volonté de puissance, une soif de reconnaissance, un moyen détourné de se revaloriser. Oser une véritable rencontre, c'est quitter la sphère névrotique pour, ensemble, se lancer sur les chemins de la liberté. Il n'y a plus de *moi*, de *toi*, mais un *nous* qui rassemble, une solidarité primordiale.

- *Sortir des bunkers*: À force de morfler dans notre rapport à l'autre, tentation est grande de nous blinder, de nous enfermer bien à l'abri dans des bunkers, quitte à crever asphyxiés. Les passions, les chagrins d'amour, la violence du désir ne nous rappellent-ils pas que nous sommes essentiellement des êtres tournés vers l'autre, en perpétuelle communication ? Existe-t-il un moyen de vivre ces mille et un contacts quotidiens sans que l'ego ne s'en empare ?

《 *Un mien ami, au sortir d'une retraite, fonçait gaiement sur l'autoroute. Il faisait beau, le ciel était magnifique, la vie semblait s'offrir à lui loin des lourdeurs des poisons mentaux, sans l'encombrante intervention du moi.*

Lors d'une courte pause à une station-service, tandis qu'il faisait le plein d'essence, une voix s'est écriée derrière lui : "Tu vas te dépêcher, gros con !" En une fraction de seconde, il s'est ramassé dans la figure l'agressivité, la violence.

C'est dans le terreau du quotidien, parmi les hauts et les bas, qu'il s'agit de se tenir en joie, le cœur léger et aimant. Quel contraste entre la bienveillance, l'univers doux et calme d'une retraite et la vie de tous les jours qui, bien souvent, ressemble à une jungle. C'est bien là que le travail de soi a lieu. Toutes ces contrariétés seraient-elles une aubaine, la voie royale pour dézinguer l'ego, cesser d'être engourdi, enlisé dans un monde idéalisé, dans de lointains concepts ? **》**

Alexandre

9

L'IMPACT DE NOTRE ENVIRONNEMENT CULTUREL

MATTHIEU : S'il existe de multiples définitions de la notion de culture, les spécialistes de l'évolution la conçoivent comme un ensemble d'informations qui affectent le comportement des individus appartenant à une culture particulière. Ces informations incluent les idées, les croyances, les valeurs, les attitudes, les connaissances et les compétences. L'instinct d'imitation, pour le meilleur comme pour le pire, contribue considérablement à l'évolution des cultures. La conformité aux normes est encouragée par la communauté, tandis que la non-conformité entraîne la réprobation et diverses formes de sanctions potentiellement désastreuses pour celui qui en est l'objet. Certaines valeurs et croyances confèrent aux gens de plus grandes chances de survivre ou d'atteindre une position sociale élevée. À mesure que des groupes culturels différents entrent en compétition, certaines cultures s'épanouissent tandis que d'autres déclinent.

Le choc des cultures

On n'agira pas de la même manière dans un monastère, un casino, un grand magasin, un ermitage ou dans un stade de foot bourré à craquer de supporters surexcités. Des études ont montré, par exemple, que des gens votaient différemment sur des questions éthiques selon que les urnes étaient installées dans une église ou une école, sans qu'ils soient vraiment conscients de l'influence qu'exerçaient les lieux dans lesquels ils se trouvaient. Les votants avaient été répartis par tirage au sort dans l'un ou l'autre lieu. Les personnes assignées à voter dans une église étaient plus susceptibles de soutenir un candidat conservateur et ont accordé un plus faible budget aux demandes de remboursement de pilules contraceptives. Celles qui ont été assignées à voter dans une école ont voté en plus grand nombre pour une augmentation des budgets scolaires.

CHRISTOPHE : Oui, et ce qui est intéressant, c'est que ces influences s'exercent souvent sur nous à notre insu : nous n'en sommes pas conscients ou nous n'y sommes pas attentifs. Elles agissent souvent par imprégnation discrète, par incitations subtiles. Toute culture a recours à trois sortes d'influences : 1. l'influence directe (par l'éducation scolaire, la propagande politique, la publicité...) ; 2. l'influence indirecte (*via* les comportements des personnes qui nous entourent, par exemple, ou *via* des objets ou des images) ; et 3. l'influence délibérément masquée (par des manipulations comme le lobbying auprès des médias, ou le trafic de données Internet pour cibler les utilisateurs de réseaux sociaux, et les inciter à modifier leurs votes ou leurs achats).

Ces trois familles d'influence sont de nature à peser sur nos pensées, nos motivations, nos décisions : il est donc capital de le savoir pour apprendre à s'en défendre ! L'information et l'éducation jouent ici un rôle crucial.

Les facteurs qui nous aliènent

CHRISTOPHE : Personnellement, je suis très frappé par les études sur ce qu'on nomme en psychologie expérimentale l'« amorçage » (*priming*, en anglais) : elles montrent comment le fait d'agencer certains petits détails apparemment bénins de notre environnement peut modifier notre comportement. Ce processus peut être mis au service de bonnes causes, dans le cas de ce qu'on appelle des « *nudges* », ou « coups de pouce » : on connaît le célèbre exemple de l'aéroport d'Amsterdam, où de fausses mouches sont disposées au fond des urinoirs pour que les utilisateurs fassent l'effort de « bien viser », ce qui améliore la propreté des toilettes et réduit la nécessité de nettoyages fréquents. Autre exemple, dans un coin café en self-service dans une entreprise, on diminue le risque de resquillage en plaçant la photo d'un visage qui nous fixe dans les yeux au-dessus de la boîte destinée à récolter l'argent…

Mais cela peut aussi marcher dans un sens moins désirable. Par exemple, avec l'argent dont la présence modifie nombre de nos comportements sans que nous en soyons conscients. Il existe beaucoup d'études sur ce sujet : dans l'une d'elles, on sépare des volontaires en deux groupes. Le premier groupe est soumis à une technique qui active le subconscient des sujets sur le thème de l'argent : concrètement, on propose aux participants une série de petits exercices sur ordinateur, dont l'objet importe peu, mais qui sont entrecoupés d'apparitions, en fond d'écran, de billets de banque. Dans le second groupe, les sujets font exactement les mêmes exercices, mais les images de billets sont remplacées par des fleurs, des tables ou toute autre image neutre. Autre exemple d'exercice : on leur demande de classer des bouts de papier en fonction de leur taille ou du chiffre y figurant. Alors que pour le premier groupe, les papiers sont remplacés par des billets de banque, qu'il faut classer selon leur valeur. Etc.

« On n'agira pas
de la même manière
dans un monastère,
un casino ou un stade
de foot bourré à
craquer de supporters
surexcités. »

Lors de la seconde étape de l'étude, on réunit les participants des deux groupes dans une salle et on leur demande de résoudre des problèmes plus ou moins compliqués, en précisant que, s'ils ont besoin d'aide, ils peuvent faire appel aux autres participants. Les sujets qui ont été « exposés » à l'argent vont demander moins d'aide aux autres, et, quand leur propre aide sera sollicitée, ils donneront moins de conseils et y consacreront moins de temps. Quand l'examinateur, assis dans un fauteuil, leur demande après l'épreuve : « Venez vous asseoir à côté de moi. Approchez la chaise, on va discuter un petit peu... », les volontaires activés par l'argent approchent leur chaise moins près de l'examinateur que les individus du groupe contrôle. Ainsi, le simple fait d'être confrontés à des images évoquant l'argent nous rend moins solidaires et nous éloigne des autres et ce, au moins pour quelque temps après l'expérience.

Un de mes patients (qui travaille aux impôts) était devenu accro aux sites de comparateurs de prix : chaque fois qu'il voulait acheter quelque chose (un billet d'avion, des chaussures, etc.), il comparaît en ligne les prix du produit. Il y passait une à deux heures par jour : son esprit était contaminé par l'idée qu'il pouvait se faire avoir. Personnellement, je préfère me faire avoir que de consacrer une heure à chercher le meilleur prix, mais j'ai la chance d'exercer un métier qui ne m'amène pas à penser à des questions d'argent toute la journée, comme mon pauvre patient.

Une autre étude sur l'influence problématique de l'exposition excessive à l'argent montrait que les étudiants d'écoles de commerce étaient significativement plus narcissiques que les étudiants en psychologie de la même classe d'âge, et aussi beaucoup plus matérialistes et attachés à l'argent. Inutile de porter un jugement sur eux : il est simplement probable que les valeurs culturelles d'une école de commerce facilitent ce genre d'attachements, beaucoup plus que celles d'une université de psychologie.

MATTHIEU : La simple présence d'une arme déclenche des processus psychologiques qui accroissent l'agressivité. Un psychologue avait donné à des sujets volontaires l'occasion de se venger des insultes proférées par quelqu'un (un complice de l'expérimentateur) en lui administrant des chocs électriques (en réalité fictifs). Dans la moitié des cas, l'expérimentateur plaçait aussi sur la table un revolver (en faisant croire qu'il était destiné à une autre étude). Or, les sujets mis en présence de cette arme administraient davantage de chocs électriques que les autres.

CHRISTOPHE : Oui, un simple objet peut suffire à raviver un certain nombre d'attitudes associées à son univers culturel, aux significations et aux valeurs qu'il véhicule. Le même genre d'études a été conduit avec des téléphones portables : il suffit d'en poser un sur la table entre deux personnes pour que leur dialogue soit altéré (perception d'une moins grande empathie de la part de l'interlocuteur, tendance à aborder des sujets moins intimes et concernants).

Et puis, au-delà des objets, il y a l'influence directe des publicités, lorsqu'elles ciblent nos comportements. On a vu fleurir depuis quelques années des sites d'incitation à l'infidélité. C'est étonnant ! À vélo, en voiture, dans le métro, on est exposé à tout un tas d'incitations à tromper son conjoint de façon discrète et impunie ! On va sur un site, on rencontre d'autres personnes mariées qui veulent tester cela sans se faire pincer, et hop ! c'est réglé. Ce sont des envies qui peuvent éventuellement concerner tout le monde, ce n'est pas cela qui me gêne, mais c'est l'exploitation commerciale, et l'incitation à cet éventuel penchant, avec évidemment pour conséquence tous les drames humains qui peuvent s'ensuivre.

MATTHIEU : Ils touchent un point faible chez les gens, éveillent une tentation et l'amplifient considérablement.

ALEXANDRE : Que peuvent volonté et raison face à ces hameçons, ces sirènes surgis de toutes parts ? Comment déjouer les pièges et ne pas tomber dans le panneau quand tout notre environnement invite à consommer, lorsque la boîte aux lettres est remplie à ras bord de réclames pour de la *junk food* ? Lucrèce avait vu juste et, à son époque, ne sévissaient pas encore ces ingénieux publicitaires qui excellent dans l'art d'attirer le chaland : « Le bien que nous n'avons pu atteindre encore nous paraît supérieur à tout le reste ; à peine est-il à nous, c'est pour en désirer un nouveau et c'est ainsi que la même soif de la vie nous tient en haleine jusqu'au bout. »

CHRISTOPHE : Bien souvent, les publicités fonctionnent parce qu'elles se nichent dans nos besoins psychologiques authentiques qu'elles vont pirater. Nous aspirons au bonheur, et les pubs nous promettent du bonheur si nous achetons ce canapé (on voit des amis heureux rire sur le canapé), cette voiture (on voit une famille heureuse partir en vacances avec), etc. Pourtant, ce n'est pas au bonheur que nous accédons en consommant, mais à un plaisir, rapidement obtenu et rapidement disparu. Le chercheur américain Robert Lustig soutient que ces plaisirs liés à la consommation rapide (jeux vidéo, nourritures sucrées, sexe payant, shopping, réseaux sociaux…) stimulent notre sécrétion de dopamine, neurotransmetteur du plaisir, et conduisent rapidement à l'addiction, qui est la perte de liberté suprême, et la meilleure voie pour tourner le dos au bonheur, pourtant recherché. Même chose avec les publicités pour le crédit, facile et sans condition : « Achetez aujourd'hui, payez demain. » On sait que, finalement, elles poussent des gens les plus fragiles et les plus impulsifs à s'endetter, pour acheter des biens ou des services, qui vont les amener ensuite à s'engager encore plus dans la recherche de plaisirs commercialisés, au lieu de construire leur bonheur tranquillement, le plus loin possible des circuits d'incitation à la consommation. C'est un énorme problème d'écologie sociale.

MATTHIEU : J'ai connu une Américaine à qui on avait retiré sa carte de crédit : elle dépensait deux fois plus d'argent qu'elle n'en gagnait. C'était maladif, et elle le savait. Par manque de lucidité et, finalement, de liberté, cette amie était devenue victime d'une société qui produisait à dessein un surplus de biens de consommation, induisant de ce fait une pulsion d'achat compulsive.

Quelles sont nos références culturelles ?

ALEXANDRE : Pour nous construire, nous édifier les uns les autres, plus que de modèles, nous avons besoin de repères, de références, de sources d'inspiration. Les livres, les philosophes, les auteurs mais aussi mille et une rencontres m'ont sauvé.

À quoi consacrons-nous nos journées ? Qu'est-ce qui nourrit véritablement une intériorité ? J'allume la télévision, je surfe sur Internet pour me ramasser un flot de cynisme. Et que dire de ces YouTubeurs au magnétisme suspect qui prennent possession de notre cerveau des heures durant ? Singulier contraste avec les visages des sages, les sourires des moines, les drapeaux à prières qui dansent dans le vent, aperçus au Népal lorsque je t'ai rendu visite, Matthieu ! Partout où je portais le regard, j'entrevoyais un doux rappel à l'intériorité. Rien à voir avec les hameçons des publicitaires, les corps dénudés et l'invitation à l'adultère que tu évoquais tout à l'heure, Christophe. Pourtant, je reste convaincu que la liberté peut se glaner au cœur de ce quotidien si mouvementé.

MATTHIEU : La publicité et le « marketing » ont pour but avoué, selon leurs fondateurs dans les années 1930, *de nous faire acheter ce dont nous n'avons pas besoin* ou de *créer* des besoins. On pourrait s'entraîner à la compassion en s'asseyant dans un grand magasin et en contemplant les clients qui se précipitent sur les objets de consommation comme des enfants qui se jettent sur des friandises ou des papillons dans une flamme. Au lieu de les regarder de haut, on engendrera de la bienveillance à leur égard en souhaitant sincèrement qu'ils s'affranchissent de ces leurres.

ALEXANDRE: La société, les médias, les réseaux sociaux peuvent relayer d'écrasants standards qui, à la longue, nous laissent exsangues, insatisfaits. Comment trouver notre place sans devoir jouer au Superman, à la Superwoman? Pourquoi nous faudrait-il être exceptionnels? Par peur du rejet, pour se faire aimer? Quelles sont les normes qui planent sur une vie? Faut-il absolument se démarquer des autres, se lancer dans la quête effrénée de performance? Que valorise-t-on aujourd'hui? Une vie tout entière donnée à l'autre? La réussite sociale?

Ici aussi, suivre l'appel de la sagesse tient de la subversion. Arrêtons de réifier l'autre, de considérer la relation comme une vulgaire prestation de service, un renvoi d'ascenseur, une transaction basée sur le «*win-win*». Comment écouter la boussole intérieure, descendre en soi, tendre l'oreille à une autre voix que celle de l'individualisme?

Le philosophe américain John Rawls nous propose une expérience de pensée qui, à coup sûr, peut nous délivrer des esprits de chapelle et laisser s'envoler mille et un préjugés, le favoritisme et le partisanisme qui nous empêchent de penser librement. Nul besoin, d'ailleurs, d'adhérer à ses valeurs pour s'y livrer. Dans *Théorie de la justice*, John Rawls s'interroge sur les moyens de former un système d'organisation sociale parfaitement juste. Il imagine que le législateur devrait considérer les lois comme s'il ne savait pas dans quelles conditions il serait amené à vivre dans le futur. Demain, je peux perdre mon travail, tomber malade, avoir un accident... D'instinct, on vote, on pense avec un bagage, on défend ses intérêts. Le philosophe nous incite à mettre de côté les préjugés, ces biais interprétatifs, à quitter tout carcan pour essayer d'envisager un autre point de vue. Exercice éminemment libérateur : se mettre à la place des autres, imaginer les murs auxquels se heurtent les plus démunis.

Géniale invitation à déposer nos œillères, à élargir notre vision du monde, à faire le grand ménage et à balancer cette foule d'étiquettes à l'aune de laquelle nous jugeons tout : les autres, la vie, soi. Toute société crée ses exclus, met des êtres sur la touche. Et bien des tyrannies peuvent nous retenir sous leur emprise : le diktat des normes, le despotisme de l'ego, le poids du qu'en-dira-t-on, le conformisme et, dans certains cas, l'anticonformisme. L'urgence, c'est de se relier véritablement à soi, aux autres. Se déconnecter un peu des agitations qui se déchaînent à la surface pour oser de vrais liens, sans pourquoi, sans attente ni calcul.

MATTHIEU : On a souvent souligné avec justesse que l'hyperconnectivité des réseaux sociaux peut engendrer une forme de solitude. Qu'est-ce que cela veut dire d'avoir mille cinq cents «amis» sur Facebook ? Ce n'est certainement pas ce que l'on entend généralement par amitié. Une sociologue a remarqué que les médias, bizarrement appelés «sociaux», font que l'individu se retrouve finalement seul tout en étant connecté à beaucoup de monde. Je me souviens d'un dessin dans un journal qui représentait un grand immeuble, le soir. À travers des centaines de fenêtres éclairées, on voyait une personne assise, seule, devant son ordinateur qui «communiquait» avec quelqu'un d'autre. Un jeune homme de 16 ans, grand utilisateur de textos, remarquait avec un certain regret : «Un jour, mais sûrement pas maintenant, j'aimerais apprendre comment avoir une conversation.» On passe de la conversation à la connexion. Les échanges électroniques sont lapidaires, rapides et parfois brutaux. Les conversations humaines, face à face, sont de nature différente : elles évoluent plus lentement et sont beaucoup plus nuancées et subtiles ; on tient compte des expressions faciales de l'autre, du ton de sa voix, de sa posture corporelle, autant de facteurs qui favorisent l'empathie, la résonance émotionnelle.

Il est indéniable que les réseaux sociaux offrent aux citoyens du monde un potentiel sans précédent de se rassembler, de rester en contact avec leurs amis, d'échapper au contrôle des régimes dictatoriaux ou d'unir leurs efforts pour une noble cause. Mais ces réseaux sont aussi devenus une vitrine du narcissisme permettant à chacun d'attirer un maximum d'attention sur soi. La devise de YouTube est « *Broadcast yourself* » (« Diffusez-vous »). Aux États-Unis, certaines pages de Facebook s'ouvrent sur le logo « I love ♥ ME ».

CHRISTOPHE : Malheureusement, toutes les données disponibles montrent que l'usage intensif des réseaux sociaux est fortement corrélé à la souffrance émotionnelle, l'insatisfaction existentielle et aux symptômes anxieux et dépressifs. Du moins, l'usage addictif, incontrôlé, à hautes doses. C'est tout le problème, car les écrans et les réseaux sociaux comportent aussi, bien évidemment, de bons côtés.

Un autre sujet de préoccupation, c'est qu'en plus de compromettre notre liberté intérieure par les dépendances qu'ils induisent, les réseaux sociaux sont une menace pour nos libertés extérieures, par le fichage et l'utilisation de nos données personnelles qu'ils occasionnent. Les révélations sur l'utilisation d'informations issues des réseaux sociaux afin d'influencer le vote des électeurs américains lors de l'élection de Trump en 2017 doivent rester dans nos mémoires. Chaque jour, les comportements d'achat de dizaines de millions de consommateurs de par le monde sont manipulés de la même façon. Il est urgent de révéler et de contrôler ces pratiques, et, mieux encore, de s'en affranchir. Consommer inutilement, ce n'est pas seulement accumuler des objets : c'est consacrer une trop grande part de notre attention, de notre énergie mentale et de nos valeurs à des choses qui n'en valent pas la peine. C'est perdre notre liberté (le matérialisme pousse vers plus de matérialisme, le consumérisme pousse vers plus de consumérisme) et donc, à terme, notre bonheur.

ALEXANDRE : Les mille et une influences qui nous téléguident viennent chambouler notre identité : qui suis-je ? Un consommateur docile, un pantin, une marionnette, un fétu de paille emporté par le flot de la loi du marché, un mendiant en quête d'affection ? Pour se désincarcérer de la tyrannie de la consommation, une question : à qui ai-je confié la télécommande de mon existence ? Qui tient les ficelles ? Aux yeux de Montaigne, la plus grande chose du monde c'est de savoir « être à soi ». D'où une joyeuse ascèse, un gai savoir pour se libérer des boulets, des rôles, des masques.

Une simplicité sereine ?

MATTHIEU : Pour nombre d'entre nous, la notion de « simplicité » évoque une ascèse, un appauvrissement de l'existence. Pourtant, l'expérience montre que la simplicité volontaire est source de profondes satisfactions. Est-il plus agréable de passer une journée avec ses enfants ou entre amis, chez soi, dans un parc ou dans la nature, ou de la passer à courir les magasins ou à zapper d'une chaîne de télé à une autre ? La simplicité ne consiste pas à se priver de ce qui nous rend heureux – cela n'aurait aucun sens –, mais à s'alléger de ce qui nous en écarte. Comme le disait le sage taoïste Tchouang-Tseu : « Celui qui a pénétré le sens de la vie ne se donne plus de peine pour ce qui ne contribue pas à la vie. » La simplicité volontaire est une vie extérieurement simple et intérieurement riche. Un sondage effectué en Norvège a montré que les trois quarts des personnes interrogées préféraient une vie plus simple, centrée sur l'essentiel et l'indispensable, à une vie opulente liée à de nombreux avantages matériels obtenus au prix d'un stress élevé. Pierre Rabhi, quant à lui, estime qu'une « sobriété heureuse » permettrait, en modérant nos besoins de choses inutiles, de ne plus être dupe des leurres de la société de consommation et de remettre l'humain au cœur de nos préoccupations.

« La simplicité
ne consiste pas
à se priver de ce qui
nous rend heureux,
mais à nous alléger
de ce qui nous
en écarte. »

Les effets du consumérisme ont été étudiés par des psychoso-ciologues, en particulier par Richard Ryan et Tim Kasser. Leurs études, couvrant deux décennies, ont montré que les individus les plus enclins à la consommation, qui donnent la priorité à la richesse, à l'image, au statut social, et à diverses autres valeurs matérialistes sont moins satisfaits de leur vie que ceux qui mettent l'accent sur les valeurs fondamentales de l'existence comme l'ami-tié, le contentement, la qualité de l'expérience vécue, le souci d'autrui ainsi que le sentiment d'appartenance et de responsabilité à l'égard de la société et de l'environnement.

CHRISTOPHE : Mais que c'est compliqué de résister ! Pour nous, qui sommes déjà des anciens et ne sommes pas nés dans ce monde d'incitations démultipliées, nous pouvons, en partie, mieux nous protéger. Et encore… c'est tellement facile et agréable d'acheter des tas de trucs sur Internet, de céder aux sirènes du clic sur la carte bleue… Que de difficultés en perspective pour les jeunes générations !

L'autre jour, ma plus jeune fille me parlait de ses boulots d'été : des baby-sittings, des distributions de prospectus, et puis de temps en temps des petits défilés pour les écoles de mode… Et quand elle m'en parlait, je devais exprimer clairement mes pensées par mon visage, parce qu'au bout d'un moment elle l'a repéré, et m'a dit : « Quand je te parle des défilés de mode, tu n'as pas l'air content, ou tu t'en fiches. » Et tout à coup, j'ai compris qu'effectivement j'avais un jugement négatif ; je lui ai dit que je n'étais pas moins intéressé, mais que je considérais ce milieu comme malsain, superficiel, basé à outrance sur l'apparence – on y jette les gens dès qu'ils n'ont pas la bonne taille, le bon poids, le bon âge. Je n'avais effectivement, lorsqu'elle m'en parlait, aucun sourire, aucune parole d'encouragement. Et pourtant, c'est une fille altruiste, généreuse, qui reverse mensuellement une partie de son argent de poche à des causes humanitaires.

MATTHIEU : Si l'on prenait la peine d'essayer les deux, on peut espérer que bon nombre des mannequins occasionnels se révéleraient plus heureuses en faisant du bénévolat qu'en participant à un défilé de mode !

CHRISTOPHE : Oui, à long terme, mais quand tu es jeune, tu n'es pas attiré vers cela. Sur Instagram ou Facebook, tu préfères mettre une photo de toi défilant sur un podium qu'en train de lire des livres aux gamins des cités… C'est difficile de le leur dire sans avoir l'air moralisateur, sans donner l'impression de juger ou de les prendre de haut.

MATTHIEU : Oui, Christophe, je comprends bien qu'à l'heure actuelle nombre de jeunes sont trop soumis aux diktats du paraître, via Facebook, Twitter & Co qui entretiennent la culture de l'apparence, pour avoir la chance d'être interpellés par les notions d'altruisme, de générosité, du moins dans cette phase de leur vie. Je me souviens d'un jeune homme qui m'a dit, à la fin d'une conférence sur l'altruisme, qu'il trouvait cela « flippant ». Les bombardements visuels de la presse « people » ne les aident guère. Il ne s'agit donc pas de faire la morale, mais de sensibiliser un plus grand nombre de jeunes à l'évidence de l'expérience vécue. Je pense à une étude menée par le célèbre psychologue Martin Seligman. Elle consistait à donner à des étudiants une certaine somme d'argent, puis à proposer à la moitié d'entre eux de la dépenser pour eux-mêmes et pour se distraire – aller au restaurant, au cinéma, déguster une glace, faire du shopping, etc. – et à l'autre moitié, de l'utiliser pour participer à une activité bénévole – aider des personnes âgées, aider pour une soupe populaire, visiter des enfants malades dans les hôpitaux, etc. Les résultats ont été concluants : les étudiants qui s'étaient consacrés au bénévolat ont noté en fin de journée qu'ils avaient été plus contents, enthousiastes, attentifs, avenants et même appréciés des autres. Leur degré de satisfaction surpassait largement celui des étudiants qui s'étaient adonnés à la poursuite de plaisirs hédoniques personnels. Encore une fois, il est important d'offrir ces éclairages propres à faire réfléchir.

La pression du temps et l'effet témoin

CHRISTOPHE : Parmi toutes les influences sociales qui peuvent modifier nos comportements, nos façons de penser, et nous faire perdre notre liberté d'agir selon nos valeurs et notre vision du monde, il y a la pression du temps. Une étude expérimentale déjà assez ancienne, mais devenue un classique, montre comment elle peut nous conduire à agir à l'encontre de ce à quoi nous aspirons. Cette recherche portait sur des étudiants en théologie à qui l'on demandait de préparer une homélie sur la parabole du Bon Samaritain, tirée du Nouveau Testament. Celle-ci raconte comment un voyageur se fait attaquer par des brigands qui le frappent, le dévalisent puis le laissent pour mort au bord du chemin. Un premier voyageur passe, puis un deuxième, mais ils ne s'arrêtent pas. Seul le troisième, le Bon Samaritain, prend le temps de s'arrêter et de secourir le voyageur gisant au sol. On donne aux étudiants la consigne suivante : « Vous allez étudier ce texte avec attention et préparer un sermon que vous allez enregistrer dans un studio situé dans le quartier voisin. » Lorsqu'ils ont rédigé leur texte, on dit à une moitié des étudiants : « Dépêchez-vous, vous êtes en retard, hâtez-vous vers le studio, sinon votre tour va passer et vous ne pourrez plus enregistrer ! » Sur le chemin qu'ils vont obligatoirement emprunter, un comparse des chercheurs a pour mission de s'allonger par terre sous une porte cochère, et de geindre, comme le voyageur agressé de la parabole ! Les deux tiers des étudiants sur lesquels on n'a pas fait peser la pression du temps s'arrêtent pour aider la personne (je suppose que le tiers ne s'arrêtant pas devait être stressé par la perspective de l'enregistrement!). En revanche, la pression du temps exercée sur l'autre groupe fait qu'ils ne sont plus que 10 % à s'arrêter! Un sur dix! Alors que ces étudiants en théologie venaient de travailler sur une parabole parlant d'altruisme!

MATTHIEU : Outre l'influence exercée par la pression du temps, on a également observé une dilution de la tendance à aider si un grand nombre de gens sont présents. Lorsqu'une personne a besoin d'aide ou se trouve en danger, plus il y a de personnes, plus on a tendance à se dire : pourquoi ce serait moi plutôt que quelqu'un d'autre qui devrait sortir de la foule et intervenir ? On hésite à prendre l'initiative et à se démarquer des autres pour porter secours devant tout le monde. Une étude a montré que la moitié des personnes confrontées seules à une situation d'urgence simulée de façon réaliste interviennent, tandis que cette proportion tombe à un quart quand deux témoins sont présents. Cette réaction est d'autant plus prononcée que le groupe est nombreux. Cette dilution de la responsabilité est aussi appelée « effet spectateur » ou « effet témoin ».

ALEXANDRE : Certains auteurs tentent d'expliquer l'indifférence, le désintérêt et finalement le manque de respect qui peut nous guetter. À ce propos, ils évoquent le syndrome du *Mauvais Samaritain* qui, contrairement à son généreux compatriote, ne s'arrête pas quand il voit sur le bas-côté un gars vachement amoché. Poursuivant sa route, il a assurément d'autres chats à fouetter que de prêter main-forte, soutenir et aider. Il semble, comme tu le dis Matthieu, que l'effet de groupe augmente cette froideur : l'individu, se dédouanant de tout effort, songe qu'il se trouvera bien une âme charitable pour sortir ce malheureux de la galère. Tout se passe comme si dans un groupe, dans une communauté, notre responsabilité était dissoute. Récemment, un ami me confiait que, dans sa jeunesse, il était choqué de croiser un clochard dans la rue. Aujourd'hui, hélas, il n'est guère surpris de voir des familles entières coucher sur le trottoir. Comment ne pas croupir dans l'indifférence ? Comment rester disponible sans déléguer son engagement, sa responsabilité ?

CHRISTOPHE : Les humains sont une espèce sociale, mais sous l'effet de la surpopulation, de la pression du temps, ils peuvent régresser vers un mode grégaire : ils sont côte à côte, mais indifférents les uns aux autres. Cette indifférence n'est pas une « liberté » de choix, une autonomie, mais une profonde régression et un profond appauvrissement.

Comment un environnement social peut favoriser la liberté

CHRISTOPHE : Que serait un environnement social facilitant notre liberté intérieure ? Eh bien, sans doute un milieu qui contrôlerait attentivement toute forme d'incitation et de manipulation. On a compris qu'il était nécessaire de légiférer sur les publicités liées à l'alcool ou aux jeux de hasard, mais il ne faut pas en rester là : la manière dont la publicité est intelligemment conçue pour s'immiscer jusqu'au fond de nos cerveaux (le neuromarketing) est évidemment un problème pour nos libertés intérieures (nous devrions pouvoir acheter seulement ce dont nous avons besoin, et non tout ce qu'on agite sous nos yeux et nos egos), et pour notre bien-être authentique (la recherche de bonheur et non l'addiction aux plaisirs).

En attendant que ces manipulations soient interdites ou attentivement encadrées, l'éducation doit apprendre à chaque citoyen à se défendre. J'avais, il y a quelque temps, participé à une expérience dans les collèges, destinée à protéger l'estime de soi des adolescents contre les diktats de la minceur et la quête effrénée d'une apparence physique conforme aux canons de la mode : nous avions conçu tout un programme pour leur apprendre à lire les publicités et à en comprendre les intentions, les mensonges. De même, Radio France propose régulièrement à des collégiens d'apprendre à interroger les informations et leurs sources, à découvrir ce que sont des *fake news*, des fausses infos... Une généralisation de programmes d'autodéfense intellectuelle dans les écoles aiderait sans doute à limiter de manière importante les risques de manipulation auxquels nous sommes quotidiennement exposés.

Certes, la tâche semble immense, mais quand on voit qu'aujourd'hui les humains passent plus de temps devant leurs écrans que dans la nature, on mesure l'étendue des dégâts à venir si rien n'est fait...

ALEXANDRE : C'est dingue, lumineux comme outil : repérer le neuromarketing et progressivement s'amuser à se déprogrammer des mille et un conditionnements qui nous poussent à fonctionner sur le mode du pilotage automatique. Pour éviter que nous finissions rouillés comme des robots, Swâmi Prajnânpad livre un diagnostic des plus éclairants : « Vos pensées sont des citations, vos émotions sont des imitations, vos actions des caricatures. » Oui, le travail spirituel consiste en un joyeux affranchissement, à une échappée belle loin des préjugés, des réflexes, des habitudes bornées, de la violence mimétique qui nous pousse à désirer tous la même chose, quitte à vouloir s'approprier ce qu'autrui possède.

Au fond, la liberté exige un constant slalom entre la tyrannie du « je » et la dictature du « on », entre le règne du caprice et la soumission aveugle au qu'en-dira-t-on, à la pression sociale. Il s'agit avec joie et sans rien forcer de devenir soi-même, déjà voir que nous sommes peut-être des hommes, des femmes sous influences. On ne naît pas libre, on le devient. L'esprit critique, la capacité d'empathie, la faculté de se déprendre de ses convictions ne tombent pas du ciel... Je rêve d'une école qui enseigne la tolérance et la solidarité, qui *nuise à la bêtise* et incite au dialogue, à l'entraide, au respect. Et, croyez-moi les amis, il y a du pain sur la planche !

Comment s'arracher aux déterminismes dans une société qui s'acharne à juger selon les apparences et qui, du même coup, met bien des gens sur la touche ? Pourquoi subsistent encore tant de ghettos ? les personnes handicapées moquées, les vieillards isolés, les étrangers mis à part, des marginalités montrées du doigt ? Œuvrer à ce que tous puissent s'épanouir et vivre heureux n'est pas un vœu pieux. C'est concrètement lutter contre les discriminations, renoncer à ensevelir un individu sous une tonne d'étiquettes, oser un regard plus vaste sur la différence. Mental FM diffuse à longueur de journée des *fake news*, elle nous berne, nous embobine. D'où la nécessité de développer des outils pour devenir soi, pour rejoindre notre vraie nature qui échappe à toute emprise et qui demeure infiniment libre.

MATTHIEU : On peut retrouver sa liberté en simplifiant ses actes, ses paroles et ses pensées, en évitant de se laisser accaparer par des activités chronophages et dispersantes qui ne nous apportent que des satisfactions mineures. On donnera la préférence aux activités, ou au non-agir, qui nous permettent de laisser la pleine conscience du moment présent régner sur le flux du temps. Il faut finalement prendre le temps de renouer le contact avec la nature, dans des endroits où la méditation se situe aussi bien au-dehors qu'au-dedans et où nous n'avons pas l'impression de nager à contre-courant.

Les vertus de l'humilité

CHRISTOPHE : Il y a un autre risque qui pèse sur notre liberté intérieure : celui du dévoiement de nos aspirations spirituelles. En psychiatrie, nous observons que beaucoup de nos patients vulnérables sont rassurés par le discours des sectes, qui leur offrent des promesses d'environnement fraternel ici-bas, et de lendemains merveilleux dans l'au-delà.

MATTHIEU: À notre époque, beaucoup sont tentés par des religions « à la carte » qui doivent en partie leur succès à leur volonté de ménager, voire de flatter l'ego, au lieu de le démasquer. Aux États-Unis notamment, les prédicateurs évangélistes vedettes n'encouragent guère l'humilité et attisent expressément les propensions narcissiques. On vend des tee-shirts portant la mention « Jésus m'aime, Moi ». Un évangéliste très connu a proclamé : « Dieu veut que vous soyez riches. » Il montre d'ailleurs fort bien l'exemple lui-même !

ALEXANDRE: Toujours plane le risque de se prendre pour le centre du monde et d'instrumentaliser le Très-Haut, transformé par notre ego en un serviteur corvéable à merci. À propos de planer, il y a peu, dans un avion archibondé, un couple de croyants se recueillait pour lancer bruyamment au Ciel cette vibrante invocation : « Seigneur, bénis notre vol et fais que nous ayons un bon atterrissage à Genève ! » Légitime précaution ! Pourtant ne s'y trouvait aucune allusion aux millions de voyageurs qui se déplacent à travers le monde, zéro pensée pour celles et ceux qui souffrent à la surface de la Terre. Pourquoi ne pas embrasser dans nos prières l'humanité tout entière et tous les avions du monde ? Pourquoi ne pas donner à nos aspirations une vocation universelle ? D'urgence, il faut sortir de l'esprit de clocher pour unir tous les hommes et les femmes.

Peut-on véritablement pratiquer une religion pour soi, replié dans son coin sans s'intéresser au sort des autres ? Pourquoi diable la religion devrait-elle se recroqueviller sur elle-même ? Les grands mystiques nous prémunissent contre toute récupération de notre lien à Dieu car il est très tentant de croupir en soi dans une pseudo-sécurité. Fénelon invite à la déprise de soi en une formule claire et limpide : « Sortez donc de vous-mêmes et vous serez en paix ! » Non qu'il s'agisse de se fuir. C'est plutôt de la bulle de l'ego, du confort des pseudo-certitudes, de l'esprit de profit dont il faut s'échapper. Dieu n'est pas une vache à lait, un agent d'assurances. On fonce vers lui par pure gratuité, sans pourquoi.

Sur ce chapitre, saint Paul, dans l'*Épître aux Philippiens*, parle de « kénose ». À la suite du Christ, pour le croyant, il s'agit de se déprendre de soi, de se vider littéralement du narcissisme, des désirs égocentriques, de tous les rôles que nous ne cessons du matin au soir de jouer. Dans le « Sermon sur la montagne », Jésus déclare haut et clair que « les humbles hériteront de cette terre ». Et quel magnifique exemple que saint François d'Assise qui ne cesse de prêcher et d'incarner l'amour et le don désintéressé de soi !

À côté des grossières caricatures, s'ouvre une large place pour la foi qui libère, qui aide à se défaire du petit moi, à s'oublier carrément pour se donner à fond à son prochain.

MATTHIEU : Les Occidentaux sont généralement surpris d'entendre de grands érudits ou des contemplatifs orientaux dire : « Je ne suis rien de particulier et je ne connais pas grand-chose. » Ils prennent ces affirmations pour de la fausse modestie.

En Occident, l'humilité est parfois considérée comme une faiblesse, voire méprisée. La romancière et philosophe américaine Ayn Rand, apôtre de l'égoïsme, n'hésitait pas à proclamer : « Rejetez l'humilité, ce vice dont vous vous couvrez comme d'un haillon en l'appelant vertu. » Pourtant, l'orgueil, exacerbation narcissique du moi, ferme la porte à tout progrès personnel, car pour apprendre il faut d'abord admettre que l'on ne sait pas. L'humilité nous permet de reconnaître l'étendue du chemin qui reste à parcourir et nous retient de monter en épingle les quelques qualités que nous avons acquises. L'humilité est une valeur oubliée du monde contemporain. On nous encourage plutôt à nous «affirmer», nous «imposer», à «être belle» (ou beau), à paraître plus qu'à être.

ALEXANDRE: Il faut de toute urgence faire un sort à une vision blafarde de l'humilité. Cette vertu n'a rien à voir avec l'autoflagellation, le mépris de soi qui nous enverrait illico au troisième sous-sol. J'aime que l'étymologie de ce mot, *humilis*, *humus*, renvoie à la terre, au bas, à ce qui est près du sol. Faire preuve d'humilité, c'est donc regarder la réalité en face, garder les deux pieds sur terre, sans déprécier ni survaloriser ce qui est. Gageons que cette force ouvre un réel amour de soi, loin du narcissisme et du culte frénétique du moi. Elle aide à faire corps avec ce qui est: nos ressources, nos qualités, mais aussi notre fragilité, nos vulnérabilités. Le paradoxe de la vie spirituelle est énorme puisqu'il s'agit de prendre soin de son être sans faire trop grand cas de soi. D'où un chemin de crête où il est possible de se casser la figure à chaque pas, en dévalant la pente du désespoir, du dénigrement perpétuel ou en sombrant dans le gouffre de la mégalomanie…

MATTHIEU: Libre d'espoir et de crainte, l'humble reste d'un naturel insouciant et ne s'inquiète pas de son «image». L'humilité est donc une qualité que l'on trouve invariablement chez le sage. En voyageant avec le Dalaï-lama, j'ai souvent constaté l'humilité empreinte de bonté avec laquelle il traite tout le monde. Il est aussi présent et attentif à tous, les humbles comme les grands de ce monde. Nous étions une fois au Parlement européen à Strasbourg et un déjeuner officiel avait été organisé avec une vingtaine de chefs de délégations des pays européens. Lorsque nous sommes entrés dans le salon, le Dalaï-lama a repéré deux ou trois cuisiniers qui regardaient par la porte entrouverte des cuisines. Laissant en plan les représentants des nations, il est allé droit vers les cuisines et a passé deux minutes avec ceux qui y travaillaient. Puis il est retourné vers la grande table où tout le monde attendait debout, en s'exclamant : « Ça sent bon ! »

CHRISTOPHE : L'humilité est intéressante également parce qu'elle est une forme de libération : elle nous rend conscients de nos limites et de nos insuffisances, et l'on cesse de vouloir sans cesse les masquer aux yeux des autres. L'humilité dispense des effets de manche, libère de l'obsession du jugement social, puisqu'on ne cherche pas à cacher ses limites, pas plus qu'on ne les met en avant (comme dans la fausse modestie). Notre ami André Comte-Sponville en donne cette belle définition : « L'homme humble ne se croit pas inférieur aux autres, mais il a cessé de se croire supérieur. » Par l'humilité, on renonce à la course aux egos et à la promotion de soi : on sait bien qu'il y a davantage de choses que nous ignorons que de choses que nous connaissons, et, surtout, on est plus intéressé par ce qui nous reste à apprendre et à découvrir que par ce qu'on sait déjà. Liberté de l'ego envers le jugement social, et liberté de l'esprit, tourné vers la découverte de ce qu'il ignore plus que vers la mise en avant de ce qu'il connaît…

Et puis l'humilité présente un intérêt face au matérialisme : ce dernier a tout intérêt à nous faire croire que nous sommes parfaits (« Vous êtes fantastiques ! », « Surtout soyez vous-même ! »), qu'il y a des réponses à tout et une solution facile pour tout, sans que nous ayons beaucoup d'efforts à faire (« Envie d'acheter quelque chose : faites un crédit et achetez-le ! » ; « Envie de manger plein de sucre, mais vous avez du diabète ? Eh bien prenez des médicaments qui font baisser la glycémie et continuez à avaler plein de sucre, c'est si bon ! »). Si nous écoutons ce genre de sirènes, qui nous poussent à nous croire libres parce que nous faisons ce que nous désirons (ce qu'on nous fait désirer, en réalité), nous nous retrouverons vite chargés de chaînes. L'humilité, c'est aussi dans ce combat-là qu'elle peut nous aider : non, je ne suis pas merveilleux et exceptionnel, je suis normal, fragile et manipulable, comme tout le monde. Et j'ai intérêt à garder les yeux grands ouverts face aux flatteries, surtout lorsqu'elles viennent de la pub et des vendeurs d'addictions…

ALEXANDRE : L'immense défi, c'est de quitter les bornes étriquées du mental et de ce cinéma intérieur qui voile tout de son épais brouillard. L'individualisme comporte, dans sa nature même, des frontières, une clôture, une solitude et, pour tout dire, un méga-isolement. Comment ne pas se sentir à l'étroit là-dedans ? Comment connaître une vraie paix quand je dresse une herse entre moi et les autres ? Là encore, pour que la bulle explose, rien ne sert de macérer dans la culpabilité, la honte et le refus de soi. Mieux vaut repérer ce tenace besoin de compenser, nos complexes d'infériorité et tout le barda des mécanismes de défense. Sur ce terrain-là, l'humilité consisterait peut-être à prêter un accueil radical à tout ce que je suis. Swâmi Prajnânpad ne conseille-t-il pas au progressant d'accepter qu'en nous il y a le pire du pire et le meilleur du meilleur ?

BOÎTE À OUTILS POUR UNE ÉCOLOGIE CULTURELLE

CHRISTOPHE

- *Soyons vigilants* : N'oublions jamais que nous évoluons dans une société ultra-matérialiste. Dès que nous sortons des bois pour arriver en ville, dès que nous lâchons notre crayon pour nous tourner vers nos écrans, nous sommes ciblés par une kyrielle de multinationales dont l'unique objet est de nous faire acheter et consommer quelque chose. Jamais nous ne trouverons là ni bonheur ni sens à nos vies. Et nous y perdrons notre liberté. Dans la rue ou sur Internet, nous sommes donc en territoire pollué : vigilance !

- *Soyons conscients* : Comptons, dans une journée, le nombre d'heures passées devant nos écrans, puis le nombre d'heures passées dans la nature, à marcher, à la regarder, à en rêver. Où en sommes-nous ? Comment pourrions-nous rééquilibrer cela ?

- *Préservons les moments précieux* : Jamais, jamais, jamais de téléphones portables entre nous et les bonnes choses de notre vie : quand nous prenons nos repas, quand nous marchons dans la nature, quand nous parlons avec nos proches, quand nous sommes avec des enfants, quand nous méditons… éloignons ou éteignons ces engins !

- *Pratiquons toutes sortes de jeûnes* : De temps en temps, allégeons ou arrêtons le tabac, l'alcool, le sucre, les écrans. Passé le petit temps de manque, voyons ce que cela nous apporte, de quoi cela nous libère et nous allège.

- *Reprenons le contrôle* : Supprimons les messages d'alertes de nos écrans : pas de bip ni de drapeaux rouges pour signaler un nouvel SMS ou un nouveau mail (ou un nouveau truc dont j'ignore à ce jour le nom).

Rétablissons notre liberté : c'est nous qui irons relever nos messages quand ce sera le moment, deux ou trois fois par jour.

- *Préparons un antidote* : Si nous ne pouvons pas éviter d'être exposés à des publicités qui nous déplaisent (dans la rue, au cinéma, etc.), répétons-nous mentalement : «Cette pub m'agresse, je n'achèterai jamais ce produit. » N'avalons jamais une cuillère de pub sans prendre aussitôt cet antidote !

ALEXANDRE

- *Heidegger nous met en garde contre les implications de la technique* : Acheter un téléphone portable modifie jusqu'à notre rapport à l'autre. Et si nous osions nous déconnecter un peu pour nous relier à ce qui nous rend pleinement humains : les rencontres, la culture, la solidarité, le progrès intérieur ?
- *Entre les liens qui nourrissent et la dépendance affective peut s'ouvrir un sacré espace de liberté* : Nous n'avons pas élu domicile sur une île déserte et l'interdépendance est le tissu même de notre existence. Comment, dès lors, s'acharner à se blinder contre autrui quand ce qui sauve c'est l'amour inconditionnel, l'ouverture radicale ?
- *Épicure nous enseigne le plaisir d'être* pour dégommer l'insatisfaction et nous détourner de cette lubie qui nous fait accroire que la fuite en avant, l'accumulation nous rend pleinement heureux. Il distingue les désirs naturels et nécessaires : boire, manger, philosopher, s'abriter ; les désirs naturels et non nécessaires : le désir sexuel, déguster un plat raffiné ; et les désirs ni naturels ni nécessaires : la soif de gloriole, le besoin de pouvoir, la course aux richesses. Le philosophe du Jardin n'a rien du rabat-joie qui nous taperait sur les doigts ni d'un accablant moralisateur. Au contraire, cet authentique libérateur nous invite avant l'heure à une «sobriété heureuse». Cette magnifique expression de Pierre Rabhi ouvre à une liberté qui, aujourd'hui, constitue peut-être le sommet de la subversion.
- *Éloge de l'humilité, du détour et de la joie* : Il existe mille voies qui conduisent au détachement, à la liberté, à la déprise de soi, et le chemin peut emprunter bien des détours. Méfions-nous de la rigidité, de toute crispation. La véritable ascèse est joie, allégresse, détente,

générosité, paisible descente au fond du fond. L'humilité, précieux antidote, empêche que l'orgueil s'empare de notre désir de progrès pour nous enfermer dans un stérile perfectionnisme.

MATTHIEU

- *Se contenter du nécessaire* : Sans courir après le superflu, privilégier les amitiés véritables aux amitiés intéressées, le charme de la liberté aux symboles de la « réussite ».
- *Mettre une sourdine aux jérémiades de l'ego* : « Pourquoi pas moi ? » lorsqu'il est en manque et « Pourquoi moi ? » lorsqu'il est contrarié.
- *Comprendre que l'orgueil nous rend vulnérables* (aux moindres échecs et critiques) tandis que l'humilité est fondamentalement libératrice (du qu'en-dira-t-on, de l'espoir et de la crainte).
- *Ne pas placer tous nos espoirs et nos craintes dans les conditions extérieures* : Nous risquons d'être régulièrement déçus.
- *Favoriser les conditions intérieures du bonheur* : Elles ouvrent un horizon de possibilités vers l'épanouissement et le contentement.

CORRESPONDANCE

ALEXANDRE-MATTHIEU

Lausanne, le 5 avril 2018

Mon cher Matthieu,

J'espère que tout va bien pour toi.

Tout d'abord, j'aimerais te dire et du fond du cœur un immense merci pour ton amitié dans le bien, pour ton soutien inconditionnel et pour ce que tu incarnes au quotidien. Je te suis hyper-reconnaissant d'être ce guide profond et plein d'humour, ce témoin lumineux et espiègle, cet infatigable libérateur...

La première fois que je t'ai croisé, tu le sais, mon âme d'écorché vif, ma fibre hyper-affective s'est rebellée : «Mais il n'est pas un peu froid ce type-là?» Dès le début, tu m'as délivré un enseignement que je ne suis pas près d'oublier : oui, nous pouvons aimer véritablement, et même à fond, sans le pathos, les infinis tiraillements, loin de la séduction, du désir de plaire et de la volonté de puissance, sans mettre quiconque dans une cage...

Merci aussi de n'avoir jamais lâché la main du progressant titubant quand il se dépêtrait au fond du tunnel, lorsqu'il a approché de si près un dangereux précipice. Je dois t'avouer mon ami qu'avec les comportements pour le moins acrasiques que je me suis farcis à une certaine époque, j'ai craint que tu ne t'éloignes du gars qui n'assume pas super bien son corps et qui lorgne sur les garçons avec quelque trouble et jalousie. Banale peur du rejet allègrement démenti par des actes, des paroles qui m'ont à chaque fois sorti de la spirale infernale du mental, de la peur, de ces habitudes qui gangrènent une existence. Combien de fois t'ai-je laissé un message inquiet sur ton téléphone? Combien de fois ai-je été revigoré par ta voix stable, solide, optimiste qui me ramenait illico à la vie, à la confiance, à une certaine liberté...

À ces instants, à l'autre bout du fil, un immense garagiste œuvrait. Ce mécanicien qu'évoque Chögyam Trungpa qui sans juger ni condamner répare m'assistait, m'épaulait, patiemment, infatigablement. Je souhaite à chacun de pouvoir compter sur un tel appui, une sorte de SOS amitié, d'une ligne du cœur qui rappelle que nous ne sommes peut-être jamais aussi seuls et démunis que la peur voudrait nous le faire accroire.

Au fond, ce qui me donne un sacré fil à retordre peut être facilement circonscrit : la peur, l'attachement, l'absence de confiance… Comment après avoir bataillé, lutté contre vents et marées, oser l'abandon, se la couler douce, sans toujours se tenir sur ses gardes, aux aguets ? L'ascèse apte à nous écarter de la peur, de la méfiance, des soupçons me semble, certains jours, titanesque, surhumaine, hors de portée. Pénible paradoxe : nous faudrait-il encore fournir des efforts pour juste jouir de la vie, apprécier ses dons sans ces satanés tourments ?

Chaque matin, la machine à se faire du mouron démarre au quart de tour… Les enfants se rendent à l'école et je ne songe plus qu'aux voitures, au pont qu'ils doivent traverser, au sous-bois qui les attend, aux routes qu'ils longent… De quoi donner le tournis à un mental irrémédiablement torturé. Les scénarios qu'échafaude mon esprit de papa pourraient nourrir le plus sombre des films d'horreur. Et le baratin mental qui tourne à vide congédie la moindre chance de légèreté : « Prudence, prudence, prudence… Je vous aime tellement. Soyez vigilants ! Dans le monde, on peut, à tout instant, tomber sur des chauffards, des détraqués, des pervers… Faites attention sur le trajet, évitez les personnes que vous ne connaissez pas. Et surtout, ne montez jamais, au grand jamais, dans le véhicule d'un inconnu. Si on vous propose des bonbons, sachez que c'est un piège, un appât. Promettez-moi de faire gaffe. Un accident, c'est si vite arrivé… »

Je le sais, mes drôles d'avertissements ne les protègent même pas… Mais où trouver le cran de leur transmettre une vraie sérénité, de les inviter efficacement, naturellement à la confiance : « Les chéris, appréciez, savourez cette belle journée qui commence. C'est une chance, un cadeau, un absolu miracle de se réveiller chaque matin.

Gardez les yeux bien ouverts, tendez l'oreille à la beauté du monde, allez apprendre plein de trucs intéressants, et si en chemin vous croisez quelqu'un, faites-lui un magnifique sourire et écoutez toujours votre boussole intérieure.» La grande affaire, l'immense défi? S'approcher de la confiance ici-bas, au cœur de l'imprévu, des cahots de tous les jours sans se cloîtrer dans une forteresse et crever totalement asphyxié.

Comment nous rendre dès à présent à l'école de la confiance, l'expérimenter au fond du fond et la propager autour de nous?

Sur les sentiers chaotiques qui conduisent millimètre par millimètre vers la paix, je piétine sans avancer toujours. Etty Hillesum me sert pourtant de viatique. Face à une mort certaine dans un camp de concentration, elle trouve la liberté intérieure, quelles que soient les circonstances, de nourrir une conviction: «J'aurai la force.» Nul optimisme aveugle, aucune méthode Coué revisitée dans ces mots, mais la certitude que même au milieu des plus grandes souffrances existe, au fond du fond, une part indemne que rien, absolument rien, ne peut bousiller ni souiller. Mais comment, au cœur de l'aventure humaine et de ses vicissitudes, ne pas oublier ce mystère?

Faisons le point pour avancer vers ce trésor. Il semble que la confiance se décline en trois grands chantiers qui, bien sûr, sont intiment liés.

La confiance en soi, l'estime de soi, ce socle, cette liberté intérieure, le sentiment profond que nous sommes, en quelque sorte, équipés, capables de traverser les hauts et les bas du quotidien, d'accéder à la joie, à la paix et d'aimer.

La confiance en l'autre. Pourquoi la formule de Sartre, «l'enfer, c'est les autres» serait-elle forcément vraie, incontestable? Croire en autrui, c'est peut-être, sans naïveté, s'ouvrir à une expérience, une découverte: au fond de chacun, sous les blessures, les traumatismes et les mécanismes de défense résident la compassion, un amour, la nature de bouddha. Malgré tous les apparents démentis, il s'agit de garder intacte cette conviction: l'être humain est fondamentalement bon, généreux, altruiste. Le piteux spectacle de la méchanceté quotidienne, de l'injustice, de la violence, autant de douloureux égarements, n'appelle pas fatalement la méfiance, le pessimisme, le désespoir. Il n'empêche pas, au contraire, de nous engager corps et âme pour une société plus équitable, plus solidaire.

Enfin, la confiance dans la vie, le monde : conserver la joie au cœur, se rendre disponible au présent et à l'avenir au milieu de l'imprévu, de l'incertitude réclame une audace, une légèreté, beaucoup de souplesse et une grande liberté pour ne pas systématiquement privilégier le plus noir des scénarios.

La théorie, dans les grandes lignes, tu le sais, je la connais plus ou moins. Mais le hic, c'est bien sûr de passer à la pratique, de se jeter à l'eau. Sans le coup de pouce de ma famille et des amis, je resterais dans mes « trips », mes délires, tissus de peurs héritées du passé, réminiscences tenaces d'une insécurité primordiale. Dans les instants de panique, comment trouver en soi un moyen de contredire gentiment, mais sûrement, le paquet de préjugés qui vient assombrir le réel, et désobéir à ces voix intérieures qui peignent décidément tout en noir ?

Le point de départ, je le devine, c'est faire confiance à… son manque de confiance, y aller, avancer avec les ressources du jour, rester convaincu qu'aucune fragilité n'interdit le progrès. Là où ça se corse, c'est quand l'incertitude paraît insupportable, lorsque l'ego réclame du solide, de la permanence, des garanties en béton armé, une assurance qui n'existe pas. Cette vaine quête épuise et ne nous laisse jamais tranquilles.

Un jour, tu m'as invité à contempler les angoisses et à voir qu'elles ne sont pas comme des éboulements de rochers qui dévalent de la montagne, ou un feu qui ravage une forêt, mais ne sont finalement que des produits de notre propre esprit. Tu m'as invité à voir par l'expérience directe que la conscience est infiniment plus vaste que les « crampes psychiques » qui me saisissent. Depuis, je m'essaie à apprécier le regard d'un être aimé, d'un enfant, d'un ami sans accorder trop d'importance à l'avalanche des prémonitions qui bousille toute possibilité de repos, de quiétude et de légèreté. J'apprends à me faire à l'idée que je vis dans un univers où le tragique n'est jamais très loin.

Comment trouver une joie solide, sereine dans un monde frappé au coin de l'éphémère ? Et cent fois par jour, je me délocalise de ce point de vue hyper-étroit sur le monde qui traque partout le danger. Mais que d'obstacles ! Il suffit d'allumer les nouvelles à la télévision pour se ramasser l'immense flot de misères, d'injustices, de maladies… et perdre espoir. Et ce cerveau, cet appareil mental qui semble presque exclusivement conçu pour se braquer sur ce qui coince ! D'où cet état d'alarme quasi indéracinable et son long cortège : crainte du rejet, peur de déplaire, hantise des maladies, de la mort, et j'en passe. La bonne nouvelle, c'est que notre mode par défaut n'est peut-être pas entièrement de granit. Précisément, ton aide, si précieuse, est de la dynamite. En carrossier virtuose, avec une infinie patience, tu me montres que la voie de la peur est une erreur… de direction. Ta tenue de route, exceptionnelle, me redonne la foi quand j'ai tendance à passer en mode auto tamponneuse.

Une amitié authentiquement spirituelle nous lance dans le perfectionnement de soi, elle lave à grande eau l'intériorité, purge le fond du fond des intrus, des squatters, des parasites, des tyrans, en un mot de tout ce qui a indûment envahi une âme pour y semer troubles et zizanie, pour l'aliéner, la rabaisser, la posséder. Les cancers mentaux, les virus du ciboulot, les corps étrangers qui aliènent, rabougrissent et nous transforment en plaies sur pattes, ce sont eux qu'il s'agit de dégager pour que la nature de bouddha, la liberté puissent rayonner. Sur ce chemin, ton soutien est magistral.

C'est donc un apprenti en confiance qui t'écrit aujourd'hui pour te demander une nouvelle fois du carburant, histoire d'accéder plus profondément à ce réalisme, à cette vision pure qui accueille sans méfiance, sans ces vieilles rengaines, le monde tel qu'il se propose, qui sait user du doute pour le transformer en instrument de libération. Bref, comment descendre en direction de notre vraie nature qui se déploie loin, très loin de la crainte et des tourments ?

Je ne saurais trancher si la confiance est innée ou acquise, mais je veux croire qu'en la matière rien n'est à jamais foutu. Aussi, cher

Matthieu, en toute simplicité, j'ai à cœur de demander sur ce chapitre une petite piqûre de rappel et pourquoi pas carrément quelques cours de rattrapage?

Merci infiniment.

Je t'embrasse comme je t'aime et je me réjouis de te lire.

Alexandre

Bien cher Alexandre,

Tu parles de la confiance avec des mots si justes, venus du «fond du fond» comme tu le dis souvent, que je suis quelque peu intimidé de te proposer une réponse. Mais puisque tu as la bonté de me le demander, je vais m'y essayer de mon mieux.

Comme tu l'expliques, on peut en effet envisager trois aspects: la confiance face aux aléas de l'existence, la confiance en soi et la confiance en autrui.

Comment naviguer sur l'océan de l'existence alors que nous ne disposons que d'un frêle esquif? Bonnes et mauvaises surprises, joies et tragédies émaillent cette traversée. Une bonne partie de nos inquiétudes naît de l'imprévisibilité d'événements qui échappent à notre contrôle. Se révolter contre l'impermanence est une cause perdue d'avance!

Bien sûr, il est légitime de s'inquiéter du sort de ses enfants et de souhaiter du fond du cœur que tout aille pour le mieux en ce qui les concerne. Mais vouloir éradiquer la possibilité même de l'adversité ne peut que déclencher une effervescence d'exagérations dramatiques qui déforment la réalité. Ce n'est pas la meilleure façon de prendre soin de ceux qui nous sont chers.

«Comment vivre dans un univers où le tragique n'est jamais très loin ?», me demandes-tu. Certes, quand la vie nous a infligé son lot de blessures et de situations précaires, il est bien compréhensible de se sentir vulnérable. Ce sentiment nous amène à imaginer le pire et à juger imminents des dangers peu probables. Une chance sur un million ? «Justement!», te répondait la femme qui redoutait d'être frappée par la foudre en te téléphonant. Le haut-parleur tonitruant de nos pensées couvre la voix de la raison.

Nous n'avons pas eu le choix de naître homme ou femme, doté de telle ou telle couleur de peau, handicapé ou jouissant de toutes nos facultés. Nous ne pouvons éviter la vieillesse, la maladie et la mort. La confiance ne saurait donc être fondée sur la maîtrise des circonstances extérieures, laquelle ne peut être que limitée, éphémère et illusoire.

Pourtant, cela ne signifie nullement qu'il soit impossible d'établir une confiance d'un tout autre ordre, une confiance qui s'instaure lorsque l'on cultive les ressources intérieures qui nous permettent de conserver notre équilibre au travers des tribulations de l'existence, sans être désarçonné par l'épreuve ou infatué par le succès. Même si ces ressources nous paraissent initialement ténues, il est possible de les renforcer avec patience, humilité et persévérance. Pour ce faire, il faut tout d'abord accepter l'idée qu'il est possible d'améliorer notre capacité à gérer l'adversité. Ensuite, à mesure que nous entraînons cette capacité, il est bon de faire confiance au processus qui permet de l'amener à son point optimal, que l'on pourrait définir comme une sérénité ancrée au plus profond de soi, une dimension intérieure suffisamment vaste qui nous évite d'être aspirés dans le tourbillon infernal de l'angoisse. Tout cela est une question de pratique : «Avec de la patience, le verger devient confiture», nous dit le proverbe. Et je sais que tu t'y emploies avec ténacité depuis tant d'années.

La vie spirituelle consiste, en partie, à affirmer notre résilience et notre force d'âme, et surtout à acquérir la liberté intérieure grâce à laquelle nous ne serons plus le jouet du gain et de la perte, de la louange et de la critique, de la renommée et de l'obscurité. N'est-il pas encourageant de savoir que ces qualités peuvent être magnifiées par l'entraînement de l'esprit? Dès lors que nous nous sentirons moins vulnérables, nous aborderons l'adversité comme le succès avec un esprit serein et nous ouvrirons plus facilement notre cœur non seulement aux êtres chers, comme tu le fais avec tant d'amour à l'égard de tes enfants, de ton épouse et de tes amis, mais aussi à l'égard du cercle toujours plus large de nos frères et sœurs humains. Je sais que l'amour inconditionnel fait partie intégrante de ton expérience. Lorsque tu te relies à cet amour, ne ressens-tu pas davantage de confiance que de méfiance envers tes semblables?

Un niveau plus profond de confiance peut naître de la reconnaissance du potentiel de transformation que nous avons en nous et que nous pouvons tous actualiser, quel que soit notre point de départ. Le bouddhisme parle de la «nature de bouddha», présente en chaque être sensible. Il ne s'agit pas d'une entité mystérieuse, mais de la nature véritable de notre esprit. Nous pourrions tenter de la préciser en disant que cette nature est la faculté première de «connaître» qui est toujours présente derrière le rideau des pensées, des émotions, des espoirs et des craintes. C'est l'expérience nue de la conscience éveillée, claire et limpide. Ici, la pratique consiste à accéder à cette part d'immuable, de la reconnaître et de s'y référer le plus souvent possible jusqu'à ce qu'elle devienne notre référence la plus intime.

Comment conserver notre sérénité dans un monde «frappé au coin de l'éphémère»? Il faut, me semble-t-il, s'évertuer à appréhender cette présence éveillée qui est comme la profondeur immuable de l'océan, comme le soleil qui brille derrière les nuages, comme le ciel qui n'est pas affecté par les myriades d'oiseaux qui le traversent sans laisser de trace. La sérénité qui en découle n'est pas un «bunker» où planquer notre ego, mais un immense espace de liberté intérieure.

En ce qui concerne autrui, n'est-il pas éminemment préférable de faire, a priori, confiance aux autres? Ce n'est pas une attitude déraisonnable, naïve ou idéaliste. Certes, le monde et les êtres peuvent «surgir en ennemis», pour reprendre une expression bouddhiste, mais ce surgissement relève de nos fabrications mentales. Lorsque notre paysage intérieur est envahi par une horde de soupçons, notre sérénité vole en éclats. Le bon sens et l'entraînement de l'esprit sont les outils qui te permettent de remédier à cette suspicion, devenue habitude. Pour ce faire, au lieu de ruminer «le piteux spectacle de la méchanceté quotidienne», souviens-toi, Alex, de la «banalité du bien», le fait que la plupart du temps, la grande majorité des sept milliards d'êtres humains se comportent de façon décente les uns envers les autres. Nous devons avoir l'honnêteté d'accepter cette évidence : ceux qui nous entourent ne sont pas mus par le désir permanent de nous mentir, de nous exploiter et de nous tromper. Cela est d'autant plus vrai en ce qui concerne ceux et celles dont nous avons pu constater l'amitié, la bienveillance et l'honnêteté. L'enfer, ce n'est pas les autres, c'est le soupçon qui nous ronge sans raison, en dépit de la raison.

Personnellement, je me refuse à l'idée de me méfier systématiquement de tous ceux à qui j'ai affaire et de supposer qu'ils trament des machinations machiavéliques dans mon dos. Nous devons, par respect pour ces personnes, nous remémorer les nombreuses fois où elles nous ont traités avec probité et franchise et comparer ces moments-là à toutes les autres fois où nous les avons soupçonnées, à tort, de mauvaises intentions. «Quand vous voulez savoir quelle est la véritable motivation des gens, imaginez le pire ; c'est souvent cela», disait un psychanalyste cité par un de mes amis. Une telle attitude me semble désolante. N'accrois-tu pas tes difficultés en transformant en méfiance ta fragilité due aux difficultés que tu as vécues et à ta santé précaire ? La bienveillance inconditionnelle qui est au fond de toi est capable de dissiper les nuages du soupçon qui se forment à la surface de ta conscience.

S'il s'avère que certaines personnes nous trompent et ne sont pas dignes de notre confiance (les «démentis» dont tu parles restent l'exception, n'est-ce pas ?), il sera toujours temps de prendre nos distances avec lucidité et fermeté, sans animosité.

Certes, l'évolution nous a équipés d'un cerveau qui nous permet de repérer rapidement un danger potentiel, et la «machine à se faire du mouron démarre au quart de tour», mais si elle ne cesse de démarrer pour rien, si la sirène d'alarme se déclenche dès qu'un ange soupire, et qu'un stress permanent doublé d'une méfiance chronique campe en notre esprit, nos relations humaines s'en trouveront empoisonnées. Et tout cela, malheureusement, sans raison valable. Ce qui montre à quel point nous sous-estimons le pouvoir de notre esprit d'engendrer des mondes fictifs en porte-à-faux avec la réalité.

Ce qui me surprend et m'émeut à la fois, c'est le contraste entre la manière dont tu te trouves trop souvent démuni face à tes doutes d'une part, et la lucidité pénétrante avec laquelle tu comprends presque simultanément à quel point ils sont infondés. Bien des gens qui nourrissent en permanence des soupçons sans fondement persévèrent dans leur égarement. Dans ton cas, lorsque la tempête est passée, tu vois, mieux que quiconque, avec perspicacité et humour, l'ineptie des doutes dans lesquels tu t'es trouvé plongé.

Quand l'ego réclame une assurance, une solidité et de la permanence, il faut non pas lui ficher une claque (il risque de ruer dans les brancards), mais le laisser se dissoudre dans la présence éveillée, comme la gelée blanche qui fond sous les rayons du soleil matinal. Comment faire, pratiquement? Imagine-toi qu'au lieu d'être emporté par les flots opaques d'une rivière tumultueuse tu fais surface et tu commences à apercevoir la rivière elle-même. Puis tu arrives à sortir de ses tourbillons et, assis sur la berge, tu les contemples. Lorsque l'angoisse nous saisit, nous sommes emportés par ses flots turbulents. Dorénavant, regardons la rivière de l'angoisse depuis la berge de la présence éveillée. Le point crucial est là: celui qui est conscient de l'angoisse n'est pas angoissé, mais simplement conscient. Cette approche permet de créer une «zone de sécurité» et de laisser l'angoisse s'atténuer graduellement dans le champ de la pleine conscience.

Nul doute que cela est plus facile à dire qu'à vivre.

Dans ton cas, le fait d'avoir été confronté à tant de circonstances difficiles, d'avoir été de manière répétitive séparé de tes proches dans ton enfance, a endommagé la confiance que tu aurais pu accorder à ceux qui t'entouraient. Nous avons tant besoin d'une affection sans faille!

Lorsqu'il t'arrive de douter de toi-même, tu peux imaginer que la nature de bouddha qui réside en toi est une forme de bonté fondamentale envers toi-même, qui t'amène à te traiter avec bienveillance plutôt qu'avec sévérité. Comme l'écrivait notre cher Christophe dans l'un de ses livres : «Pourquoi ajouter soi-même aux souffrances que la vie nous apporte ? La compassion, c'est vouloir le bien de tous les humains, soi compris. »

En fin de compte, les différentes modalités de la confiance s'unissent dans la «vision pure», la manière de voir le monde et les êtres lorsque nous sommes libérés des distorsions que la confusion mentale projette sur la réalité. Même si cela nous semble difficile à concevoir dans notre situation actuelle, nous pouvons nous inspirer de cet idéal et progresser avec joie sur le chemin qui mène à le réaliser.

C'est dans ce sens que je t'encourage, très humblement, à persévérer, non pas dans de simples «cours de rattrapage», mais dans la voie royale de la liberté intérieure, fort de la conviction que tu en es parfaitement capable.

Tiens bon la barre, Alex, mon ami dans le bien, tout au long de cette passionnante traversée !

Matthieu

LES EFFORTS VERS LA LIBÉRATION

TROISIÈME PARTIE

LES EFFORTS VERS LA LIBÉRATION

MATTHIEU: Une fois que l'on a mesuré l'importance de la liberté intérieure et identifié les conditions favorables ainsi que les obstacles, le temps est venu de déployer des efforts. Personne n'accomplira le travail à notre place. Il faut se préparer au mieux, comme un navigateur qui vérifie soigneusement l'état de son bateau, de la coque aux voiles, et s'assure d'avoir embarqué tout ce dont il aura besoin pour une longue traversée. Ensuite, il importe de persévérer avec constance. Cela est vrai de tout apprentissage, qu'il s'agisse d'un instrument de musique, d'un sport, de la danse ou des échecs. Les promesses alléchantes d'un secret du bonheur en trois tours de main ne sont que de la poudre aux yeux. Il n'y a pas de secret : il faut y consacrer du temps, et ce n'est pas toujours facile. Mais cela en vaut la peine !

CHRISTOPHE: Mais qu'elles sont alléchantes, ces promesses dont tu parles ! Et pour beaucoup d'entre nous, il y a quelque chose de paradoxal dans l'association de ces deux mots d'effort et de liberté. On couplerait plus volontiers la liberté à la spontanéité, à la facilité ! Se diriger vers la liberté en la restreignant par un certain nombre d'efforts, c'est un détour contre-intuitif : comme lors d'une randonnée, lorsqu'on doit tourner le dos à la direction que nous indique la boussole, parce que le seul chemin existant nous contraint à faire un détour.

MATTHIEU: Faire des efforts pour être libre, est-ce une contrainte ou une nécessité ? Imaginons un innocent emprisonné par un dictateur : il doit faire preuve d'intelligence, de discipline et de persévérance pour réussir à s'évader. S'il reste assis, résigné,

« On couplerait plus
volontiers la liberté
à la spontanéité !
Se diriger
vers la liberté
en la restreignant
par un certain
nombre d'efforts,
c'est un détour
contre-intuitif. »

dans sa prison, il risque d'y croupir longtemps. La liberté se gagne à la sueur du front! On sait aussi que dans un État totalitaire, la démocratie s'acquiert à force de détermination et de courage, au terme d'un immense travail qui vise au bien commun et va bien au-delà de nos intérêts immédiats. On prend des risques, mais la récompense nous attend au bout du chemin, à condition que l'enthousiasme soit de la partie: si l'on vit ce combat comme un pensum, on finira par se lasser. L'effort doit aller de pair avec la joie. Une joie née de la certitude d'avancer dans la bonne direction. C'est aussi là qu'intervient la motivation: où allons-nous? pourquoi? pour qui? Ce qui nous réunit en l'occurrence est le souhait de devenir un meilleur humain, de développer notre force d'âme, notre résilience, et notre bienveillance, pour nous-mêmes et pour l'ensemble des êtres. Ce moteur nous permettra de persévérer à travers les hauts et les bas de notre chemin vers la liberté.

« *Une de mes amies de Radio France, qui est aussi enseignante en école de journalisme, me racontait un jour que, parmi ses élèves, elle préférait ceux qu'elle qualifiait de "laborieux", de "tâcherons". Comme je lui en demandais la raison, elle m'expliqua que selon elle, c'était la garantie que, par la suite, ils deviendraient de meilleurs professionnels : l'habitude des efforts les rendrait plus prudents, plus patients que leurs pairs plus doués, qui risquaient d'être davantage tentés par la facilité et la rapidité. "Mon but, me disait-elle, c'est de former de bons journalistes, attachés à la vérité, et non de brillants chroniqueurs, soucieux de faire de l'effet."* »

Christophe

10
L'HORIZON
DES EFFORTS

Pourquoi des efforts ?

CHRISTOPHE : S'il y a effort, c'est qu'il y a difficulté ! Sans difficulté, pas besoin de faire des efforts… Un effort est donc un ensemble d'actes ou de pensées que nous mettons en œuvre pour surmonter, dépasser, résoudre des difficultés. Que ces dernières soient extérieures (obstacles, adversité) ou intérieures (notre paresse, notre négligence, notre pessimisme, nos inquiétudes paralysantes, etc.).

Pour faire des efforts, il faut que nous ayons de bonnes motivations en amont. Et pour maintenir nos efforts, il est nécessaire que ces derniers soient récompensés, c'est-à-dire qu'ils produisent des effets en aval, et qu'ils nous dirigent vers un horizon important à nos yeux.

MATTHIEU : Un but, certes, mais qu'il faut examiner avec discernement. On peut ambitionner de devenir riche, puissant et célèbre et se trouver fort déçu, vingt ans plus tard : tout cela ne nous a pas apporté le moindre sentiment de plénitude. De fait, si nous nous élançons sans réfléchir, nous risquons de devenir prisonniers d'objectifs peu dignes de nos efforts. « Le résultat se tient à la pointe de la motivation », rappelle le bouddhisme. Je dois m'interroger : est-ce que je fais ces efforts pour moi seul, de façon totalement égoïste ? ou avec les autres ? pour les autres ? ou au détriment des autres ? Tous ces efforts en valent-ils la peine ? Vont-ils m'apporter une satisfaction profonde ? Si j'accomplis le bien d'autrui est-ce pour quelques-uns seulement ou pour le plus grand nombre ? à court ou à long terme ? L'intention détermine la direction et la magnitude de notre enthousiasme.

ALEXANDRE : Dans la *Lettre à Ménécée*, Épicure rappelle tout le monde à l'ordre, jeunes et vieux. Il n'y a pas d'âge pour philosopher, car, ajoute-t-il, personne n'entreprend trop tôt ni trop tard d'avancer vers la santé de l'âme. Pourquoi décidons-nous de nous donner à la pratique ? Est-ce encore un moyen de fuir un quotidien lourd et pénible ? Ne nous acharnons-nous pas vainement à échapper à notre condition ? Souhaitons-nous véritablement épanouir les immenses possibilités qui habitent le cœur humain ? Chögyam Trungpa ferraille dur contre l'incessant danger de récupérer la spiritualité pour en faire une assurance-vie. Il enseigne que l'existence n'est pas une agence de voyages, que chacun doit faire route sans rêver d'un ailleurs. Pour nous réveiller, il n'hésite pas à se montrer provoquant : « Personne n'a abandonné l'espoir d'atteindre l'Éveil. Personne n'a abandonné l'espoir de s'évader de la souffrance. C'est notre problème spirituel fondamental. » Dont acte ! Cessons d'être obsédé par l'idée d'obtenir un éveil, une gratification, un mieux ! Il s'agit de pratiquer sans pourquoi, sans investir dans le futur.

L'essentiel, c'est de consacrer notre effort, d'offrir notre pratique au plus grand nombre, aux autres, au bien commun. Se libérer soi-même est une démarche qui déborde, et de loin, le cadre restreint de nos projets personnels. L'idéal du bodhisattva, même si nous ne sommes pas toujours à la hauteur, peut éclairer nos journées, donner sens aux rechutes, aux traversées du désert.

Je dédie mes difficultés et ma joie au bien de tous. Si je rame, je le fais aussi pour apporter du soutien à tous ces millions de coéquipiers embarqués dans la même galère…

CHRISTOPHE: Oui, toute vie humaine suppose des efforts. Et il y a parfois un snobisme du non-effort qui m'agace. Beaucoup de personnes préfèrent qu'on les considère comme des gens doués que comme des gens appliqués. Quitte, parfois, à masquer leurs efforts ! Comme si l'effort était opposé au talent, ou comme si le talent rendait tout effort inutile. En fait, tout talent peut être stérile ou trompeur s'il n'est pas accompagné d'efforts.

Nous connaissons tous des enfants ou des adolescents doués pour l'école, qui ne fichent pas grand-chose en tablant sur leurs facilités, et arrivent à passer de classe en classe jusqu'à leurs études supérieures. Là, en général, les choses se gâtent, parce qu'ils sont confrontés à des matières qui exigent aussi des efforts, et à d'autres étudiants aussi doués qu'eux, sinon plus, mais habitués, eux, à faire des efforts. Par ailleurs, tous les créateurs, artistes ou scientifiques, répètent volontiers que c'est l'alliance du talent et de l'effort qui leur permet d'aller loin. C'est ce que j'appelle volontiers les « contraintes fécondes » : parfois, la nécessité de faire des efforts face à l'adversité, ou tout simplement face à des choses compliquées, recèle des conséquences inédites et réjouissantes, que nous n'aurions jamais vues naître dans la seule facilité.

ALEXANDRE: Pour ne pas s'épuiser en cours de route, il peut être bon de prêter l'oreille à Épictète. Il recommande de bien distinguer ce qui dépend de nous et ce qui n'en dépend guère. Conseil salvateur pour ne pas tourner à vide et risquer de rencontrer l'échec en permanence. Quels sont les grands chantiers de notre vie ? Où se trouvent nos véritables ressources ? Traverser les hauts et les bas de tous les jours réclame un sacré boulot.

D'où la nécessité de savoir se ressourcer, se reposer, se recréer pour éviter de se laisser happer par le découragement, l'amertume. D'ailleurs, ce qui me touche au plus profond du cœur, ce sont ces hommes et ces femmes, véritables héros du quotidien, qui se coltinent durant toute leur vie des maladies sans s'enliser dans l'aigreur. À mes yeux, ce sont eux qui appellent le respect, l'admiration, plus que l'athlète qui traverse la Manche à la nage ou qui gravit un sommet après l'autre.

La motivation

ALEXANDRE: Sur la pente parfois savonneuse d'un chemin spirituel, il est peut-être bon de se demander : Qui veut s'exercer ? Qui veut progresser, se libérer ? Quittons-nous véritablement le régime de l'ego quand nous nous adonnons, même le plus sincèrement du monde, à la pratique ? Vouloir être un bon méditant, n'est-ce pas encore l'ambition d'un mental replié sur lui-même ? Le principe zen « sans but ni esprit de profit » est véritablement une boussole pour quitter tout appât du gain, tout désir de se montrer exceptionnel et de compenser.

Lors d'une retraite jésuite, un père m'a donné des consignes fort éclairantes résumées en de simples questions : quelles saines habitudes voulez-vous instituer dans votre vie ? Quels penchants, quels travers désirez-vous essayer d'écarter du quotidien ? Paroles qui sonnaient comme un appel à repérer les endroits de la vie où règnent l'égoïsme, la dépendance, l'acrasie, ces mille et un culs-de-sac où nous pouvons nous fourvoyer. Aristote, avec sa célébrissime formule « C'est en forgeant qu'on devient forgeron », apporte de l'eau à notre moulin. Souvent, nous croyons que nous accomplirons des actes de bravoure seulement quand nous serons courageux. Mais le philosophe nous montre que c'est le contraire qui est opérant. C'est en posant des actes de confiance, de bravoure que l'on acquiert peu à peu les vertus. Salutaires encouragements à ne pas rester les bras croisés sans pour autant s'épuiser en chemin...

D'où nous vient notre motivation ? Qu'est-ce qui nous pousse à nous jeter à l'eau ? Est-ce une saine, profonde et vive aspiration à embrasser la sagesse ? L'attrait de la carotte, la peur du bâton sévissent-ils encore en nous ? S'interroger sur les ressorts qui nous portent à grandir, c'est assurément ménager notre monture et envisager la route dans son étendue.

Sartre dénonce la mauvaise foi. Et que dire de cette foule de rôles que nous sommes amenés à jouer et qui nous contraignent peut-être à *faire le spirituel* comme on fait le beau, pour plaire, ne pas décevoir, afin de compenser...

MATTHIEU: Il y a un équilibre à trouver entre la tension et le laxisme. Le Bouddha raconte l'histoire de l'un de ses disciples qui n'arrivait pas à doser ses efforts: « Par moments, je ne suis absolument pas motivé, je suis complètement relâché et rien ne vient, disait-il. Et à d'autres moments, je suis si tendu que je n'arrive pas à méditer. » C'était un joueur de *vînâ*, une sorte de sitar. « Comment accordes-tu ton instrument pour en tirer le plus beau son ? », lui demanda le Bouddha. Ce à quoi le musicien répondit: « Je fais en sorte que les cordes ne soient ni trop tendues ni trop relâchées. » « Il en va de même avec la méditation », conclut le Bouddha. Le relâchement peut rendre l'esprit opaque; l'effort excessif le fatigue et l'agite. Ces deux extrêmes s'avèrent contre-productifs.

En psychologie contemporaine, on parle d'un juste milieu nécessaire pour entrer dans l'état de « flux », défini par le psychologue Mihály Csíkszentmihályi comme une profonde absorption dans l'action. Les actions, les mouvements et les pensées s'enchaînent avec fluidité; on oublie le temps qui passe, la fatigue, et la conscience de soi s'estompe. Pour entrer dans le flux, il faut que la tâche ne soit ni trop difficile, sinon la tension s'installe, ni trop facile, sinon c'est l'ennui qui nous afflige. La fluidité du flux est ressentie comme une expérience très satisfaisante qui donne toute sa valeur au moment présent. On peut aussi entrer dans le flux sans le support d'une activité extérieure. La contemplation de la présence éveillée, la nature de l'esprit, par exemple, est une expérience profonde et fertile qui s'apparente au flux. Là aussi l'effacement du moi est total, ce qui est une source de paix intérieure et d'ouverture aux autres.

De Csíkszentmihályi, que j'ai rencontré plusieurs fois, émane, à 80 ans, une gentillesse naturelle et posée. Il met en pratique ce qu'il enseigne, ce qui est encourageant.

Il faut donc trouver le juste équilibre entre l'effort et la relaxation qui nous permettra de progresser au mieux. Les artistes et les artisans savent bien que le « sur-effort » et la fébrilité risquent de gâcher leur ouvrage : « La patience mène à bien, la précipitation à rien », dit le proverbe. Je me souviens d'un pique-nique à la campagne, après une retraite d'été de quarante-cinq jours à notre monastère du Népal. Les jeunes moines avaient organisé une course. J'avais trente années de plus qu'eux. J'ai pensé avoir mon heure de gloire ; j'ai foncé comme un dératé les dix premiers mètres, tout en criant « youpi ! ». Bien entendu, tout le monde m'a rattrapé et dépassé. En fin de course, j'étais bon dernier !

Psychologie de l'effort

CHRISTOPHE : J'imagine la scène, avec toi piquant un sprint dans ta robe de moine ! J'aurais aimé être là pour voir ça ! Mais cette notion de juste milieu dans l'effort est importante. Ta course rappelle une erreur classique dans la production de nos efforts : mal les doser, et partir à fond, puis s'essouffler et s'épuiser. Souvent, les efforts nécessitent une planification : pour la course à pied, cela s'appelle l'entraînement, une succession de petits efforts accessibles et répétés, pour produire peu à peu un effet. Si tu veux gagner ta prochaine course, cher Matthieu, et épater tout le monde au monastère, c'est chaque jour que tu dois travailler et t'entraîner à courir, puis à sprinter ! Mais je pense que tu te fiches tout autant de gagner que d'épater !

Un autre point important concernant la psychologie des efforts, c'est qu'ils ont parfois un effet différé. Dans l'éducation, par exemple, les efforts pour apprendre à nos enfants telle ou telle valeur (la bienveillance, la persévérance, l'honnêteté) peuvent sembler ne pas donner de résultats immédiats : ils continuent de se chamailler, d'abandonner en cas de difficulté, de nous raconter des bobards quand ça les arrange. On se dit alors que nos efforts éducatifs ne servent pas à grand-chose, ou qu'on s'y prend mal, ou qu'on ne donne pas assez bien l'exemple ; tout cela est possible, et il faut y réfléchir. Mais bien souvent, plus les enfants grandissent et s'éloignent de nous, plus on a la bonne surprise de les voir mettre en œuvre ces qualités, adopter ces valeurs dans leur vie, ce qu'ils ne faisaient pas quand nous étions sur leur dos – peut-être aussi tout simplement parce qu'ils n'étaient pas assez mûrs. Il y a eu un effet retard ! Même sans résultats immédiats, c'est quand ils sont enfants qu'il faut faire ces efforts éducatifs, sans attendre qu'ils soient adolescents ou adultes.

Ce qui est parfois douloureux, c'est que nous ne sommes pas tous égaux face à l'effort : certains se démotivent parce qu'ils ont le sentiment que leurs efforts sont inutiles ou pas assez récompensés. Que leur vitesse de progression est médiocre, et que tout le monde fait mieux. On peut alors se demander si l'on s'est attelé aux bons objectifs, dans le bon domaine ? Il y a des infériorités qu'il vaut mieux paisiblement accepter (comme courir moins vite que les autres, ou jouir d'une moins bonne mémoire). Ou, si c'est un domaine dans lequel on veut progresser, vérifier qu'on n'est pas dans la comparaison constante avec les autres, empêtré dans les poisons de l'envie ou de la déception, et rester concentré sur ses propres progrès par rapport à soi-même.

MATTHIEU : Certains ont plus de facilités que d'autres, mais il ne faut pas que ces aptitudes naturelles se traduisent par de la complaisance. Dans le monde tibétain, les enseignants préfèrent un étudiant persévérant à un étudiant doué, mais nonchalant. Il y a toujours une marge de manœuvre. Certaines personnes sont, au départ, peu portées à la bienveillance, mais au fil des aléas de l'existence elles finissent parfois par développer de réelles qualités humaines. Dans le meilleur des cas, cette transformation procède d'une intention délibérée, réfléchie et avisée. Pour celui qui se lance, l'expérience montre qu'en fin de course la différence sera considérable, même si l'on ne part pas du même point et si l'on n'arrive pas forcément au même endroit. L'entraînement porte *toujours* ses fruits, tout simplement parce que nous avons la capacité de changer et que le cerveau dispose d'une étonnante plasticité.

Il est vital de prendre conscience de ce potentiel de changement. Encore une fois, tout entraînement conduit à un résultat, c'est dans la nature des choses. Ensuite, il importe de contempler les bienfaits de nos efforts pour savoir dans quelle direction nous voulons les orienter. Il faut être clair : souhaitons-nous apprendre à jouer au tennis, du piano, ou cultiver la paix intérieure et l'altruisme ? Choisir un but inspirant engendre de l'enthousiasme. Comme nous l'avons souligné : chaque pas devient une joie en forme d'effort.

CHRISTOPHE : Il y a quelque chose qui m'a toujours frappé en observant les efforts accomplis par mes patients, mes proches, ou moi-même, c'est qu'ils sont aussi une forme de révélation de soi. Apprendre à se connaître ne relève pas uniquement de l'introspection, mais aussi de l'action et de tout ce que vont nous apprendre les résultats de nos efforts.

S'efforcer, c'est se frotter au réel et faire jaillir des informations : sur nous-mêmes, sur les autres, sur ce que nous affrontons... Cela est particulièrement clair chez les patients phobiques et évitants : par peur, ils évitent soigneusement de se confronter à ce qu'ils redoutent. Mais, ce faisant, ils ne peuvent pas comprendre que le danger n'est pas si grand (souvent même, inexistant) ou qu'ils ont les ressources pour l'affronter. Nos actions transforment le réel et nous transforment en même temps.

Dans je ne sais plus quel passage de ses *Propos*, le philosophe Alain évoque les efforts du bûcheron, en expliquant que par ses coups de hache, il abat les arbres tout en développant ses muscles : un effort et deux effets. Et c'est dans le *Journal* de Gide que j'avais lu (et recopié !) ce passage : « Il n'est pas de doctrine plus funeste que celle du moindre effort, cette sorte d'idéal qui invite les objets à venir à nous au lieu que nous allions vers les objets. »

ALEXANDRE : Dans *Le Souci de soi*, Michel Foucault en appelle à Sénèque pour montrer la nécessité d'un travail de soi : « Ceux qui veulent se sauver doivent vivre en se soignant sans cesse. » Car l'homme n'est pas sorti du ventre de sa mère tout fait. L'auteur repère dans la tradition antique de multiples verbes qui désignent les exercices spirituels : « se rendre vacant pour soi-même », « se faire soi-même », « se transformer soi-même », « revenir à soi ». S'il est un regard narcissique qui nous perd dans une vaine introspection, il existe sans doute un moyen de s'affranchir des passions tristes, de quitter le mode du pilotage automatique. J'aime l'idée de se rendre vacant à soi-même, de se vider du superflu, du trop-plein pour accueillir la vie telle qu'elle se donne. Mais décidément, rien n'est joué d'avance ! Comment atteindre sur ce terrain le juste équilibre entre un durcissement féroce dans l'effort, et le laxisme, le laisser-aller total ?

Effort et lâcher-prise

CHRISTOPHE : Sans doute un certain nombre de personnes font-elles l'erreur de pratiquer le lâcher-prise avant de s'être attaquées à la prise !

MATTHIEU : Pour revenir à l'image de la course à pied, il ne s'agit pas de laisser tomber avant même d'avoir franchi la ligne de départ. On peut lâcher prise une fois que l'on a fait de son mieux, sans regrets et sans attachement.

CHRISTOPHE : Le lâcher-prise n'a en effet de sens que s'il est une alternative intelligente à des efforts qui s'avèrent inutiles, infructueux ou plus coûteux que les bénéfices. C'est après avoir travaillé en vain à résoudre une équation complexe que le scientifique laisse son travail, va se balader en forêt et trouve tout à coup la solution ; de même pour l'artiste, l'écolier, ou quiconque ! Images d'Épinal ? Pas tout à fait ! Les données récentes sur le fonctionnement cérébral du « réseau par défaut », ces parties du cerveau qui s'activent et dialoguent quand nous ne faisons rien, confirment que de tels moments de repos, où l'on met son esprit en roue libre, sont précieux notamment pour notre créativité ; dans ces instants, notre cerveau retraite toutes les informations sur ce que nous avons vécu et accompli, les relie entre elles. Mais pour que le réseau par défaut ait quelque chose à mouliner, il faut que nous ayons rempli auparavant notre stock d'expériences, d'idées, d'émotions, puis que nous lâchions prise. C'est l'alternance des temps d'efforts et des temps de repos qui est la plus féconde.

MATTHIEU : On sait que le quotient intellectuel est très stable, et que l'entraînement à ce type d'intelligence bien particulier ne le change guère. Certaines personnes ont un QI peu élevé,

« Toute vie humaine
suppose des efforts.
Et il y a parfois
un snobisme
du non-effort
qui m'agace. »

mais manifestent en revanche une créativité ou une intelligence émotionnelle hors du commun et réussissent au mieux dans la vie. À l'école, le psychologue américain Scott Barry Kaufman était mis à l'écart pour ses mauvais résultats. Heureusement, il s'est aperçu qu'il était très créatif. À force de persévérance, il est devenu neuroscientifique, spécialiste des processus de la créativité. Ses deux ouvrages, *Ungifted. Intelligence redefined* («Pas doué. Redéfinir l'intelligence») et *Wired to create* («Câblé pour créer») expliquent que lorsque l'on est créatif, les zones activées dans le cerveau lors des processus de création sont en compétition avec celles de l'attention focalisée. Autrement dit, un état où l'esprit est relâché, détendu, sans fixation sur un point ou un sujet déterminé – l'état dans lequel on peut se trouver le matin au réveil ou lors d'une promenade en forêt –, favorise davantage la formation des idées neuves que l'hyper-concentration : l'attention est présente, mais n'est pas focalisée. On sait bien que, souvent, des solutions surgissent de manière inattendue, lorsque l'esprit n'est pas intensément concentré sur le problème à résoudre. Henri Poincaré raconte avoir réfléchi des mois à un problème mathématique complexe sans trouver la solution. C'est en descendant les marches d'un autobus que tout s'est dénoué dans son esprit, avec la soudaineté d'une fulgurance. Nous connaissons tous ces moments où l'on cherche à saisir une idée ou à prendre une décision, sans y parvenir… On part marcher dans les bois et la solution surgit d'un coup !

En 2009, à l'occasion d'un Sommet de la paix à Vancouver, j'ai participé à une table ronde sur la créativité avec le Dalaï-lama, sir Ken Robinson (un spécialiste de l'éducation créative), Eckhart Tolle, Pierre Omidyar (le fondateur d'eBay), et le Prix Nobel de physique Murray Gell-Mann. Eckhart Tolle a mentionné une étude montrant qu'au moment du penalty les footballeurs qui tiraient dès le coup de sifflet de l'arbitre marquaient moins souvent le but que ceux qui fermaient les yeux pendant dix secondes avant de tirer. Ils créaient un moment d'attente pour rentrer en eux-mêmes et laissaient l'inspiration venir d'elle-même – une forme élémentaire du processus créatif. Ken Robinson, avec son humour britannique, a renchéri : « Je visualise Eckhart Tolle méditant pendant cinq ans devant le but… et ratant son penalty. » Autrement dit, sans des milliers d'heures d'entraînement, ce lâcher-prise créatif serait vain, qu'il s'agisse de football ou de mathématiques !

Murray Gell-Mann a expliqué qu'en physique résoudre des problèmes n'est pas le plus difficile ni le plus important. La vraie créativité consiste à poser les bonnes questions ainsi qu'à en formuler de nouvelles.

CHRISTOPHE : C'est ce qui se passe pour le prix Nobel : s'il est décerné à une découverte et donc à des problèmes résolus, son comité de sages précise bien chaque fois que la découverte récompensée « a transformé son domaine » ou « a ouvert des perspectives nouvelles et inattendues ». C'est-à-dire que la découverte en question a engendré de nouvelles questions, au-delà des réponses apportées. Je me souviens d'une anecdote à propos d'Alan Hodgkin, neurobiologiste et Prix Nobel en 1963 pour ses recherches sur les potentiels électriques cellulaires et ses hypothèses sur l'existence des canaux ioniques, qui ne fut démontrée que dix ans plus tard. Ses élèves racontent qu'il faisait tous les jours le tour de son laboratoire et qu'il parlait avec les étudiants ou les chercheurs. Lorsqu'on lui montrait les données des expériences de la veille, si elles correspondaient aux résultats attendus, il hochait la tête et continuait son chemin. Le seul moyen de retenir son attention était de lui présenter un résultat inattendu ; alors, il s'asseyait, allumait sa pipe et réfléchissait sur ce qu'il était possible d'en déduire. Comme tout bon chercheur, Hodgkin était bien plus attiré par les efforts et les problèmes à résoudre que par les questions résolues ou en voie de confirmation.

« Les artistes
et les artisans
savent bien
que le "sur-effort"
et la fébrilité
risquent de gâcher
leur ouvrage. »

MATTHIEU : Cela me rappelle mon patron, François Jacob, à l'Institut Pasteur. Lui aussi s'asseyait et allumait sa pipe lorsque je lui faisais part d'un résultat inattendu. Sinon, il poursuivait sa ronde en lâchant un « Bon… » laconique.

CHRISTOPHE : Dans beaucoup de champs de la recherche contemporaine, on s'appuie énormément sur les ordinateurs et l'intelligence artificielle, qui permettent de se dispenser d'un certain nombre d'efforts répétitifs concernant des démarches déjà connues. Mais grâce à cette aide, les chercheurs peuvent accomplir d'autres efforts.

Allons-nous vers un monde « sans efforts » ?

CHRISTOPHE : À notre petit niveau quotidien, on peut s'interroger : nous vivons une époque qui multiplie les outils pour nous affranchir d'un certain nombre d'efforts. Globalement, c'est une bonne chose : ne plus devoir marcher cinq kilomètres pour trouver de l'eau potable, avoir accès à des données innombrables sur Internet sans traverser toute la ville ou le pays pour se rendre à une bibliothèque universitaire, tout cela est merveilleux. Mais jusqu'à quel point ? Jusqu'à quel point ce qui augmente notre confort et économise nos efforts s'avère-t-il favorable à notre bonheur et notre liberté ? Prenez l'exemple du GPS dans nos automobiles. Si nous nous en servons systématiquement, nous ne faisons plus l'effort de mémoriser les lieux par lesquels nous passons, les différents chemins à emprunter. Est-ce que cela augmente notre liberté ? Non, plutôt notre servitude, notre dépendance à cet appareil ! Et le jour où il tombe en panne, nous sommes dans le pétrin, moins libres que jamais, mais très stressés et très perdus. Notre liberté passerait plutôt par l'usage de notre cerveau et non celui de l'appareil.

Paul Valéry écrivait, dans un discours à des lycéens : « La vie moderne tend à nous épargner l'effort intellectuel comme elle le fait de l'effort physique. Elle nous offre toutes les facilités, tous les moyens courts d'arriver au but sans avoir fait le chemin. Et ceci est excellent. Mais ceci est assez dangereux. » C'était en 1932 ! Qu'aurait-il dit aujourd'hui ? Nous avons compris que nous ne pouvions pas totalement supprimer les efforts du corps, et avons donc inventé l'exercice physique qui le rétablit d'une autre manière, plus librement choisie. Sans doute va-t-il en être de même de l'effort intellectuel ! La multiplicité des prothèses servant notre culture, notre attention et notre mémoire n'est un outil de libération intérieure que si les efforts qu'elle nous épargne sont remplacés par des efforts de catégorie supérieure, pas par de la consommation de loisirs.

MATTHIEU : Avant l'invention du GPS, les chauffeurs de taxi londoniens devaient, pour obtenir leur licence, apprendre par cœur la localisation de 12 000 rues ! Aujourd'hui, il m'est arrivé d'être pris par un taxi parisien qui, privé de son GPS, n'avait aucune idée de la localisation d'une rue pourtant assez connue. La facilité peut appauvrir nos capacités d'apprentissage. Certains lecteurs sont surpris quand je mentionne que j'ai effectué moi-même, cinq années durant, le travail de recherche pour *Plaidoyer pour l'altruisme*, qui contient près de 1 600 références. Ils supposaient que j'aurais pu recourir aux services d'une ou d'un documentaliste. En fait, ce sont ces efforts qui m'ont permis d'acquérir une bonne connaissance de l'ensemble de ces études et de découvrir des liens et des correspondances entre les thèmes que j'ai abordés. Cet effort a été éminemment formateur et, aujourd'hui encore, la plupart des idées et des travaux de recherches restent clairement présents en mon esprit.

ALEXANDRE : À propos de GPS, lors d'une cérémonie d'ensevelissement, j'ai entendu un prêtre dire que, dans la vie, nous n'étions pas équipés d'un GPS qui nous indiquerait un chemin tout tracé, qui distribuerait des indications claires et précises «tournez à gauche, continuez sur cent mètres…», mais qu'était logé au fond de notre cœur une boussole, fiable. L'ascèse consistait justement à tendre l'oreille, à écouter cette voix surgie du plus intime de notre être, cet appel à l'altruisme, à la liberté et au don de soi.

CHRISTOPHE: Nous réfléchissions dans la partie précédente de notre discussion, consacrée à l'écologie du changement, au fait de savoir si l'on pouvait faire des progrès sans efforts. Dans certaines conditions, oui, quand nous avons la chance de nous trouver dans des environnements favorables : entourés de personnes bienveillantes, inspirantes, motivantes ; et dans des ambiances où dominent calme, altruisme, confiance et solidarité.

À l'inverse, je constate parfois que nous devons faire des efforts sans progrès ! Par exemple, si nous sommes porteurs de handicaps physiques, émotionnels, motivationnels, que ces derniers soient liés à notre tempérament ou à une maladie. Dans ce cas, nos efforts seront des efforts de maintenance, pour ne pas aller plus mal. Se laver les dents ne les rend pas plus blanches, mais les empêche de se carier. Les injections d'insuline ne guérissent pas le diabète, mais l'empêchent de faire des ravages dans notre corps. Il y a souvent dans nos vies une permanence de fragilité qui implique une permanence d'efforts, juste pour rester à l'équilibre.

Où est alors notre liberté, alors que nous avons tant d'efforts à faire pour simplement rester en vie ? Est-ce que ces efforts «obligatoires» ne sont pas des chaînes ? Il me semble que non, qu'ils sont comme tous les efforts, un cheminement préalable, qui nous aide à aller vers d'autres libertés. C'est comme un loyer à régler, qui nous permet ensuite de profiter paisiblement de notre habitation.

ALEXANDRE: J'aime l'idée du loyer à régler… À propos du brossage des dents, Cioran vient, comme à son habitude, non sans

humour, rappeler la tentation du désespoir, de l'«à quoi bon?»,
de la résignation : «Ce matin, après avoir entendu un astronome
parler de milliards de soleils, j'ai renoncé à faire ma toilette : à
quoi bon se laver encore?»

Se coltiner un handicap, faire face à la chronicité d'une maladie, d'un trouble psychique ou d'une blessure qui résiste à l'effort,
réclame assurément un art de vivre et des plus costauds. Ce qui
aide peut-être le progressant, c'est l'idée de la grande santé. Dans
Le Gai Savoir, Nietzsche évoque cette connaissance, cette capacité
qui embrasse les hauts et les bas de la vie. Parfois, lorsque je sors
de chez le médecin et qu'il n'y a absolument rien à faire pour que
j'aille mieux, je me dis que c'est là précisément que commence
le défi. La bonne santé laisse pas mal de monde sur la touche.
Face à l'impuissance, pour ne pas couler pour de bon, il est vital
d'installer sa vie dans une dynamique. Que puis-je mettre en
œuvre? Quel acte poser, ici et maintenant, pour que le mal ne
triomphe pas, pour que la vie continue à circuler de plus belle?
Tous les jours, la première pensée qui me vient à l'esprit, c'est un
accablant «j'en ai marre». J'en ai ma claque de cet état de fatigue
permanente, des difficultés qui ne vont pas nécessairement s'ar-
ranger, des moqueries que je vais me ramasser… Peut-être qu'une
brèche de liberté est possible même dans ce chaos? Déjà, ne pas
en rajouter une couche, ne pas avoir marre d'en avoir marre, pour
expérimenter un art de vivre qui permette, d'instant en instant,
de bien faire et de se tenir en joie.

BOÎTE À OUTILS
DE L'HORIZON DES EFFORTS

ALEXANDRE

- *Se lancer dans la pratique déborde du cadre étroit d'une ambition person-nelle.* En un certain sens, c'est toute l'humanité qui progresse en nous lorsque nous nous écartons de l'aigreur, de la fatigue, de l'égoïsme. Réaliser des efforts, ce n'est pas spéculer, espérer un retour sur inves-tissements, mais se donner tout entier à l'existence.

- *Mettre sur pause* : Qui a été habitué à lutter et à ferrailler contre l'adversité peine peut-être à savourer le ciel bleu, à se détendre à la plage les pieds en éventail. Que symbolise le repos à mes yeux ? Une sorte de mort, d'existence de zombie ? Qu'est-ce qui me régénère, me ressource, me recrée au fond du fond ?

- *Trouver le plaisir intrinsèque dans l'ascèse* : Les philosophes antiques comparaient le progressant à un athlète, à un sportif. On imagine la corvée que représente la course pour le marathonien qui n'aime pas galoper. Y a-t-il une joie simple à se laver les dents, à méditer, à se lever le matin voire à ferrailler contre une addiction ?

- *Le crispatiomètre* : Un ami me rappelle parfois que je pourrais traverser la vie sans ce sur-ajout d'angoisses, de ruminations, cette agitation perpétuelle qui ne change rien au cours des choses, aux circonstances dans lesquelles je suis appelé à progresser. Depuis, en cas de panique, dans les tourments et l'hyperactivité, je m'essaie à une pratique : recourir à la boussole intérieure, sorte de crispatiomètre interne qui m'indique quand le sur-effort guette pour que, jamais, je ne tombe dans le panneau. Salutaire outil pour ne pas s'épuiser en route et voyager un peu plus léger.

MATTHIEU

- *Faire des efforts réguliers et persévérants* : Goutte après goutte, on finit par remplir un grand vase.
- *Avoir un rapport bienveillant à soi* : Ne pas se révolter contre nos limitations, ne pas se reprocher de n'avoir pas fait plus que ce qui était possible, et garder courage lorsqu'une tentative n'aboutit pas.
- *Ne pas sous-estimer le potentiel de transformation de l'esprit*, rester ouvert à la multitude d'alternatives, changer de cap avec flexibilité lorsque cela devient nécessaire, trouver la sérénité au plus profond de soi lorsqu'on échoue. Personne ne peut nous priver de la liberté de la paix intérieure.
- *Cultiver l'amour altruiste*, qui remet en perspective les aléas de notre propre existence.

CHRISTOPHE

- *Les efforts ne sont pas honteux* : Si vous êtes, comme moi, du type laborieux plutôt que surdoué, n'ayez jamais honte d'avoir des efforts à faire par rapport à celles et à ceux qui semblent en faire moins pour les mêmes résultats. Le travail sert à cela : compenser des inégalités. Et une inégalité n'est pas une infériorité : la personne qui court plus vite que vous ne vous est pas supérieure, elle court plus vite, c'est tout. De même pour celle qui est (ou vous semble) plus cultivée que vous, etc.
- *Un règle importante* : En termes d'efforts, ne vous comparez pas aux autres, mais à vous-même ! Rien de plus savoureux et satisfaisant que de sentir qu'on progresse d'une année sur l'autre. Et que ces progrès sont dus à nos efforts !
- *Parfois, la facilité et l'absence d'efforts sont un piège* : Souvenez-vous du GPS ! Notre liberté se nourrit davantage des résultats de nos efforts que de nos facilités. Et puis les efforts psychologiques musclent notre cerveau, comme les efforts physiques font du bien à notre corps. Une des clés du vieillissement réussi, c'est de rester un éternel apprenti : dans la curiosité et les efforts pour progresser.
- *Des résultats oui, mais pas tout de suite* : Certains efforts sont décevants (pas d'effet immédiat, pas de récompense gratifiante). Car il y a

des efforts à effet retard, comme dans l'éducation, ou la régulation des émotions. Et des efforts pour rester à l'équilibre, comme le brossage des dents ou l'hygiène de vie dans les maladies chroniques. Cela rend encore plus nécessaire un dernier type d'efforts : ceux pour se rendre heureux ! Le bonheur est l'un des grands carburants pour accomplir tous les efforts d'une vie humaine.

« *Lorsque j'étais gamin, j'adorais les cours d'histoire : nos maîtres et nos maîtresses déroulaient de grandes affiches murales illustrant un épisode historique fameux ou mettant en scène un personnage célèbre. Je me souviens d'une image qui me fascinait : elle représentait Colbert, le ministre de Louis XIV, entrant dans son bureau tôt le matin, et se frottant les mains de plaisir à l'idée du travail qui l'attendait. Cette perspective d'efforts à accomplir qui pouvaient mettre en joie me surprenait et m'attirait à la fois. Sans doute avais-je l'intuition que c'était une des clés pour devenir un adulte content de son sort ?*

Plus tard, lorsque je suis devenu père, je me souviens avoir fait de mon mieux pour que mes trois filles aiment étudier. Je leur achetais par exemple tous les étés des cahiers de "Devoirs de vacances", et j'étais attentif à être joyeux et de bonne humeur quand je me tenais à leurs côtés pour les encourager ou les aider à les remplir ! **»**

Christophe

11

EFFORTS DIFFICILES, EFFORTS JOYEUX

Une certaine déconsidération de l'effort

CHRISTOPHE : On l'a dit, il est probable que la plupart d'entre nous associent spontanément l'idée d'effort à quelque chose de plutôt désagréable, voire de pénible. Comme s'il s'agissait de se faire violence à soi-même, comme si le bonheur ou le confort signifiaient une absence d'efforts. Certes, par définition, un effort n'est ni spontané ni facile. Nous visons un objectif, et il y a une certaine résistance, à l'intérieur ou à l'extérieur. Mais peut-on atteindre nos idéaux sans rien faire ?

Il me semble que nous vivons une époque où l'effort est déconsidéré. À l'école, par exemple, nombreux sont ceux qui considèrent qu'il ne faut pas contraindre les élèves : une bonne pédagogie ne devrait pas demander d'efforts aux enfants, être *toujours* ludique et légère. Comme si les efforts étaient entachés de deux péchés capitaux : ils font souffrir (et notre époque rêve d'éradiquer toutes les souffrances) et ils sont même soupçonnés d'être contre-productifs (la voie du plaisir serait plus rapide). Je me demande au contraire si le bon apprentissage n'est pas celui qui alterne les exercices demandant des efforts et les exercices plus ludiques (comme lorsque je regardais les grandes images avec Colbert, Clovis ou

Jeanne d'Arc)? Lorsque des parents d'élèves rouspètent parce que leurs rejetons «s'ennuient» en classe, quelle réalité cela recouvre-t-il? Est-ce que tous les enfants de la classe sont concernés? Ou est-ce que cet enfant-là, même intelligent, est incapable de faire l'effort d'écouter tranquillement, ou de penser à autre chose et de respecter le rythme de ses camarades, peut-être différent du sien, dans telle ou telle matière? Que signifie une éducation où l'on abandonne l'apprentissage d'efforts tels que le respect de l'autre, ou l'attention soutenue?

MATTHIEU : Déconsidérer l'effort est une attitude d'enfant gâté. Un jour le Dalaï-lama m'a dit : «Lorsqu'on atteint l'état de Bouddha, alors, repos total! Mais jusque-là, il faut faire constamment des efforts.» Il a ajouté sur un ton facétieux : «Certains pratiquants voudraient que la voie vers l'Éveil soit facile, rapide et si possible... bon marché.»

Milarépa, le grand ermite tibétain du XIIe siècle, avait pratiqué douze ans en retraite dans des grottes et autres lieux sauvages. Il a eu ensuite d'innombrables disciples. Lorsque son plus proche disciple, Gampopa, prit congé de lui, il lui a demandé un dernier enseignement. Milarépa s'est levé, s'est retourné, a soulevé sa longue tunique et lui a montré son postérieur, constellé de callosités qui s'étaient formées à force d'être resté assis dans des grottes. La leçon était simple : «Ne relâche jamais tes efforts.»

CHRISTOPHE : Message très clair! L'effort a une autre vertu, à mes yeux : il est prodémocratique, il est un compensateur d'inégalités. Pourquoi admire-t-on plus les gens doués que les gens laborieux? Plus l'inspiration que la transpiration? L'effort est ce qui permet aux moins doués par la nature ou le hasard de rattraper une partie de leur retard. Là encore, je me souviens de mes cours d'histoire et d'une grande affiche montrant Charlemagne (dont la légende républicaine dit qu'il a inventé l'école) visitant une classe médiévale et séparant les bons élèves, pour les féliciter, des mauvais : ces derniers étaient richement vêtus – manifestement enfants de nobliaux –, alors que les premiers, les méritants, étaient issus du peuple. Plus de légende que de réalité sans doute dans ce genre de mise en scène, mais au moins un idéal : compenser par nos efforts les inégalités liées à notre naissance...

MATTHIEU : En Finlande, il n'y a pas d'examens et on ne note pas les écoliers sur leurs performances. Cela dit, on encourage leur enthousiasme et leur diligence de manière créative. Aux États-Unis, en revanche, l'éducation est très compétitive, mais comme il ne faut surtout pas blesser l'estime de soi narcissique que l'on inculque aux enfants, certaines écoles donnent à ceux qui arrivent bons derniers lors d'une compétition, faute d'avoir fait le moindre effort, un prix pour « excellente participation ».

CHRISTOPHE : Du coup, j'ai développé une petite allergie à tous les messages consistant à encourager au moindre effort. D'une part, c'est dangereux : cela signifie que d'autres feront ces efforts à notre place et nous le ferons payer d'une manière ou d'une autre, par de l'argent ou de l'asservissement (comme sur Internet : ce qui est gratuit se paie souvent de manière indirecte, on se trouve surexposé à des publicités, on est fiché, etc.). Et d'autre part, il me semble que c'est antidémocratique : si les efforts ne garantissent pas toujours que l'on compense ses handicaps sociaux, culturels ou médicaux, l'absence d'efforts est en revanche une garantie qu'il n'y aura pas de compensation, et que chacun poursuivra son chemin, les fesses bien posées sur ses chances ou ses malchances.

Je ne parle pas ici des efforts de survie – je sais qu'il y a beaucoup de vies misérables, où chaque instant et chaque geste ne sont qu'un effort pour survivre à la faim ou à la misère –, mais des efforts de progression et d'amélioration de sa condition. Comment pourrait-on changer, progresser, apprendre sans efforts ?

« Milarépa disait :
"Au début
rien ne vient,
au milieu
rien ne reste,
à la fin
rien ne part." »

MATTHIEU : Cette tendance à la facilité transparaît dans certaines instructions de méditation contemporaines : «Descendez en vous-mêmes, gentiment, en douceur…» En gros : «Surtout, ne faites pas d'effort.» C'est aller un peu vite en besogne. Une skieuse olympique disait, après avoir gagné une course de descente avec une aisance déconcertante : «Je me sentais comme un fleuve.» Mais avant d'en arriver là, il y a du boulot !

ALEXANDRE : En savourant tes mots, Christophe, m'est revenue à l'esprit une parole d'un Père du désert : «Le travail est une bonne chose. Voilà pourquoi il doit en rester un peu pour le lendemain…» À chaque jour suffit sa peine, son effort, sa joie, son joyau peut-être… À une période de ma vie, en vrai progressant gyrovague, je sillonnais les monastères pour essayer d'y glaner quelque repos, une trêve dans l'angoisse, un baume pour le cœur. Un jour, alors que sonnait le début de la retraite, j'ai réclamé à un vieux moine une ascèse bien costaude, apte à me libérer définitivement des tourments de la chair, de la peur de claquer, rien de moins… Je le voulais mon traitement de choc. Le vieillard a gardé le silence puis avec des yeux rieurs m'a ouvert le cœur : «Mon ami, savez-vous déjà comment vous détendre et vous faire du bien ? Allez-y mollo, ménagez votre monture ! L'art de vivre, c'est déjà de se trouver bien en soi. Ne grillez pas les étapes !»

Entre une discipline féroce qui nous fait serrer les dents et le laxisme, il y a décidément un gouffre, une brèche où peut vaillamment s'introduire notre liberté. Comment bâtir une ascèse *sur-mesure* ? Comment, sans tomber dans la haine de soi, s'avancer vers le progrès ? Quand je contemple les êtres que j'admire, les sages, les héros du quotidien, je vois bien que leur joie, leur paix, leur immense sagesse ne sont pas tombées du ciel.

MATTHIEU : Mes maîtres spirituels, Kangyour Rinpotché et Dilgo Khyentsé Rinpotché, ont chacun fait trente ans de retraite contemplative. Et ce n'était pas faute d'être doués. Quand on demande au Dalaï-lama pourquoi les gens viennent en si grand nombre le rencontrer et l'écouter, il répond souvent qu'il n'en sait rien. Mais si l'on attend un peu, il ajoute parfois que c'est peut-être parce que, depuis plus de soixante ans, il médite chaque jour, trois ou quatre heures avant l'aube, sur l'amour altruiste et la compassion. Inutile de dire qu'en ce qui nous concerne, nous ferions mieux de ne pas nous reposer sur nos lauriers !

Difficiles débuts

MATTHIEU: Les efforts sont incontournables lorsqu'on débute. Ensuite, à mesure qu'on acquiert une certaine maîtrise, la pratique devient plus naturelle. Milarépa disait : « Au début rien ne vient, au milieu rien ne reste, à la fin rien ne part. » Quand on commence, on n'a l'impression de ne pas avancer. Il faut donc éviter de tomber dans le découragement. Au milieu, on fait des progrès, mais ils sont instables. Il faut donc persévérer. À la fin, au stade de la maîtrise, tout se fait sans effort. À ce point, la pratique imprègne spontanément toutes nos pensées, paroles et actions.

ALEXANDRE: Nietzsche parle du *grand style*, de l'aisance de l'artiste, du créateur. Le danseur qui bondit sur scène en exécutant de gracieux entrechats ne laisse rien paraître de son travail, de son ascèse, des découragements, des chutes qui ont accouché de cette légèreté. Apprendre un instrument, parfaire une technique, s'approcher de la maîtrise, c'est nécessairement se casser les dents sur des gammes, faire l'expérience de l'échec, de la lassitude. Comment trouver la joie au sein même de l'exercice, inscrire sa vie dans une dynamique ? Rien n'est plus désespérant que l'immobilisme…

Chaque matin, si l'on entrevoit la possibilité d'un progrès, toute la journée en est illuminée. Mais que faire quand partout se dressent des murs ? Pour apprendre à nager, on peut se farcir une bibliothèque d'ouvrages sur l'hydrodynamique et l'art de la flottaison, mais vient un moment où il faut plonger, apprivoiser la peur et voir que même sans rien faire, nous ne coulons pas.

Un jour, je suis passé à côté d'une piscine qui accusait 1,70 mètre de profondeur. J'étais heureux, je n'ai pas réfléchi plus avant, me disant bêtement que je mesurais 1,73 mètre. J'ai allègrement plongé pour m'apercevoir que l'eau m'arrivait jusqu'au front. C'est ma fille qui a dû me tirer d'affaire. Que n'avais-je cette intelligence du chat qui, tombé dans le courant, s'en sort! Je voulais maîtriser, me dépêtrer, alors qu'il aurait fallu peut-être me détendre, flotter naturellement…

MATTHIEU: L'eau est tout à la fois le danger et le support qui permet de nager et de se tirer d'affaire. Si elle ne nous permettait pas de flotter, on se noierait instantanément.

ALEXANDRE: Pour poursuivre la métaphore de la nage, imaginons un naufragé en pleine mer. S'il ne cesse de s'activer, il fonce droit à l'épuisement. Je ne suis pas sauveteur, mais dans une telle situation, je pressens qu'il me faudrait alterner les moments d'action et les trêves, le repos, les pauses. Faire la planche et se livrer au crawl, tour à tour, voilà le défi! De même, dans le quotidien, un juste dosage est requis. Ne pas verser dans l'idéologie du «je suis comme je suis et après moi le déluge», sans tomber dans la haine de soi.

Aristote parle de l'homme vertueux qui trouve son plaisir dans l'exercice même du courage, de la tempérance, de la justice, de la générosité… Pour parvenir à ce stade, il faut contracter de saines habitudes. Toujours, nous sommes renvoyés à la pratique. Peu importe la rapidité de notre progrès, l'essentiel est de ne jamais démissionner.

CHRISTOPHE: La philosophe Simone Weil, que j'adore par ailleurs et qui m'apprend énormément, est souvent très féroce avec certains efforts, notamment les efforts pour être vertueux qui ne procèdent pas, selon elle, de la vraie vertu. On ne devrait pas avoir à choisir entre bien ou mal, entre efforts pour s'approcher de l'un et efforts pour s'écarter de l'autre : on est véritablement vertueux le jour où l'on ne fait plus d'efforts pour l'être. Le philosophe Gustave Thibon résume très bien sa pensée : « Aller vers le bien comme l'abeille va vers la fleur », puis : « Il faut que le bien que j'accomplis au-dehors soit la traduction exacte de ma nécessité intérieure. »

MATTHIEU : La vraie vertu est pleinement accomplie lorsqu'elle fait partie intégrante de soi. C'est peut-être là le sens des paroles de Simone Weil. Lorsque l'on cultive la bienveillance, par exemple, au début elle ne vient pas aisément. Avec de la pratique, elle devient une deuxième nature et se manifeste spontanément. Avant d'en arriver là, il faut passer par de multiples étapes.

L'effort n'est pas une corvée ingrate, mais un ingrédient essentiel pour faire de nous une personne accomplie. Allez dire à un enfant appliqué à faire des gammes sur un piano : « Surtout, ne te fatigue pas trop, mon petit chou, il suffit de souhaiter devenir un grand virtuose. »

ALEXANDRE : À quoi carbure notre volonté ? Qu'est-ce qui l'alimente jour après jour ? Toute démarche fondée sur l'ego est vouée à l'échec. Aristote comme Simone Weil viennent heureusement dégommer cette vertu de façade qui ne plonge pas sa racine dans la profondeur de l'intime. Et bien souvent cède à la première tentation venue… Pour ma part, la pratique de la vertu et, très concrètement, se garder de répondre à la méchanceté, ne pas se laisser happer par la fascination, tout cela reste un job quasi à plein temps. Il me semble toutefois que dans les moments de joie, il est beaucoup plus facile de progresser, à l'écart des sirènes et des hameçons. Je tiens mon moteur…

La joie mène à la liberté

ALEXANDRE : Insister sur la nécessité, la valeur de l'effort, ce n'est assurément pas faire l'éloge du calamiteux « *No pain, no gain* », « sans souffrances, pas de progrès ». Ce refrain peut s'avérer totalement désastreux. Pourquoi diable faudrait-il nécessairement en baver pour s'épanouir, grandir, accéder à la grande santé, à la sagesse ? Décidément, Spinoza me libère et je ne me lasse pas de citer les paroles qui achèvent son *Éthique* : « Et puisque la puissance humaine de réprimer les affects réside dans le seul entendement, personne n'éprouve la joie de la Béatitude parce qu'il réprime ses affects, mais au contraire le pouvoir de réprimer les désirs provient de la Béatitude même. » Et le philosophe d'ajouter que cette voie est ardue autant que rare, d'où la nécessité de persévérer. D'où aussi la mise en garde de Sénèque : personne ne saurait guérir s'il change à tout bout de champ de traitement, de remèdes. Quels sont donc les piliers de notre ascèse et comment s'éclater dans l'exercice même ?

CHRISTOPHE : Oui, ces deux points sont très importants : d'abord les efforts n'ont de sens que s'ils sont réguliers, constants, s'inscrivant dans une logique, une vision globale, et c'est de nouveau la question des objectifs que nous nous fixons. Ensuite, il y a cette lutte à conduire contre l'erreur de considérer que l'effort ne peut pas être agréable ou plaisant. Nous faisons tous l'expérience d'efforts agréables, au moins par moments, dans le sport, l'étude, ou la pratique d'un instrument de musique. Quand on part en randonnée, on se lève tôt, on se donne du mal, mais si l'on a un but – arriver au sommet, voir de belles choses –, c'est extrêmement gratifiant…

MATTHIEU : Dans le bouddhisme, la perfection de la diligence est définie comme un effort joyeux vers la vertu. On parle également de la joie enthousiaste du bodhisattva qui œuvre par tous les moyens possibles à libérer les êtres de la souffrance. Pour cela, l'aspirant sur la voie s'entraîne tout d'abord à souhaiter qu'un proche, puis une personne neutre et enfin quelqu'un qu'il considère comme un ennemi soient libérés de la souffrance. La joie inhérente à ce souhait et à son accomplissement rejaillit aussi sur nous-mêmes, du fait qu'elle est en cohérence avec notre nature profonde.

Et puis il faut reconnaître que, souvent, c'est l'idée, la représentation mentale de l'effort à fournir qui nous est pénible, plus que l'effort lui-même. Une fois que l'on se lance dans l'action, avec son lot de satisfactions et de difficultés, on s'aperçoit qu'on fait un avec l'effort et que l'heure n'est plus aux cogitations. Pour reprendre l'exemple du sport, lorsque les sportifs s'entraînent, cela peut être très dur physiquement, mais ils éprouvent de la joie à progresser, à se surpasser, à tenir la distance et à accomplir une bonne performance. Nous éprouvons aussi une sorte de jubilation à accomplir une grande randonnée, en dépit de la fatigue.

CHRISTOPHE : D'ailleurs, ces efforts liés à une randonnée sont multiples et de natures différentes. L'effort de se lever très tôt, à 2 ou 3 heures du matin – horaire toujours nécessaire pour monter très haut et redescendre avant que les névés ne se ramollissent – est parfois douloureux ! Mais si nous trouvons le bon rythme, l'effort de la montée progressive dans la nuit est rapidement automatisé, régulier, peu coûteux, et il s'avère presque gratifiant parce que hypnotique. Et lié à ce que Paul Valéry décrit ainsi : « L'effort excitant à l'effort. Tel est le nom de ce qui a fait toutes les grandes choses. *Sudare jucunde.* » Ce *plaisir de transpirer* est une étonnante réalité des efforts physiques. Puis les premières récompenses apparaissent : le jour se lève et les paysages magnifiques se découvrent peu à peu, les efforts prennent sens. L'arrivée au sommet, c'est la gratification suprême : le sentiment de liberté et d'ivresse, encore plus savoureux parce qu'il survient après des efforts importants, parce que le plaisir s'inscrit dans un corps qui héberge encore toutes les douleurs librement décidées de la montée. Les touristes fortunés qui se font déposer sur les sommets en hélicoptère ne goûteront jamais la même intensité, la même qualité de bonheur que s'ils avaient effectué de longs et passionnants efforts. Enfin viennent les efforts de la descente et du retour, portés par la satisfaction de l'objectif atteint, mais nécessaires pourtant, car la vigilance envers les faux pas des corps épuisés est de mise.

MATTHIEU: Une juste mesure d'effort permet d'entrer dans l'expérience du flux que j'ai mentionné précédemment. Lorsque le flux nous porte, la notion même d'effort est oubliée. Si nous voulons changer nos habitudes, il est vain de leur rentrer dedans de plein fouet. Gérons pensée après pensée, émotion après émotion, avec intelligence et habileté : peu à peu, nos humeurs, puis nos traits de caractère, finiront par changer. Nous aurons érodé nos tendances. Nous n'aurons plus à maîtriser notre colère, car elle ne surviendra que rarement et faiblement. Cet accomplissement marque un degré supérieur de liberté intérieure.

CHRISTOPHE: Il y a des études très intéressantes sur l'état d'esprit dans lequel on accomplit les efforts. J'aime beaucoup ces mots de Bobin : « Tout ce qu'on fait en soupirant est taché de néant. » Ils ont été pour moi une révélation, et me sont devenus une sorte de mantra, que je me répète à chaque fois que la tentation de rouspéter me prend. Ne pas gâcher l'instant présent en soupirant et rouspétant, et se dire : « Quoi que tu vives, à cet instant, tu es vivant ! Tu préférerais ne pas exister ? »

Non seulement ce que dit Bobin est beau, mais c'est scientifiquement juste : le même effort, s'il est perçu comme une corvée et accompli en maugréant, sera plus douloureux, procurera moins de plaisir et sera moins fertile. C'est l'influence de ce qu'on appelle le *mindset*, l'état d'esprit, révélée notamment dans une étude sur environ 80 femmes de ménage de grands hôtels. Les chercheurs les séparent en deux groupes comparables et tirés au sort, et leur disent qu'on étudie l'impact de leur travail sur leur santé. Au groupe qu'on veut évaluer, on présente un autre message : « Nous pensons que votre métier est bénéfique pour la santé parce que c'est un métier qui permet de faire de l'exercice physique, à la dose correspondant à ce qui est recommandé par les études scientifiques » (ce qui en plus est assez vrai, à condition que les cadences imposées ne soient pas infernales…). À la fin des quatre semaines d'expérience, on s'aperçoit alors que celles qui ont reçu le message éducatif ont bénéficié d'une petite amélioration de leur état de santé : elles ont perdu du poids et leur tension artérielle s'est abaissée. Vivre leurs efforts comme plutôt bénéfiques pour leur santé leur avait fait du bien.

MATTHIEU : Une étude menée par Richard Davidson et Jon Kabat-Zinn a montré que des personnes vaccinées à l'issue d'un programme de huit semaines de réduction du stress par la pleine conscience (MBSR), produisaient 30 % d'anticorps de plus en réponse à l'injection d'un vaccin antigrippal qu'un groupe témoin qui n'avait pas participé au programme. L'apaisement de l'esprit entraîne donc une diminution du stress, qui, à son tour, se traduit par un système immunitaire plus robuste.

CHRISTOPHE : Oui, et pourtant, méditer demande des efforts ! Mais cela apporte aussi des bénéfices : certains sont perceptibles par les méditants, comme la diminution du niveau de stress et l'élévation des émotions agréables ; et d'autres sont invisibles, comme les conséquences biologiques de la pratique méditative, que tu viens d'évoquer. Pour mettre en valeur le côté ludique, intéressant, stimulant de ces efforts, je dis souvent à mes patients apprentis méditants : « Il y a une mauvaise nouvelle : méditer, c'est travailler ! Et une bonne : il s'agit d'un travail intéressant, car observer le fonctionnement de son esprit est vraiment passionnant ! »

MATTHIEU : Un jour, quelqu'un m'a dit : « J'ai peur de regarder dans mon esprit, parce que j'ai peur de ce que je vais y trouver. » J'ai relaté ces propos au Dalaï-lama, qui m'a répondu : « C'est pourtant bien plus intéressant que d'aller au cinéma ; il se passe tant de choses dans notre esprit ! »

Les efforts ne sont pas une orthopédie mentale

ALEXANDRE : Un autre danger guette celui qui fonce vers la sagesse et la liberté : transformer le chemin en maison de correction, en orthopédie mentale. Or c'est l'accueil inconditionnel de nos blessures qui nous conduit, comme par la main, au détachement. Pour monter un escalier, il est utile déjà de repérer les marches, de reprendre son souffle, de s'appuyer sur le réel. Chaque progressant avance avec ses ressources, ses fragilités, le bagage et le viatique nécessaires à la route.

Pour ma part, je pratique la KakaoTalk thérapie. KakaoTalk est une application similaire à WeChat et à WhatsApp, qui permet d'enregistrer des messages vocaux d'une durée de cinq minutes. L'ascèse, ici, c'est tout simplement, le soir venu, oser faire le point, s'ouvrir à l'ami dans le bien des instants où nous avons trébuché dans la journée, repérer ce qui nous a sortis d'affaire, avancer, progresser toujours. Sans tomber dans le marécage de la culpabilité et le narcissisme, nous sommes invités à confier à une oreille bienveillante le terreau du quotidien. Car nous pouvons être prompts à nous auto-illusionner, à sombrer dans le découragement, à nous enfoncer dans des culs-de-sac intérieurs. C'est aussi le moyen de regarder d'un peu plus loin, d'un peu plus haut le personnage qui s'agite, déraille et se plante. Je rêve d'une sagesse espiègle, de sages rieurs qui nous invitent à nous déprendre du petit moi dans l'allégresse.

La KakaoTalk thérapie convie aussi à déposer, à laisser, à se délester… Les enseignements sont formels : nous sommes la nature de bouddha. Il n'y a donc pas à rajouter une couche, mais à dégager, à vider, à virer… De même, on ne saurait fabriquer le silence. Il demeure là, toujours présent, y compris sous les vacarmes et les tumultes.

Ce qui me porterait au désespoir sans ces mille et un bras tendus, c'est la force d'inertie, les habitudes, les émotions tenaces qui, jour et nuit, se dressent sur la route. Si je ne regarde que mon passé, je suis cuit. Précisément, progresser, c'est oser un pas après l'autre, s'ouvrir à l'inédit, au nouveau. Et rien n'empêche de lever le regard sur les sages, sur les héros du quotidien qui témoignent de la possibilité de la paix, d'un mode de vie enjoué et serein.

MATTHIEU : Permettez-moi un commentaire sur ce qu'Alexandre disait au sujet de la nature de bouddha, toujours présente comme le silence auquel il n'y a rien à ajouter. Le bouddhisme explique en effet qu'on ne peut pas « fabriquer » la perfection de la nature de bouddha. On ne peut que la révéler, l'actualiser. Si l'on regarde au fond de notre conscience, on trouve cette présence éveillée, cette conscience pure, inaltérée par le contenu des pensées, que l'on pourrait appeler « bonté originelle », une autre manière d'exprimer la notion de nature de bouddha. La haine, la jalousie ou tout autre événement mental ne peuvent pas altérer la conscience pure. Cette « bonté originelle » transcende les distinctions entre « bon » et « mauvais », mais, sur le plan relatif, on peut malgré tout parler de bonté du fait que cet état fondamental de la conscience n'est pas affecté par l'ignorance ni dénaturé par des toxines mentales.

Si nous ne possédions pas cette nature de bouddha, nos efforts ne serviraient à rien. On peut extraire l'or de sa gangue, mais on perdrait son temps en lavant un morceau de charbon pendant des

« L'effort est
ce qui permet
aux moins doués
par la nature ou le
hasard de rattraper
une partie de leur
retard. »

années, en espérant qu'il finisse par briller comme de l'or. La voie du bouddhisme ne consiste donc pas à fabriquer la bouddhéité, mais à écarter tout ce qui masque cette perfection en nous. Dans ce sens, on ne redresse pas, on ne fabrique pas, on ne fait qu'éliminer les voiles. Mais cela ne se fait pas d'un coup de baguette magique !

ALEXANDRE : Je ne résiste pas à la tentation de citer un sage espiègle et irrévérencieux du XIIIe siècle : Mulla Nasrudin. On raconte qu'il croisa à la mosquée un docte iman qui lançait vers le ciel de vibrantes prières : « Donne-nous la foi, donne-nous la force et l'humilité… » Alors, notre bonhomme prit à son tour la parole pour demander au Très-Haut de lui accorder des montagnes d'argent, une belle maison, une femme charmante et des baklavas à la pistache. L'homme pieux traita Nasrudin de blasphémateur, mais ce dernier rétorqua qu'ils demandaient tous les deux la même chose : ce qu'ils n'avaient pas… Et nous, que réclamons-nous à la pratique ? Pourquoi nous éreintons-nous à faire des efforts ? Courons-nous vers un idéal pour nous arracher au mépris de soi, que cherchons-nous à compenser ? Inévitablement, on revient à la question de la motivation. Quel est le moteur qui nous pousse à nous lancer gaiement dans l'ascèse ? Pensons à ces aspirants zen qui passent des heures à ratisser un jardin pour qu'il soit parfait, ne cessant d'appliquer ce précepte : tout faire impeccablement et se tenir détaché du résultat. Une bourrasque, quelques feuilles qui tombent et tout est à recommencer.

Avec le handicap, l'effort est constant, écrasant parfois. Certains jours, se lever, ouvrir un tube retors de dentifrice, enjamber une baignoire tient du parcours d'obstacles. D'où la nécessité de ne pas s'imposer une exigence de trop, de ne pas sombrer dans un stakhanovisme de l'intériorité.

À mes yeux, l'effort, l'art de vivre, l'itinéraire intérieur consistent plutôt à se donner les moyens pour flotter dans la vie loin de l'amertume, à créer des conditions qui nous aident à maintenir le cap, à progresser sans couler. C'est une piste de décollage, un tremplin et non un boulet, un fardeau.

Le premier pas

ALEXANDRE : Pour se lancer à l'eau et passer à l'acte, par où commencer ? Le premier pas, si capital, consiste peut-être à oser un lucide et très factuel diagnostic. Épictète, qui se présentait comme un esclave en voie de libération, nous aide à regarder sans *broncher* les *ennemis intérieurs*, les champs de batailles, ou mieux, les points de vigilance, les grands chantiers de l'existence, sans oublier toutes ces régions acrasiques de notre être. Pour cette aventure, un viatique : une patience sans bornes, une persévérance enjouée et légère et une bienveillance sans limites.

Descendre au-delà de l'agitation quotidienne et prêter attention à la boussole intérieure nous prémunit contre bien des dangers. Déjà se savoir vulnérable, influençable, repérer les situations où je me casse la gueule, est d'un grand secours. Ignorer l'existence des relations toxiques, des comportements qui nous entraînent vers le bas, c'est se maintenir dans l'esclavage.

CHRISTOPHE : Effectivement, quand on parle de « premier pas », cela suppose qu'il va y en avoir ensuite beaucoup d'autres à accomplir. Nous ne parlons pas ici de petits changements ponctuels (encore qu'ils soient eux aussi nécessaires et parfois même suivis d'effets importants), mais de grands virements de bord existentiels : changer de travail, de lieu d'habitation, changer d'habitudes mentales ou comportementales... Autant essayer de partir tout de suite dans la bonne direction, et non de répondre à une impulsion.

MATTHIEU : Oui, le premier pas contient potentiellement les suivants. Si je commence à pratiquer la méditation, j'envisage la possibilité d'approfondir cette pratique pendant des années.

Si j'achète un piano, c'est dans l'intention de m'y adonner un certain nombre d'heures par jour, pas pour le mettre au garage. Si je me porte volontaire pour une cause humanitaire, j'entrevois d'y consacrer une partie de ma vie. Si je décide de faire le tour du monde, c'est le premier pas qui amorce ce grand voyage. Peu importe que la route soit longue si nous avons une détermination enthousiaste et le sentiment d'être dans la bonne direction.

CHRISTOPHE: Mais tout de même, bien souvent, nous effectuons des premiers pas qui ne nous mènent nulle part. Nous essayons, ça ne marche pas, nous abandonnons, nous recommençons ailleurs, autrement... J'ai l'impression que dans une vie, il faut être prêt à effectuer tout un tas de premiers pas perdus, et que c'est comme cela qu'on apprend à vivre : en faisant connaissance avec soi-même, en apprenant à accepter les échecs et le fait de se perdre en chemin. Bien sûr, cela ne nous dispense pas de réfléchir avant d'agir, mais quand notre réflexion ne nous apporte rien de clair, quand notre intuition est en berne, quand les conseils que nous recevons partent dans toutes les directions, que faire ? Il me semble qu'il vaut mieux alors s'engager dans l'action, même sans garantie, que de rester dans l'inaction.

MATTHIEU: Effectivement, l'optimiste est toujours prêt à faire toute une variété de premiers pas, confiant que l'un d'entre eux conduira à une destination gratifiante, même si la plupart ne mènent nulle part. Le pessimiste, au contraire, se dit : «À quoi bon mettre un pied devant l'autre ? Il y a de grands risques que j'échoue... »

CHRISTOPHE: C'est une déformation professionnelle chez moi : comme j'ai l'impression que chez la plupart de mes patients les inhibitions (trop réfléchir sans oser se lancer) provoquent plus de dégâts que les impulsions (se lancer sans réfléchir), j'ai tendance à préférer un échec qu'un évitement. Au moins, l'échec nous apprend-il quelque chose, sur nous, sur les autres, sur le monde. Comme dans la phrase prêtée à Nelson Mandela : « Je ne perds jamais. Soit je gagne, soit j'apprends. »

Les microchoix

ALEXANDRE : Je ne sais pas vous, les amis, mais souvent je souffre au quotidien du « syndrome cacahuètes ». Dès que j'en avale une, il me faut la suivante et le paquet entier n'y survit pas… Il aurait suffi de ne pas y toucher pour passer à côté de ce comportement addictif en fredonnant. Comment nourrir une douce vigilance pour éviter de sombrer lourdement dans les engrenages et repérer quand se pointent les dangers, les tentations ? Plus que les grandes résolutions, ce sont peut-être ces micropas, cette attention à ce qui déchaîne les vieilles habitudes qui nous libère. À mes yeux, l'effort, c'est remonter la pente, sortir des cercles vicieux, mettre un terme aux forces d'inertie, échapper à la résignation. Car c'est l'action qui aide au lâcher-prise, à l'abandon. Quand je loupe un train, au lieu de dilapider un quart d'heure à m'emporter contre la SNCF ou qui que ce soit, la vraie question, l'exercice spirituel, le geste qui aide à épouser la fluidité de la vie, c'est de trouver un moyen de prendre le train suivant, coupant court au baratin neuronal, à Mental FM qui ne résout jamais rien.

MATTHIEU : Oui, il est bon d'être le plus souvent possible conscient de ce qui se passe dans notre paysage mental et d'utiliser les bons antidotes au bon moment, ce qui nous évite les dérapages émotionnels. L'une des tâches de la vigilance consiste à prendre conscience des micropensées au moment même où elles montrent le bout de leur nez, si vous me pardonnez l'expression, c'est-à-dire lorsqu'elles sont encore aisément contrôlables si on les saisit à temps. Sinon, les réactions en chaîne s'enclenchent et on risque fort de dévaler la pente des passions, comme lorsqu'on fait un faux pas en montagne.

CHRISTOPHE : Oui, beaucoup de choses importantes dans nos vies se jouent dans ce genre d'instants anodins. Si j'ai passé toute ma vie à stresser de peur de manquer les trains ou à pester à chaque fois qu'ils sont en retard, à la sortie, cela fait un nombre considérable d'heures de mon existence occupées à m'inoculer du stress, et à l'inoculer à mes proches. Inutilement.

Là, effectivement, tant que je n'ai pas identifié le problème (ma tendance à l'inquiétude et à la plainte), tant que je ne me suis pas fixé un objectif (m'en libérer), je peux tourner en rond, jugeant le monde mal foutu, alors que c'est plutôt ma vision du monde qui est mal foutue : vivre, c'est s'adapter à l'adversité, quand on ne peut pas la changer. Et le faire aussi légèrement et joyeusement que possible. Micro-efforts, microchoix, mais macroconséquences existentielles !

MATTHIEU : La façon dont notre esprit traduit les circonstances extérieures en bien-être ou en mal-être influence considérablement notre qualité de vie. Or il est possible d'éduquer et de transformer cette « traduction ».

ALEXANDRE : J'évoquais tout à l'heure la difficulté de quitter son médecin sans la moindre réponse, sans le plus petit espoir de progrès. Comment garder le cap quand nous tournons en rond, quand nous piétinons pour nous heurter partout à des murs ? Où trouver la force de persévérer sans s'épuiser ? Toujours, il me semble qu'il est impératif d'inscrire sa vie dans une dynamique. Ce qui m'aide, c'est de transformer l'impuissance, la fatalité, ce qui nous résiste en un mot, en exercice spirituel. Très concrètement, en prenant congé du médecin, je me demande presque illico « Qu'est-ce qui peut s'ouvrir à moi, ici et maintenant ? » « Quel pas puis-je accomplir dans la grande santé ?» Bien des fois, j'ai l'impression que le corps médical nous laisse sur la touche et que la chronicité d'un mal fait peur, décourage, épuise... Comme tu disais, Christophe, dans tous les cas, nous devons faire quelque chose. C'est vital.

CHRISTOPHE: Oui, quand on est soignant, ce qu'on redoute le plus pour nos patients malades, c'est que le sentiment d'impuissance et le désespoir ne les gagnent. Notre boulot, c'est de toujours encourager l'espoir : car on ne sait jamais à l'avance ce qui peut arriver, jamais ! L'évolution d'une maladie peut être imprévisible ; même les maladies dégénératives, par exemple, suivent des rythmes très différents, cela peut être foudroyant ou très lent. La SLA (sclérose latérale amyotrophique) du célèbre astrophysicien Stephen Hawking aurait dû le condamner très jeune : en moyenne, elle ne laisse que quatre ans de survie. Il n'aurait donc pas du dépasser l'âge de 26 ans. Or il est mort à 76 ans, après une vie incroyablement pleine, et sans doute incroyablement difficile aussi, bien sûr.

C'est très important pour nous de rappeler cela à nos patients, et de les accompagner au quotidien en leur donnant des choses concrètes à faire, quotidiennement, pour entraver leur maladie : des gestes, des activités, une façon de s'alimenter, de respirer, de méditer, de se tourner vers la vie et le bonheur, et pas seulement vers la maladie et la peur... Toujours aller vers plus de soulagement, plus de maîtrise, plus d'action, à chaque fois que la souffrance ou le découragement leur dégringole sur la tête. Ils sont sans cesse confrontés à ces microchoix : renoncer ou continuer la bagarre...

ALEXANDRE: Ne cherchons rien d'exceptionnel dans les micropas, dans l'ascèse quotidienne ! Toujours, il s'agit de se décentrer, de revenir à l'essentiel et d'ouvrir, de faire éclater les barrières de l'individualité. Quoi de mieux, dès lors, que de passer un coup de fil à un être dans la détresse, non pour s'assurer qu'il y a pire que nous, mais pour laisser circuler la vie, pratiquer la générosité, se donner tout simplement ? Dans l'épreuve, il y a comme un réflexe qui nous replie, qui nous enferme, qui nous recroqueville sur nous-mêmes. L'exercice spirituel, la libération s'emploient à nous élargir.

CHRISTOPHE : Lorsque nous souffrons, nous avons besoin de nous relier aux autres. Soit pour obtenir du réconfort. Soit pour nous oublier nous-mêmes et oublier notre trop-plein de souffrance. C'est un effort difficile, parce que la souffrance est une force centripète, qui nous ramène sans cesse à nous-mêmes. Et pas pour le meilleur ! Il ne s'agit pas de fuir la souffrance, mais d'élargir la conscience pour qu'elle n'y prenne pas toute la place : quand on ne peut pas réduire la douleur, il faut élargir l'espace autour d'elle.

Quand, dans ma vie, je suis sorti de chez des confrères médecins avec de mauvaises nouvelles sur ma santé, je me souviens qu'à chaque fois je me suis assis sur un banc de la cour de l'hôpital. J'ai pris le temps de respirer, d'écouter les oiseaux, les bruits de la ville et de la vie autour de moi, je me suis efforcé de sourire, de me dire : « Tu as déjà vécu jusqu'ici plein de belles choses, et peut-être, tout de même, t'en reste-t-il quelques-unes à vivre encore ; essaie de sourire, de ton mieux, par gratitude, par espoir, et parce que c'est bon pour ta santé ! » Avec le recul, je m'aperçois que c'est ce que je pouvais faire de mieux dans ces instants, et que j'ai bien fait de conduire ces petits efforts immédiatement, au lieu de commencer par m'inquiéter ou me plaindre.

ALEXANDRE : Je rêverais d'avoir cette sérénité… Chapeau bas, mon ami ! L'immense gratitude qui habite le fond de ton cœur témoigne d'une bonté exceptionnelle. Je crois que la confiance, la paix, la joie ne sont pas le fruit d'une orthopédie psychique qui peut dangereusement virer à la maltraitance, mais précisément d'exercices réitérés chaque jour. Un pas après l'autre, chacun avec les moyens du bord peut descendre vers le dire oui, la plénitude et le don de soi.

MATTHIEU: Donner une boîte à outils à un artisan ou une terre cultivable à un paysan, c'est les inciter à faire des efforts, tout en leur procurant les moyens de réussir. On ne se contente pas de leur dire : «Débrouillez-vous, grattez le sol avec vos ongles.» L'entraînement de l'esprit utilise des outils intérieurs avec lesquels nous pouvons cultiver des qualités latentes.

BOÎTE À OUTILS
POUR METTRE DE LA JOIE
DANS L'EFFORT

MATTHIEU

- *Pour pouvoir être soutenu dans la durée, l'effort doit être allié à l'enthousiasme* et receler une part de joie qui naît du sens donné à l'effort : il n'est ni une punition ni un devoir, il n'est pas vain. Il représente la façon la plus constructive d'accomplir ce qui nous tient vraiment à cœur.
- *Le « sur-effort » est inutile* : Une fois l'océan traversé, à quoi bon charger le bateau sur son dos ?
- *Restons sereins face au résultat de nos efforts* : Réjouissons-nous de ce qui a été accompli, dédions-le au bien des êtres, lâchons prise sur ce qui s'est avéré au-delà de nos capacités ou irréalisable en raison de circonstances adverses.

ALEXANDRE

- *Le bienheureux Bouddha Shakyamouni, en génial médecin, parle d'« effort juste »* : Avant de me mettre en route, pour me garder de tout épuisement, il est peut-être bon de m'interroger sur ce qui m'incline à la pratique, d'où me vient la force d'avancer et comment j'alimente mon effort pour qu'il ne tourne pas à vide ?
- *Se rassasier dans l'ascèse* : Ce qui nous précipite dans le gouffre des passions trompeuses, c'est sans doute l'incapacité de se faire du bien, de réellement se réjouir. Vimalakîrti, dans le *Soûtra de la Liberté inconcevable,* loue le plaisir du pratiquant. Oui, il y a un bonheur à s'adonner à la vertu, à se détacher des objets attirants, à oublier les rancœurs, à abolir les émotions négatives. Fonçons vers ces voluptés... sans modération !

- *Hâte-toi gentiment de te reposer* : Accomplir des efforts, tenir sur la durée, gambader dans le marathon de l'existence, réclame l'audace inouïe de s'arrêter, de s'octroyer des pauses, d'oser la non-lutte sauf à finir sur les jantes. Pour inaugurer une ascèse, une interrogation ô combien libératrice : qu'est-ce qui nous détend véritablement ? Comment relâcher nos tensions ?
- *S'engager aux côtés des amis dans le bien* : Sur la route, il est des combats qui nous terrassent, nous épuisent pour nous laisser exsangues. Seuls, nous sommes comme happés par le découragement, incapables de nous dépêtrer. Partager avec l'autre ses engagements, lui confier ses rechutes, s'ouvrir en toute transparence et remplir ensemble la caisse à outils est un puissant antidote au désespoir et à la sévérité avec laquelle nous nous jugeons parfois.

CHRISTOPHE

- *La société encourage volontiers au moindre effort,* au moins en matière de vie personnelle, d'actes quotidiens, de style de vie. Méfiance, car «notre époque» est, entre autres, celle de la société de surconsommation. L'absence d'efforts a pour principale conséquence de nous faire passer du statut d'acteur à celui de consommateur.
- *La notion d'effort joyeux n'est pas une blague !* Au moins par moments, c'est une réalité. À plusieurs conditions : accepter le principe même que vivre, c'est faire des efforts (pas tout le temps, mais souvent !) ; choisir des objectifs qui aient du sens pour nous ; bien doser ses efforts, car souvent ce qui est déplaisant dans l'effort, c'est qu'il soit mal dosé, trop facile ou trop difficile…
- *Nous accomplissons parfois des efforts qui n'aboutissent pas, des efforts perdus.* Comme lorsque nous cherchons notre chemin en randonnée alors qu'il n'y a pas de sentier. Ce n'est pas forcément un drame ou une erreur, mais certains moments de notre vie sont ainsi. Parfois, nous avons la chance de faire une trouvaille en chemin (sur nous, sur les autres, sur le monde ou la vie) que nous n'aurions jamais imaginée en suivant l'autoroute des efforts faciles et balisés.
- À certains moments, l'effort le plus adapté consiste à ne plus faire d'efforts, ou à lâcher prise !

« *En plein été, joyeusement réunis autour d'une table avec des amis et ma famille, nous célébrions la vie, refaisant le monde, savourant les minutes heureuses dont parle Baudelaire. J'adore ces longues soirées qu'on voudrait sans fin. Soudain, une angoisse carabinée m'a saisi. J'avais peur de perdre des proches, obsédé par la mort, la maladie. En mon âme défilaient de sombres images, presque macabres, des visages de défunts, des mines éplorées. Le cœur me serrait sans que je n'entrevoie une raison à ce mal-être. Lors d'une pause au petit coin, je me suis aperçu que mes hôtes utilisaient le même parfum pour leur maison que mon ami Joachim, croque-mort à la morgue. Cette inoffensive odeur de rose avait réveillé dans mon âme le souvenir des corps que j'avais vus, des familles endeuillées que j'avais croisées. L'expérience de mon passage aux pompes funèbres s'invitait parmi nous comme une ombre.*

Ce fut très libérateur. J'y trouve aujourd'hui un exercice, une pratique : repérer ce qui télécommande mes états d'âme, constater les mille influences qui pèsent sur notre humeur, partir à la découverte des traumatismes, des souvenirs, des déterminations extérieures, de tout ce qui ne dépend pas de moi...

Le fameux "je" ressemble à un iceberg. Nous n'en connaissons décidément que la pointe consciente. Entraîner son esprit, c'est cesser de fonctionner en pilotage automatique, sortir un peu de sa bulle pour vivre dans le monde, rencontrer des êtres en chair et en os, aimer le réel tel qu'il se propose. »

Alexandre

12
L'ENTRAÎNEMENT
DE L'ESPRIT

CHRISTOPHE : En parlant de ce parfum de rose, tu as fait un travail d'enquête psychologique qui me fait penser au célèbre épisode de la madeleine dans *À la recherche du temps perdu* de Proust : le narrateur sent que quelque chose se passe dans un repli de sa mémoire au moment où il déguste un gâteau, et prend le temps d'accomplir tout un long et passionnant exercice d'introspection pour remonter jusqu'à un délicieux souvenir d'enfance. Dans ton cas, cet effort d'élucidation de la montée d'angoisse t'a permis d'alléger son emprise sur toi : c'est l'intérêt même de l'entraînement mental que de pouvoir nous aider rapidement et efficacement, face aux événements de vie, à accroître notre liberté intérieure (liberté de cheminer dans sa mémoire pour Proust, liberté de dissoudre ton anxiété pour toi).

Qu'est-ce que l'entraînement de l'esprit ?

CHRISTOPHE : Qu'est-ce qu'« améliorer » son esprit ? Qui n'a rêvé de disposer d'une meilleure mémoire, d'une attention plus stable et résistante aux distractions, d'être capable de comprendre ses émotions et de les utiliser au mieux, d'avoir plus de volonté et de discernement, d'être plus généreux et plus altruiste ? Mais comment fait-on pour développer ces qualités ? Est-ce cela qu'on appelle l'« entraînement de l'esprit ? »

C'est dans ta bouche, Matthieu, que j'ai entendu pour la première fois cette formule, il y a bien longtemps. Tu parlais du body-building, de tous ces gens qui consacrent des heures à sculpter leur corps, et tu te demandais pourquoi ils ne faisaient pas également de *mind-building*, pourquoi ils ne dédiaient pas la même énergie à améliorer le fonctionnement de leur esprit ? Cette image m'avait d'abord amusé, puis fait réfléchir.

MATTHIEU : Ce n'est bien sûr qu'une image imparfaite, car l'idée de « muscler » son cerveau est quelque peu simpliste et réductionniste. Mais cette image montre que, comme nos muscles, nos qualités et nos défauts ne sont pas figés. L'entraînement de l'esprit permet de cultiver nombre de qualités qui font de nous un meilleur être humain. Il serait étrange et contradictoire de se moquer de cette démarche tout en reconnaissant la nécessité d'apprendre à lire et à écrire, à jouer d'un instrument de musique et à acquérir des connaissances. Par quel mystère en irait-il autrement des qualités humaines ? Elles s'avèrent aussi malléables que toute autre capacité susceptible d'être améliorée par la pratique.

CHRISTOPHE : Pendant des années, j'avais beau être psychiatre, médecin du cerveau, les objectifs sur lesquels je faisais travailler mes patients étaient de l'ordre d'un allègement de leurs souffrances, mais pas tellement d'un développement de leurs capacités mentales. Mais finalement, on a aujourd'hui compris que la psychothérapie avait intérêt à être envisagée aussi comme la discipline de l'entraînement de l'esprit : entraînement à moins souffrir, à moins faire souffrir, mais aussi à mieux cultiver toutes ses qualités ; ce second objectif pouvant nettement améliorer le premier, car une bonne partie de nos souffrances se nichent dans nos incapacités ou méconnaissances en matière de fonctionnement de l'esprit. L'angoisse ou la dépression, la colère ou le découragement ont d'autant plus de prise sur nous que nous ignorons les lois, souvent simples pourtant, du fonctionnement de notre esprit et de nos émotions.

La règle la plus importante du changement psychologique nous est donnée par Aristote: «L'excellence est un art que l'on n'atteint que par l'exercice constant. Nous sommes ce que nous faisons chaque jour. L'excellence n'est donc pas une action, mais une habitude.» Nous, psychothérapeutes, ne visons pas l'excellence, mais le changement; remplaçons donc les mots dans la phrase d'Aristote, et nous avons le message: tout changement psychologique ne relève pas d'une simple décision ni d'un déclic, mais d'une pratique régulière.

ALEXANDRE: À mes yeux, la pratique spirituelle, la méditation, l'entraînement de l'esprit procèdent d'un déménagement intérieur: il s'agit de descendre d'un ou même carrément de plusieurs étages pour atteindre le cœur de notre être, loin de l'agitation, ses angoisses habituelles. Entraîner son esprit, c'est en somme le déprogrammer, le déconditionner, s'employer avec bienveillance à repérer la logique de dingue du mental – c'est souvent un grand parano et un sacré tyran – pour nous élargir et sortir progressivement de nos préjugés. À la surface, où sévit le fameux ego, règne l'appât du gain, la crainte, les projections et une insatisfaction des plus tenaces. Au plus profond de notre être nous attend la nature de bouddha, le calme, la paix, une liberté inconcevable.

Pour inaugurer l'ascèse, osons voir le diagnostic en face, reconnaissons que bien souvent, ce sont nos peurs, nos complexes, nos délires qui tiennent les ficelles. Un pas de plus et nous voilà carrément comme des marionnettes, des pantins, des girouettes voire d'étranges robots. Heureusement, la pratique est là pour nous apprendre à danser dans le chaos sans en rajouter des couches. Loin de la corvée, elle s'apparente presque à un jeu: traquer le baratin intérieur de radio Mental, regarder l'inconsistance des désirs les plus tenaces, dissoudre les illusions qui nous coupent du monde et de la liberté.

CHRISTOPHE : Les transformations de l'esprit obéissent pour beaucoup aux mêmes règles que celles du corps. On ne peut pas se réveiller le matin en décrétant : « À partir d'aujourd'hui, je vais avoir plus de souffle, être plus souple et plus musclé ! » Mais on peut se dire : « À partir d'aujourd'hui, je vais courir régulièrement pour avoir plus de souffle, faire du yoga pour être plus souple, et un peu de gymnastique pour être aussi plus musclé ! » De même, l'énoncé « à partir d'aujourd'hui, je vais moins stresser, être plus heureux et plus généreux » ne fonctionne pas, ou pas très longtemps. Ce qui est efficace, c'est de s'y entraîner quotidiennement. C'est cela, le principe de l'entraînement de l'esprit : pour résister au temps qui passe, aux oscillations de motivation, et aux déstabilisations de l'adversité (pas facile de ne pas stresser face aux stresseurs ! pas facile de rester généreux quand on traverse des moments de manque personnel !), tout changement doit devenir une habitude, enracinée et donc résistante à l'effacement.

Ainsi, la plupart de nos comportements et de nos émotions relèvent certes des objectifs qu'on s'est fixés, des valeurs qui nous inspirent ou de notre volonté, mais aussi d'un travail obscur et humble, d'une pratique régulière, qui ne porte pas ses fruits immédiatement, mais qui, comme tous les apprentissages, a un impact significatif sur le long terme.

Il y a deux grandes erreurs concernant ces efforts. D'une part, beaucoup de gens pensent qu'on ne peut guère changer psychologiquement, que le naturel revient toujours au galop. Ils se trompent sur le côté inéluctable du tempérament, « je suis comme ça », « voilà, c'est ma nature… » Et d'autre part, à l'opposé, ils surévaluent leur volonté : « Si on veut, on peut. » Ils veulent progresser, le décident, mais échouent parce qu'ils pensent que la décision et le déclic suffisent. Mais la vie est déjà assez compliquée comme ça : on ne peut pas décréter la mobilisation générale de notre volonté à chaque moment de la journée, face à un souci, à une montée d'émotion, à une situation compliquée. Nous avons besoin d'automatismes facilitateurs, de «bons réflexes», quitte à décider de ne pas les suivre si nécessaire. Tel est, me semble-t-il, l'enjeu de l'entraînement de l'esprit.

MATTHIEU: N'est-il pas possible de faire l'expérience du monde d'une manière plus juste et heureuse, comparée à notre lot quotidien ? Rien ne vaut-il la peine d'être amélioré dans notre existence ? Est-il vrai que nos travers et nos émotions conflictuelles soient indispensables à la richesse de la vie et fassent de nous la personne unique en son genre à laquelle nous sommes tant attachés ? Ne sommes-nous pas victimes du «syndrome de Stockholm» en nous prenant d'affection pour les états mentaux qui nous tiennent en otage et nous privent de notre liberté intérieure ? Être affranchi de nos automatismes et de nos conditionnements habituels n'enlève rien à la richesse de l'existence, bien au contraire. Cette liberté élargit notre horizon, révèle des potentialités négligées. Elle nous ouvre à autrui puisque nous sommes moins accaparés par notre vulnérabilité et par le sentiment exacerbé de l'importance de soi.

Les sciences contemplatives comme les neurosciences nous apprennent que nous pouvons nous transformer et que notre cerveau change à mesure que nous cultivons de nouvelles aptitudes. On peut apprendre à jongler, mais aussi à devenir plus bienveillant et plus libre intérieurement. La graine n'est pas la pousse, laquelle n'est pas encore la fleur ni le fruit. Or nous avons tant à apprendre concernant nos émotions qui, pour un rien, forment l'étincelle qui met le feu à un tas d'herbes sèches, puis à la forêt tout entière.

Par ailleurs, pour la plupart d'entre nous, nous sommes peu familiers avec l'aspect fondamental de la conscience que l'on peut appréhender derrière le rideau des pensées. Lorsque l'on parle à quelqu'un de la «nature de l'esprit», bien souvent, cette notion n'évoque pas grand-chose. Il importe donc de se familiariser avec la présence éveillée, la conscience pure dénuée de constructions mentales qui est au cœur de notre expérience. Or c'est bien au sein de cette présence éveillée que l'on devient capable de gérer les émotions au moment même où elles surviennent.

Quel rapport à la liberté ? Si nous voulons nous affranchir des diverses causes de la souffrance, il importe de faire preuve de discernement envers les aspects les plus subtils de la loi de cause à effet, de ce qu'il convient d'accomplir ou d'éviter. À cette fin, il est bon de maîtriser notre esprit comme le marin maîtrise son navire ou le cavalier sa monture.

On pourrait arguer que la vie nous apprend suffisamment de choses et qu'il n'est pas nécessaire de s'infliger le labeur d'un entraînement de l'esprit. À l'occasion d'un voyage en Corée, j'ai discuté avec l'abbé et les moines d'un monastère zen. Cet abbé me disait: «Vous parlez de cultiver l'amour altruiste et la compassion. Mais les gens ont déjà tant à faire! Vous allez rajouter à leur stress. Ce qu'il faut, c'est vider l'esprit de tout concept.» Je me suis permis de suggérer qu'il était fort possible que la bienveillance réduise le stress au lieu de l'augmenter.

ALEXANDRE: L'urgence, l'immense défi, c'est purger l'esprit de cette volonté de pouvoir que l'on peut, à son insu, exercer sur les autres. À ce propos, Anthony de Mello, dans *Quand la conscience s'éveille,* tire à boulets rouges sur les caricatures de la charité. Il dénonce toutes ces BA, ces bonnes actions accomplies pour son confort personnel, pour éviter les morsures d'une mauvaise conscience. Rien à voir avec l'authentique compassion qui est dépourvue de tout narcissisme, de toute volonté de retour sur investissements.

Le zen nous invite à passer par la Grande Mort, à se déprendre de tout, à oser l'abandon complet pour renaître et redevenir un enfant. Certes, ce baptême du feu est quelque peu décoiffant. Pourtant, ce délicat passage qui peut déboucher, si l'on se fourvoie, sur le fanatisme voire sur une indifférence d'airain, ouvre à la liberté, à un cœur innocent et limpide qui va vers l'autre sans calcul.

MATTHIEU : D'après le bouddhisme, pour qu'une vertu – comme la générosité, la patience ou la persévérance – contribue à nos progrès vers la liberté intérieure, vers l'Éveil, il importe qu'elle soit dénuée d'attachement aux notions de « sujet » (« moi », le « généreux »), d'« objet » (l'« autre » qui reçoit mon don et devrait en être reconnaissant) et d'« action » (être hyper-conscient que l'on est en train de « donner »). Le don doit être mû par un pur sentiment d'amour désintéressé, accompli avec la fluidité d'un esprit libre de toute forme de saisie. De même, la patience ne doit pas procéder d'une vertu crispée qui se martyrise en étant patiente, mais d'une invulnérabilité souriante et légère surgie d'une vraie liberté intérieure.

CHRISTOPHE : Tout comme l'entraînement du corps nous permet de courir plus longtemps sans avoir à forcer ni à nous « arracher les tripes », comme on dit en langage sportif, celui de l'esprit nous permet de fonctionner au quotidien plus sereinement et donc, plus librement, sans être absorbé par l'effort ou concentré sur la difficulté : c'est un paradoxe, mais notre liberté intérieure a besoin d'automatismes, de bons réflexes pour s'exercer pleinement.

Si l'entraînement de l'esprit ne relève pas simplement d'une volonté de changer, il ne procède pas davantage d'une démarche intellectuelle : réfléchir sur ses limites et ses objectifs ne suffit pas. C'est pourquoi il est très lié pour moi à la découverte de la méditation de pleine conscience. Car plus je médite, plus je vois clairement la différence entre d'une part *réfléchir* à quelque chose

– à des intentions, des résolutions –, et d'autre part s'y *exposer* dans un espace de conscience ouvert et fluide, qu'on arrive à créer quand on s'est mis sur le registre de la pleine conscience. De par le fonctionnement très spécifique du cerveau obtenu par la méditation de pleine conscience, on devient plus réceptif, plus malléable, plus ouvert, et je pense que c'est un processus de changement personnel qui complète celui que l'on obtient par le travail de la volonté, de la réflexion : il y a alors quelque chose qui est plutôt de l'ordre de la réceptivité, du lâcher-prise, de la profondeur des niveaux atteints. Ça ne reste pas au niveau du cortex, de l'intelligence, du rationnel : quand on médite, on essaie aussi de faire entrer ces choses-là au plus intime de nous, dans notre corps, dans les zones cérébrales profondes du cerveau émotionnel. Et cette imprégnation facilite ensuite la mise en pratique répétée des comportements adaptés.

MATTHIEU : Aristote disait que cet équilibre est respecté lorsqu'on exprime la bonne émotion – adaptée à une situation particulière – avec la juste intensité, ni trop ni pas assez. On peut apprivoiser nos émotions avec patience et douceur, comme on le ferait avec un animal sauvage.

L'émergence de la cohérence intérieure

CHRISTOPHE : Il est important de comprendre aussi que tant la sagesse que la liberté intérieure, qui vont de pair, sont des compétences ou capacités «émergentes» : c'est-à-dire des phénomènes qu'on ne peut décider de déclencher à volonté, mais dont on peut faciliter l'apparition (l'émergence depuis notre esprit) en réunissant certaines conditions. C'est comme pour le sommeil : on ne peut pas décider de s'endormir, mais on peut réunir les conditions pour permettre au sommeil de venir (une journée bien remplie, une soirée paisible, pas d'écrans une ou deux heures avant le coucher, songer à quelques images agréables ou instants de petits bonheurs avant de s'endormir, dans une pièce sombre et pas trop chauffée, etc.).

MATTHIEU : Les qualités nouvelles d'un phénomène émergent sont davantage que la somme des composantes qui l'ont fait émerger : le tout est plus que la somme des parties. Si l'on considère, par exemple, la fluidité de l'eau et ses autres qualités, on ne peut pas les déduire rien qu'en examinant les qualités des molécules d'eau, H_2O, considérées individuellement. De même, la conscience est bien davantage que la simple addition des propriétés des neurones du cerveau, des cellules du corps et des éléments de notre environnement, quand bien même ceux-ci servent de support à l'expression de la conscience. Dans le cas des qualités humaines, elles émergent d'un ensemble de composantes qui peuvent toutes être cultivées individuellement. Le sentiment de plénitude qui constitue un bonheur authentique, par exemple, est davantage que la simple addition de l'équilibre émotionnel, de la résilience, de la bienveillance, de la sérénité, etc.

CHRISTOPHE : Oui, mais il faut cultiver régulièrement ces composantes pour que le phénomène « émerge », c'est-à-dire sorte de nous-mêmes. On ne parle pas ici de qualités « tombées du ciel » ! Les composantes qui facilitent l'apparition de la liberté intérieure sont multiples : apaisement et équilibre émotionnel, recul sur soi, juste compréhension de la dynamique de nos émotions, associée à une juste pratique de leur régulation, habitude prise d'attentivement observer ses pensées, surtout lorsqu'elles se présentent sous forme de certitudes ou de convictions. « Dès qu'on a pensé quelque chose, chercher en quel sens le contraire est vrai », dit Simone Weil. C'est un bon exemple d'entraînement de l'esprit dans le domaine du recul sur soi et de la quête de la nuance, sinon de la vérité même.

On ne peut pas cultiver le bon fonctionnement de notre esprit comme une sorte d'entité globale, mais on va travailler chacune de ses composantes. On se fixe des objectifs spécifiques, mais qui dessinent le paysage mental et émotionnel dans lequel nous rêvons d'habiter.

MATTHIEU : La superposition de toutes les couleurs de l'arc-en-ciel engendre une lumière blanche. De même, si l'on crée une cohérence entre la compassion, la maîtrise de l'esprit, la liberté intérieure, le discernement et la joie de vivre, les couleurs variées de ces qualités forment la lumière blanche de la sagesse. La sagesse n'est pas la simple addition de ces qualités, mais ce qui en émerge.

ALEXANDRE : Pourquoi est-ce si crucial de s'attaquer à l'entraînement de l'esprit ? D'abord, c'est lui le grand interprète qui traduit, organise, met en scène les expériences et les circonstances de notre quotidien. S'il se plante, s'il se goure, s'il comprend tout de travers, nous voilà vraiment dans de beaux draps ! Épictète disait déjà : « Ce qui trouble les hommes, ce ne sont pas les choses, mais les opinions qu'ils en ont. » Et Sénèque est formel : si nous ne parvenons pas à devenir l'ami de nous-mêmes, si nous avons *l'oisiveté malheureuse*, il est impossible de rencontrer quelque félicité. Bien souvent, nous ne sommes que nos propres bourreaux, inventant à longueur de journée des soucis, mille et un tracas. C'est comme s'il y avait deux couches à la souffrance : primo, le tragique de l'existence, les tremblements de terre, les catastrophes naturelles, les maladies, la mort... Deuxio, la tonne de psychodrames, de mal-être fabriqués par le mental, la comparaison, l'illusion.

La bonne nouvelle, c'est précisément que sur ces tourments autogénérés, nous ne sommes pas sans pouvoir. D'où la nécessité de transformer son esprit et ne pas reléguer à une activité annexe ce qui peut nous aider à moins nous pourrir la vie. Il est urgent de s'y adonner corps et âme sans se perdre dans les affaires courantes. Peut-être qu'avec l'amour, c'est le défi le plus important au monde ? Comment accéder à la paix, à la joie, à un équilibre si la machine qui décrypte le monde déraille complètement ? S'ajuster, traquer les illusions et les préjugés, affiner son regard sur le monde n'a rien de triste, au contraire. Comme Spinoza le révèle, se dégager de l'erreur et des passions tristes nous ouvre à une immense joie. Pourquoi s'en priver ?

L'entraînement permanent de l'esprit, malgré nous... et parfois contre nous

ALEXANDRE : L'existence est tragique et comique en un sens… C'est dingue qu'aujourd'hui, glanant des outils avec vous, j'ai le culot de donner des conseils pour oser se lancer à fond dans l'aventure de l'entraînement de l'esprit ! À une époque pas si lointaine de ma vie, je me suis retrouvé totalement en roue libre. J'avais perdu le contrôle. D'où la nécessité de demeurer vigilant, aux aguets, sans faire monter le crispatiomètre. Pratiquer l'ascèse, c'est faire péter les forces d'inertie, les résistances et peut-être désobéir à une partie de soi. Cioran n'est sans doute pas un cas si isolé. Il avoue : « Personne autant que moi n'a cultivé ses défauts avec tant de minutie et d'acharnement. »

CHRISTOPHE : Quand on parle d'entraînement de l'esprit, on pense à une démarche volontaire et consciente, et c'est bien le cas. Mais il n'y a pas que ça. Nous avons vu que nos environnements pouvaient aussi nous influencer et nous façonner par imprégnation culturelle (vivre dans une culture de la violence nous pousse plus facilement à avoir recours à la violence, sans que nous fassions d'efforts ou même que nous en soyons conscients). Lorsqu'une culture nous amène à pratiquer régulièrement certains comportements, à développer régulièrement certaines habitudes et automatismes de pensée, alors il y a aussi un entraînement de l'esprit. Mais il est de nature différente.

Les recherches en neurosciences montrent que nous apprenons sans cesse : chaque moment, chaque action, chaque interaction sont l'occasion pour notre cerveau de se développer d'une certaine façon, de tracer des « voies neurales », des chemins mentaux qui, s'ils sont régulièrement empruntés et pratiqués, deviendront des autoroutes pour nos pensées et nos émotions. Une question importante s'impose donc : quelles nourritures quotidiennes donnons-nous à notre cerveau, au travers de toutes nos activités ? Notre esprit s'entraîne tout seul, tout le temps, à notre insu : et il se nourrit de ce que nous lui offrons par les objets sur lesquels nous portons notre attention, par l'environnement dans lequel nous l'immergeons avec nous.

MATTHIEU : Tes propos démasquent le leurre de l'éducation « neutre ». L'entraînement de l'esprit et la méditation ne sont pas des démarches artificielles : nous entraînons constamment notre esprit, à toutes sortes de choses, en regardant la télé par exemple – ce qui n'actualise pas forcément le meilleur de nous-mêmes ! L'entraînement sous sa forme la plus noble s'appelle l'« éducation ». Sous une forme plus prosaïque, c'est un « conditionnement ». Tous deux (l'éducation et le conditionnement) procèdent du même processus de neuroplasticité. On hésite à introduire à l'école l'apprentissage de valeurs éthiques, mais les enfants vont de toute façon se forger une morale. Mieux vaut qu'elle soit fondée sur des valeurs universelles comme la bienveillance, l'honnêteté et la droiture que formée au contact de la télé-réalité et de jeux vidéo d'une violence inouïe. La volonté de provoquer, de faire la guerre sur les cinq continents comme ce fut le cas de nombreux présidents américains, résulte de cinquante ans d'entraînement de l'esprit, plus ou moins conscient, à l'arrogance, à la pulsion de toute-puissance et à l'indifférence aux souffrances d'autrui.

Quand j'ai écrit mon livre sur l'altruisme, j'ai été frappé de découvrir les entraînements qui ont été, pendant un temps, imposés aux soldats américains pour surmonter leur répugnance à tuer. L'armée américaine s'était aperçue qu'au moment de la Seconde Guerre mondiale et de la guerre de Corée, seulement 15 % des soldats tiraient sur l'« ennemi » sur la ligne de front, non par lâcheté, mais mus par une répugnance naturelle à tuer un autre être humain : ils faisaient semblant de tirer ou tiraient à côté. Du coup, avant la guerre du Vietnam, les instructeurs militaires ont entraîné les soldats pour qu'ils étouffent tout sentiment d'empathie et tuent sans hésiter. Durant les marches, à chaque pas, ils devaient scander « *Kill* » (« Tue »). Ils s'entraînaient à tirer sur des cibles à forme humaine qui n'apparaissaient qu'un court instant, obligeant les recrues à tirer sans réfléchir. Manquée, la cible disparaissait. Touchée, elle se renversait tandis qu'en giclait du sang artificiel. Le but avoué était de désensibiliser les recrues. Les résultats ont été spectaculaires : au Vietnam 80 % des soldats ont tiré sur l'ennemi. Mais ces mêmes 80 % ont ensuite présenté des syndromes post-traumatiques très graves. Ils avaient été forcés d'agir contre leur nature. Au bout de quelques années, ils ont été rapatriés, puis relâchés dans la société, sans accompagnement, ou presque. Nombre d'entre eux sont devenus dépressifs, alcooliques ou drogués.

Aujourd'hui, l'armée américaine compte davantage de morts par suicide que sur le front. Après s'être rendu compte de cette lamentable situation, l'État américain dépense des fortunes pour essayer de venir en aide tant bien que mal aux victimes de son propre système. Même chose avec les enfants-soldats en Afrique qu'on insensibilise en les forçant à tuer quelqu'un qu'ils connaissent. Dans tous ces cas, il s'agit là aussi d'un entraînement de l'esprit qui met en jeu la neuroplasticité.

Mieux vaudrait actualiser notre potentiel de bonté, non ? Et là, ce n'est pas de la chirurgie esthétique de l'esprit, mais l'accomplissement d'une manière d'être optimale. Ne laissons pas notre potentiel pourrir avant même qu'il ne se soit épanoui.

CHRISTOPHE : Cet entraînement de l'esprit peut nous permettre de choisir, entre toutes les capacités humaines nichées au fond de notre cerveau, celles que nous voulons voir croître. Nous avons, en tant que mammifères humains, des capacités à l'agression, à l'égoïsme, à la colère, etc. Mais nous avons aussi des capacités à la coopération, à l'altruisme, à la joie. Si je veux être libre de choisir, mieux vaut ne pas laisser mon cerveau être seulement nourri par mon environnement culturel ou par les circonstances, mais choisir de l'éduquer moi-même et de l'amener dans les bonnes directions !

MATTHIEU : Quand on apprend le piano, un professeur nous corrige et nous indique les bons doigtés, on s'entraîne et on progresse. Dans le cas qui nous intéresse, le travail s'applique à notre propre esprit. Comment procéder ? Nous sommes tous d'accord sur ce point : si l'on veut se libérer de certaines composantes émotionnelles délétères, il faut d'abord les repérer et poser un diagnostic. Prendre conscience, par exemple, que l'on est soupe au lait, que l'on manque d'enthousiasme, ou que l'on souffre de jalousie chronique. Tout n'est pas à changer. Il faut repérer les aspects de nos états mentaux qui engendrent des tourments et mettre en place des antidotes appropriés. L'entraînement consiste également à favoriser l'épanouissement de certaines qualités, puis à les renforcer – la compassion et la force d'âme, par exemple. Un petit cœur devient un grand cœur et on finit par avoir – comme disait ma mère à propos d'une personne particulièrement bonne – « un cœur sur chaque main ».

Intelligence émotionnelle
et entraînement de l'esprit

CHRISTOPHE : En matière d'intelligence émotionnelle, l'entraînement de l'esprit consiste à créer de nouvelles habitudes, de nouvelles réponses aux situations qui activent nos émotions. En général, nos difficultés proviennent soit d'émotions trop intenses (comme dans les colères explosives, les attaques de panique, les crises de désespoir), soit d'émotions prolongées par les ruminations (ruminer ses idées noires, ses inquiétudes ou son ressentiment).

Ce qu'il faut bien comprendre pour commencer, c'est qu'aucune de nos activités mentales n'est anodine : à chaque fois que nous ressassons nos soucis, nous musclons notre capacité à nous faire du souci ; à chaque fois que nous ressassons notre rancune, nous musclons notre capacité à ressentir de la rancune ; à chaque fois que nous laissons notre esprit se faire happer par une distraction, nous musclons notre capacité à nous laisser distraire, etc. Entraînements de l'esprit involontaires, mais efficaces, hélas. Et de même, chaque explosion de colère ou chaque attaque de panique prépare le retour de la suivante, lorsque nous serons placés à peu près dans les mêmes circonstances.

Il importe donc de ne pas laisser « tourner ces programmes » dans notre cerveau. D'arrêter tout de suite les ruminations, dès qu'on s'en aperçoit ; par exemple en se livrant à une activité antagoniste : marcher, parler à quelqu'un, ou même les coucher sur le papier pour les clarifier et s'en débarrasser, ça ne marche pas si mal. En cas de montée de crise de colère, se mettre rapidement à l'écart, et procéder de même. C'est plus compliqué pour les attaques de panique, et il faut souvent l'aide d'un thérapeute ; mais ce dernier va tout de même expliquer comment les entraver soi-même, en respirant lentement, en restant attentif au monde extérieur au lieu de s'autocentrer et de partir dans les interprétations angoissantes de son état. Premier temps, donc, entraver

« Entraîner
son esprit, c'est
le déprogrammer,
s'employer
avec bienveillance
à repérer sa logique
pour nous élargir et
sortir progressivement
de nos préjugés. »

ces programmes, perturber cet entraînement « sauvage » de l'esprit qui maintient nos souffrances émotionnelles.

Deuxième temps, tester de nouveaux programmes, « pour de vrai ». En thérapie comportementale, par exemple, se confronter aux situations qui déclenchent des peurs, mais sans obéir à la peur : si l'on a peur du vide, rester face au vide, en respirant calmement, mais sans fuir. À chaque nouvelle confrontation réussie (sans fuite) à la situation, le programme d'entraînement choisi (affronter) marque des points par rapport au programme d'entraînement subi (fuir). C'est pour cela que c'est long : si j'ai ressenti dans ma vie quarante crises de panique, il me faudra au moins quarante confrontations réussies à des situations « panicogènes » pour que les programmes, antipanique et propanique, soient à égalité, et que, peu à peu, mes réflexes soient plutôt de rester calme et de respirer que de m'affoler. De même pour la colère, plus j'aurai affronté de situations irritantes en ne m'énervant pas, plus mon programme de régulation émotionnelle – « ça m'énerve, mais je sais rester calme et dire calmement que ça m'énerve » – sera robuste, fonctionnel et s'activera en premier, avant le programme « si ça continue, je vais tout faire péter ! ».

C'est le même principe en psychologie positive, développer son optimisme ou ses capacités à la gratitude nécessite qu'on observe d'abord à quel entraînement spontané, non identifié, notre esprit est soumis : dans le cas de l'optimisme, n'aurions-nous pas tendance à ne jamais nous réjouir par prudence ? C'est-à-dire, ne nous sommes-nous pas très bien entraînés à freiner toute forme d'enthousiasme en interposant tout de suite des pare-feu – « ne te réjouis pas trop vite, on ne sait jamais… » ? Ou bien, pour la gratitude, est-ce que nous ne cultivons pas assez notre attention au bien qui nous vient des autres ?

Une fois ces repérages effectués, il faut faire tourner les programmes Optimisme ou Gratitude très régulièrement. Par exemple, chaque soir, évoquer trois événements méritant notre gratitude, si possible les écrire et mieux encore les exprimer : plus les exercices sont incarnés, les émotions vraiment ressenties et accompagnées d'actes concrets (écrire, parler ou téléphoner pour exprimer la gratitude), plus les voies neurales sont activées et fortifiées. C'est comme pour la mémoire : la répétition mentale aide, mais aussi la répétition à haute voix, l'écriture, l'expression à autrui (pour les blagues, par exemple, le meilleur moyen de les retenir est de les raconter plusieurs fois), etc.

Car il y a bien sûr un substrat biologique de l'entraînement de l'esprit lié à la neuroplasticité, autrement dit, à cette capacité du cerveau à se reconfigurer, à remodeler ses voies synaptiques en fonction des réseaux cérébraux qui auront été activés régulièrement par des événements mentaux, des actes, des émotions, des expériences de vie, le tout de manière répétée.

C'est un peu comme en sport : il existe toutes sortes d'entraînements, que l'on répète inlassablement. En rugby, par exemple, on commence par préparer des combinaisons pour enchaîner après les mêlées, les touches, les contre-attaques, etc. Puis on teste ces combinaisons face à une opposition, avec des remplaçants ou lors de matchs amicaux sans enjeux : on s'aperçoit que c'est un peu plus compliqué, mais que cela permet aussi de faire de petits réglages supplémentaires, et de mieux roder encore les combinaisons. Et le jour du match, face à une véritable opposition, en situation de stress, ça marchera mieux. Pour le changement psychologique, c'est pareil : il est indispensable de s'entraîner au calme, puis de le tester en vrai, dans la vraie vie, face à l'opposition du réel !

ALEXANDRE : Et si nous devenions des rugbymen de l'entraînement de l'esprit en appliquant le fair-play, la solidarité sur le terrain de la vie intérieure ? Un des grands chantiers du travail de soi consiste, ce me semble, à désamorcer les bombes à retardement léguées par le passé : traumatismes, blessures, attentes jamais comblées, manques affectifs, trahisons, déceptions... Une plongée en soi-même permet de revisiter les mille et un incidents, banals, oubliés, les trésors et les fantômes d'autrefois pour repérer leurs impacts souterrains, leurs influences, aujourd'hui, sur nos états d'âme, sur notre manière d'être au monde. Jusqu'à quand nous ramasserons-nous à la figure ce flot d'émotions ravivées par un simple souvenir ? Quand le zen parle de la Grande Mort, il nous invite à repartir, renouvelés, à renaître carrément. Nous pouvons aussi nous amuser à repérer les mille rengaines du mental : « Tu es heureux, tu vas le payer cher », « Tôt ou tard, tu vas claquer, prépare-toi à dégringoler ! », « Il m'en faut plus, consomme ! Donne-moi à bouffer, je suis en manque ! »… Tant d'hameçons nous arrachent au présent, nous tentent, nous cherchent. La pratique, c'est de maintenir le cap sans tomber dans le panneau.

Tous pareils ?

CHRISTOPHE : L'argument qu'on oppose parfois à l'entraînement de l'esprit, c'est la crainte d'un formatage, la peur qu'on finisse tous par se ressembler. C'est étrange, car le même enseignement, par exemple à l'école, ne produit pourtant pas le même effet et les mêmes résultats, selon les personnalités des enfants. Peut-être la crainte d'une uniformisation a-t-elle d'autres racines ? Peut-être avons-nous le sentiment que ce sont nos défauts qui nous aident à être nous-mêmes ? Les gens ont-ils l'impression de mieux se distinguer des autres grâce à leur égoïsme, leurs colères, leurs mesquineries, leurs travers, leurs défauts ?

MATTHIEU : En somme, mieux vaudrait se distinguer dans l'individualisme que se ressembler dans l'altruisme ? Plutôt curieux, non ?

CHRISTOPHE : Très étrange ! Mais nous avons des excuses pour penser comme ça, c'est un thème récurrent de la culture occidentale. Nous connaissons le célèbre incipit du roman de Tolstoï, *Anna Karénine*: «Toutes les familles heureuses se ressemblent, mais chaque famille malheureuse l'est à sa façon.»

MATTHIEU: Goethe n'écrivait-il pas que «trois jours de bonheur ininterrompus seraient insupportables, car c'est toujours la même chose». Pour certains, la souffrance est excitante: riche en péripéties, elle donne du sel à la vie et une incandescence à notre ennui. Nos défauts seraient une myriade de petites bêtes fascinantes qui grouillent dans notre mental, tandis que les vertus ressembleraient à de pompeuses demoiselles tirées à quatre épingles. Cette tendance ne viendrait-elle pas du fait qu'il est plus facile de tourner ces qualités en dérision que de déployer les efforts nécessaires pour les acquérir?

ALEXANDRE: La peur de l'inédit, l'opiniâtreté des habitudes, les forces d'inertie, il est tant d'obstacles au changement, sans parler de ce besoin de sensationnel, d'extraordinaire, de piment. Entre l'acharnement thérapeutique et le laxisme, pour reprendre un de tes mots, Matthieu, s'offrent le quotidien et ses mille occasions de progrès intérieur. L'âme a ses saisons. On se lève le matin en pleine forme et nous voilà plongés dans la mélancolie, l'angoisse, les tiraillements.

Et si le mental avait besoin de toujours ronger un os, de se faire les dents, de se sentir exister en ferraillant contre l'adversité, en se trouvant un ennemi intérieur ou extérieur pour justifier son existence? S'initie-t-on assez à l'art du repos, à la recréation de soi, à la non-lutte, sans avoir besoin de ces montagnes russes intérieures pour se sentir vibrer? C'est quand même dingue que, certains jours, nous en venions à préférer l'agitation au calme plat…

Apprivoiser l'ennui n'est pas une mince affaire, surtout à une époque où l'hyper-stimulation sévit de tous les côtés. Toujours demeurent ces deux couches qui nous donnent décidément du sacré fil à retordre : le tragique de l'existence, les catastrophes, les maladies, et cette torture intérieure, les psychodrames, les tracas fabriqués par l'ego. Je rêverais d'une vie sans cet encombrant boulet.

CHRISTOPHE : Mais face à cela, il y a l'idée que le bonheur nivellerait plus que le malheur, et que nous serions plus créatifs dans l'expression de nos défauts que dans celle de nos qualités ! Cela n'a pas été beaucoup étudié, mais le peu qui existe ne confirme pas cette idée. Les émotions agréables sont plutôt associées à une ouverture attentionnelle plus grande et à une plus grande flexibilité psychologique : cela ne va pas dans le sens de réactions stéréotypées ! On peut noter d'ailleurs que la diversité des émotions agréables ressenties (il existe une « émodiversité », tout comme une biodiversité) est associée à une meilleure santé.

Finalement, on peut rester très différents les uns des autres dans notre façon d'être gentil, généreux, optimiste ! Certains expriment très ouvertement leur gentillesse, d'autres l'expriment peu et discrètement, et commettent leurs petits actes de gentillesse en douce, etc. On peut n'être optimiste que dans certains domaines, ou en présence de certaines personnes, etc.

MATTHIEU : Bien entendu, même les grands maîtres spirituels manifestent leur bonté sans faille de manières différentes. Le fait d'avoir acquis une grande sagesse et d'être parfaitement libre intérieurement n'empêche pas qu'ils ont des caractères différents et des façons d'enseigner différentes. Certains sont peu loquaces, d'autres enclins à la conversation. Certains sont des ermites que l'on ne peut rencontrer que dans leurs lointaines retraites, d'autres, comme le Dalaï-lama, partagent inlassablement leur vision de la compassion avec un nombre incalculable de leurs semblables.

CHRISTOPHE : Tout de même, pour les maîtres dont tu parles, on est sur une autre planète : à t'écouter, ils sont proches de la perfection, et là, effectivement, les qualités se ressemblent et s'alignent sur un idéal, non ?

MATTHIEU : Oui, leur ressemblance tient aux choses essentielles – sagesse, compassion, contentement, maîtrise de soi… – et non aux apparences, à des aspects plus périphériques de leur caractère. C'est curieux, car chez tous ceux qui ont encore pas mal de chemin à parcourir, l'ampleur des différences révèle la variété infinie des défauts possibles, tandis que les qualités de la sagesse et la bienveillance ont tendance à se ressembler par leur adéquation avec la réalité. Faute d'en avoir fait l'expérience, sans raison valable, certains imaginent que si tous les êtres étaient bienveillants, patients, affranchis de la jalousie, ce serait casse-pieds : on s'ennuierait dans un paradis terne et monotone. La paix intérieure semble si lointaine… J'ai toujours trouvé étrange que l'on associe la sérénité, le calme et le silence à l'ennui. Pourtant, le sentiment de plénitude qu'apporte la liberté intérieure offre une richesse de chaque instant. La paix intérieure va de pair avec la joie de vivre, l'enthousiasme, l'ouverture aux autres, la force d'âme. Elle fait remonter à la surface le meilleur de nous-mêmes. Rien d'ennuyeux dans tout cela !

Le mode par défaut

MATTHIEU : Les neuroscientifiques parlent de réseau cérébral par défaut pour désigner le mode d'activité du cerveau lorsqu'on ne fait rien de spécial et qu'on ne porte pas son attention sur un objet particulier. Sur le plan psychologique, c'est l'état d'esprit qui domine la plupart du temps, lorsque nous ne sommes pas engagés dans une activité mentale ou physique particulière. Ce peut être la sérénité, la liberté et le calme intérieurs, mais aussi la tristesse, l'ennui, ou l'agitation mentale.

ALEXANDRE: Mon mode par défaut, ce serait plutôt ces vieilles rengaines qui trouvent toujours un moyen de se recycler : « Foutu pour foutu… », « On ne se refait pas », « Il est fou et vain de s'acharner à redresser ce qui est tordu »… Un des grands chantiers de l'entraînement de l'esprit consiste à contempler, à observer les *forces* en présence et à repérer notre mode par défaut.

À ce titre, Pascal inviterait-il à s'attaquer au mal à la racine, à faire un retour sur soi ? En tout cas, il est un maître qui nous guide au-delà des sirènes et des attentes, au-delà des rôles et des vaines ambitions. Son diagnostic est limpide et libérateur : « Tout le malheur des hommes vient d'une seule chose, qui est de ne pas savoir demeurer en repos dans une chambre. » J'y trouve un exercice, un outil et peut-être le premier pas de l'entraînement de l'esprit. Qu'est-ce qui peut bien me tomber dessus lorsque je reste seul dans ma chambre ?

J'appelle « point mort » l'état habituel de mon âme, ce que je ressens intérieurement lorsque je ne suis plus happé par les tâches, quand les distractions, les occupations ont cessé, dès que je me retrouve seul, sans activité, sans livre ni télévision, sans possibilité de m'évader. Est-ce l'angoisse, la peur, un mortel ennui, une paix, la confiance ? Repérer son « point mort » est une avancée considérable. Comment ne pas instrumentaliser les autres, accuser le monde, se fuir sans cesse, si au fond de nous, constamment, nous expérimentons le manque, les tiraillements, un mal-être existentiel ?

En médecine, on distingue l'allostasie et l'homéostasie. Est homéostasique celui qui trouve son équilibre intérieur en lui, pourrait-on dire. L'allostasique a en revanche besoin d'une substance, d'un autre, du divertissement pour tenir le coup. Identifier son mode par défaut, le climat intérieur dans lequel je baigne habituellement, découvrir sans juger si je penche plutôt du côté de l'allostasie est déjà une source de joie. L'entraînement de l'esprit tient du jeu, non de la corvée. Découvrir qu'un parfum de rose totalement inoffensif suffit pour que s'invite en mon âme une tristesse carabinée, c'est assurément adopter une attitude contemplative.

D'ailleurs, un pas décisif consiste à comprendre que notre cerveau a pour coutume d'être distrait, non de méditer. À la base, la sérénité, ce n'est pas son truc. Il est programmé pour juger, condamner, comparer, se faire du mouron, fuir dans le passé, anticiper, bref, délirer et battre la campagne. Singulière pratique prônée par Mingyour Rinpotché que de dix fois dans la journée faire une halte et observer : « Ah, tiens, je "non-médite" à fond. », « J'ai été complétement distrait. » S'apercevoir que l'on est distrait est en soi un puissant exercice de vigilance. Et voilà que déjà la liberté s'inaugure ! Jour et nuit, les rouages de notre esprit nous inclinent à monter tout en épingle. Tranquillement, le plus paisiblement du monde, je peux regarder ce grand fatras d'émotions et de jugements à l'emporte-pièce, presque en rigolant : « Ah, tiens, c'est ça ma conception de la vie », « La voilà cette petite idée farfelue qui m'a pourri toute la journée ». Entraîner notre esprit, c'est oser, sans narcissisme aucun, examiner notre cerveau, ce grand interprète aux pouvoirs infinis.

La méditation offre une voie royale qui permet de passer le flot d'idées et de passions sous un regard lucide, bienveillant et de pourfendre, une à une, les illusions. Sans absolutiser aucune pratique, il faut aussi rappeler que quand on est enfoncé jusqu'au cou dans les passions tristes, il arrive que la méditation ne soit pas toujours à notre portée. Nous avons aussi besoin de mains qui se tendent, d'aide.

Intelligence artificielle, transhumanisme ou entraînement de l'esprit ?

CHRISTOPHE : En vous écoutant, les amis, je me disais que cet entraînement de l'esprit dont nous discutons est une sorte de transhumanisme bio ! Le transhumanisme est ce courant désireux de produire un « humain augmenté » – plus intelligent, avec une mémoire infaillible, etc. – à l'aide de la science et de la technologie, et, par là même, de résoudre tous les problèmes de la société et de l'humanité. Et, puisque cela concerne également nos capacités physiques, d'augmenter indéfiniment notre longévité – et autres rêves d'immortalité. Mais alors, quid du cerveau et de l'entraînement de l'esprit ? Matthieu, tu es sans doute celui de nous trois qui connaît le mieux le sujet…

MATTHIEU : Alors commençons peut-être par la question de l'intelligence artificielle (IA) et des algorithmes. Un algorithme est un ensemble de règles qui permet de déterminer, par le calcul, l'enchaînement des actions nécessaires à l'accomplissement d'une tâche. Les algorithmes sont le moteur de l'IA. Les développements récents dans le domaine de l'IA permettent non seulement de mener à bien des tâches complexes, comme de composer de la musique qui ressemble à celle de J.-S. Bach ou de battre Gary Kasparov aux échecs, mais aussi d'apprendre à jouer à d'autres jeux, à partir des règles fournies au système. C'est ainsi que, récemment, un programme d'IA a appris en trois jours à maîtriser le jeu de go et à battre cent fois sur cent un autre ordinateur qui avait lui-même battu le champion du monde de go. Ce dernier n'apprenait pas, mais il avait mémorisé au préalable des milliers de parties de go et disposait d'une puissance de calcul phénoménale.

Aujourd'hui, dans des cas complexes de cancer par exemple, l'IA est capable de poser des diagnostics médicaux plus justes et précis que les meilleurs spécialistes. Il est donc très probable que, dans un avenir proche, l'IA nous remplace pour accomplir nombre de tâches qui nécessitent aujourd'hui l'intervention de l'intelligence humaine. En revanche, ce type d'« intelligence » n'a pas grand-chose à voir avec la conscience. L'IA ne « perd » ni ne « gagne », pas plus qu'elle n'est triste ou joyeuse, ou encore émerveillée par la musique de Bach qu'elle joue sans le savoir. Elle n'a rien à voir avec un être conscient capable d'observer la nature fondamentale de son esprit, de se défaire de la haine et de l'avidité, de rechercher la liberté intérieure, ou de jouir d'un sentiment de plénitude. En d'autres termes, l'IA n'est pas un être, mais un mode de calcul. Bien souvent, nous confondons les deux.

On peut facilement confondre le « je pense, donc je suis » de Descartes avec « je réfléchis, donc je suis », alors que du point de vue qui nous intéresse, il s'agirait plutôt de dire « je suis conscient, donc je suis ». Du point de vue de la conscience, l'intelligence artificielle n'est rien, strictement rien. Elle ne fait pas l'expérience de quoi que ce soit, du point de vue phénoménologique. Plus que jamais, l'avènement de l'IA souligne la différence fondamentale entre « intelligence » et « conscience ».

Par ailleurs, l'IA est fondée sur l'utilisation d'une masse colossale de données, ce que l'on appelle le « big data », qui ne peuvent pas être engrangées par un cerveau humain en dépit de son extraordinaire sophistication. C'est, comme on l'a vu, le big data des connaissances médicales et de l'ensemble des travaux de recherches et essais cliniques publiés à ce jour qui permet à l'IA de poser des diagnostics très précis. Pourtant, le paradoxe réside dans le fait qu'avoir instantanément toutes les informations que nous pourrions souhaiter sur la construction des pyramides ou les maladies de cœur ne nous rend pas plus sages, plus bienveillants et plus équilibrés pour autant. Là encore, l'avènement du big data accentue plus que jamais la différence entre informations et sagesse. Se dire qu'on va devenir un meilleur être humain en introduisant une puce électronique dans un coin du cerveau est plutôt pathétique.

CHRISTOPHE : Pathétique et risqué ! Il y a dans le transhumanisme une impatience très contemporaine, un désir d'aller vite et sans efforts : on veut emprunter l'ascenseur plutôt que l'escalier. Mais c'est en montant les escaliers qu'on se fait les muscles et le souffle, qu'on densifie ses os, etc. L'ascenseur du transhumanisme va oublier en route tout un tas de bénéfices des changements progressifs et initiés par les humains eux-mêmes… En plus, ce qu'on vise, ce sont des performances physiques ou intellectuelles, plus souvent que des vertus morales. Or accroître les premières sans développer les secondes est risqué.

Par ailleurs, ce qui est présenté comme un progrès possible peut aussi se révéler catastrophique, comme dans l'agriculture, où les progrès techniques (substances chimiques et machines ultra-performantes) ont été dévastateurs pour l'écosystème. Quel effet les puces cérébrales auront-elles sur les subtils mécanismes de nos échanges neuronaux, faits, dans chaque synapse, de rétroactions chimiques si complexes qu'on est très loin d'en avoir compris tous les rouages ?

Au lieu de s'en remettre à la technique pour faire progresser les cerveaux humains, à l'aide de modifications géniques, de puces électroniques et autres matériaux de synthèse, si nos sociétés essayaient de s'attacher sérieusement à cette histoire d'entraînement de l'esprit ?

MATTHIEU : Du point de vue de l'entraînement de l'esprit, le transhumanisme est comme une fleur en plastique posée à côté d'une rose fraîchement éclose. Au lieu d'aspirer à devenir un meilleur être humain en cultivant des qualités fondamentales, comme la bienveillance et la sagesse, en œuvrant pour une plus grande justice sociale et en veillant au sort des générations futures, le transhumanisme vise, lui, à « améliorer » l'être humain en augmentant un certain nombre de ses capacités, non parce qu'elles font de lui une meilleure personne, mais parce qu'elles se prêtent à une amélioration de ses performances par des moyens techniques. Ce critère, à lui seul, fausse la notion d'« amélioration », puisqu'il ne s'agit pas de qualités liées à notre manière d'être, mais à des capacités – intelligence discursive, puissance de calcul, faculté de mémoriser des informations, beauté et force physiques, longévité, etc. Les moyens utilisés allient une hybridation des dispositifs technologiques ou informatiques avec une intervention au niveau du génome humain.

On ne voit certes pas pourquoi l'on s'opposerait à la réparation de gènes défectueux qui engendrent des maladies graves et des handicaps physiques et mentaux. Du point de vue de la pathologie médicale, cette technologie peut être très bénéfique. Mais la manipulation plus qu'hasardeuse du génome dans le but d'améliorer des qualités définies sur des critères égocentrés et hédoniques semble davantage relever d'une épidémie de narcissisme que d'un élan vers un monde meilleur. Lorsque l'on constate les monstruosités provoquées par l'usage débridé de la chirurgie esthétique, l'on ne peut que s'inquiéter du résultat de manipulations beaucoup plus profondes de la condition humaine. Contrairement aux apparences, le transhumanisme procède d'une vision réductionniste de l'être humain et non d'une véritable amélioration de ce qui fait de nous des êtres capables d'affiner les niveaux de conscience de notre esprit. Réductionniste parce que l'on identifie l'esprit humain au fonctionnement d'un ordinateur et d'un ensemble d'algorithmes mathématiques. Il est difficile de concevoir quel mode de relation pourrait exister entre l'expérience à l'état pur, la conscience qui observe sa propre nature en l'absence de cogitations mentales, et des algorithmes. Un ordinateur calcule beaucoup mieux que nous, mais ce n'est pas un être, il ne pense pas, il est totalement dénué d'expérience subjective.

CHRISTOPHE : Même dans le cas des maladies psychiques, par lesquelles le transhumanisme commencera sans doute – pour soulager les souffrances et incapacités –, quel sera le résultat ? Tu es alexithymique par exemple (c'est-à-dire que tu as du mal à décoder les émotions d'autrui) et hop ! on te greffe un logiciel cérébral qui t'envoie un signal d'alarme et alerte ton cortex préfrontal. Quand il détecte que Matthieu Ricard, qui est en train de te parler, a un visage triste, le logiciel t'envoie une alerte : « Bip ! Attention, attention, l'interlocuteur est triste, adoptez, vous aussi, une mimique préoccupée, souriez doucement et écoutez-le mieux… »

MATTHIEU : Ce genre d'intervention est déjà pratiquée pour traiter des cas graves d'épilepsie. L'épilepsie s'accompagne d'une sorte de court-circuit entre certaines régions du cerveau qui les conduit à fonctionner de manière autonome, ce qui déclenche une crise. Pour venir en aide aux épileptiques sujets à des crises très fréquentes, les cliniciens percent la calotte crânienne et implantent à des endroits très précis du cerveau des électrodes dont l'activation neutralise les crises. Pour ce faire, ils doivent tâtonner pour trouver la localisation désirée. Il arrive que l'implantation d'une électrode dans une région voisine ait des effets inattendus. Parfois, le patient, qui reste pleinement éveillé durant cette intervention, devient *instantanément* déprimé au point de se dire : « Je n'ai aucune raison d'être au monde, je veux cesser de vivre. » On enlève l'électrode, et pof ! Il revient complètement à la normale. On place l'électrode dans un autre endroit et, tout aussi soudainement, la personne ressent une félicité inimaginable. On enlève l'électrode et tout disparaît. De telles stimulations ne sauraient évidemment remplacer l'entraînement de l'esprit, pas plus que le dopage ne peut, à lui seul, remplacer l'entraînement chez un athlète qui aspire à devenir champion olympique du 100 mètres. Mais on peut certainement imaginer des modes de stimulations moins invasifs qui engendreraient chez le sujet une béatitude parfaite – le temps de la stimulation seulement.

CHRISTOPHE: Mes amis qui travaillent sur ces programmes d'implantations d'électrodes de stimulation cérébrale à demeure, à l'hôpital de la Pitié-Salpêtrière, à Paris, m'expliquaient qu'avant de les proposer aux patients souffrant de TOC sévères, ils vérifient que tout le reste n'a pas été correctement essayé : médicaments et aussi psychothérapies comportementales, par plusieurs thérapeutes différents. Même eux, experts de la stimulation cérébrale, considèrent qu'il vaut mieux commencer par la thérapie, qui est un entraînement de l'esprit ciblé sur une pathologie – surtout dans le cas des TOC, où les exercices pour s'opposer aux rituels doivent être inlassablement répétés, eux aussi !

Il y a un dernier point sur ces liens entre progrès technologiques et entraînement de l'esprit : j'ai souvent l'impression que les progrès technologiques spectaculaires de ces dernières décennies n'ont pas été suivis du côté des humains par des progrès psychologiques équivalents. Nous avons su produire des richesses considérables (pas forcément bien réparties d'ailleurs, mais c'est une autre histoire), mais nous n'avons pas appris dans le même temps à en faire bon usage : le colossal accroissement de notre richesse d'informations et de distractions, *via* les écrans, a plutôt augmenté notre stress que notre culture générale, plutôt accru nos addictions que notre bonheur de vivre, etc.

Avant d'implanter ces progrès techniques dans nos cerveaux, si nous nous penchions un peu sur le moyen de faire progresser nos esprits pour arriver à un meilleur usage, et parfois un meilleur contrôle de tous les progrès technologiques ? Si nous réfléchissions aux moyens d'accroître notre liberté par rapport à toutes ces richesses auxquelles nous devenons peu à peu « accros » : souvenons-nous du « syndrome du GPS » ! À force de nous en remettre aux machines pour nous guider, nous ne regardons plus autour de nous… Mais c'est plus compliqué de regarder autour de soi que sur son téléphone, plus compliqué de se pencher sur son cerveau que sur son écran !

MATTHIEU : Mieux vaut donc en rester à un «humanisme bio», «fait maison», qui consiste à devenir peu à peu, par l'entraînement de l'esprit et la réflexion profonde, quelqu'un de plus sage, altruiste, serein et libre de toutes les vaines chimères de l'homme augmenté par des artefacts qui n'ont pas grand-chose à voir avec la vie. Une démarche qui tendrait vers un état optimal pour soi et une préoccupation active du mieux-être de toutes les espèces, humaine et non humaines, et de la qualité de notre environnement.

ALEXANDRE : Certains jours, je rêverais de bondir sous la douche sans effort, de pianoter sur le clavier sans que mes doigts ne s'agitent en tous sens, de me balader dans la rue sans croiser ces regards qui fixent, ces yeux qui balaient ce corps des pieds à la tête… Quand j'entends évoquer l'humanité augmentée, le transhumanisme, je pense illico à la phrase de Nietzsche : «Je vous enseigne le Surhumain. L'homme est quelque chose qui doit être surmonté. Qu'avez-vous fait pour le surmonter ?» Non, je ne suis pas le centre du monde ni l'alpha et l'oméga de la Création, l'univers ne tourne pas autour de moi et, comme chacun, je suis invité à m'extraire des bornes de mon individualité, à quitter mon confort pépère pour oser m'avancer dans la grande vie. L'homme doit être surmonté… La grande question c'est : par quoi ? Par quel mode de vie et comment ? L'éloge de la force, de la performance est pour le moins casse-gueule ; elle met pas mal de gens sur la touche sans rendre vraiment heureux quiconque.

À travers nos échanges, nous essayons de dire la nécessité, la beauté de la solidarité, rappelant au passage que le défi écologique consiste à habiter notre commune maison sans nous tirer dans les pattes. Aujourd'hui, me semble-t-il, l'individualisme gagne de plus en plus de terrain. Même notre vision du bonheur a tendance à se rabougrir pour se confiner dans les étroites limites d'un bien-être tout personnel. Où sont passés les grandes mobilisations collectives, l'engagement pour une société plus juste, plus équitable où chacun a sa place ?

La technologie nous accule à notre finitude, à notre vulnérabilité. Tous, nous allons claquer et pour certains, dans l'isolement. Tant que nous nous maintenons dans la logique individualiste, dans le règne du « moi d'abord », quand bien même vivrions-nous cent mille ans, le quotidien tiendrait du drame, du tiraillement, voire de l'enfer… Finalement, le moi est un grand conservateur, il ne supporte pas l'idée que le monde puisse continuer sans lui, il s'accroche. D'où la souffrance, l'insatisfaction, la peur qui pourront bientôt se prolonger dans une demi-vie qui n'en finirait pas de finir sur des années.

Il y a peu, je me trouvais avec ma fille à Venise. Sur le bateau, parmi une foule de touristes, nous avons aperçu une mère de famille qui souffrait d'une malformation. Elle n'avait pas de bras, ses mains étaient comme greffées directement sur ses épaules. Céleste m'a glissé à l'oreille : « Elle n'a pas de chance, cette dame ! » Pressentait-elle les moqueries, les difficultés, la discrimination qui peuvent s'abattre sur une vie ?

« Elle n'a pas de chance, cette dame ! » Ces mots m'ont plombé plusieurs jours. Évidemment, ils me renvoyaient au handicap, à la différence. Dans ma vie, la question de la santé reste cruciale. Je l'ai dit. Je ne saurais que répondre si un neurologue me proposait un traitement qui me guérisse, tant mon identité, ma personnalité ont été façonnées pour le meilleur et pour le pire par cette singularité inscrite de manière indélébile dans les replis de ma chair. Au fond, mon boulot à plein temps, c'est de dire oui sans l'ombre d'une résignation à ce qui est.

Parler d'humanité augmentée fait bien sûr écho au drame d'une criante injustice : certains ont moins de bol que d'autres. Jadis, j'ai fait l'éloge de la faiblesse. Aujourd'hui, je serais plus prudent, me méfiant des discours qui, mal compris, justifieraient, banaliseraient les épreuves. Ce n'est pas la souffrance, mais ce que l'on en fait qui grandit. Dans cette alchimie qui peut éventuellement transformer la peine en occasion de progrès, la solidarité est capitale. Sans elle, le combat serait vain.

Mais revenons au transhumanisme… Pour un éclopé de mon espèce, ce qui apaise ce n'est pas l'espoir d'une recette miracle, mais la grande pacification ici et maintenant. Heidegger mettait déjà en garde contre l'abus de la technique. C'est fou comme l'acquisition d'un objet aussi banal qu'un smartphone peut changer jusqu'à notre rapport au monde, nos liens aux autres, notre emploi du temps, nos loisirs et notre manière d'être. En montagne, sans réseau, on a l'impression de se retrouver à poil, se ramassant comme un sentiment de grand vide. L'expérience de la joie, une vie ancrée dans un chemin spirituel ne saurait être détournée par le décor, des gadgets, et pourtant c'est ce qui est en train de se passer.

Plus que jamais, il faut réhabiliter l'humain, le lien, le nous, la solidarité. Nous ne rencontrons pas d'autres consommateurs ni même des organismes vivants, mais bel et bien des êtres en chair et en os. L'homme n'est pas un robot. Il a une histoire, un parcours, des fêlures, des aspirations profondes, un désir de progresser, des sentiments, de la compassion, il n'est pas clos sur lui-même. La vie se donne, se reçoit, se partage. N'est-ce pas une erreur de point de vue que de vouloir confectionner du dehors le bonheur, la santé, de fabriquer technologiquement une liberté, un être ? Une nouvelle fois, la tentation est grande de mettre la main sur ce qui, pour toujours, nous échappe et heureusement.

La femme que nous avons rencontrée à Venise, les personnes handicapées, les malades et tout un chacun appellent une immense solidarité. Il nous faut tout mettre en œuvre pour que l'existence de tous soit allégée des fardeaux, de la lassitude, de la fatigue d'être.

L'urgence est donc double : lutter contre la maladie, la souffrance, l'inégalité et s'engager activement pour une société plus juste, afin que le « elle n'a pas de chance » ne soit pas une fatalité, pour qu'on puisse vivre une différence, quelle qu'elle soit, sans avoir honte de qui nous sommes ni de notre apparence. Plus qu'à l'immortalité d'un moi perclus de complexes, je vise à une humanité où l'on cesse de claquer seul dans un coin, où la soif de performance n'étendrait plus ses ravages, où l'homme ne serait plus coupé du monde, des autres et du fond du fond. Se dépasser, dans ce contexte, n'a rien de clinquant. Il s'agit de nous mettre tous en route pour, avec les moyens du bord, arracher les racines du mal, alors que selon une vision du transhumanisme, celui-ci ne ferait que perpétuer, que prolonger des conditions de vie inacceptables, sans parler des mains entre lesquelles la mission de nous transhumaniser tomberait. Ultimement, nous sommes invités à nous interroger sur notre place dans le monde. N'y a-t-il pas une certaine beauté à se considérer comme des passagers éphémères, comme le lieu d'un miracle permanent dont le mystère nous échappe et de loin ?

MATTHIEU : Eh oui, vivement un peu d'air frais ! Marcher dans la rosée du matin, méditer sur la nature lumineuse de l'esprit, être émerveillé par un sublime paysage, ému par le regard innocent d'un enfant, pleurer à chaudes larmes, aimer, donner, recevoir, partager, venir en aide à ceux qui souffrent, vivre dignement... Pauvre Intelligence artificielle qui ne connaît rien de tout cela ! Quelle merveille que la conscience humaine, si pleine de richesses et de profondeur. Et puis... qu'une belle mort soit le couronnement d'une belle vie !

BOÎTE À OUTILS POUR ENTRAÎNER SON ESPRIT

CHRISTOPHE

- *Prendre soin de soi, ce n'est pas seulement prendre soin de son corps, mais aussi de son esprit.* L'entraîner à cultiver ses qualités, le nourrir de bonnes expériences, etc. Il y a aussi le soin de l'âme, sans doute, en plus du corps et de l'esprit, mais nous verrons cela plus tard…
- *Éloge de la répétition* : S'il y avait une seule règle à retenir en matière de fonctionnement de l'esprit, ce serait à mon avis celle-ci : de nombreuses petites répétitions, concrètes, nous transforment mieux qu'une seule grande décision, abstraite.
- *Penser qu'il est impossible de changer vraiment est une erreur* : C'est confondre ce qui est difficile et ce qui est impossible. « Chassez le naturel, il revient au galop » ? Mais le naturel, comme un cheval, ne revient pas forcément au galop si l'on a pris le temps de lui apprendre à marcher au pas ! Et si l'on ne cherche pas à le « chasser » mais à l'apprivoiser.
- *Attention aux entraînements de l'esprit invisibles* : S'exposer régulièrement à des ambiances ou des contextes sociaux matérialistes ou égoïstes peut nous entraîner efficacement au matérialisme ou à l'égoïsme. Régulièrement râler, rouspéter, voir les choses négativement, se plaindre, cela va faire de nous des champions de la rouspétance, du négativisme et de la plainte. C'est cela aussi, hélas, l'entraînement de l'esprit !
- *La clé de la liberté* : Les évolutions technologiques considérables en cours nécessitent que nous fassions des progrès psychologiques équivalents pour les maîtriser et en faire bon usage ; au lieu d'en devenir les

esclaves. L'entraînement de l'esprit est l'une des clés de notre liberté dans le monde de demain.

ALEXANDRE

- *Du bon usage des représentations*: Comme les philosophes antiques nous le rappellent, la façon dont nous jugeons, interprétons le monde est le domaine où peut s'exercer notre liberté. D'où une ascèse : partir à la traque de nos préjugés, tenter de s'en tenir aux faits lorsque l'imagination exagère, repérer le paquet de projections que nous plaquons sur la réalité.

- *Il est mille façons de «s'éclater» seul dans sa chambre...* Revenir à soi, descendre sous la surface, c'est parfois faire l'expérience de l'ennui, des peurs, de la tyrannie des désirs, de la foule d'attentes qui s'agitent au fond d'un cœur, de la solitude peut-être. Repérer le «point mort», notre état d'esprit de *base,* c'est apercevoir les lourds bagages que nous trimballons partout avec nous : craintes, besoins, fantasmes pour se délester de tout ce qui empêche une saine rencontre avec soi et les autres.

- *Ce n'est pas une tare que d'être un brin allostasique.* Dès lors, je peux me demander sans rien forcer : de quoi ai-je réellement besoin pour me tenir en joie et embrasser une existence généreuse ? À quoi suis-je ligoté ? Où m'entraînent les besoins de mon cœur et les préjugés de mon cerveau ?

- *Revenir à l'état d'avant les jugements*: Observer une fleur, contempler un paysage, s'émerveiller devant la beauté d'un visage sans enfermer ces expériences inouïes, toujours riches et denses, sans les ramener aux catégories, les classer, les comparer avec du vécu, du connu. Laisser la vie venir à nous sans la faire entrer de force dans le moule de nos idées. Bref, retrouver la capacité d'émerveillement d'un enfant qui ne sait pas.

- *L'entraînement de l'esprit ne tient pas du bachotage spirituel.* Nul besoin d'entasser des connaissances. Il s'agit de se libérer des réflexes, des clichés, des mécanismes de défense, des auto-illusions. Pourquoi ne pas décliner l'adage socratique pour s'avancer vers le progrès : je sais

354

que je ne sais rien, je sais que je ne sais pas me reposer, pardonner, apprécier la vie, passer une heure sans me faire du mouron. Autant de non-savoirs qui invitent au progrès.

MATTHIEU

- *Séduction de surface versus satisfaction durable*: La paresse, le confort douillet et les divertissements sont séduisants à première vue, mais ils s'affadissent vite par lassitude. L'entraînement de l'esprit n'est pas aussi attrayant lorsqu'on débute, mais plus on le pratique plus il apporte des satisfactions profondes et durables.
- *Évitons de confondre plaisir et bonheur, hédonisme et eudémonisme.* « Le plaisir est le bonheur des fous, le bonheur est le plaisir des sages », écrivait Barbey d'Aurevilly.
- *L'entraînement de l'esprit n'est pas une succession de feux d'artifice*, mais la lente croissance d'un puissant chêne, qui prend racine dans la nature de l'esprit et déploie son arborescence dans la forêt de l'existence.
- *Une moisson bénéfique à tous*: Cet entraînement nous donne des outils pour gérer avec dextérité les tribulations de la vie, pour allier une plus grande paix intérieure à une plus grande ouverture à l'autre. Moins vulnérables, nous devenons plus disponibles à autrui.

« *En 1970, j'étais à Darjeeling, quand nous avons vu arriver un grand costaud, en complet-veston, avec son attaché-case et son accent du Midi. Entrant sans attendre dans le vif du sujet, il s'adressa à notre maître spirituel, Kangyour Rinpotché, et lui dit : "Je suis devant un mur ! Je ne sais pas où aller ; il faut qu'il se passe quelque chose !" À mesure qu'il s'expliquait, Kangyour Rinpotché, son épouse et toute sa famille riaient de bon cœur, avec bienveillance, mais le jeune homme restait des plus sérieux. On lui apporta un bon déjeuner et une fois qu'il fut plus détendu, Kangyour Rinpotché commença à lui enseigner les rudiments de la méditation, d'une vision de l'existence et d'un chemin spirituel qui allaient l'inspirer pour le restant de ses jours.*

Plus tard, cet homme effectua neuf années de retraites contemplatives. Comme il était ingénieur de son métier, il s'occupa de la construction de plusieurs monastères en Inde et au Népal. Depuis cette époque, il est l'un de mes plus proches amis. C'est une personne solide, joviale, pleine de bon sens, bien ancré dans la vie. La méditation, intégrée dans l'ensemble d'un chemin spirituel, a fait toute la différence pour lui.

Récemment, alors qu'il était au Népal, la petite maison qu'il possède en Dordogne a entièrement brûlé, avec ses quelques possessions. Il n'avait pas l'air troublé outre mesure et a commenté : "De toute façon, je trouverai bien un endroit où m'asseoir tranquille !" Voilà le genre de fruit qu'une vie consacrée à la recherche de la liberté intérieure par la méditation peut faire mûrir... »

Matthieu

13
LA MÉDITATION

Qu'est-ce que la méditation ?

MATTHIEU : Selon l'étymologie des mots sanskrit et tibétain, « méditer » signifie « cultiver » (on rejoint l'idée d'entraînement de l'esprit), mais aussi « se familiariser avec ». Il y a donc autant de formes de méditation que de manière d'entraîner son esprit. Toutes ont en commun la présence d'esprit, l'attention, la clarté et la stabilité. Si l'on cultive l'attention et la bienveillance, on se familiarise avec ces qualités. Il y a donc une dimension intentionnelle et un processus d'entraînement cumulatif (on devient de plus en plus attentif et bienveillant). On peut également se familiariser avec une nouvelle manière d'être, de gérer ses pensées et de percevoir le monde. Enfin, on peut se familiariser avec la nature de son esprit, laquelle nous échappe habituellement, parce qu'elle est voilée par les nuages de nos fabrications mentales, la radio Mental FM chère à Alexandre. On s'habituera à appréhender la présence éveillée derrière les cascades de pensées et à reposer dans la nature de la conscience pure. Dans ce cas, il ne s'agit pas d'un entraînement actif, mais d'une expérience directe. La pratique ne consistera donc pas à faire du « body-building de l'esprit », mais à écarter les nuages de la confusion et à contempler le ciel de la nature de l'esprit.

L'introspection bouddhiste a recours à deux méthodes : l'une analytique, l'autre contemplative. La méditation analytique consiste à aller jusqu'au fond des choses. Les choses sont-elles permanentes ou impermanentes ? Existent-elles de manière autonome ou en interdépendance ? Quelles sont les causes immédiates et ultimes de la souffrance ? Le moi, l'ego existe-t-il comme une entité unitaire, doué d'existence propre ? Ou n'est-il qu'une illusion commode qui n'existe que par convention ? Une fois que l'on est arrivé à une conclusion irréfutable, la méditation contemplative consiste à laisser son esprit reposer d'une manière non discursive dans cette nouvelle compréhension, de sorte qu'elle s'intègre à celui-ci comme l'eau pénètre dans la terre.

CHRISTOPHE : Défaut de soignant ou de méditant moins expérimenté que toi, j'ajouterais volontiers une troisième dimension, en amont de ce que tu viens de décrire, et qui me paraît très précieuse : l'apaisement.

MATTHIEU : Oui, un esprit calme, clair et stable, est une condition indispensable à toute forme de méditation. On ne peut rien cultiver si l'outil de l'esprit est perpétuellement distrait, confus, et agité comme un enfant capricieux.

CHRISTOPHE : Cette étape initiale de l'apaisement est presque initiatique aussi ! Elle apprend à nos patients que méditer, ce n'est ni somnoler ni réfléchir les yeux fermés ! Pour bien méditer, il faut être bien éveillé. Si l'on a mal dormi, si l'on a pris trop de psychotropes, les exercices ne se passent pas bien. Il faut aussi comprendre que, dans la méditation, on change de registre psychologique : on ne renonce pas à réfléchir, à se montrer intelligent, mais on le fait d'une autre manière, par un autre chemin. On commence par effectuer un état des lieux : on observe nos pensées, leur présence, leur nature, leur influence sur nous. C'est un détour pour mieux revenir vers elles, dans ce que tu appelles la « méditation analytique », marquée entre autres par un fonctionnement de l'esprit posé, stabilisé, nourri d'apaisement et de recul.

Il y a un autre détour, lui aussi suivi d'un retour dans la méditation : quand on médite en pleine conscience, on se retire pendant un instant du monde, mais sans l'abandonner, simplement en observant son expérience. J'aime beaucoup cette phrase de Christian Bobin : « Pour l'instant, je me contente d'écouter le bruit que fait le monde lorsque je n'y suis pas. » Ce désengagement n'est que transitoire, nous reviendrons vers le monde, mais nous l'aborderons sans doute de manière différente, plus lucide, plus posée, plus apaisée, plus intelligente et déterminée aussi.

MATTHIEU : Si je peux donner un exemple, similaire à celui de Bobin : on dit que dans la méditation, au lieu d'être emporté par le courant, on s'assied au bord de la rivière d'où l'on regarde l'eau couler. On peut aussi choisir de naviguer sur le fleuve en maîtrisant notre barque de manière experte.

CHRISTOPHE : Oui, et pour rester dans la comparaison, si l'on choisit de retourner naviguer sur le fleuve, on aura pris le temps de récupérer et de reprendre des forces, mais aussi de repérer les courants (comprendre le monde extérieur) et d'identifier nos peurs ou nos incohérences quant à la façon de naviguer (comprendre le fonctionnement de notre esprit dans ces circonstances). On aura refait le plein de lucidité et d'énergie, en quelque sorte ! Le détour par la contemplation est précieux pour faciliter l'action, si l'action est ensuite nécessaire. On est loin d'une vision de la méditation purement contemplative, seulement tournée vers l'intérieur de soi et le retrait du monde. Mais des temps de retraits réguliers sont précieux, quelle que soit notre vie, active ou contemplative.

ALEXANDRE : Écouter les bruits du monde... Christian Bobin donne une sacrée piste pour cesser de vivre sa vie à la manière d'une boule de billard qui s'agite en tous sens et se risquer à un autre rapport à l'être. Ce qui m'a conduit à la pratique de la méditation, c'est un épais désarroi, l'impossibilité du moindre repos, un état d'esclavage quasi permanent, pour le dire dans les mots de Swâmi Prajnânpad. Et l'aliénation peut envahir tous les terrains de la vie. On en finit par être tenu par le passé, les traumatismes, les attirances, les préjugés.

Méditer, c'est s'ouvrir à une expérience contemplative, rejoindre l'appel des traditions spirituelles à considérer le réel en renonçant à vouloir le posséder, le saisir, sans rien refuser. Les mystiques chrétiens nous prennent par la main pour nous conduire au-delà de l'avoir, de la possession, de la saisie et du rejet. Singulière expérience… Le moi habituel s'éclipse, un autre rapport au monde se laisse deviner. En compagnie des bouddhistes, nous sommes invités à nous donner au monde sans que l'ego ne ramène sempiternellement son grain de sel. Quand l'insatisfaction nous tenaille, difficile de ne pas considérer l'autre, la nature, la vie elle-même comme un instrument, une béquille, un immense magasin… La pratique élargit, dégage l'horizon.

Comment en finir avec la rapacité du mental ? Schopenhauer parle de ce vouloir-vivre, aveugle et vorace, qui *veut* à travers nous. Se lancer dans l'aventure spirituelle, c'est peut-être quitter peu à peu cet appétit inextinguible, cet état de manque. C'est fou comme l'intérêt, le désir, les attentes nous coupent de la beauté, de la légèreté, de la gratuité de chaque instant. Si nous sommes tenaillés par la faim, comment descendre une rue, fût-ce la plus belle du monde, sans loucher sur les restaurants, les fast-foods, la première pizzeria du coin, fermés à tout le reste ? Impossible, dès lors, de rencontrer la plénitude, le repos, la paix.

Méditer c'est aussi tenter un autre rapport à soi, aux autres, au quotidien, s'ouvrir à une qualité d'être, à un goût, une disponibilité intérieure.

Bergson, après Maître Eckhart, distingue le moi de surface,

le moi social, pourrait-on dire, et le cœur de l'être humain. Précisément, méditer, prier, c'est y descendre progressivement, quitter les automatismes, dire adieu au personnage pour cesser de s'identifier à lui.

Les chrétiens parlent de combat spirituel. C'est dire que l'ego, les tentations, les illusions et la capacité de nous berner nous-mêmes sont tenaces, durs à cuire…

Concrètement, pour glaner quelques pistes, voici une sorte de kit de survie que j'ai longtemps suivi pour me livrer à la pratique de l'entraînement de l'esprit. D'abord, pour atténuer le tintamarre de Mental FM, écouter les bruits du monde précisément, tendre l'oreille aux coups de klaxon, aux rires d'un enfant, au silence, bref à tout ce qui nous environne, histoire de sortir du cinéma intérieur et de s'ouvrir à l'univers entier. Une tradition rapporte qu'Avalokiteshvara, le Bouddha de la compassion (Kannon chez les Japonais, qui est représenté sous une forme féminine en Chine) a atteint l'Éveil en se rendant attentif aux autres, en s'ouvrant aux appels de détresse, aux cris, au désespoir des êtres. Revenir aux sens, à la perception, c'est tordre le cou au mental qui analyse, compare et commente. Dans un deuxième temps, nous sommes invités à considérer chaque partie du corps pour le détendre, à regarder ces mains, ces pieds, ces jambes, ces bras, ce véhicule qui, aussi cabossé soit-il, nous conduit à l'Éveil. Occasion de cesser de le considérer comme un poids, une idole, une charge, un fardeau… Puis nous pouvons sans juger, sans rejet ni saisie, regarder passer l'immense flot de pensées, de sentiments, d'émotions qui nous traversent. Enfin, dans une quatrième étape, ô combien essentielle, pour offrir sa pratique et l'étendre à plus grand que soi, envoyons des *metta*, de l'amour, de la bonté, de la bienveillance !

Méditer, se départir des émotions négatives, se déprendre de soi, c'est aussi et surtout travailler au bien de tous. S'asseoir sur un coussin, s'allonger pour se recueillir. Ce n'est pas se retrancher du monde, mais se donner.

MATTHIEU : Dans le bouddhisme tibétain, Avalokiteshvara est parfois représenté avec mille bras et un œil sur chaque main, symbolisant sa compassion qui voit tous les êtres, se montre attentive à leur sort et est toujours prête à remédier à leurs souffrances. *Metta* en pali, *maitri* en sanskrit, signifie la « bonté aimante » : elle consiste à souhaiter que tous les êtres trouvent le bonheur et les causes du bonheur. Tandis que *karuna* désigne la compassion (le pendant de *metta*), autrement dit, le souhait que tous les êtres soient libérés de la souffrance et de ses causes. La bonté aimante embrasse tous les êtres, quelle que soit leur condition, et se mue en compassion dès qu'elle est confrontée à la souffrance.

ALEXANDRE : Entraîner l'esprit à virer les toxines mentales, à dissoudre les parasites, à traquer les idolâtries, c'est aiguiser l'oreille intérieure et, pour le croyant, se rendre disponible à une transcendance. C'est voir l'immense solidarité qui nous unit tous à tout. Cette percée, cette ouverture peut bientôt envahir tout le quotidien et se prolonger en un élan vers l'autre, une joie de partager, de se tenir à l'écoute.

Dans *Humain trop humain*, Nietzsche donne un fabuleux outil : la meilleure façon de commencer la journée, c'est se demander si nous pouvons faire plaisir à quelqu'un ce jour-là.

Quel est le contraire de la méditation ?

MATTHIEU : La conscience distraite ou endormie dans un relâchement excessif est le contraire de la méditation. L'esprit distrait ressemble à de l'herbe folle au sommet d'un col, qui se courbe dans tous les sens, au gré des vents. Elle ne sait même pas qu'elle est distraite. La conscience endormie peut être comparée à l'eau la nuit : bien qu'elle soit naturellement transparente, elle devient opaque dans l'obscurité. En revanche, si de nombreuses pensées surgissent, mais que l'on reste parfaitement conscient de ce qui se passe, on n'est pas distrait. Vouloir arrêter les pensées est une vaine chimère. Si l'on estime qu'une «bonne» méditation doit être dépourvue de pensées, on est mal parti. L'important est de rester lucide et conscient de notre état présent : sommes-nous calmes, agités, clairs, tendus ou relâchés ? Sommes-nous conscients d'être tristes ? joyeux ? pleins d'ardeur ou de nous ennuyer ? La distraction nous fait perdre cette conscience du moment présent et dix minutes plus tard, on s'aperçoit que notre esprit a vagabondé dans le monde entier et que l'on a complètement oublié l'objet de notre méditation. Le but n'est donc pas de faire en sorte que tout soit parfait, comme un ciel au beau fixe, mais de ne jamais oublier la présence éveillée.

CHRISTOPHE : Le bavardage de l'esprit, la dispersion, la distraction sont toujours les premiers obstacles de la pratique méditative, mais tout cela est normal : notre esprit fonctionne ainsi, notre cerveau produit des pensées comme nos poumons produisent des inspirations et des expirations. Tous nos organes font leur boulot à leur manière ! C'est à nous d'aller au-delà, de permettre à ces pensées d'être là, mais de ne pas les alimenter, de ne pas s'y immerger ! Comme tu le soulignes, Matthieu, la distraction ce n'est pas d'avoir tout un tas de pensées à l'esprit, mais de les écouter, de les suivre, d'y adhérer, de s'y perdre…

Dans la méditation de pleine conscience, le travail consiste à observer nos pensées, et nos réactions à ces pensées : comment elles attirent notre attention, comment elles influencent notre corps, font naître des impulsions, des images, s'enchaînent les unes aux autres, etc. Tous les moments où nous prenons conscience de notre distraction ou de notre dispersion sont des moments très précieux : ce sont autant d'entraînements à vite repérer que notre esprit est parti ailleurs.

Mais cette dispersion en elle-même n'est pas un souci si nous en acceptons la présence. Elle est comme l'essoufflement lorsqu'on fait un footing : c'est normal, on ne renonce pas à courir pour autant ; simplement, sur le moment on adapte son rythme, et sur la durée, on poursuit l'entraînement pour que l'essoufflement soit de moins en moins présent et gênant. Notre dispersion et notre distraction ne doivent pas nous dissuader de méditer, mais nous pousser à pratiquer des exercices simples, d'abord centrés sur leur repérage et le retour à chaque fois à la conscience du souffle, par exemple.

MATTHIEU : On donne l'image du berger qui observe ses moutons : il ne les empêche pas de vagabonder à droite à gauche, mais à tous moments, il garde un œil sur eux.

ALEXANDRE : Adopter un regard contemplatif c'est aussi, nous disent les textes bouddhiques, embrasser la vie comme un père de famille qui, de sa fenêtre, observe les enfants s'amuser : deux camps s'affrontent, les cow-boys et les Indiens. Des cris se font entendre. Ce spectacle n'est qu'un jeu, il le voit parfaitement, tout attentif à ce qui se passe.

CHRISTOPHE : Et, ce qui est très spécifique à la méditation, c'est qu'après avoir pris conscience de sa dispersion mentale, on décide de l'observer, assez longuement. On ne se lance pas dans des réflexions, comme « je n'y arriverai jamais », « c'est impossible pour moi leur truc, il faut avoir un cerveau spécial », etc. Mais on reste là, à observer, en pleine attention, en pleine conscience, de quoi est composée exactement cette expérience de la distraction : encore une fois, il apparaît évident que méditer, ce n'est pas réfléchir comme d'habitude, mais commencer par vivre son expérience, profondément, pleinement, attentivement. Même les expériences gênantes, comme la distraction et l'ennui.

MATTHIEU : À nouveau, au début, il y a un effort ciblé, studieux, quelque peu contraint. Ensuite, la présence éveillée devient une seconde nature, on ne médite pas intentionnellement, et pour autant, on n'est jamais distrait. C'est une sorte de pleine conscience ininterrompue, une manière d'être qui est le fruit mûr de l'entraînement.

Pourquoi méditer?

MATTHIEU: Certains peuvent se demander: «Pourquoi je m'embêterais à méditer? J'ai bien d'autres choses à faire.» Ou comme on l'a vu dans les efforts: «La vie m'apprend suffisamment de choses, pourquoi en rajouter?» Ce à quoi l'on peut substituer la question suivante: «Est-ce que je fonctionne de manière optimale?» Il faudrait être très prétentieux ou malhonnête pour dire que tout va pour le mieux dans notre manière d'être ou de penser. Nous sommes un mélange d'ombre et de lumière. L'entraînement de l'esprit spécifique, la méditation, est pratiqué depuis des millénaires, et les neurosciences ont confirmé son efficacité. Pourquoi ne pas essayer? Nous l'avons dit: on ne médite pas pour muscler ses méninges, mais parce qu'on a affaire à son esprit du matin au soir et qu'il est bien souvent perturbé.

CHRISTOPHE: Dans la mesure où méditer régulièrement demande un effort, il est légitime de répondre à cette question: pourquoi méditer? Certains enseignants s'en sortent par le rappel sévère d'un idéal: la méditation, pour être la méditation, ne doit pas avoir d'objectifs, elle ne doit pas être liée à des attentes précises. On médite pour méditer, point! Mais la plupart d'entre nous ne viennent pas à la méditation par simple curiosité ou par quête d'exotisme. On y vient parce qu'on en a besoin, parce qu'on souffre, qu'on est malade, qu'on voit bien à quel point notre fonctionnement mental, émotionnel, comportemental est éloigné de nos idéaux de conduite. Comme tu viens de le souligner, Matthieu, on sait qu'on ne fonctionne pas de manière optimale, et on a envie de progresser, tout simplement. Alors, on est prêt à s'engager dans les efforts de la pratique méditative, avec toutes ses étapes…

MATTHIEU: De nos jours, il est universellement admis que faire de l'exercice est bon pour la santé. Personne ne vous accusera de perdre votre temps si vous y consacrez vingt minutes par jour. Même si l'on surestime parfois les bienfaits de la méditation sur la santé, plusieurs centaines d'études confirment ses effets bénéfiques sur notre santé physique et mentale (dans le cas de la prévention des rechutes de la dépression, par exemple). Donc, si vingt minutes par jour de méditation améliorent la qualité des vingt-trois heures et quarante minutes qui restent, y compris le sommeil, les relations humaines, la faculté d'échapper au burn-out, etc., cela semble être plutôt un bon investissement! L'argument qu'on oppose le plus fréquemment est: «Oui, mais je n'ai pas le temps.» C'est un peu comme si le médecin vous disait: «Franchement, ça ne va pas. Vous devez suivre un traitement», et que vous lui répondiez: «Écoutez, docteur, je ne peux pas suivre ce traitement: je ne me sens pas bien et, qui plus est, je n'ai pas le temps. Donc je ferai ce qu'il faut quand j'irai mieux et que je serai à la retraite.»

Il faut donc savoir prendre du temps pour apprendre à améliorer notre qualité de vie. Pour donner un exemple instructif dans le monde des affaires – rien à voir avec la méditation –, le grand magnat américain de la fin du XIXe siècle J. P. Morgan disait: «Je peux faire ce que je fais en dix mois, mais je ne pourrais pas le faire en douze.» Il consacrait deux mois par an à reprendre des forces dans la nature, à restaurer la santé physique et mentale nécessaires pour accomplir tout ce qu'il entreprenait par ailleurs.

En quoi et comment la méditation nous libère-t-elle ?

MATTHIEU : Au début, notre esprit est très turbulent et il est donc bien difficile de mener à son terme une méditation analytique, de cultiver la compassion et, plus encore, d'observer la nature de la conscience : on a simplement affaire à un tourbillon de pensées. La première étape, on l'a vu, est donc d'acquérir un certain calme. Il ne s'agit pas d'étourdir l'esprit comme on assommerait quelqu'un avec un bâton, mais de lui permettre d'être un peu plus clair, un peu plus stable. C'est pourquoi la plupart des méditations commencent par l'observation du souffle. C'est à la fois pratique (la respiration est toujours là), simple (avec un mouvement permanent de va-et-vient) et subtil (c'est invisible et si l'on n'y prête pas attention, cela disparaît instantanément du champ de nos perceptions). C'est donc un excellent objet pour affiner ses facultés d'attention. Cet entraînement simple n'est pas pour autant facile. On peut même être découragé au début en constatant : « J'ai encore plus de pensées qu'avant, je ne suis pas fait pour la méditation. » Il n'y en a pas forcément plus, mais on commence à s'apercevoir de ce qu'il se passe, à mesurer l'étendue des dégâts. Avec le temps, telle une chute d'eau qui devient un torrent de montagne, puis une rivière et enfin un lac limpide, l'esprit se calme.

Après quelques semaines, voire quelques mois, je peux passer à l'étape suivante : « Maintenant que j'ai un esprit plus flexible et disponible, et que je peux le diriger comme un cheval bien entraîné, je peux lui dire : "Applique-toi à la compassion." » Cette progression doit être respectée et il ne sert à rien de brûler les étapes : si l'on veut méditer sur la compassion alors que l'esprit ne tient pas en place, on ne va pas cultiver la compassion, on va simplement être distrait.

Je peux aussi me demander : « Finalement, qui médite ? Le moi ? La conscience ? » Je peux analyser la nature de tout cela.

De façon plus contemplative et directe, je peux encore approfondir ma quête : « Qu'y a-t-il derrière toutes ces pensées ? N'est-ce pas cette présence éveillée, cet aspect de la conscience nue qui est la source de tout événement mental ? » Dès lors, je commence à entrevoir ce qui, sous-jacent à toute pensée, est toujours là, comme le ciel immuable derrière les nuages. Je peux ensuite laisser l'esprit reposer dans cette présence éveillée.

CHRISTOPHE : Effectivement, l'étape de l'apaisement, le premier objectif de la méditation de pleine conscience, est semblable à un échauffement pour un sportif, ou bien à des gammes pour un pianiste – une façon de maintenir une condition physique optimale afin d'accomplir les autres gestes. Pour les méditants, comme je l'explique à mes patients, c'est un travail non spécifique pour mettre son esprit sur les bons rails.

C'est pourquoi nous avons besoin de retravailler régulièrement la simple pleine conscience : d'abord pour des raisons culturelles – parce que notre environnement nous disperse –, ensuite pour des raisons naturelles – parce que l'attention, telle qu'elle fonctionne dans notre cerveau, nous pousse à la distraction, mécanisme ancestral de surveillance de l'environnement. La distraction est en effet une capacité utile, qui nous permet de réagir dès qu'un événement nouveau surgit dans notre environnement. Si nous sommes des animaux et que cet événement représente une menace, être « distrait » de ce que nous faisions – brouter ou nous reposer – nous sauve la vie. Mais si nous sommes des humains du XXIᵉ siècle, la distraction, c'est souvent un coup de téléphone, un message publicitaire sur une page Internet, et cela ne nous sauve pas du tout la vie, bien au contraire.

ALEXANDRE : Le mental préfabrique une vision du monde, de la vie, de l'amour, de soi, du bonheur, de la joie. Il a un avis sur tout. Avec sa valise de préjugés, il nous coupe de l'expérience immédiate et nue. L'ascèse, c'est peut-être repérer ce qui appartient à la sphère de l'ego : le mouron, les soucis, les tracas, le désir de plaire, l'insatisfaction, pour retrouver la bonté primordiale de l'existence qui, par-delà peurs et attentes, se donne sans cesse dans la plénitude de l'instant. Mais comment calmer la *bête*? En pleine pagaille, j'ai dû improviser un exercice de fortune : noter, évaluer les pensées, les émotions, les peurs de 1 à 10. Sur cette échelle de sismographie intérieure, 1 correspond à une idée neutre, tranquille, qui ne me fait ni chaud ni froid. À 10, je peux bondir sur le téléphone pour éviter de commettre l'irréparable... Cette technique, somme toute assez basique, a le mérite de nous détacher un peu des pensées : «Ah, tiens, un 3», «Voilà un 4!», «Ah, je suis en face d'un 6...»

Pour notre malheur, nous croyons dur comme fer à tout ce qui se présente à l'esprit : convictions, lubies, phobies, fantasmes, délires... Parfois, désobéir à ces commandements, se risquer à laisser passer sans agir est un expédient des plus efficaces. La perversité du mental veut que le bourreau finisse par s'installer à demeure en nous. Maître des lieux, il ne nous quitte plus et veut qu'on lui obéisse au doigt et à l'œil, d'où une guérilla sans fin.

MATTHIEU : Tant que notre esprit est la proie de l'agitation mentale, nous sommes esclaves de nos pensées. La maîtrise, c'est la liberté. Le marin maître de son navire navigue vers la destination de son choix. Un navire ballotté par vents et courants risque fort de sombrer sur un écueil.

Une personne sujette à la distraction s'élancera à la suite de chaque pensée comme le chien qui court après chaque bâton qu'on lui lance. L'esprit non maîtrisé a tendance à amplifier les pensées et à les laisser proliférer. Une pensée survient – j'ai envie d'une tasse de thé, d'aller acheter quelque chose au marché, de téléphoner, etc. –, le corps la suit et l'exécute. L'esprit calme se concentre sur un objet choisi ou repose dans une simplicité vaste et transparente.

CHRISTOPHE: Ce qu'apporte la méditation à notre liberté intérieure est très important : la stabilité de l'attention et des émotions tout d'abord, clés du discernement. Puis l'élargissement de la conscience : méditer, c'est s'ouvrir volontairement et calmement (pas comme dans la distraction involontaire) aux autres et au monde, comprendre leur importance, ainsi que les appartenances et les interdépendances qui nous lient. C'est adopter sur le monde un regard en quelque sorte extérieur à soi-même, c'est se libérer de soi.

MATTHIEU: Prenons l'exemple d'un individu prisonnier de ses réactions. On l'insulte. Soit il se vexe, soit il se met en colère, soit il est déprimé. Il est loin d'être libre. Il est même une cible vulnérable à la critique et à la louange, au gain et à la perte et autres considérations ordinaires. Or il est possible de ne pas « péter les plombs » quand on nous critique ni de devenir arrogant et vaniteux quand on nous loue. Si l'on comprend que l'ego n'est pas une cible aussi solide qu'elle en a l'air, qu'il est en fait transparent par nature, toutes les flèches du monde ne peuvent plus lui faire de mal. On a retrouvé sa liberté. Si l'on amplifie et approfondit cette liberté intérieure, les perturbations traversent l'esprit et se dénouent à mesure qu'elles surviennent.

ALEXANDRE: C'est dingue et magnifique de se considérer comme transparent, de percevoir *sa* nature comme un ciel sur lequel les traumatismes, les accidents de parcours, les épreuves ne laissent aucune trace, ultimement...

L'une des vocations de la méditation tient à nous révéler que *ça* pense, *ça* désire, *ça* veut, *ça* réagit en nous, que se greffent sur notre être quantité de mécanismes de défense, de désirs adventices, de fantasmes. On est loin de la transparence... Précisément, l'entraînement de l'esprit vise à revenir à la maison, à nous départir de tout échafaudage. Et dire que toute la journée l'ego lutte à mort pour conserver ses prérogatives, faire valoir ses droits, défendre ses idées. D'où le risque d'un épuisement général et complet.

Ramana Maharshi disait avoir atteint l'Éveil après s'être dédié corps et âme à la question « Qui suis-je ? ». Voie royale qui l'a conduit sur *l'autre rive*, faisant exploser au passage les obstacles à cette profondeur, à cette percée hors des barrières de l'individualité.

Le zen parle de l'état originel, de cet espace, de ce cœur immensément vaste, ouvert. Tous, nous avons été des enfants sans cette tonne de préjugés, sans les complexes, les rôles sociaux, le besoin de compenser. En nous subsiste une part indemne, intouchable, sacrée, pure.

Méditer, c'est rejoindre au-delà des couches notre véritable essence. Entrer en intimité avec notre véritable nature.

CHRISTOPHE : C'est la distinction pédagogique que nous, soignants, établissons entre réagir et répondre. La réaction est immédiate et impulsive, la réponse est posée et réfléchie. Dans la vie, nous avons besoin des deux : parfois réagir vite, parfois répondre posément. Mais autant réagir ne nous demande pas d'efforts, c'est instinctif (rendre coup pour coup, par exemple) autant répondre, quand nos émotions sont impliquées notamment, demande un apprentissage.

Là encore, la pratique régulière de la méditation de pleine conscience apporte à nos efforts une série d'exercices et d'expériences irremplaçables. Par exemple, lorsque nous méditons avec nos patients, nous leur expliquons que si leur nez les démange ou si une crampe commence à étreindre leur mollet, ils peuvent bien sûr se gratter ou bouger. Mais nous leur demandons aussi de ne pas se comporter comme d'habitude : avant de le faire, prendre le temps d'observer ce qui se passe, d'explorer leur expérience. Respirer, voir où se situe exactement la démangeaison ou la crampe, quelle est son intensité, quelles pensées elle déclenche («je ne vais pas tenir, il faut que je fasse quelque chose»), quelles impulsions du corps (le bras pour se gratter s'est-il déjà tendu ? avons-nous déjà commencé à gigoter pour changer de position ?)... Puis regarder si, après quelques instants, le besoin de se gratter ou de bouger est toujours là, ou bien s'est modifié, ou bien a disparu. Essayer de répondre, donc, plutôt que de réagir immédiatement. C'est étonnant pour les patients de voir qu'en prenant le temps de la pleine conscience avant d'obéir à une impulsion, parfois la situation (démangeaisons ou crampe) ou leur ressenti psychologique («je dois faire quelque chose») se modifient d'eux-mêmes.

C'est un bon entraînement, à partir de situations simples, pour apprendre à affronter des situations plus complexes, notamment face aux impulsions liées à l'activation émotionnelle, peur ou colère notamment.

La méditation apprend à ne pas être esclave de ses impulsions, de ses automatismes mentaux. Ça me démange, alors je me gratte ; je vois un truc à faire, alors je le fais ; j'ai un souci à l'horizon, alors je rumine, je ressasse ; on me contrarie alors que je suis stressé, alors j'explose ou je m'effondre. Toujours la différence entre réagir et répondre ! Méditer régulièrement, c'est se donner un espace de liberté qui offre la possibilité de choisir entre les deux. Et cet espace de liberté consiste à être présent, à observer ce qui se passe, mais en prenant le temps de ne rien faire d'urgent (pour mieux discerner où est l'important à cet instant).

MATTHIEU : Un ami avec qui j'ai séjourné à Darjeeling dans les années 1960, le docteur Frédéric Leboyer, disait : « La méditation, c'est ne rien faire, mais avec méthode. » Pour Jon Kabat-Zinn, il s'agit de « ne rien faire, mais bien ».

CHRISTOPHE : Et selon André Comte-Sponville, « c'est ne rien faire, mais à fond » ! Au niveau neuropsychologique, par la pratique de cette présence au monde non active, non réactive, la méditation peut nous aider à inhiber certains programmes automatiques, comportementaux, émotionnels ou cognitifs (nos pensées automatiques). Et c'est extrêmement précieux pour les patients, parce que cela va freiner les déclenchements de ruminations et de comportements inadaptés, sans qu'il s'agisse d'une répression aveugle. On n'est pas sur le mode «empêche-toi de faire ça», mais sur le mode «observe l'expérience qui consiste à avoir envie de faire ça, et reste dans l'observation avant de passer ou non à l'action». La crampe de posture ou l'envie de te gratter le nez pendant que tu médites, c'est tout bête, mais c'est une découverte phénoménologique pour la plupart des gens: ils comprennent qu'ils peuvent choisir d'accomplir, ou pas, quelque chose qui semble irrépressible au début.

MATTHIEU: Quand j'ai appris la navigation avec mon oncle Jacques-Yves Le Toumelin, qui a fait le tour du monde en solitaire sur un voilier sans moteur, nous voguions au large des côtes bretonnes un jour de forte houle. Quand on tient la barre et qu'une vague vient sur le côté, le bateau dévie de sa trajectoire. On a alors tendance à donner un grand coup de barre pour lui faire reprendre son cap. Lorsque c'est fait, on repousse énergiquement la barre dans l'autre sens. Mon oncle m'a averti: «Arrête de t'agiter! Tiens la barre au milieu, fermement.» Le bateau va aller un peu à tribord puis un peu à bâbord, et ainsi de suite, mais en moyenne il gardera son cap. Il est vain de s'épuiser à réagir. Dans la vie, tenir la barre, c'est rester dans la pleine conscience, sans passer son temps à attirer ou à repousser nos expériences.

CHRISTOPHE: Ce mécanisme d'attraction-répulsion est important à comprendre. Nous sommes attirés par ce qui nous semble bon: méditer ne va pas nous y rendre indifférents, mais nous aider à savourer cela sans nous y attacher (sans craindre à chaque instant que cela ne s'interrompe). Méditer va aussi nous permettre de vérifier si savourer ce qui nous attire est vraiment une bonne idée (car il peut s'agir de quelque chose de toxique et d'addictif : sucre, alcool, tabac, etc.).

Nous avons par ailleurs tendance à repousser ce qui nous semble désagréable : méditer va nous aider à mieux accepter le fait que des expériences désagréables existent (au lieu de rêver de ne jamais avoir à les affronter) et à les traverser au mieux, sans forcément les fuir (elles peuvent parfois nous être utiles). Il s'agit en quelque sorte de moins souffrir ou de « mieux » souffrir, sans être rétracté sur sa souffrance, ou asservi durablement par elle.

ALEXANDRE : Le zen parle de l'esprit de tous les jours. La liberté, la paix, la joie, le détachement se glanent au sein même des tiraillements, du chaos. Pourquoi, dès lors, ne pas considérer la colère, l'impatience, les penchants, tout ce qu'on aimerait tant arracher de notre cœur, comme autant d'occasions de pratiquer la sagesse, de s'exercer à la vertu, de grandir ?

Dans *Par-delà le bien et le mal*, Nietzsche évoque un granit, un *fatum* spirituel qui résiste à toute instruction. Subsisteront peut-être au cœur de notre être des préjugés mais aussi des séquelles, des souvenirs, des traumatismes opiniâtres qui mettent en échec le progrès, le changement. On peut se casser les dents des vies durant sur ces petits et gros travers qui nous plongent dans le découragement. Cette lecture binaire du monde, attraction-répulsion par exemple, est vraiment tenace, tyrannique. C'est du granit…

Pour foncer vers la liberté, peut-être convient-il de repérer ce socle, ce rocher…

MATTHIEU : Pendant l'hiver, le gel fige les lacs et les rivières, et l'eau devient si solide qu'elle peut porter hommes, bêtes et attelages. Avec le printemps vient le dégel. La glace est dure et coupante, l'eau est douce et fluide. L'eau et la glace ne sont ni identiques ni différentes, la glace étant de l'eau solidifiée et l'eau de la glace fondue. De même, il arrive que l'esprit se fige, surtout lorsqu'il surimpose à la réalité des attributs dont elle est dépourvue – ami, ennemi, attirant, repoussant, etc. – et devient tourmenté par l'attirance et la répulsion. La méditation nous permet alors de faire fondre la glace des fabrications mentales en l'eau vive de la liberté intérieure.

Quand tout dans l'esprit semble se solidifier, que l'on a l'impression de ne pouvoir venir à bout de certaines tendances ou angoisses, je comprends qu'il te vienne parfois l'idée qu'il existerait un « granit », un noyau dur insurmontable. C'est une croyance liée à certaines expériences, aux souvenirs et traumatismes que tu évoques. Mais, en réalité, il n'existe aucune pierre d'achoppement pérenne au sein de l'être.

Au fur et à mesure que l'on apprend à reposer dans la nature fondamentale de l'esprit, il paraît inconcevable de succomber à l'anxiété profonde, à la haine ou à la jalousie. Ces états d'esprit paraissent tellement étrangers dans cet espace de présence éveillée. Ce qui, en nous, ressent de la haine, n'est pas la nature de bouddha. Cela ne veut pas dire pour autant qu'on ne risque pas de se fourvoyer à nouveau, puisqu'on est loin d'être arrivé au terme du chemin.

ALEXANDRE : Qu'est-ce qui nous exile de cet esprit vaste, pour le dire dans les mots de Shunryu Suzuki, de la nature fondamentale de l'esprit ? Les traumatismes, la souffrance, la peur de morfler, une certaine volonté de puissance, tout concourt à fausser compagnie à la liberté. En t'écoutant, cher Matthieu, je prends conscience que la méditation n'est pas là pour nous corriger, mais bien plutôt pour nous aider à rejoindre le fond du fond, la vraie joie. On devrait s'y adonner avec l'allégresse du prisonnier qui voit s'ouvrir la porte de son cachot.

MATTHIEU : Oui, la méditation n'a pas pour but de nous corriger, au sens « scolaire » du terme, mais plutôt de nous permettre d'approfondir nos niveaux de conscience jusqu'à retrouver cette pleine conscience éveillée qui est non pas notre noyau dur, mais la transparente naturelle de l'esprit. Je cite souvent cet exemple : après s'être mis en colère, on dit bien : « J'étais hors de moi », « Je n'étais plus moi-même ».

ALEXANDRE : Il y a bien des manières d'être « hors de soi » : la furie, l'*hubris* qui nous emporte et nous aliène, et le don de soi, la générosité, l'amour, la compassion, *karuna*. D'un côté les ravages de la passion, de l'autre la déprise de soi. Méditer c'est se départir du moi en plongeant au fin fond de notre être.

MATTHIEU : Donc on pourrait dire que la colère nous fait sortir de notre nature profonde, tandis que l'amour nous permet de sortir de l'ego.

ALEXANDRE : Exactement.

CHRISTOPHE : C'est l'image qu'évoque Simone Weil : « Percevoir chaque humain comme une prison, où habite un prisonnier, avec tout l'univers autour. » Se mettre en colère, c'est tout casser dans sa cellule ; et apaiser sa colère, sans pour autant renoncer à agir sur ce qui nous a mis en colère, c'est sortir de sa cellule pour voir un peu ce qui se passe autour. Une fois de plus, méditer, ce n'est pas, ou pas seulement, se mettre à l'écart du monde, mais c'est, à la fin, toujours s'y ouvrir et revenir à lui…

MATTHIEU : Tant que nous sommes prisonniers de nos fabrications mentales et que nous déformons la réalité, nous ressemblons, disait mon maître Kangyour Rinpotché, à une abeille prisonnière d'une bouteille en verre : elle monte et descend inlassablement sans pouvoir s'en échapper. La liberté intérieure ne consiste pas à casser la bouteille, mais à comprendre que nos attachements ne sont pas aussi solides qu'ils en ont l'air et que le verre de la bouteille n'est qu'une illusion. Alors l'abeille rejoint le vaste ciel…

Avant et après la méditation

MATTHIEU: La méditation ne doit pas cesser quand on se lève du coussin, sinon à quoi bon ? Ce serait comme aller au bain turc : une fois que l'on sort de ce cocon de vapeur chaude, il gèle dehors et l'on n'est pas plus avancé pour combattre le froid. Pire, on risque de s'enrhumer. Après la méditation – on parle de post-méditation – il faut donc s'assurer que certaines qualités perdurent comme un parfum et permettent d'entrer dans l'action en maintenant, au moins partiellement, la maîtrise de l'esprit acquise durant la méditation. C'est un exercice difficile, mais indispensable. Sinon, on est comme un cavalier qui n'a pas trop de mal à rester en selle dans un manège, mais qui, une fois lâché en forêt, est désarçonné au premier obstacle venu. Plus on est maître de son esprit, moins on sera vulnérable aux aléas de la vie quotidienne. Le degré auquel la post-méditation et la méditation sont unies est un bon indicateur des progrès spirituels. On dit qu'au bout du chemin, au niveau le plus élevé des bodhisattvas, il n'y a plus aucune différence entre la méditation et la post-méditation. Mais cela ne s'accomplit pas en cinq minutes.

Cependant, même chez les débutants qui ont goûté à des périodes de méditation quotidiennes, quelque chose demeure, comme un paysage dont on se souvient les yeux fermés. En plein milieu d'un embouteillage ou d'une situation conflictuelle, il est possible de repositionner son esprit sur cette expérience. Cette reconnexion calme l'esprit : il devient moins susceptible d'entrer en ébullition au feu des circonstances adverses.

Si l'on fait des rappels de plus en plus fréquents, au bout d'un certain temps, les qualités de la méditation forment comme un filet d'eau, mince, mais continu. Peu à peu, ce filet se mue en rivière et le cours de la présence éveillée ne risque plus d'être interrompu.

CHRISTOPHE : Dans la pédagogie de la pleine conscience, c'est exactement ce qu'on fait, on distingue très clairement trois catégories de pratiques : les exercices formels prolongés (je m'assieds et je médite vingt minutes chaque matin) ; les parenthèses de pleine conscience tout au long de la journée, pendant quelques minutes se rendre présent à soi et au monde (dans une salle d'attente, dans les transports en commun, en se rendant d'un point à un autre, en prenant des pauses) ou se rendre présent à ses émotions (agréables pour mieux les savourer, désagréables pour mieux les traverser) ; et enfin les activités en pleine conscience (faire la cuisine, le ménage, son travail en pleine conscience ; manger, marcher, observer le ciel, la nature, écouter autrui en pleine conscience, etc.).

Peu à peu, on en arrive à la compréhension qu'il n'y a pas d'un côté les moments où l'on médite, où l'on vise apaisement et discernement, et de l'autre, les moments où l'on vit, stressés, énervés, dispersés ! La méditation n'est pas seulement une compensation, une réparation, mais elle doit être une base de transformation de notre manière de vivre.

ALEXANDRE : Il s'agit de s'exercer, ici et maintenant, avec les moyens du bord, sans l'obsession d'un quelconque résultat. Les maîtres zen ne cessent de marteler : « rien de spécial ». C'est dans la vie quotidienne que l'on doit, comme tu l'as dit, cher Christophe, oser se donner aux activités en pleine conscience : faire la cuisine, le ménage, essuyer un regard moqueur, louper un bus, se débattre avec un ordinateur rétif…

Dans la vie spirituelle planent plusieurs dangers, le matérialisme spirituel : non spécule, on rampe vers des gratifications,

« Tant que notre
esprit est la proie
de l'agitation mentale,
nous sommes esclaves
de nos pensées.
La maîtrise,
c'est la liberté. »

des états de conscience modifiés, quelques profits ; la nostalgie d'un paradis perdu, la course effrénée vers une terre promise… Un père m'a dit un jour que le chemin consistait à être parfaitement imparfait. Parfois, enlisé dans le mal-être, on rêverait d'un traitement de choc, d'un remède de cheval, mais c'est millimètre par millimètre que nous progressons. Le terreau du quotidien offre mille leviers pour s'ouvrir au monde et danser joyeusement dans le tragique. Pourquoi ne pas nous adonner à une pratique fort simple : contempler, regarder le petit bonhomme s'agiter et laisser passer : «Ah, tiens, je suis stressé», «Aïe, aïe, aïe, me voilà en mode paniqué» ? Il n'y a peut-être rien d'extraordinaire dans l'ascèse : de brèves retraites intérieures, de petits moments de pleine conscience nous ramènent peu à peu à la maison, au calme, à la paix.

MATTHIEU : Pour les petits exercices réguliers, il y a celui qu'avait proposé Chade Meng, un ancien ingénieur de Google, un jour où nous étions avec le Dalaï-lama, le neuroscientifique Richard Davidson et un groupe de méditants : «Je vais vous enseigner un grand secret, avait-il dit : dix secondes de méditation toutes les heures !» Au départ, nous avons pensé : «C'est bien un truc de la Silicon Valley, le top de la superficialité.» Et puis quand il a expliqué son idée, nous avons commencé à changer d'avis. Tout le monde peut faire une pause de dix secondes, regarder autour de soi, ou par la fenêtre, et pendant dix secondes, engendrer un souhait altruiste, une bienveillance inconditionnelle vis-à-vis de tous ceux qui se présentent dans le champ de son attention. Dans le métro, au travail, dans la rue, pendant dix secondes, on souhaite intensément : «Puissent les êtres connaître le bonheur, s'épanouir dans l'existence, se libérer des difficultés, des poisons mentaux ; puisse ces obstacles disparaître.» Dix secondes. Même si on ne le fait que six fois par jour, c'est déjà beaucoup mieux que rien.

La vertu de cette pratique toute simple, c'est que l'effet perdure bien au-delà des dix secondes. Si l'on ouvre un flacon de parfum pendant dix secondes, la fragrance demeure une fois le bouchon refermé. Si ces vœux de bienveillance sont suffisamment rapprochés, ils engendreront une continuité, comme un parfum d'ambiance. Qui plus est, après avoir souhaité plein de bonnes choses à tout le monde, il y a peu de risque que l'on gifle le voisin à l'instant suivant.

Finalement, cette pratique de Chade Meng n'est pas très éloignée des enseignements traditionnels sur la méditation : de courtes périodes répétées, à intervalles réguliers, valent mieux que de gros efforts très espacés dans le temps. En neurosciences, on a d'ailleurs montré que, pour changer le cerveau, il est préférable de répéter de petits efforts tous les jours plutôt que de produire un gros effort tous les quinze jours : dans ce cas, le processus de transformation du cerveau, brièvement enclenché, ne se maintient pas.

CHRISTOPHE : Cela me rappelle un petit exercice que je propose aux patients (et surtout aux patientes…) pour le soir, après le boulot. Je leur dis : « Quand vous rentrez chez vous, la première chose que vous allez faire, c'est vous asseoir sur le canapé du salon, et vous accorder dix minutes pour vous poser, vous recentrer, respirer… Inévitablement, vous allez être assaillie de pensées du type : "Il y a de la poussière sous ce meuble, je la vois ; il faut que je fasse le ménage, le repas, que je réponde aux mails, etc." Normal ! Surtout, ne leur obéissez pas. Observez-les, observez comment elles vous mettent la pression, vous donnent l'ordre de leur obéir, en instillant de l'inconfort dans votre corps et votre esprit, de la culpabilité, le sentiment qu'il faut bouger, agir. N'oubliez pas que vous faites quelque chose de très important, que personne ne pourra faire à votre place : prendre soin de vous. On pourra vous aider pour le ménage, la cuisine, tout le reste. Mais prendre soin de vous, c'est vous et vous seule qui pouvez le décider et le faire… » Et pendant cinq à dix minutes, ces patientes font l'expérience, stoïques, de ne rien faire ! Et de comprendre que c'est possible, que c'est une option existentielle envisageable, précieuse et bienfaisante.

Les vrais changements se font imperceptiblement dans la durée

CHRISTOPHE: Il y a un autre grand malentendu à propos de la méditation : beaucoup de gens pensent que pénétrer dans le circuit de la méditation va transformer leur manière d'être, qu'ils vont devenir plus « zen », plus ceci, plus cela. Du coup, ils ont l'impression d'être en échec quand ils ne se sentent pas plus « zen », ou qu'ils n'arrivent pas à l'être tout le temps. Je leur dis alors : « La méditation ne va pas transformer tout de suite votre manière d'être, mais elle va enrichir vos modes de réponse à la vie. Vous continuerez d'être en colère, il vous arrivera d'être triste ou inquiet, vous serez encore distrait, mais peut-être le serez-vous moins souvent, moins violemment, ou à meilleur escient. Peut-être y aura-t-il aussi des moments où vous arriverez à ne pas l'être. Le but de la méditation, en tout cas de la méditation thérapeutique, ce n'est pas devenir un sage à temps plein, mais de s'entraîner à adopter d'autres façons de réagir, et d'être un sage à temps partiel ! Plutôt que de dire : "Avant je faisais ceci, et aujourd'hui je fais cela, qui est radicalement différent", se dire : "Avant je faisais ceci, je continuerai de le faire de temps en temps, peut-être à meilleur escient, mais je vais aussi développer d'autres façons de faire, et de choisir"… » C'est un enrichissement, un élargissement de nos manières de vivre, plutôt qu'une transformation radicale.

MATTHIEU: C'est un peu la même situation dans les centres bouddhistes. On constate que quelqu'un se comporte de façon peu aimable et on s'indigne : « Comment se fait-il ? Cela ne devrait pas se produire en ces lieux… » Or, si de telles personnes sont venues assister à des enseignements, c'est précisément parce que, imparfaites, elles ont le désir louable de progresser. Il ne serait pas raisonnable d'exiger d'elles qu'elles manifestent d'emblée toutes les marques de la perfection ! Dans le cas de la méditation, le but est de progresser au fil des mois et des années. Plutôt que de chercher à faire des bonds soudains dans notre pratique, mieux vaut se fier à des progrès lents, mais fiables. Si on regarde fixement les aiguilles d'une montre, elles semblent immobiles, mais si on les regarde de temps en temps, on s'aperçoit qu'elles ont bougé. Nous devons donc être diligents sans être impatients. La précipitation s'accorde mal avec la méditation, car toute transformation véritable exige du temps. Peu importe que le chemin soit long, l'essentiel est d'avoir le sentiment de marcher dans la bonne direction. En outre, ce n'est jamais une affaire de « tout ou rien ». Chaque étape contribue à notre épanouissement intérieur et apporte son lot de satisfactions.

CHRISTOPHE : Oui, effectivement, en thérapie en tout cas, on ne se fixe pas un changement radical comme objectif immédiat. Dans un premier temps, on propose aux patients d'ajouter d'autres manières de répondre intelligemment à certaines circonstances existentielles, de les tester, de voir s'ils souhaitent se les approprier. Dans une salle d'attente de dentiste ou de médecin, est-ce mieux de respirer en pleine conscience, de faire des jeux vidéo ou de lire des revues ? Tout est bien, mais surtout tout est à essayer et à pratiquer, pour repérer ce qu'il est utile de faire selon les moments et nos besoins !

ALEXANDRE : Dans une salle d'attente, à un arrêt de bus, quand je suis énervé, je peux toujours me livrer à l'ascèse : « Ah, tiens, je passe en mode… » Ce qui m'a beaucoup aidé à apaiser la *machine* *infernale*, c'est un exercice d'Anthony de Mello. Précisément, il suggère une voie qui se sert de l'imagination pour, en un sens, court-circuiter le mental lui-même. Dans *Un chemin vers Dieu*, il donne toute une série d'exercices pour nous aider à prier, à savourer la valeur de l'existence, à l'accueillir telle qu'elle se propose. L'un d'entre eux, un brin cocasse, s'appelle «vos funérailles». Il ne s'agit rien de moins que de se représenter son corps dans un cercueil et d'assister à son propre enterrement, de regarder les visages réunis pour l'occasion, d'écouter le prêche de l'officiant, de prêter l'oreille à ses paroles et de voir ce qui finalement est essentiel dans notre vie, dans le cœur de nos proches, dans les relations que nous lions tout au long de notre chemin. Rien de tel pour prendre de la hauteur, s'éloigner des tracas et, comme on dit, relativiser. Vécue à fond, cette expérience ramène à la vie, à ces mains, ces jambes, ces pieds, à ce corps, aux êtres qui nous sont confiés, à l'aujourd'hui qui s'offre à nous. Que pèsent, face à ce miracle, tracas et contrariétés?

Au fond, méditer, c'est profiter de chaque instant sans spéculer sur l'avenir, se départir de l'esprit calculateur pour juste être au monde.

MATTHIEU: Un jour, je suis resté longtemps assis dans une salle d'attente avec deux amis, dont l'un se trouvait être un méditant de longue date. Le troisième larron a fini par dire: «Je suis désolé que vous attendiez si longtemps.» Le méditant a répliqué: «Mais je n'attends pas.» Il voulait dire qu'il n'était pas frustré par la longueur de l'attente, car son esprit s'était désengagé de l'expectative de ce qui ne venait pas.

ALEXANDRE: Mais comment s'arracher à cet esprit d'expert-comptable et à cette incapacité de se trouver bien dans l'ici et maintenant?

MATTHIEU : Il faut savoir être au repos dans la fraîcheur du moment présent, au sein duquel il n'y a pas d'attente. Mais il y a aussi une autre forme d'attente, d'une tonalité plus grave, qui ne consiste pas seulement à dissoudre l'épaisseur de l'ennui, mais à se préparer concrètement à l'annonce d'une bonne ou d'une mauvaise nouvelle, dans le cas d'un examen médical par exemple.

CHRISTOPHE : Nous avons à faire l'effort de nous immerger dans l'expérience de l'attente, voir qu'il y a d'une part le fait de rester là dans l'expectative d'un événement à venir, et le fait d'être dans un état mental particulier. Si je me dis «je perds mon temps, l'heure tourne, qu'est-ce qu'ils fabriquent?», le vécu de l'attente n'est pas le même que si je me dis «OK, je vois ces pensées et cette impatience qui tentent de prendre le contrôle de ma manière de percevoir cet instant; je peux aussi le vivre différemment; je peux profiter de cette attente pour me sentir vivant, me rendre présent à moi-même et au monde, en profiter pour me poser, respirer, observer, sourire…» Les conséquences sont différentes : dans le second cas on n'aura pas «perdu» son temps, on l'aura vécu.

MATTHIEU : Si l'on n'entre pas dans le cercle vicieux de l'expectative quel est le problème? Les gens se plaignent de ne pas avoir le temps de méditer. Profitons de ces vingt minutes de tranquillité !

ALEXANDRE : Le moi est programmé pour attendre, spéculer, investir. Il fait sans cesse des plans sur la comète avec ses critères bornés, étriqués, biaisés, d'où cette insatisfaction tenace, cette incapacité à être bien «à domicile». Sans relâche, il fabrique des désirs en fonction de ce qu'il est maintenant. Qui dit que dans deux ans je *tiendrai* aux mêmes choses qu'aujourd'hui? Un jour, mon fils m'a confié : «Je rêve de construire un chalet quand je serai grand, mais j'ai peur qu'une fois adulte je ne veuille plus faire de chalet.» C'est toujours ma situation actuelle, mon climat intérieur, mes besoins, mes intérêts que je projette sur l'avenir. Ce faisant, je me coupe de la fluidité de l'existence, de l'extrême nouveauté du devenir. L'ego est un grand conservateur qui s'acharne à plaquer sur ce qui va arriver ses manques, ses désirs. Mes rêves d'enfant ont passé, enfin pour une bonne part… Et, à la limite, les caprices de mon ego d'aujourd'hui comme celui de demain ne me concernent pas. Le moi qui sème n'est pas celui qui récolte…

Longtemps, à mes yeux, la pratique tenait de la lutte, d'un véritable sport de combat. Il fallait dézinguer anxiété, préjugés, penchants, tordre le cou au fatras passionnel, aux illusions, en un mot tenir le cap… Mais un granit spirituel, pour reprendre les mots de Nietzsche, un paquet de résistances, de conditionnements m'ont plongé dans un état de fatigue, d'épuisement, de découragement. Lorsque tous nos efforts se heurtent aux habitudes, aux forces d'inertie, comment ne pas désespérer et démissionner pour de bon ? Pour couronner le tout, il y a eu cette espèce de gymkhana émotionnel, cette dépendance carabinée.

Dieu sait si la méditation libère, mais en cas de crise aiguë, d'autres voies, complémentaires, alternatives, s'avèrent aussi bien utiles : le soutien d'amis dans le bien, l'action juste, les rencontres qui sauvent… D'où peut-être l'utilité de distinguer le traitement au long court et la *gestion* de crise. Que proposer à un addict, à un homme, à une femme aux prises avec l'anxiété, en pleine dépression ? Loin de moi l'envie de dégommer le zen qui justement invite à ne rien absolutiser, à ne s'accrocher ni à la pratique, ni à quoi que ce soit…

Persévérer, guérir de l'idée même de guérir, voilà le défi, majeur !

Pour la route, pour le traitement au long cours, je me souviens d'un des premiers livres sur la méditation que j'ai lus : *Cent clés pour comprendre le zen* de Claude Durix. J'y découvrais maître Dôgen livrant un précieux viatique, un art de vivre qui soigne les plaies et nous arrache pas à pas aux comportements nocifs, aux émotions

« Il s'agit de s'exercer,
ici et maintenant,
avec les moyens
du bord, sans
l'obsession
d'un quelconque
résultat. Les maîtres
zen ne cessent
de marteler :
"rien de spécial". »

perturbatrices. Dans le *Shobogenzo*, notre magnifique compagnon de voyage mentionne « Les huit directives de philosophie pratique des Grands Maîtres pour obtenir l'Éveil qui est liberté totale ». Derrière ce titre bien sérieux se cachent des consignes de vie qui aident à instituer dans le quotidien quelques jalons, des pistes, comme autant de repères pour avancer. Assurément, quelle que soit notre pratique, ces conseils peuvent nous éclairer. En tout cas, au cœur de la tourmente, ils m'ont aidé à ne pas tout à fait perdre le nord !

D'abord, il nous est recommandé de *nourrir peu de désirs*, car ramper vers la gloire, saliver pour une voiture neuve, vouloir le corps d'un autre ne saurait nous combler. Justement, la deuxième pratique nous convie à dire oui à notre condition, à apprendre à nous *satisfaire de ce qui nous est donné*, et voilà que nous retrouvons la sobriété heureuse.

Dôgen invite aussi le progressant à *aimer la solitude*. On revient dans la chambre de Pascal, au point mort et à l'ennui qui peut nous pousser à traverser les océans pour nous fuir. Pour s'extraire de l'individualisme, source de tant de maux, cet habile connaisseur de l'être humain lance un vibrant appel *à se dévouer*, à poser des actes altruistes, histoire là encore de se déprendre un peu de soi.

Pour la grande aventure de l'existence, ce sage le sait bien : il faut *nourrir une volonté forte*, de la détermination pour, précisément, ne pas plier au premier obstacle. Il ne s'agit pas ici d'un vouloir sauvage et égoïste, mais au contraire d'un désir de progresser quel que soit le décor.

Enfin, il recommande d'*apaiser l'esprit*, d'où la nécessité de se lancer dans la méditation *corps et âme*. Concrètement, il encourage le progressant à *fuir les discussions inutiles* et à *chercher la sagesse* plutôt qu'à accumuler des théories.

Le hic, c'est bien sûr d'incarner dans le quotidien l'ascèse, la discipline de soi, cette sagesse zen et tout évangélique, faire descendre la pratique jusque dans le chaos. Comment bâtir un art de vivre qui permette de traverser les moments de crise ? Se livrer à l'exercice spirituel au cœur de la tourmente ? Tant de doutes s'élèvent...

Quand je me dépêtrais dans l'addiction, bricolant quelque expédient, tentant de suivre ces grands devanciers, je rêvais d'un guichet intérieur, d'une polyclinique de l'âme, d'un dispensaire ouvert à tous où l'on serait accueilli sans jugement aucun, où l'on pourrait se retaper, ensemble.

La pleine conscience se traduit-elle nécessairement par davantage d'altruisme ?

CHRISTOPHE : Il y a au moins trois études à ce jour qui montrent que la pratique de la simple méditation de pleine conscience, même sans que soit spécifiquement enseignée la bienveillance, augmente les capacités d'empathie et de comportements altruistes. Par exemple, un bref exercice de pleine conscience pousse les volontaires à plus souvent céder leur chaise à une personne avec des béquilles (en fait un comparse des expérimentateurs) qui entre dans une salle d'attente, que des personnes n'ayant pas médité. Toujours après de brèves inductions de pleine conscience, les résultats aux échelles de sensibilité empathique sont significativement accrus.

L'hypothèse est que l'apaisement émotionnel, l'ouverture attentionnelle et le recul pris par rapport à soi-même ouvrent naturellement la porte de la bienveillance : on est plus attentif à ce qui se passe autour de soi, nos inclinaisons naturelles vers l'empathie et la bienveillance pour autrui se trouvent facilitées, car libérées des émotions douloureuses éventuelles et des préoccupations autocentrées.

MATTHIEU : Il est en effet raisonnable de penser que les pratiquants assidus de la pleine conscience seront naturellement plus ouverts aux besoins et aux aspirations d'autrui. En général, si la méditation est bien enseignée et bien pratiquée, la bienveillance survient naturellement. Mais il faut se méfier de l'idée que cette bienveillance va venir automatiquement, « de surcroît », comme un effet secondaire garanti de la méditation. Mieux vaut la mettre au cœur de nos priorités dès le départ.

C'est ce que semble confirmer la seule étude longitudinale (c'est-à-dire effectuée sur une longue durée) sérieuse réalisée à ce jour sur les effets de différents types de méditation. À l'Institut Max-Planck de Leipzig, la neuroscientifique Tania Singer et son équipe d'une trentaine de chercheurs ont suivi 150 volontaires pendant neuf mois. Ces sujets se sont livrés à trois mois de méditation de pleine conscience, trois mois sur la prise en compte de la perspective d'autrui, et trois mois sur la méditation de *metta*, ou méditation de la bienveillance. Tout cela, à raison de trente minutes par jour, cinq jours par semaine, ainsi que de deux heures avec un instructeur tous les samedis. Ces volontaires ont été divisés en trois groupes qui ont pratiqué ces méditations dans des ordres différents afin de vérifier si l'ordre dans lequel on fait ces pratiques influe ou non sur les résultats (ce qui n'a pas été le cas). Un autre groupe de volontaires a servi de groupe témoin en participant pendant neuf mois à un programme d'entraînement à la mémoire. Ce groupe témoin a subi les mêmes tests que les trois groupes de méditants. Toutes sortes de mesures étaient appliquées à tous les groupes (tests comportementaux, questionnaires, mesures physiologiques et immunologiques, scans, IRMf du cerveau, etc.).

Les résultats ont montré que les trois mois de méditation sur la pleine conscience améliorent bien la pleine conscience – l'attention, la présence, etc., – mais n'augmentent en rien les comportements prosociaux (c'est-à-dire les comportements d'aide, de partage, de coopération et de réconfort, dirigés volontairement vers autrui). La prise en compte de la perspective d'autrui améliore la faculté de comprendre ce que l'autre pense et ressent, mais n'augmente que faiblement les comportements prosociaux. En revanche, après les trois mois consacrés à la méditation sur la bienveillance, sur l'amour altruiste, les comportements prosociaux s'étaient considérablement accrus. Qui plus est, les changements structuraux observés dans le cerveau sont différents dans les trois types de méditation. Il semble donc clair que si l'on veut amplifier notre bienveillance, c'est sur la bienveillance elle-même qu'il faut travailler, ce qui semble logique.

ALEXANDRE : Si la méditation ne nous rend pas plus généreux, elle ne vaut pas une heure de peine… Plonger au cœur de l'intériorité, c'est découvrir qu'un lien indestructible nous unit les uns les autres. Preuve en est l'impact de notre entourage sur notre joie, notre paix. La passion la plus dévorante atteste aussi qu'au-delà de la crispation de l'ego nous sommes des êtres de communication, ouverts, tendus vers, offerts aux autres.

Méditer, c'est aussi découvrir tout le paquet de projections, d'accusations, de ressentiments qui parasitent le lien à l'autre. En ce sens, on pourrait dire que l'entraînement de l'esprit huile les relations humaines et arrache un à un les piquants qui se dressent entre les individus. Plonger en soi, c'est oser aller nu, se débarrasser des cuirasses, jeter tout costume pour se donner sans attendre. C'est aussi découvrir qu'il n'y a pas de territoire à soi, ni de lopin de moi à préserver. Pourquoi diable associer la compassion aux Bisounours tandis que cette force tient d'une hyper-lucidité, d'un hyper-réalisme ? Nous appartenons à la grande famille humaine. Libre à chacun de faire péter les cloisons rigides entre l'extérieur et l'intérieur, le moi et le toi.

MATTHIEU : Effectivement, si la méditation consiste juste à faire des pauses, le regard perdu dans le vague, entouré de volutes d'encens, et à se contenter de se relaxer comme dans un spa, dix ans plus tard, on risque fort d'être toujours aussi coléreux, tourmenté et incapable de gérer ses émotions. On a totalement perdu son temps.

Au début, la méditation court le risque d'être trop autocentrée. Je me rappelle l'intervention d'Ajahn Amaro, un moine anglais de la tradition bouddhiste *theravada*, au cours d'une journée sur la pleine conscience en Californie. Il décrivait un père de famille qui a décidé de commencer la méditation : il prend son petit déjeuner très lentement, goûtant chaque saveur de sa cuillère de müesli, tandis que ses enfants se déchaînent autour de lui pour capter son attention. Il les ignore. Tout ce qu'il veut, c'est s'enfermer dans une petite bulle de tranquillité égotique.

CHRISTOPHE : Ce qui est sûr, c'est que nous sommes aujourd'hui à un tournant en matière de méditation. Cette démarche que nous encourageons tant, les uns et les autres, a désormais acquis une visibilité et une popularité impressionnantes. Mais il reste encore beaucoup à faire ! Sur le plan scientifique, nous devons continuer de travailler pour mieux comprendre comment agissent les différents types de pratiques méditatives (comme nous venons d'en parler à propos de la pleine conscience et des méditations de compassion et d'altruisme) et à qui les recommander, dans quel ordre, etc.

Et sur le plan de sa diffusion, nous avons à inlassablement rappeler que la méditation n'est qu'un élément parmi un ensemble de changements d'attitudes, de manières de penser et de se comporter, qui vont contribuer à faire évoluer favorablement notre monde. Par exemple, méditer à l'hôpital n'a de sens que si les soignants modifient aussi leur manière de soigner (plus de présence, d'écoute, de compassion) et les patients leur manière de prendre soin d'eux (ne pas attendre d'aller mal pour être attentifs à leur santé et bienveillants avec leur corps). Et ces changements, chez les soignants et les patients, doivent inspirer les décideurs politiques, qui devront légiférer pour que les lieux de soins soient aussi des espaces où l'on puisse prendre le temps d'écouter, de réconforter, de méditer, et non d'expédier le boulot le plus vite possible !

Même chose dans l'entreprise ou à l'école : la méditation individuelle apporte de grands bénéfices à chaque personne et à son entourage, mais elle doit aussi faire partie d'un grand changement de point de vue et de pratiques éducatives ou managériales.

Ce dont je suis convaincu, c'est que la pratique individuelle facilite les changements et les décisions concernant la collectivité : un dirigeant qui médite dirige différemment, un soignant qui médite soigne différemment, un enseignant qui médite enseigne différemment, un parent qui médite éduque différemment… Et c'est la raison pour laquelle voir des dirigeants politiques s'intéresser à la méditation me réjouit : nous avons récemment initié à la pleine conscience un petit groupe de députés et sénateurs, et le fait qu'ils aient vécu et pratiqué de l'intérieur va, je l'espère, avoir un impact sur leur manière d'accomplir leur mission.

Dangers et dérives de la méditation

MATTHIEU : Je crois que les dangers et les dérives surviennent quand le type de méditation pratiquée n'est pas ajusté à nos dispositions mentales et à nos capacités. Il est notamment peu recommandé aux débutants de méditer trop intensément, dans des environnements trop isolés, sans avoir de points de référence pour savoir comment remédier aux défauts ou gérer les expériences qui peuvent surgir, et surtout sans être accompagnés par un guide expérimenté. Faute de respecter ces conditions, on risque fort de devenir comme un cheval qui s'emballe ou un véhicule dont le conducteur a perdu le contrôle. Les risques sont semblables à ceux de l'automédication : au lieu de prendre un cachet, on avale toute la boîte. L'absence de référence vient du fait qu'en Occident beaucoup de gens méditent sans être guidés par un instructeur plus expérimenté qu'eux, et entourés par une communauté de pratiquants qui sont familiers avec le processus de la méditation. Dans un contexte traditionnel, l'étudiant est guidé pas à pas, il peut s'ouvrir quand il le souhaite à un sage beaucoup plus avisé que lui et lui confier: «Voilà le type d'expérience que j'ai eue en pratiquant la méditation durant ces dernières semaines, qu'est-ce que vous en pensez?» L'instructeur chevronné comprendra tout de suite que la personne a pris un chemin de traverse. Il va la réorienter, l'ajuster, ou lui dire: «Attention, vous êtes trop tendu», ou bien: «Vous vous laissez emporter par vos sensations ou votre imagination.» Dans ce contexte, le maître de méditation est comme un médecin qui ajuste le traitement, il saura conseiller un autre style de méditation.

En l'absence de ces précautions, si l'on est fragile, que l'on prend un livre sur la méditation et qu'on se lance à corps perdu dans une pratique intense, les fabrications mentales risquent de prendre le dessus et d'emporter le méditant novice dans un tourbillon d'expériences déconcertantes provoquées par des efforts quelque peu anarchiques. Il y a parfois de quoi devenir timbré! L'esprit enclin à la rumination fera encore plus attention à ses ruminations et, ce faisant, aggravera sa situation. Tout est une question d'outil approprié au moment opportun, avec la puissance adéquate. Si la pratique tourne mal, ce n'est pas le fait de la méditation, mais de la personne qui a mal utilisé l'outil.

CHRISTOPHE: Oui, il y a plusieurs étapes, comme dans tout apprentissage. D'abord celle de la découverte: on tombe sur un article, un livre, un CD ou une application, ce qui nous permet de tester la démarche, de voir si cela nous convient, nous attire, nous fait du bien. Si l'on veut aller plus loin, mieux vaut alors ne pas rester seul dans son coin: on s'évitera des erreurs en étant guidé par des enseignants, en partageant avec d'autres méditants; c'est là que rejoindre un groupe est important, pour apprendre correctement, et continuer à pratiquer, à en bénéficier dans sa vie quotidienne. Puis il y a une troisième étape, celle de l'approfondissement, qui concerne moins de personnes, et à ce stade, il est vraiment très important de choisir prudemment et patiemment la bonne voie, la bonne méthode et les bons enseignants, en tout cas «bons» pour soi, ses aspirations, ses capacités, ses besoins…

ALEXANDRE: En irait-il de la méditation comme de l'amour? Après le coup de foudre, la passion, vient le train-train quotidien. Nous sommes alors conviés à ranimer la flamme, à souffler sur les braises, à se désincarcérer de la routine pour mourir et renaître à chaque instant dans la pratique. Y aurait-il un danger d'overdose?

Shunryu Suzuki, en tout cas, nous vaccine contre le danger de chercher dans le zen des expériences extraordinaires. Il ne s'agit pas de décoller du sol, mais au contraire de s'y enraciner. Il va même jusqu'à comparer l'assise au simple fait d'aller aux toilettes. Pratiquer zazen, par exemple, c'est se purger des idées qui risquent de devenir nocives. C'est, nous dit-il, se désencombrer, se vider pour revenir à notre état originel, notre nature de bouddha. La vie a fini par jeter bien des immondices dans le puits de notre intériorité. Laisser s'en aller ces parasites, cette pollution intérieure, les préjugés, les mille et une crispations, c'est faire un petit tour aux cabinets. Et le sage, espiègle, d'ajouter que nous devons recourir à cette pratique aussi longtemps que nous vivons. J'aime ce côté basique: pour s'élever, pour s'édifier, rien de mieux que de prendre appui sur le réel.

CHRISTOPHE: Il y a aussi les voix de certains «gardiens du temple», qui s'élèvent parfois pour dénoncer l'instrumentalisation de la méditation: la méditation en entreprise, la méditation à l'école, la méditation dans le couple, la méditation à l'hôpital, la méditation face au cancer, etc. Est-ce un bien, ou une façon de dénaturer la démarche? Leurs arguments se fondent sur l'idée que limiter la méditation à un usage spécifique la réduit au rang de simple outil au service du bien-être de l'individu, utilisé pour réduire le stress ou l'anxiété ou pour donner accès vite et bien à une paix intérieure au rabais. Cette conception utilitaire de la méditation, avec des objectifs précis et concrets destinés à améliorer notre quotidien, est-ce une première étape légitime selon toi, Matthieu ?

MATTHIEU: Qui peut le plus peut le moins. Tout le monde n'est pas enclin à s'engager sur un chemin spirituel. C'est plutôt l'exception. Il me semble qu'à condition de ne pas considérer la pleine conscience comme l'apogée de la méditation, elle peut faire du bien dans de nombreux domaines. Il serait déplacé et trompeur, en revanche, de présenter des techniques très simplifiées comme étant l'essence de la méditation et de l'enseignement du Bouddha. En bref, si l'on considère la voie du bouddhisme dans son ensemble, deux points essentiels font défaut à la pleine conscience, telle qu'elle est communément enseignée de nos jours : la motivation et la Vue. La plupart des gens ne pratiquent pas la pleine conscience afin d'atteindre l'Éveil et de libérer les êtres de la souffrance. Ils ne cherchent pas nécessairement non plus à comprendre la Vue telle que le bouddhisme la définit, c'est-à-dire le fait que le soi de la personne et les phénomènes apparaissent, mais sont dénués d'existence propre. Ce que nous appelons la vacuité.

Il n'y a rien à redire à cela, car le but de la pleine conscience est différent de celui du bouddhisme. Pour l'anxieux, pour le malade qui souffre à l'hôpital, pour celui qui a du mal à gérer ses douleurs, sa chimiothérapie, ses angoisses, son burn-out, le MBSR (la réduction du stress par la pleine conscience, le programme créé par Jon Kabat-Zinn) fait le plus grand bien. Celui qui entreprend cette formation ne cherche donc pas à atteindre l'Éveil ni la libération, il aspire simplement à faire face à la maladie et à la souffrance. Si la méditation l'aide dans sa vie quotidienne à devenir meilleur, plus serein et bienveillant, on ne peut que s'en féliciter.

CHRISTOPHE : À l'hôpital Sainte-Anne où nous animons des groupes pour les patients qui présentent des rechutes dépressives, nous avons un discours aussi clair que possible. À celles et ceux qui commencent un programme, nous disons en substance ceci : « La méditation est un vaste univers, une porte ouverte sur une multitude de pratiques. Dans votre cas, il y a un besoin : la diminution de vos souffrances et une meilleure régulation émotionnelle. C'est un objectif absolument légitime, une première étape. Pour cela, nous allons vous proposer d'apprendre à méditer selon une approche très simple, mais très importante : la pleine conscience, qui consiste à savoir se rendre présent à toutes nos expériences de vie, agréables ou désagréables. » Puis, à la fin du programme, le discours que nous leur tenons est le suivant : « Voilà, nous vous avons donné une formation à la méditation que vous allez pouvoir utiliser au quotidien. Si cela vous intéresse, vous pouvez aller plus loin, mais pas avec nous : nous, nous sommes des soignants, pas des enseignants de telle ou telle tradition de méditation, laïque ou religieuse… »

Idem pour l'école, si la pleine conscience aide les enfants à stabiliser leur attention et à apaiser leurs émotions, c'est un bien, même si c'est une simplification de tout ce que la méditation permet de faire.

MATTHIEU : Être attentif aux autres, trouver un meilleur équilibre émotionnel, accentuer ses comportements prosociaux, autant de points essentiels. Mais on ne va pas faire un cours de bouddhisme aux enfants, ou à qui ce que soit d'ailleurs qui ne l'a pas demandé.

ALEXANDRE : Pour tordre le cou à tout risque d'instrumentalisation et élucider les désirs et la motivation qui nous dirigent vers la pratique, qui nous font recourir à la méditation, pourquoi ne pas oser un heureux retour sur ce que nous attendons de la transformation de soi ? Craignons-nous, sans expédients efficaces, de morfler, de couler ? Courons-nous après une quelconque bouée de sauvetage ? Pouvons-nous introduire dans cet élan une visée altruiste ? D'abord, je crois qu'il s'agit de renoncer à toute recette miracle, à toute baguette magique et, une fois de plus, guérir de l'idée de guérir...

Il nous faut aussi dénoncer une récupération de la méditation, comme ces entreprises japonaises qui dispensent à leurs employés sous pression un petit cours de zazen pour qu'ils tiennent le coup. Le risque est fort de mettre un emplâtre sur une jambe de bois, d'oublier l'enjeu politique – les conditions de travail en l'occurrence – pour mettre sur le dos des salariés un poids de plus. La méditation est une voie de libération, non un moyen de rendre plus performant, plus corvéable à merci.

MATTHIEU : Là, en effet, il y a un risque. Au Forum économique mondial de Davos, j'ai trouvé encourageant que, depuis quatre ans, le premier programme proposé sur l'agenda, tous les jours de 8 heures à 8 h 30, soit une séance de méditation. Il y vient généralement une centaine de personnes, parmi lesquelles j'ai vu un ministre japonais, de grands économistes, un champion de natation, et bien d'autres. Lorsque j'ai été préposé à cette séance de méditation, j'ai dit : « Vous êtes venus méditer sur la pleine conscience, et je vous propose de pratiquer la pleine conscience bienveillante. » Si l'on pose cette composante de bienveillance dès le départ, au moins on évite le plus gros des écueils : l'instrumentalisation de la méditation à des fins égoïstes.

Pour comprendre les risques encourus faute de cultiver spécifiquement la bienveillance, prenons deux exemples caricaturaux, certes, mais révélateurs : le tireur d'élite et le psychopathe. Si l'on se contente de la définition technique de la pleine conscience

– «maintenir son attention, dans le moment présent, sur l'expérience qui se déploie instant après instant, sans porter de jugement» –, alors le tueur à gages, dont la mission est de descendre quelqu'un, doit s'exercer à rester dans le moment présent sans être distrait ou perturbé par ses émotions. Il est tout à fait dans le non-jugement et ne se demande pas si c'est bien ou non de tuer quelqu'un. Un psychopathe peut, lui aussi, être concentré sur le moment présent, sans jugement, afin d'instrumentaliser les autres sans merci. Néanmoins, il n'y a pas de tueurs à gages ni de psychopathes bienveillants. Donc, si l'on parle de «pleine conscience bienveillante», ce n'est pas pour compliquer les choses, mais pour éviter l'instrumentalisation et l'exploitation à des fins purement utilitaires, voire négatives.

Pour revenir à la méditation en entreprise, l'idée n'est pas de transformer les employés en citrons pressés, pour en extraire davantage d'heures de travail sans qu'ils succombent au burn-out. En vérité, cela ne semble pas être le cas dans les programmes mis en place. J'ai rencontré nombre de chefs d'entreprise qui n'ont pas fait de la méditation un outil d'exploitation des salariés, mais l'utilisent à des fins constructives et bénéfiques. Je pense notamment au directeur des ressources humaines de Sodexo qui me disait que la méditation avait considérablement amélioré les relations au sein de son entreprise. Sébastien Henry, entrepreneur et pionnier de la méditation au travail, a interrogé un grand nombre de chefs d'entreprise : au départ, ils craignaient plutôt qu'en méditant les salariés deviennent plus mous et que ce soit une simple perte de temps... Or ils constatent peu à peu que non seulement cette crainte est sans fondement, mais qu'eux-mêmes et leurs employés développent un meilleur jugement, parce qu'ils voient les choses dans un contexte plus large, de façon plus posée, et surtout que les relations humaines s'améliorent nettement. Au départ, ils ne s'attendaient pas à cela, mais c'est ce qu'ils ont observé.

ALEXANDRE : Je ne suis pas sûr qu'à l'aide de forceps on obtienne la sérénité, la grande réconciliation, le dire oui joyeux à l'existence. Un proverbe zen dit que rien ne sert de tirer sur un brin d'herbe pour le faire pousser ! Le chemin spirituel est formé de faux pas, de rechutes, de tâtonnements. Je vous avoue qu'il m'a fallu bien du temps pour revenir à la méditation et y voir autre chose qu'une camisole de force, une vaine tentative de redresser ce qui est tordu. Sur le sentier chaotique qui nous ramène à la maison, au-delà de la peur et des tourments, je me suis livré, comme je l'ai déjà raconté, à une retraite de trois mois. Je m'étais précipité pour me mettre à l'école d'un guide spirituel un peu comme on rentrerait dans un hôpital psychiatrique avec cette demande surhumaine : « Guérissez-moi en trois mois ! » Autant dire que c'était mal barré ! Et ce qui s'est ensuivi ne m'a pas rapproché un instant de la paix et de la joie. À vrai dire, ça a tourné au cauchemar et, n'osant pas avouer franchement que ma place n'était peut-être pas en ces lieux, j'ai tout fait pour finir à l'hôpital.

Je me rappelle de ces après-midi à errer au bord d'une route de campagne tentant, dès qu'un camion passait, de mettre mon pied sous l'essieu pour que se brisent les os et que je puisse décamper. J'ai tout essayé, saisissant même un caillou pour me frapper à cent vingt reprises le poignet. Rien n'y fit. Le corps est résistant. Le dernier jour, une disciple m'a carrément dit que si je quittais la retraite, cela signifiait que j'étais possédé par le démon. En cinq secondes, j'ai pris un taxi et mis un terme à ma carrière zen. Aujourd'hui, quand j'entends parler de maître spirituel, de disciple, je ne peux m'empêcher de penser aux dérives. Même avec la meilleure volonté du monde, il est difficile d'accueillir le granit spirituel sans recourir à tout un arsenal thérapeutique, sans pratiquer d'acharnement.

MATTHIEU : Peut-être t'es-tu trouvé coincé dans un système trop rigide pour toi, du style « ça passe ou ça casse » ?

ALEXANDRE : La terrible prophétie : « Si tu pars d'ici, c'est que tu es habité par le démon » m'a suivi pendant longtemps et j'ai cru que le fond de mon être était réellement vicié, pervers, maudit. Je pense qu'avec la méditation il est un autre remède *sine qua non*, l'amour inconditionnel. Accepter les rechutes, les faux pas, nourrir une infinie patience à l'égard de tout ce qui ne se maîtrise pas, ce qui résiste. C'est ainsi que de tout mon être, je rêve de sages espiègles, de maîtres rigolos qui dispensent leurs enseignements en un immense éclat de rire, dans une énorme détente.

MATTHIEU : Dans le bouddhisme tibétain, comme je l'ai évoqué plus haut, on recommande d'examiner le maître spirituel pendant des années avant de se confier à lui, afin de ne pas s'en mordre les doigts plus tard. Il y a des traités entiers chez nous sur les faux maîtres spirituels. Il ne s'agit pas d'être cyniques et négatifs, mais prudents : un engagement spirituel a des conséquences majeures pour notre vie. De tous les maîtres que j'ai connus, aucun ne cherchait à attirer ou à garder des disciples. J'ai connu un maître-ermite qui vivait à la frontière du Tibet, Sengdrak Rinpotché. Deux ou trois cents méditants vivaient aux alentours. Il disait : « Ils viennent et partent quand ils veulent, s'ils souhaitent recevoir un enseignement, je leur offre, mais ils sont entièrement libres de rester ou de s'en aller. »

BOÎTE À OUTILS
DE LA MÉDITATION

CHRISTOPHE

- *Une forme d'entraînement de l'esprit.* La méditation n'est pas seulement une pratique religieuse ou spirituelle, elle est aussi une forme d'entraînement de l'esprit. Elle peut nous aider à cultiver attention, recul, discernement, équilibre émotionnel. Elle peut aussi nous aider à approfondir des vertus humaines fondamentales, qui sinon risquent de somnoler au fond de nous sans s'exprimer : bonté, compassion, générosité…

- *Méditer, c'est simple.* Il suffit de régulièrement s'arrêter et d'observer la nature de son expérience : sa respiration, ses sensations, ses émotions, ses pensées… Tout commence là.

- À partir de ce premier genre d'exercices très simples, comme ceux que propose la méditation de pleine conscience (celle qu'on utilise dans le monde de la santé, ou de l'éducation), il y a de nombreuses traditions méditatives beaucoup plus exigeantes et complexes. Comme le piano, on peut très vite apprendre à jouer de petites mélodies agréables ; puis cultiver sa virtuosité de manière croissante tout au long de sa vie.

ALEXANDRE

- *Laisser passer* : S'il fallait résumer la pratique en deux mots, sans hésiter, j'opterais pour : laisser passer… En plein chaos, au fin fond des champs de bataille intérieurs, oser faire l'expérience de la non-maîtrise, de la déprise de soi. C'est le bordel, mais il n'y a pas de problème !… Loin de démissionner, de se résigner, laisser passer c'est bien distinguer les psychodrames, les problèmes créés par le mental, du tragique de l'existence qui appelle solidarité, engagement et persévérance.

- *Chemin faisant*: Aux yeux de Shunryu Suzuki, c'est risquer de passer à côté de l'essentiel que d'attendre l'Éveil pour aller bien, pour profiter de l'existence. Un peu comme s'il nous fallait absolument gagner à la loterie pour nous détendre et apprécier la vie… Ce maître parle de l'illumination avant l'Illumination. Autant dire que les fruits de la méditation se donnent par surcroît. Rien n'interdit, chemin faisant, de profiter du paysage.
- *La maison du présent*: Parfois, quand les tracas, la peur de l'avenir font rage, j'essaie de revenir à la maison du présent, de m'ouvrir à l'ici et maintenant pour voir et savourer qu'en cette minute je ne suis pas victime d'un arrêt cardiaque, que tout n'est pas foutu, qu'une immense possibilité de progrès nous est toujours offerte…
- *Méditer c'est se dépouiller, oser vivre nu pour se donner*: Contribuer au bien du monde, soutenir, épauler. Et si nous envisagions la journée qui se présente non comme un grand magasin où nous fournir, mais comme une polyclinique, un dispensaire de l'âme où tous ensemble nous nous retapons, nous avançons?…

MATTHIEU

- *De multiples formes*: L'entraînement de l'esprit recouvre un grand nombre de pratiques dont les modalités et les buts sont différents, en fonction des besoins et aspirations de chacun et de sa vision du monde.
- *La méditation demande de l'assiduité*, laquelle doit être nourrie par l'enthousiasme, la «joie vers la vertu», vers la paix intérieure, la bien-veillance et le sentiment d'une direction claire dans l'existence.
- *La présence éveillée*: La méditation à l'état pur vise à comprendre la présence éveillée, toujours présente derrière le fourmillement des pensées, mais trop souvent oubliée, par distraction.
- *La méditation n'a pas d'effets néfastes en elle-même*: Elle n'est contre-in-diquée que si elle est mal comprise et mal utilisée, dans de mauvaises conditions, au mauvais moment. Que nous le voulions ou non, du matin au soir, nous avons affaire à notre esprit. Qui ne souhaiterait pas que cet esprit fonctionne de manière optimale et nous apporte la liberté intérieure au lieu de nous jouer des tours pendables?

« *Quand Karuna-Shechen a lancé une clinique mobile en Inde, au Bihar, les paysans étaient méfiants. Il faut dire qu'ils avaient été depuis très longtemps exploités par de grands propriétaires terriens et échaudés par la duplicité des politiques. Ils pensaient donc que nous récoltions beaucoup de fonds pour leur en donner peu… et nous en mettre plein les poches. Ils acceptaient les médicaments et les soins, mais n'étaient pas très ouverts.*

Un jour de mousson, nous nous sommes embourbés en arrivant au village. Tous les villageois sont venus vers nous. Et qu'ont-ils fait ? Ils nous ont demandé de l'argent pour nous aider à sortir notre véhicule du bourbier. Ils voulaient que nous les payions pour pouvoir atteindre le village afin de les aider !

Rabjam Rinpotché, l'abbé du monastère, a fait cette remarque : "Il faut vraiment être un bodhisattva !" Car au fond, nous n'avions qu'un seul but : les soigner, quelle que puisse être la façon dont ils nous traitaient. Dans ce cas, un minimum de liberté intérieure nous a permis de ne pas réagir avec ressentiment, de ne pas nous énerver, de rire de la situation et surtout de ne pas oublier le but bienveillant que nous avions en vue. »

Matthieu

14
DE LA TRANSFORMATION DE SOI À CELLE DU MONDE

La liberté intérieure est-elle un préalable indispensable à l'action ?

MATTHIEU : Si l'on veut agir sur le monde de façon juste, avec discernement et bienveillance, il est donc indispensable de se préparer intérieurement. Avec l'association Karuna-Shechen, nous sommes engagés depuis presque vingt ans dans des projets humanitaires concernant l'éducation, la santé et les services sociaux, et nous aidons plus de 250 000 personnes annuellement. Nous intervenons dans des pays difficiles : en Inde, au Népal, au Tibet, et nous avons côtoyé nombre d'ONG, petites et grandes. Souvent, nous avons constaté qu'au début, conformément à leurs intentions, ces organisations s'engagent pour faire du bien, mais qu'en route nombre d'entre elles déraillent : un trop faible pourcentage de l'aide recueillie parvient à ceux auxquels est destinée, pour toutes sortes de raisons : parce que l'organisation est victime de conflits d'ego ou, pire, que ses membres sont sous le joug de l'avidité et de la corruption, ou encore parce qu'ils imposent aux populations des solutions qui ne correspondent pas à leurs besoins ou à leurs aspirations. D'après un spécialiste, la durée de vie moyenne d'une ONG est de dix ans. Elles disparaissent non pas à cause du manque de ressources ou de missions à remplir : elles s'effondrent de l'intérieur, rongées par les mésententes et les gestions défectueuses.

Outre les compétences en gestion des projets et des organisations, en comptabilité, etc., le meilleur stage que les candidats à l'action humanitaire puissent faire serait une retraite méditative de quelques mois pour développer la bienveillance et la force d'âme, pour apprendre à ne pas être réactifs à la moindre provocation de ceux qu'ils aident ou de leurs collaborateurs, et pour cultiver l'amplitude intérieure qui leur permettrait de ne pas être déstabilisés au premier obstacle venu. On ne devrait pas rejoindre une ONG pour faire carrière, mais pour être au service d'autrui. Pour cela, il importe de savoir gérer ses émotions toxiques.

Bref, avant de changer le monde, il est donc souhaitable de développer des qualités humaines associées à la liberté intérieure. Cela permet de respecter ses engagements premiers tout en étant moins vulnérable face aux inévitables difficultés qui se présenteront. Il s'agit non seulement d'une garantie de sérénité, de savoir et de pouvoir retomber sur ses pieds, mais aussi d'un gage de réussite : car si nos pensées sont monopolisées par le stress, le doute, l'animosité ou le désespoir, notre énergie et notre esprit ne seront pas disponibles pour les tâches à accomplir. Il est vrai qu'aider les autres fait aussi du bien à soi-même, mais si l'on est trop fragile intérieurement, la tâche risque fort de dépasser nos capacités actuelles.

CHRISTOPHE : L'idée qu'il faut se changer pour changer le monde n'est pas évidente. Le pouvoir de changement est-il

« Bâtir et offrir
sa liberté au cœur
de ce monde boiteux,
voilà le grand défi !
Sculpture de soi
et amour véritable
du prochain avancent
main dans la main. »

réservé à celles et ceux qui ont fait tout ce travail de libération intérieure ? Les personnes mal dans leur peau ne pourraient-elles pas faire, elles aussi, leur part ? On peut œuvrer à améliorer l'humanité sans aller forcément très bien. Chacun a pu en faire l'expérience à l'échelle individuelle : même les jours où nous ne sommes pas en forme, tristes, stressés, irrités, nous pouvons tout de même faire des choses utiles à autrui, réconforter, aider, etc. Est-ce que les dirigeants politiques doivent forcément aller bien pour accomplir des changements favorables dans le monde ? Quand on se penche sur les biographies de personnes admirables comme Martin Luther King, Gandhi ou Einstein, on découvre également des parts d'ombre : infidélités ou violences verbales conjugales, etc. Ce qui ne retire rien à leur grandeur publique ni à leur mérite, mais rappelle qu'il s'agit d'humains et non d'icônes.

ALEXANDRE : Faut-il des prérequis à l'action altruiste, à la pratique de la solidarité ? Si nous avons besoin d'être impeccables pour tendre la main, jamais nous ne nous jetterons à l'eau pour tenter l'aventure solidaire. Sur ce terrain, toujours, nous sommes des progressants et, comme tu le dis, cher Christophe, même les biographies de ces géants contiennent leur part d'ombre. L'essentiel, c'est d'avancer, d'écouter la meilleure part de soi sans rêver d'une illusoire perfection ni sombrer dans un fatalisme de type « après moi le déluge ! ». Délicat et magnifique exercice d'équilibrisme.

Dans *Les Passions de l'âme*, Descartes indique une formidable direction. À ses yeux, être généreux, c'est bien user de sa liberté. Dont acte !

Bâtir et offrir sa liberté au cœur de ce monde boiteux, voilà le grand défi ! Sculpture de soi et amour véritable du prochain avancent main dans la main. Regarder en face nos faiblesses, nos travers, nos contradictions et nos ambivalences sans s'y réduire, c'est se mettre en route.

Sacré Mandeville! Dans *La Fable des abeilles*, il va jusqu'à dire que si tous les hommes pratiquaient les vertus et les comportements valorisés par la société – tels que la loyauté, l'honnêteté, le désintérêt… –, il y a fort à parier qu'il faudrait « se nourrir de glands ». Pour la richesse d'une nation, pour le bien commun, nous assure-t-il, la recherche du profit, l'appât du gain, la convoitise, l'orgueil sont à souhaiter. Mais comment se débrouillerait un Mandeville dans une communauté constituée uniquement par des avares, des cupides, des égoïstes ? Semblable compagnie ne se transformerait-elle pas en un véritable enfer sur terre ? Quelle serait la place des défavorisés dans une telle société ? Certes, l'humanité doit beaucoup à certains scientifiques qui semblent n'avoir carburé qu'à l'égocentrisme. Mais est-ce un argument contre l'altruisme, le travail de soi, la générosité ?

Pour l'heure, il nous faut faire route au cœur des paradoxes, des tiraillements et de nos irrésolutions. Si nous attendons d'avoir zigouillé toutes les blessures, la moindre trace d'ego pour retrousser nos manches et oser la solidarité, nous risquons d'attendre longtemps…

CHRISTOPHE: Exactement! Mais même si tout cela est vrai, on peut se demander si, dans l'hypothèse où ces humains influents sur leurs semblables avaient été plus équilibrés et mieux intentionnés, ils n'auraient pas fait encore plus de bien? Comme ces grands créateurs affectés de pathologies qui ont été des génies malgré leurs souffrances (et non grâce à elles). Qui nous dit qu'un Van Gogh heureux n'aurait pas été encore plus éblouissant? Du reste, la correspondance de ces artistes et les études disponibles montrent que les génies ont le plus créé pendant les périodes où ils étaient plutôt heureux ou motivés par la quête du bonheur, ou encore pendant les périodes où ils émergeaient d'un tunnel de souffrance. C'est probablement l'expérience de la souffrance, une fois qu'elle s'est éloignée, plus que la souffrance elle-même, qui nous rend plus créatifs.

« Si nous attendons d'avoir zigouillé toutes les blessures, la moindre trace d'ego pour retrousser nos manches et oser la solidarité, nous risquons d'attendre longtemps... »

MATTHIEU : Mon père a écrit que l'alcoolique ne boit pas parce qu'il souffre, mais souffre parce qu'il boit. Il ajoute que l'écriture était pour lui une planche de salut pour s'éloigner de sa dépendance et de sa souffrance, lesquelles n'étaient nullement une source d'inspiration, mais un obstacle à sa créativité.

CHRISTOPHE : Et peut-être en est-il de même pour les comportements bienveillants et altruistes : nous pouvons en faire preuve à tout moment et en toutes circonstances, même dans nos souffrances. Mais pour les exercer sur la durée et de manière « convaincante », motivante, sans doute vaut-il mieux aller aussi bien que possible.

MATTHIEU : Il est tout à fait vrai qu'il n'est pas indispensable d'attendre d'aller parfaitement bien pour se mettre au service des autres, pourvu que l'on soit conscient de ses faiblesses et de ses propres défis et que l'on veille à ce qu'ils n'interfèrent pas dans la manière d'aider autrui de la façon la plus appropriée. Qui plus est, faire quelque chose pour autrui peut nous aider à aller mieux lorsque nous sommes trop repliés sur nous-mêmes. Aristote ne disait-il pas que l'on devient vertueux en pratiquant la vertu ? Je me souviens d'une visiteuse au Népal, qui me confiait interminablement, dans d'infinis détails, comment elle se sentait matin, midi et soir. Rien d'autre ne semblait compter pour elle. Avec le plus de diplomatie possible, je lui ai proposé de faire du bénévolat pendant quinze jours pour nos projets humanitaires, en suggérant qu'elle irait peut-être mieux après cela, ce qui fut le cas. On peut donc certainement aider autrui même si l'on ne va pas très bien, et c'est tant mieux. Mais nous avons également fait l'expérience de cas extrêmes de volontaires qui étaient très mal dans leur peau et se lançaient à corps perdu dans l'humanitaire pour oublier leurs problèmes. Des personnes qui souffraient de réelles pathologies. Parfois cela a fonctionné, un temps du moins, mais le plus souvent ces personnes ont craqué. Cela dit, dans la vie ordinaire, que l'on aille bien ou mal, il est toujours bon d'être altruiste! Tout le monde y gagne, l'altruisme étant le meilleur moyen d'accomplir à la fois le bien d'autrui et le nôtre.

Comment changement intérieur et changement extérieur s'articulent

CHRISTOPHE: On peut aussi s'interroger sur le lien entre changement de soi et changement du monde, sur les mécanismes qui les relient. Il me semble, pour simplifier, qu'il y a trois niveaux: celui de nos pensées et de nos paroles, celui de nos actes (pour ce qu'ils transforment) et celui de notre exemple (pour ce qu'il inspire).

Nos pensées et nos paroles, tout commence par là! Ce que nous avons régulièrement dans la tête, nos propos répétés, même anodins (petites remarques pessimistes ou optimistes, paroles critiques ou encourageantes), tout cela pèse sur nous-mêmes (c'est le principe de la méthode Coué, simpliste, mais fonctionnel: ce que nous nous répétons régulièrement nous influence), mais aussi sur les autres. C'est très important de repérer tout ce à quoi nous ne faisons pas attention: ces petites remarques spontanées qui composent le bain verbal quotidien qui, à son tour, infuse notre cerveau et celui de nos proches. C'est une première manière de changer le monde, par nos paroles.

Puis il y a nos actes, les gestes concrets que nous accomplissons, ou n'accomplissons pas, et qui pèsent sur notre environnement: jeter un papier dans une poubelle ou sur le trottoir, aider un inconnu à porter un gros paquet ou l'ignorer, militer dans une association ou ne s'occuper que de ses proches... Tout cela n'a pas le même impact, évidemment. Changer le monde n'est pas forcément une gigantesque entreprise: on peut déjà influencer favorablement son « petit » monde, son environnement, sa famille, son lieu de travail. Cela commence par de tout petits gestes. Inutile de se mettre trop de pression ! On peut se réconforter avec la fable du colibri, chère à Pierre Rabhi : le petit oiseau qui apporte quelques gouttes d'eau dans son bec, pour aider à éteindre l'incendie, fait sa part. Chacun peut faire sa part, à son petit niveau. Et ça contribue à changer le monde. Même si créer un syndicat de colibris, ça peut aussi être une bonne idée !

Enfin, il y a notre propre exemple, ce que nous incarnons. Cette dimension s'appuie, bien sûr, sur nos paroles et nos actes. Mais cela va encore au-delà. On peut toujours mentir ou faire semblant. Il est facile de mentir en paroles : dire des choses auxquelles on ne croit guère, dispenser des conseils qu'on ne suit pas soi-même. On peut aussi mentir en actes : faire des choses « pour faire semblant », pour se faire bien voir. C'est toujours un mensonge, mais peut-être moins grave, puisqu'il peut produire un effet : être gentil parce que tout le monde l'est autour de moi et que je ne veux pas passer pour méchant, c'est toujours ça de pris pour les autres ; et peut-être cela me fera-t-il goûter au bonheur de la gentillesse ! Mais il est plus compliqué de maquiller notre manière d'être : sur la durée, quelque chose transpire de nous-mêmes, de notre sincérité, de notre authenticité, de notre présence. C'est assez net en médecine et dans le soin. Je me souviens avoir vu dans ma carrière de médecin des différences flagrantes entre les infirmières et infirmiers avec qui j'ai travaillé : certains avaient un talent particulier pour apaiser les patients anxieux, agressifs, agités. Cela tenait à leur manière d'être, autant qu'aux bonnes paroles ou aux bons gestes : ils étaient, en profondeur, calmes, bienveillants, respectueux, confiants en l'intelligence et en l'humanité des patients qui vibraient en face d'eux. Les patients le sentaient, et les choses se passaient mieux. Pour entraîner d'autres personnes vers nos valeurs, nous devons avant tout les incarner, pas seulement les recommander ou les professer.

L'éducation est un bon modèle pour comprendre ce processus : on transforme ses enfants par ce qu'on leur dit de faire, bien sûr, par la manière dont on les éduque, mais aussi par ce qu'on leur montre, par notre exemple. Surtout lorsqu'on pense qu'ils ne regardent pas dans notre direction ! Et lorsqu'on ne cherche pas, justement, à donner l'exemple ! Dans ces moments-là, nous leur transmettons ce que nous sommes. Et cela marche aussi pour nos proches, nos collègues, les inconnus que nous croisons, etc.

MATTHIEU : Le monde commence par ta famille et ton voisin. Le risque est de se dire : « Je n'ai pas trop de mal à être bienveillant à l'égard de l'humanité tout entière. Mais ne me parlez pas du voisin ! » Et dans ce cas, on pourrait s'interroger sur ce que signifie réellement « être bienveillant à l'égard de l'humanité tout entière » ? Une vague prévenance pour tous ceux que je ne connais pas et auxquels je n'ai pas affaire ? Une commisération vertueuse qui me donne bonne conscience tout en maintenant une bonne distance avec mes semblables ? Une certaine dose de bonté abstraite diluée dans l'infinité des êtres ?

ALEXANDRE : Je crois me souvenir qu'un des personnages de Dostoïevski confie avoir plus de peine à tolérer un voisin qui a mauvaise haleine que de se sacrifier pour l'humanité tout entière. L'amour abstrait, les bons sentiments ne suffisent pas lorsqu'il s'agit de mettre la main à la pâte, de s'engager, d'aider en actes.

Christophe, tu nous donnes un sacré outil lorsque tu parles du bain verbal dans lequel patauge jour après jour notre cerveau. Et si nous nous amusions à repérer les rengaines mentales qui nous plombent du matin au soir ? À ce propos, les philosophes antiques rappelaient infatigablement aux progressants la nécessité de maîtriser le discours intérieur, les représentations. Que nous débite, à longueur de journée, Mental FM ? Sur quelles ondes sommes-nous branchés en permanence ? Radio Égoïste diffuse-t-elle à plein pot ?

Entre le baratin neuronal et les tiraillements du corps, il nous faut suivre l'appel de la liberté. Nous ne sommes pas des choses pensantes. Mille influences peuvent nous détourner de l'idéal. L'essentiel est de vivre les hautes aspirations qui habitent un cœur comme autant d'aiguillons qui nous éclairent, nous guident et nous invitent à nous dépasser.

Le défi majeur consiste à *s'attaquer* en douceur et avec une infinie bienveillance au granit, à l'acrasie, aux tiraillements qui nous paralysent et laissent un goût amer à celui qui ne parvient pas à une fidélité absolue au meilleur de lui-même. Toujours le constat d'Ovide qui, avant saint Paul, s'écrie dans *Les Métamorphoses*: « Je vois le meilleur, je l'approuve, et je fais le pire. » Que d'embûches, d'obstacles pour se dégager et vivre librement! Spinoza appelle « servitude l'impuissance humaine à diriger et à réprimer les affects ». L'esclave, celui qui est tyrannisé par les passions tristes, finit par ne plus « relever de lui-même, mais des circonstances, de la fortune ».

Le premier pas, c'est peut-être reconnaître humblement ses contradictions, oser une transparence et surtout se mettre en route avec un élan chaque jour renouvelé vers la joie, la paix et l'amour désintéressé.

CHRISTOPHE: Parfois, cette idée que nous sommes responsables, en quelque sorte, du devenir du monde, peut sembler écrasante. Où puiser l'énergie pour faire aussi bien que possible? Il me semble qu'on pourrait s'inspirer de la formule de Spinoza: « Bien faire et se tenir en joie », mais en l'inversant: « Se tenir en joie pour pouvoir bien faire. » Prendre soin de soi, faire vivre en soi le plus souvent possible des moments de joie, de plaisir, de bonheur, d'admiration, de gratitude, c'est non seulement une source de bien-être, mais aussi une source d'énergie et d'ouverture au monde.

MATTHIEU: Dans le même esprit, Alain disait, dans ses *Propos sur le bonheur*: « Il est bien vrai que nous devons penser au bonheur d'autrui ; mais on ne dit pas assez que ce que nous pouvons faire de mieux pour ceux qui nous aiment, c'est encore *d'être heureux.* » La résonance affective, la force de l'exemple et la qualité de la relation à l'autre sont rehaussées en présence d'une personne équilibrée et sereine.

ALEXANDRE : *Mon* bonheur, *ton* bonheur, *notre* bonheur… Et si nous enlevions ce petit adjectif possessif pour embrasser un défi commun à relever vraiment tous ensemble avec les moyens du bord : *bien faire, nous tenir en joie et foncer vers la liberté* ?

BOÎTE À OUTILS
POUR SE TRANSFORMER
ET TRANSFORMER LE MONDE

CHRISTOPHE

- *La transformation de soi, l'amélioration de ce que nous sommes en tant que personnes* peut aider et contribuer à la transformation du monde. C'est comme dans une chorale : il est toujours possible que quelques-uns ne jouent pas le jeu, mais si personne ne chante, il ne se passera rien du tout ! Et si aucun humain ne fait d'efforts, le monde ne changera pas ! Par ailleurs, toujours comme dans une chorale où chanter ensemble fait du bien, il est agréable d'agir ensemble, de voir que nous ne sommes pas seuls à travailler sur nous pour que le monde soit vivable.
- *Se changer pour changer le monde, on ne fait pas ça par intérêt* ni en attendant la reconnaissance ou des effets immédiats. On le fait par principe, par générosité, par intelligence.
- Même si ce n'est pas grand-chose, même si ce n'est pas tout le temps, même si c'est imparfait, *tous nos efforts comptent.* Tous !
- *On peut raisonner comme on veut* : Se transformer pour transformer le monde (démarches liées, dans un esprit d'écologie humaine globale), ou se transformer et transformer le monde (démarches dissociées, psychologique et politique) ; la transformation de soi, toujours, facilite ou enrichit la transformation du monde.

MATTHIEU

- *Toute action accomplie sincèrement pour le bien d'autrui* mérite notre soutien et notre admiration.
- En ce qui nous concerne, commençons par accomplir des actes bienveillants qui n'exigent pas que nous sortions de notre zone de confort.

Puis *augmentons peu à peu la fréquence et la magnitude* de ces actes. Mettons ainsi en mouvement un processus de transformation.

- *Nous aiderons les autres de mieux en mieux (et de plus en plus) à mesure que nous cultiverons des qualités «vertueuses»*, parmi lesquelles la bienveillance, le discernement, la liberté intérieure et la force d'âme.
- Avec le temps, *cette transformation de soi* se traduira spontanément par une *transformation du monde*.

ALEXANDRE

- L'égoïsme, la suffisance et les ghettos du mental portent un coup terrible à tous les ponts et les passerelles que nous essayons de construire jour après jour. Se couper du monde, se retrancher de la société, faire bande à part est complètement destructeur, suicidaire. *Progresser intérieurement pour se donner aux autres*, voilà qui est révolutionnaire. Révolution douce que de désapprendre la méfiance, le calcul, le moi d'abord… Dans cette aventure, il s'agit de bien jouer son rôle, comme dirait Épictète, simplement, joyeusement, généreusement. Que celui-ci dure deux jours, cinq, ou cent vingt ans, l'essentiel est de bien faire son métier d'homme, de mettre sa singularité au service de tous sans éclats, sans réserve.
- Se retaper, s'adonner aux exercices spirituels, se lancer dans une ascèse ne vaut pas une heure de peine si nous ne devenons pas de fervents ouvriers de paix, d'enthousiastes artisans de liberté. *Nous désencombrer* pour que notre présence devienne un cadeau, alléger la vie des autres, voilà peut-être la vocation de ces instants arides où l'on ferraille contre les tristes habitudes. La contemplation conduit à l'action. Pratiquer, c'est toujours, ultimement, avancer en lien profond avec tous les êtres, ceux qui souffrent, ceux que nous aimons, ceux que nous ne pouvons même pas voir en peinture. *Ressentir cette communion brise l'isolement*, pulvérise la dualité qui cloisonne tout: mon bonheur, ton bonheur, ma joie, ta joie, ma pratique, ta pratique… Pourquoi toujours compartimenter le réel?
- Se lever le matin avec un seul objectif en tête, complaire, obéir à la machine à désirs qui se tapit dans les replis de notre individualité,

c'est foncer droit dans le mur, se vouer à une insatisfaction tenace et finir complètement exsangues, fatigués, névrosés. *Et si nous nous embarquions dans une aventure qui dépasse, et de loin, les frontières étroites de notre intérêt pour embrasser un projet plus grand, plus impersonnel, autrement plus vaste?* Travailler à la joie de tous, nous mobiliser contre l'inégalité, alléger les souffrances, tout mettre en œuvre pour que chacun trouve sa place, son équilibre au sein du grand «nous».

- Marc Aurèle, en bon stoïcien, invite à se considérer comme le membre d'un grand corps, la partie d'un immense tout. Dès le matin, alors que notre mentalité d'expert-comptable ne pense qu'à consommer, à s'enrichir, se demander quel geste je peux accomplir pour m'engager avec les moyens du jour, pour *m'inscrire activement et généreusement dans ce grand tout qui me donne vie.* Ici et maintenant, quelle est ma joyeuse participation? Quelle pierre puis-je apporter à l'édifice, quel don léguer à la grande famille humaine?

CORRESPONDANCE

MATTHIEU-CHRISTOPHE

Mon cher Christophe,

Voilà quelque temps que je souhaitais partager avec toi une interrogation qui revient souvent dans mes pensées, et te demander conseil au vu de ton expérience personnelle.

Lorsque je suis parti vers l'Inde, il y a cinquante ans, puis quand je m'y suis établi quelques années plus tard, mon seul but était de vivre auprès de mes maîtres spirituels, de recevoir leurs enseignements et de les mettre en pratique. C'est ce que j'ai fait sereinement pendant vingt-cinq ans, vivant de manière très simple tout en étant susténté, jour après jour, par la présence de mes maîtres et par une pratique spirituelle assidue.

Puis, en 1997, de manière assez imprévue, mon père Jean-François Revel et moi-même avons dialogué pendant dix jours au Népal. Le fruit de ces entretiens, *Le Moine et le Philosophe*, a fait basculer mon existence dans un tourbillon d'activités incessantes, accompagnées de la possibilité d'entreprendre, avec un groupe d'amis, plusieurs centaines de projets humanitaires au travers de Karuna-Shechen, qui aide aujourd'hui plus de 300 000 personnes annuellement. Je ne saurais dire, évidemment, que je regrette tout cela.

Néanmoins, comme le disait mon maître Dilgo Khyentsé Rinpotché, s'imaginer que les activités ordinaires prendront fin d'elles-mêmes revient à attendre que les vagues cessent de déferler à la surface de l'océan. La seule manière de terminer toutes ces tâches, ajoutait-il, c'est de les laisser tomber !

Lorsque je suis assis sur la terrasse de mon ermitage, face à l'Himalaya, très franchement, je n'ai guère envie de m'en éloigner.

Est-ce là un désir égoïste ? Si je redescends, c'est en pensant à nos projets humanitaires et à la possibilité de rencontrer des personnes inspirantes et de partager des idées qui m'ont beaucoup apporté et qui peuvent être utiles à autrui. Mais voilà, ma vie approche de son terme et je n'ai guère envie de mourir dans un aéroport. J'aspire du fond du cœur à utiliser
le temps qui me reste, quelle que soit sa durée, pour me replonger dans la vie qui était la mienne lorsque je suis parti vivre auprès
de mes maîtres.

Est-il donc égoïste, à ton avis, de vouloir poursuivre une pratique spirituelle dont le but est d'éradiquer l'égoïsme ? Est-il égoïste de cultiver la compassion quand bien même si, l'âge venant, j'aurai moins d'opportunités de la mettre au service d'autrui ? Vaut-il mieux continuer à courir comme le monde pour encourager ceux qui nous écoutent à l'altruisme, à la coopération, à devenir un meilleur être humain ? Faut-il répéter tout cela, encore et encore, afin d'avoir un impact, même minime, sur nos sociétés et nos cultures ? N'avons-nous pas déjà assez parlé, écrit et agi ?

On dit dans le bouddhisme qu'un bodhisattva qui se consacre au bien des êtres ne doit jamais manifester la moindre lassitude face à cette tâche infinie. Mais ne faut-il pas commencer par persévérer dans une pratique qui permettra, en cette vie ou dans une vie à venir, de devenir un bodhisattva authentique, plutôt que de continuer à faire le clown, même si ce clown est plein de bonnes intentions ? Faut-il utiliser de la meilleure façon possible, et jusqu'à notre dernier souffle, la notoriété, si artificielle, acquise non en raison de qualités hors du commun, mais pour être apparus de manière répétitive dans les colonnes des journaux et sur les « étranges lucarnes » ? N'est-ce pas une aspiration légitime de vouloir finir mes jours dans une pratique spirituelle qui ne soit pas constamment fragmentée par la distraction ?

En tant que thérapeute, écrivain et conférencier, qui fait beaucoup de bien à ceux que tu soignes, à ceux qui te lisent et t'écoutent, mais aussi en tant qu'être humain dont la santé est fragile et qui aspire à une vie plus simple et sereine, je sais que tu es confronté, toi aussi, à ce dilemme : « Jusqu'à quel point faut-il continuer ? »

Voilà donc, mon cher Christophe, les réflexions à propos desquelles je serais heureux de lire tes conseils bienveillants.

Avec mon affectueuse amitié,

Matthieu

Paris, *le 30 mars 2018*

Mon cher Matthieu,

Je suis heureux de pouvoir discuter avec toi de cette question du « jusqu'où aller ? ». Tu sais à quel point ta façon de voir les choses est importante pour moi : tu fais partie des personnes qui ne perdent jamais de vue ce qui est simple et fondamental dans une vie humaine.

Jusqu'où aller dans la promotion faite à nos idées et aux causes qui nous sont chères ? Notre « vraie » place n'est-elle pas davantage pour toi dans un monastère ou un ermitage, pour moi à l'hôpital, plutôt que sur les plateaux de télévision, les ondes de la radio ou les pages des magazines ? Certaines personnes le pensent, et nous le disent, de manière amicale ou critique. Et nous aussi nous posons la question !

Nous sommes tous deux en partie piégés par nos métiers, nos activités. Un moine, comme un médecin, œuvre de son mieux pour le bien de l'humanité, ou du moins, pour le dire de manière moins pompeuse, pour faire du bien aux autres humains. Un médecin fait ça dans l'horizontalité de ses rapports aux patients, un moine dans la verticalité de ses prières. D'ailleurs, en ce qui te concerne, tu n'es pas un moine tout à fait comme les autres : tu es aussi un croisé de l'altruisme, un bûcheron de la compassion, comme nous t'appelons volontiers, Alexandre et moi. L'importance et le succès de tout ce que tu fais en dehors de ton monastère, au travers notamment de ton association Karuna, qui aide les défavorisés en Inde, au Tibet et au Népal, tend à t'aspirer loin de la vie contemplative. Tout comme l'écriture des livres vole du temps à mes activités de médecin et de soignant.

Ces activités sont pourtant, par certains aspects, un prolongement de nos vocations. En t'engageant sur le terrain, tu fais le bien par tes actes, et plus seulement par tes prières : quand tu nous parles du nombre d'écoles, de dispensaires, de ponts que Karuna contribue à financer, du nombre d'actions d'éducation et de santé que vous accompagnez, comment ne pas se dire que ta place est bel et bien, aussi, sur ce terrain ? De même, en écrivant mes livres, je m'efforce d'aider à distance davantage de personnes que je ne pourrai jamais en soigner en face à face ; et je suis conforté dans cette démarche par les lettres de lectrices et de lecteurs me racontant à quel point mes livres les aident, et aussi par les études montrant l'intérêt et l'efficacité de la bibliothérapie, ce « soin par les livres ».

Alors où est le problème ?

Il est d'abord celui des priorités : où sommes-nous les plus utiles ? La réponse la plus simple serait de dire : dans les deux domaines ! Et c'est sans doute la nôtre, de réponse, puisque depuis trente ans, toi et moi essayons d'être sur les deux fronts, celui de nos vocations initiales et celui de la diffusion et de l'application de nos idées. Mais il y a aussi le problème de nos capacités : nous ne sommes plus des « petits jeunes », comme on dit à Toulouse ! Alors, pourrons-nous encore mener longtemps de front toutes ces activités ?

La première de ces questions – « où sommes-nous les plus utiles ? » – concerne beaucoup de monde, et pas seulement nos petites personnes.

Tout être humain est amené à réfléchir à l'utilité de ce qu'il fait. Et la réponse n'est pas toujours évidente. Je me souviens d'une de mes patientes qui ne travaillait pas et s'en trouvait très complexée, notamment dans les soirées où, pour rompre la glace, on lui demandait ce qu'elle faisait dans la vie. S'avouer mère de famille lui semblait insuffisant, presque dévalorisant. Jusqu'à ce que nous prenions le temps de réfléchir ensemble à cette histoire. Et en comparant sa vie à celle d'un grand nombre de ses proches, elle s'était aperçue que, finalement, elle avait fait du bien à beaucoup de monde, et continuait d'en faire : elle était véritablement et sincèrement disponible pour ses enfants, ses proches, ses amis. Alors que nombre des personnes qu'elle côtoyait, et qui la complexaient par leurs « succès », avaient tout sacrifié à leur vie professionnelle, au détriment du temps accordé à leurs proches, provoquant beaucoup de souffrances dans leurs existences, caractéristiques de notre époque : conflits conjugaux et familiaux, difficultés des enfants, stress, fuite en avant dans un mode de vie matérialiste (il faut bien justifier les sacrifices faits pour gagner de l'argent)... Finalement, que valait-il mieux avoir fait de son existence, si un critère important pour juger d'une vie « bonne » est celui de l'altruisme et de l'aide offerte aux autres ? Avoir tout sacrifié à sa carrière ? Ou avoir renoncé à une carrière pour s'occuper de ses proches et d'autrui ? Ou encore s'efforcer de concilier les deux ?

Reste la seconde question, celle des énergies : « Pourrons-nous, toi et moi, mener encore longtemps de front toutes ces activités ? »

Pour ma part, j'aspire comme toi à me mettre un peu plus en retrait : je viens d'arrêter mes activités de médecin, exercées pendant près de quarante ans. Il me semble avoir, de mon mieux, rendu à la société ce qu'elle m'avait donné en me permettant de faire des études longues et gratuites. Je fais parfois ce petit calcul dans ma tête : « vingt ans à apprendre et à prendre ; quarante ans à soigner et à redonner ; et désormais, pour j'espère encore quelques années – disons vingt ans, ce serait bien ! – du temps pour m'occuper de moi et de qui m'intéresse, non plus comme soignant, mais comme humain ». On appelle ça la retraite, en français. Les Espagnols parlent de « *jubilacion* » : j'aime bien ce mot, aussi ! J'ai donc décidé de me mettre un peu en retrait ; non pour me couper du monde, mais pour m'en occuper à mon rythme, sans pressions, sans contraintes, ou le moins possible. Et ce retrait, pour le moment, me fait jubiler, et me satisfait.

Et je suis sûr qu'il en sera de même pour toi. Avec une petite demande, toutefois : ce que tu vas devenir nous importe à tous, tant ta figure et ta parole sont un réconfort pour beaucoup de personnes, dont Alexandre et moi. Alors, j'espère égoïstement que de temps en temps tu sortiras de ton ermitage himalayen pour nous rendre visite et nous parler de ta nouvelle vie, 90 % contemplative et 10 % active ! Et pour nous parler de ce que t'auront inspiré tes prières et méditations.

Avec toute mon affection, et ma gratitude pour ce que tu m'as apporté, ou plutôt pour ce que tu nous as apporté, à nous tous qui apprécions ton enseignement et ton exemple.

Christophe

QUATRIÈME PARTIE

LES MOISSONS DE LA LIBERTÉ

MATTHIEU : Quelles sont les moissons d'une liberté parvenue à maturité ? Comment la sagesse qui accompagne cette liberté transforme-t-elle notre attitude vis-à-vis de la vie et de la mort, de nous-mêmes et des autres ? Quel impact a-t-elle sur notre manière d'être et d'agir ?

Un sage doit s'être libéré du joug de l'égarement, de la confusion, de la malveillance, de la dépendance au désir, de la jalousie et de bien d'autres états mentaux qui sont source de tourments. Libre, il ne saurait être perturbé au plus profond de lui-même, déchiré par de perpétuels conflits intérieurs, ni démoli par une angoisse existentielle. Sinon, à quoi bon être libre, à quoi bon être sage ?

Le sage n'ignore pas les joies et les peines, mais celles-ci ne remettent pas en question la liberté et la paix qui règnent dans la profondeur de son océan intérieur. La sagesse donne de l'ampleur à l'esprit et le libère des causes de la souffrance. Elle met à disposition les ressources qui permettent de naviguer avec aisance et dextérité à travers les hauts et les bas de l'existence. Libres, nous sommes moins vulnérables, ce qui nous permet de nous ouvrir généreusement à autrui. La sagesse, dégagée de la confusion, doit aussi fournir les points de repère nécessaires pour prendre les décisions qui affectent notre sort et celui de ceux qui nous entourent. Elle reflète une vision juste de la réalité, affranchie des distorsions créées par les fabrications mentales.

L'une des moissons les plus précieuses de la sagesse est donc la liberté intérieure. Cette liberté est source de paix.

« *Il y a quelques années, lors de vacances en Angleterre dans la région des Cornouailles, je me baladais tout seul sur un sentier côtier, quand je suis tombé sur un petit banc, en haut d'une colline, face à la mer. Le soleil se couchait, l'endroit était très beau. Sur le banc, une petite plaque R.I.P. (Rest In Peace, en anglais : "Repose en paix") mentionnait qu'un monsieur du coin, dont j'ai oublié le nom, aimait venir s'asseoir là, quotidiennement, jusqu'à ses derniers jours.*

Je me suis assis, comme lui, et je me suis senti incroyablement bien. Comme si je m'étais connecté directement à un immense réservoir de paix intérieure. Avec le sentiment étrange que, bien sûr, l'environnement était favorable, mais que son rôle avait été de réveiller en moi ces capacités de paix, qu'elles provenaient de l'intérieur. J'ai pris le temps d'observer ce qui m'arrivait : ce ressenti de paix s'accompagnait de modifications dans tous les domaines, je me sentais tranquille, mais aussi plein de bienveillance, de sérénité, de recul, de lucidité sur ce qui compte vraiment dans la vie, et sur ce qui en est juste l'écume. J'avais l'impression d'une légèreté et d'une liberté enracinées, ancrées dans le réel de la vie et de la mort. Et non illusoires comme celles que peuvent nous procurer les états d'euphorie et d'excitation. Dans cet état de paix intérieure, je ne me sentais pas coupé du monde ni des humains, mais encore mieux relié à eux. J'ai eu une pensée pour le monsieur dont le nom était gravé sur le banc, je l'ai remercié et je lui ai dédié ce moment... »

Christophe

15
LA PACIFICATION INTÉRIEURE

CHRISTOPHE: La paix, bien sûr, est l'absence de guerre, sinon de conflits et de tensions. La guerre suppose la mobilisation de toutes les forces (d'un pays, d'une personne) contre un ou plusieurs adversaires. Elle est parfois nécessaire, mais toujours problématique. Je ne sais plus quel homme politique disait: «Les deux premières victimes, en cas de guerre, sont la Liberté et la Vérité.» Car toute guerre implique d'une part des lois dites d'exception qui restreignent nombre de libertés, et d'autre part une censure qui restreint l'expression de nombre de vérités. Il en est de même dans nos esprits: partir trop souvent en guerre nous enchaîne et nous aveugle. Certains combats sont nécessaires dans nos vies, mais l'état de guerre permanent?

La paix intérieure, une énergie calme

Être attaché à la paix intérieure, ce n'est pas renoncer aux conflits, mais s'efforcer de ne pas vivre en état de lutte permanente, tête baissée contre le réel. C'est voir quand il faut faire la guerre et quand il faut faire la paix, même imparfaite. C'est s'efforcer d'utiliser la force et la fermeté sans colère ni aveuglement. Sacré programme!

Mais peut-être devons-nous nous attacher davantage au processus de pacification intérieure qu'à l'état de paix en lui-même, forcément instable et transitoire ? Effectuer régulièrement en nous ce travail de pacification de nos émotions toxiques, de ce surcroît de colère ou de ressentiment qui ne nous pousse plus vers les actions, mais vers les agressions ?

Une première question me vient à l'esprit en songeant à toi, Matthieu, comment un sage peut-il ne pas être tourmenté, parfois ? Et j'ajouterais : ne doit-il pas l'être ? Ce qui serait comme un marqueur de son implication dans ce monde, où tout n'est pas réjouissant, loin de là.

MATTHIEU : Le sage est le premier à être intimement touché par la souffrance des êtres. On dit qu'il est sensible à la souffrance d'autrui comme celui qui a une poussière dans l'œil, alors que les êtres ordinaires ne la ressentent guère plus qu'une poussière dans la paume de la main. L'hédoniste autocentré accorde peu de place aux autres dans ses pensées. Le sage n'exclut personne de son cœur.

Le Dalaï-lama nous a confié qu'il n'y avait pratiquement pas un jour où, lors de sa méditation quotidienne, entre 3 et 7 heures du matin, les larmes ne lui soient pas venues aux yeux en pensant aux souffrances des êtres. Ce sont des larmes d'amour et de compassion qui n'ébranlent pas sa paix intérieure. Paul Ekman, l'un des grands spécialistes des émotions faciales, disait que, de toutes les personnes qu'il avait observées, le Dalaï-lama est sans doute celle qui exprime ses émotions – joie ou tristesse – avec la plus parfaite transparence. Mais ces émotions surgissent au sein d'une sagesse inébranlable qui est une claire compréhension de l'impermanence et de l'absence d'existence propre des phénomènes. Le sage perçoit avec une acuité extrême les besoins des autres et il est toujours prêt à agir pour leur bien, sans que son esprit ne soit happé par le maelström des afflictions. En 2009, avant les Jeux olympiques

« Cet idéal
de paix intérieure
est un point de départ
de l'engagement,
il débouche
sur une action,
avec une économie
de moyens.
C'est l'action sans
la gesticulation. »

de Pékin, alors que plus de deux cents Tibétains avaient été tués par l'armée chinoise et des milliers emprisonnés pour avoir manifesté dans la rue, le Dalaï-lama a déclaré que depuis l'année où il avait dû fuir l'invasion de son pays, il ne s'était jamais senti aussi impuissant à accomplir quelque chose d'utile pour les Tibétains. Toutefois, à la différence de ce qu'il avait vécu en 1959, moment dramatique entre tous, il n'avait pas perdu sa paix intérieure. La sagesse et la maturité spirituelle confèrent une grande liberté face à l'emprise des émotions perturbatrices.

ALEXANDRE : *Perinde ac cadaver*, « tout juste comme un cadavre ». Dans les *Constitutions*, saint Ignace de Loyola invite ses compagnons à réagir à la manière d'un cadavre. Assurément, il nous livre un sacré exercice pour inspirer notre quotidien : faire le mort, ne pas surréagir, laisser passer quand tout nous incite à nous emporter. Tout en prêtant l'oreille au saint, ne pouvons-nous pas tordre le cou au malentendu tenace, à la caricature grossière qui prête au sage une mort quasi clinique ? Au contraire, il est un grand vivant. En lui, l'existence se déploie et se donne en surabondance. L'exemple lumineux du Dalaï-lama suffit à congédier illico les esprits chagrins qui croient que le sage se coltine un encéphalogramme plat, qu'il s'est définitivement retranché du monde, qu'il conduit une existence cool et pépère, loin, très loin des vicissitudes du commun des mortels.

Foncer vers la liberté, c'est peut-être oser un art de vivre, tenter d'opposer des antidotes à l'égoïsme et aux autres pathologies du nombril. La sagesse, cette liberté intérieure, comprend deux grands chantiers : une science de l'esprit, une ascèse sans cesse réitérée pour purger notre être de toutes les émotions perturbatrices, ainsi qu'une pratique de la générosité : la voie du cœur, le sentier de l'altruisme.

Quand je bataillais contre l'addiction, je puisais un immense réconfort à savoir que, sur ma table de chevet, se trouvaient d'habiles médecins, tout prêts à m'épauler. Trois d'entre eux m'ont particulièrement aidé à sortir du tunnel : Maître Eckhart, ce guide qui nous conduit comme par la main vers la déprise de soi et nous enseigne à nous perdre, à nous abandonner ; Nietzsche, ce grand pacificateur qui invite à dire oui à tout, y compris au chaos gigantesque qui, bien des fois, risque de nous dévorer tout crus ; et Chögyam Trungpa qui démolit une à une les illusions et les tentations de mettre le grappin sur une paix factice, sur une sécurité de pacotille. Justement, sur le point qui nous occupe, ce remarquable maître nous donne peut-être une clé : « Il faut travailler dur pour aider autrui, directement, sans même porter des gants en caoutchouc pour nettoyer les vomissures. » C'est assez dire que le sage, l'homme et la femme pleinement libérés ne démissionnent pas. C'est au cœur du chaos, des tourments qu'il s'agit de se mettre à l'école de la sagesse, de bâtir une liberté, de récolter millimètre par millimètre la moisson qui vient vers celui qui progresse. Quel triste malentendu laisse accroire que travailler à la pacification intérieure revient irrémédiablement à brider toute sensibilité, à devenir une *mauviette*, une âme déjà morte, emmurée dans un cachot...

CHRISTOPHE : La science montre, comme vous venez de le dire, que la sagesse n'est pas la stérilisation de nos passions ! Les quelques études dont nous disposons montrent que les personnes jugées « sages » (par les questionnaires d'évaluation, ce qui est certes discutable, mais passons...) ressentent autant d'émotions, agréables ou désagréables, que les autres, parfois même plus ; mais elles en sont moins esclaves et moins téléguidées par elles. Voilà pour le versant intérieur de la liberté. Mais pour l'engagement extérieur dont nous parlions au début ? Même chose ! La paix intérieure entraîne le calme extérieur, mais pas l'inertie !

Pourtant, aux yeux de beaucoup, la force vient de la colère et de l'agitation. Quand on essaie de visualiser une personne pleine d'énergie, on ne l'imagine pas calme et posée. Dans les clichés occidentaux, l'engagement dans le monde est source d'agitation et non de tranquillité, il nous met sur un pied de guerre, pas sur un pied de paix.

Est-il possible d'utiliser l'énergie de la colère sans hériter de sa tendance à l'agression ? De nombreux travaux de psychologie expérimentale montrent qu'il existe une concordance entre le corps et l'esprit. Ce qui voudrait dire qu'un esprit en paix ne nous pousserait pas «naturellement» à des actes énergiques. Mais peut-être faut-il alors réhabiliter ce que j'appelle l'énergie calme ? Ne peut-on apprendre à dissocier agitation et énergie ? Je suis convaincu qu'il est possible de cultiver des états où l'on est plein d'énergie, sans être pour autant agité ni énervé. Et en t'écoutant parler, Matthieu, j'interrogeais ces clichés si fréquents sur la colère nécessaire et les guerres justes. Et même si je suis convaincu qu'il n'en est rien, je manque parfois d'arguments face à ceux qui prétendent que la paix intérieure nous détourne des préoccupations du monde et du souci d'agir.

MATTHIEU : Certes, la colère incite à l'action. Elle présente des aspects de vivacité, de vigueur et d'efficacité qui, en eux-mêmes, peuvent être utiles, tant qu'ils ne sont pas associés à la malveillance. Mais dans la plupart des cas, la colère dégénère très vite. L'énervement, la perte de contrôle et, finalement, le désir de nuire prennent le dessus. La colère devient toxique. Une étude portant sur plusieurs centaines d'étudiants qui ont passé un test de personnalité mesurant leur degré de colère chronique et d'hostilité a montré que, vingt-cinq ans plus tard, les plus agressifs d'entre eux avaient eu cinq fois plus d'accidents cardiaques que les moins coléreux.

ALEXANDRE : ... d'où la nécessité de se mettre au boulot sans tarder pour ne pas finir complètement rance et amer, et s'avancer dans la grande santé. Ne négligeons pas non plus la violence qui, retournée contre soi, fait d'énormes ravages. Le défi ? Repérer déceptions, trahisons, échecs et traumatismes, toutes ces bombes à retardement. Pour se lancer dans un travail de libération, dans une ascèse, il faut du carburant, des actes répétés au quotidien, de la joie, des amis dans le bien. Et pour les irascibles de tout poil, le génial Sénèque peut déjà fournir la trousse de secours. Il nous prodigue son traitement contre la colère : « Prenons le contre-pied de tous les indices qui la révèlent : que le visage se détende, que la voix s'adoucisse, que la démarche se ralentisse ; peu à peu, l'intérieur se modèlera sur l'extérieur. »

Un de mes amis, stoïcien sur les bords, me disait qu'à chaque fois qu'il sentait naître en lui des reproches, du courroux, la moindre occasion de semer la zizanie au sein de son couple, il s'allongeait par terre et laissait s'évanouir les étincelles avant que l'incendie ne se déclare… J'aime que la transformation de soi s'inscrive dans des petits actes, au cœur du quotidien. Se libérer, sortir du cachot, oser l'évasion réclame une ingéniosité, de la persévérance et un paquet d'humour. Rien ne sert de partir en guerre contre les émotions, courons plutôt à grands pas vers la paix !

MATTHIEU : Du point de vue de l'évolution et de la survie de l'espèce, comme l'a souligné Darwin dans *L'Expression des émotions chez l'homme et les animaux*, toutes les émotions ont une utilité. La jalousie contribue à maintenir la cohésion d'un couple en incitant le conjoint à écarter ses rivaux, augmentant ainsi les chances de survie de sa progéniture. La colère peut aider à surmonter rapidement un obstacle qui entrave la réalisation de nos désirs ou constitue une menace. La convoitise incite à s'approprier ce dont on a besoin. Mais ces émotions deviennent sources de tourments lorsqu'elles s'amplifient au point d'échapper à notre contrôle et de ne plus être appropriées à une situation donnée.

« La liberté consiste
à établir un
dialogue intelligent
avec ses émotions
et à apprendre
à les laisser se défaire
d'elles-mêmes
à mesure
qu'elles surgissent. »

En laissant régulièrement nos émotions s'exprimer sans mesure, on renforce nos tendances et on sera de nouveau la proie de ces émotions dès que leur charge émotionnelle aura atteint le seuil critique. En outre, ce seuil s'abaissant, on se mettra plus facilement et plus souvent en colère. La liberté consiste à établir un dialogue intelligent avec ses émotions et à apprendre à les laisser se défaire d'elles-mêmes à mesure qu'elles surgissent. Ce faisant, on ne refoulera pas la colère, mais on évitera qu'elle ne se transforme en cause de souffrance. Ici encore, sagesse est synonyme de liberté.

Quant à l'énergie calme dont tu parles, Christophe, le Dalaï-lama a donné un jour, sur un ton humoristique, l'exemple de quelqu'un en proie à une forte colère qui veut donner un coup de canne à l'objet de son ressentiment. S'il est survolté et gesticule dans tous les sens, il risque de se taper sur la figure en essayant d'assener un coup à l'autre. Le Dalaï-lama a ajouté sur un ton espiègle, alliant le geste à la parole : « Si vous êtes parfaitement calme, vous prenez la canne, et tac, un coup précis sur le bout du nez. » Il est tout à fait possible de mener une action ferme et déterminée pour neutraliser une personne dangereuse, sans éprouver la moindre haine, ni donner libre cours à une violence immodérée et cruelle.

CHRISTOPHE : Finalement, cet idéal de paix intérieure est un point de départ de l'engagement, il débouche sur une action, avec une économie de moyens. C'est l'action sans la gesticulation.

MATTHIEU : Regarde un maître d'aïkido, comme le fondateur de cette discipline, maître Ueshiba. Dans un film, on le voit, tout frêle en apparence, avec sa grande barbe blanche, attaqué de plusieurs côtés par des pratiquants beaucoup plus jeunes que lui. Avec un calme inaltérable et un minimum de gestes, il fait virevolter ses assaillants à droite et à gauche. Tous se retrouvent par terre comme par enchantement. Une action déterminée accomplie avec calme sera souvent plus efficace qu'une explosion de gestes ou de paroles désordonnées. Dans des situations d'urgence, où il faut prendre des décisions vitales, n'est-il pas préférable de conserver son calme ? En cas d'incident technique dans un avion, si tout le monde se met à hurler dans le poste de pilotage, il y a peu de chance que la bonne décision soit prise. Un héros n'est jamais hystérique.

CHRISTOPHE : Pour toi, c'est évident, mais pour beaucoup de gens, il faut aller au-delà d'un premier réflexe, associant action extérieure et agitation intérieure. C'est toute la différence entre la paix et le calme : on peut être un homme d'action calme. Mais comment expliquer qu'il est possible de s'engager sans ressentir de colère ou d'inconfort intérieur ?

Paix intérieure = calme extérieur

MATTHIEU : Il me semble qu'il y a différentes formes d'incon-fort. Il est fort souhaitable d'être ardemment concerné par le sort d'autrui et de considérer comme inacceptables les souffrances causées par l'injustice, la discrimination, l'oppression et la cruauté. Selon les circonstances, il sera préférable d'avoir recours à la diplomatie, au dialogue et à la conciliation ou, si nécessaire, à des formes d'intervention plus énergiques. Lorsque c'est la manière la plus habile de procéder, un sage pourra manifester une « sainte colère », tout en restant parfaitement maître de lui-même. Péter les plombs obscurcit notre jugement : nous surimposons nos pro-jections sur notre adversaire et le percevons comme totalement haïssable, alors que la réalité est toujours plus complexe. On voit ce que cela donne chez des gens qui, comme Donald Trump, sont incapables de se contrôler : ils passent d'un jour à l'autre de la louange dithyrambique à l'éreintement sans merci. Dire n'importe quoi, insulter autrui, écumer de rage ou trépigner d'impatience déclenche le plus souvent une escalade de l'hostilité.

Le calme s'exerce dans le feu de l'action, tandis que la paix intérieure se construit sur la durée. Si ton bateau a fait naufrage et que tu as tout perdu, le fait que tu retrouves ton équilibre et ta sérénité, au lieu d'être dévasté des mois durant, est un indicateur de ta résilience et de ta paix intérieure.

ALEXANDRE: La colère, comme les tiraillements de la chair, nous met bien souvent en *flagrant délit* d'acrasie. Le défi, c'est d'identifier les signaux d'alarme, tout ce qui annonce l'incendie. Oui, il faut bien le dire, le mental est un sacré pyromane qui s'ingénie à mettre de l'huile sur le feu et monte sur ses grands chevaux à la moindre occasion. Euripide, par la bouche de Médée, dit bien ce divorce qui sépare nos plus hautes aspirations de nos faits et gestes, de notre quotidien : «Je suis vaincue par le mal ! Je comprends bien l'énormité du mal que je vais faire, Mais la colère est plus forte que mes réflexions !» Et si nous usions de ruses, d'ingéniosité pour dégonfler la rage ? En traquant, par exemple, à la manière des stoïciens, les mille et un jugements qui concourent à nous faire sortir de nos gonds. Un badaud se moque de ma dégaine et voilà une magnifique opportunité de repérer les : «De quel droit il me traite comme ça ?» «Jamais on ne me laissera en paix !» «Il s'est regardé, lui ?» «Quelle injustice de juger sur les apparences… »

CHRISTOPHE: Travailler régulièrement à calmer nos petites colères, nos petits ressentiments, nous prépare à mieux réagir lors de circonstances plus intenses. L'idée n'est pas d'éroder nos capacités à réagir, mais de prendre l'habitude de les associer, autant que possible, à un état de calme intérieur. Le calme serait donc l'un des bénéfices comportementaux et psychologiques de la paix intérieure.

MATTHIEU: En d'autres mots, le calme est une expression de la paix de l'esprit que la liberté intérieure nous confère. Celui qui est constamment agité par des pensées sauvages ne jouit que d'un très petit degré de liberté, car il fonce dès qu'une impulsion surgit en son esprit. Celui qui est libre intérieurement sera exempt des points sensibles qui provoquent l'hyper-réactivité et des blessures qui font hurler dès qu'on y touche. Le sage n'est ni amorphe ni indifférent, son espace mental est si vaste que les perturbations ne remettent pas en cause sa liberté intérieure. Il ignore les tempêtes dans un verre d'eau.

ALEXANDRE: Le Bouddha, Jésus, Spinoza, Épictète et bien d'autres dégagent des autoroutes vers la liberté. Toujours, il s'agit de se désencombrer, de sortir de ses représentations étroites, de se libérer du qu'en-dira-t-on pour oser nager en pleine mer et reprendre si possible le gouvernail de son existence. Quel affreux malentendu a associé le travail de soi, cette sculpture de l'intériorité, à une corvée! Sortir du cachot est une aventure, une renaissance, un chemin de joie, presque un jeu. Le progressant s'exerce à repérer les préjugés, à dégommer les attachements, à aimer davantage, mieux. Pour s'extraire de la lessiveuse des tempêtes émotionnelles et cheminer à grands pas vers l'ataraxie, cette absence de troubles intérieurs si chère aux écoles de l'Antiquité, peut-être faut-il tendre l'oreille à cette interrogation très pratique d'Épictète : «Si quelqu'un livrait ton corps au premier venu, tu en serais indigné; mais de livrer toi-même ton âme au premier qui t'insulte en le laissant la troubler et la bouleverser, tu n'en as pas honte?»

Vivre sur le mode du pilotage automatique n'est peut-être pas une fatalité. Congédions tout de suite la vieille image écornée d'un sage renfrogné qui grincerait des dents et nous taperait sur les doigts au moindre faux pas! Oui, nous pouvons nous hâter vers la sagesse la joie au cœur, et entreprendre un itinéraire de libération par générosité, amour de la vie, par gourmandise, oserais-je dire!

La paix intérieure, démodée
ou de pleine actualité ?

CHRISTOPHE : Vous vous souvenez de cette amie que nous avions rencontrée et qui nous disait « la sagesse, la paix intérieure, c'est ennuyeux finalement » ? Est-ce que toutes nos réflexions ne sont pas à contre-courant de ce que propose notre époque ? Mouvement et changements permanents, flux continus d'informations et de distractions, incitation à réagir rapidement plutôt qu'à réfléchir lentement, réflexions basées sur les images plutôt que sur les écrits, connexion constante avec proches, médias ou même inconnus… La paix intérieure suppose un retrait relatif et régulier de tout cela. Et la liberté intérieure a besoin d'une critique régulière du flot qui nous est proposé : toute information porte une influence, masque une manipulation éventuelle, induit en nous des envies, des pensées, des émotions qui ne nous rendent pas forcément plus libres, mais bien souvent plus dépendants, avec moins de recul et de discernement… Nous avons donc besoin de sagesse pour y voir plus clair ! Ce n'est pas de privation dont je parle, il ne s'agit pas de renoncer à l'action, aux informations, aux distractions, aux plaisirs, mais de s'interroger régulièrement sur le rapport que nous entretenons avec tout cela, notamment dans le domaine de nos libertés : sommes-nous capables de nous en passer ?

MATTHIEU : La qualité du temps qui passe n'est pas tributaire d'expériences intenses, excitantes, trépidantes et sans cesse renouvelées. Il n'est pas nécessaire, selon l'expression de Pascal Bruckner, de devenir un « croisé de l'incandescence », qu'il y ait tout le temps des étincelles, que tout soit nouveau, fort, stimulant… Le sage est content de regarder les feuilles tomber d'un arbre, un petit oiseau se poser quelques instants sur la branche… Ne rien voir du tout le satisfait tout autant que s'il contemplait à tout moment un paysage somptueux. Les prétendus « succès » de l'existence n'ajoutent rien à sa sérénité et leur absence n'y retranche rien. La richesse intérieure se suffit à elle-même et se régénère à mesure qu'on en fait l'expérience. Finalement, l'épuisement des ressources intérieures vient de ce que nous tentons de rendre excitant ce qui semble monotone, d'accélérer ce qui est tranquille, et de brûler la chandelle par les deux bouts. Dans le calme intérieur, nul besoin de toute cette pacotille.

CHRISTOPHE : Le calme n'est pas l'inertie, nous l'avons dit. Et il n'est pas non plus la monotonie. Il nous aide à apprécier le réel, ses nuances, ses subtilités, sans besoin d'enjolivures, de maquillage ou de coups de klaxon! Il affûte notre regard sur le monde. Il nous rend moins dépendants des coups de tonnerre et roulements de tambours. Mais il nous demande des efforts supplémentaires. La facilité, c'est de se laisser acheter par la société de consommation et ses stimulations qui sont des manipulations. La difficulté, c'est de cultiver le calme pour augmenter son discernement et sa liberté, dont fait partie la liberté de choisir ce qui doit nous bouleverser ou nous exciter!

C'est le même genre de choix qu'entre faire son marché et sa cuisine, ou acheter des plats cuisinés. La première option nous prend beaucoup plus de temps, mais on s'aperçoit aujourd'hui que la seconde nous expose à des empoisonnements : les plats du commerce sont trop riches en sel, sucre, exhausteurs de goût, etc. Il en va de même pour ce dont nous nourrissons notre vie et notre bonheur : on achète ou on fabrique? On se rapproche de la dépendance ou de l'autonomie?

ALEXANDRE : L'ego s'inscrit toujours dans la lutte, l'appât du gain, la chasse au meilleur. Mais comment déshabituer une âme toujours aux aguets, percluse de craintes et de peurs? Comment apprendre à glisser dans le toboggan de l'existence quand on a une mentalité de grand argentier qui spécule jour et nuit, sans parler des conflits intérieurs qui semblent résister à la meilleure volonté du monde?

J'ai toujours rencontré avec envie chez Spinoza l'*acquiescentia in se ipso*, à savoir la «satisfaction de soi». Tant qu'on ne découvre pas le bonheur à domicile, la tentation est grande de courir à gauche et à droite, d'instrumentaliser les autres et d'en faire des distributeurs automatiques de récompenses, d'affection. L'auteur de l'*Éthique* semble nous guider pour nous conduire à cet amour de soi qui trouve au fond de notre être son origine. Rien à voir avec le narcissisme qui se borne à n'aimer qu'une image tronquée de son être.

Le drame de Narcisse, son absolue solitude, c'est qu'il ne s'est finalement jamais rencontré. Il se mire sans se connaître. Il n'a affaire qu'à des représentations. D'ailleurs pour Spinoza la satisfaction de soi naît de la connaissance intuitive de Dieu. Voilà qui est génial : nous ne développons pas l'autocompassion seuls devant la glace, mais en nous jetant dans le monde, en nous donnant aux autres, en vivant. Sur ce chemin, nous pouvons déjà reconnaître que nous sommes des êtres de manque, des carencés majeurs qui croient trouver dans la surconsommation un baume pour les plaies, les béances. Le manque, le sentiment de vide nous font courir après de faux biens ; d'où la dépense d'une énergie considérable. Au bout du compte, nous voilà sur les rotules, exsangues et pas très heureux pour tout dire. Comment habiter ce monde simplement, en laissant de côté l'avidité d'un ego blessé et revendicateur ?

MATTHIEU : La simplicité va de pair avec une économie de ressources émotionnelles : il n'est plus nécessaire de s'user à gérer sans trêve des conflits extérieurs et intérieurs, on cesse d'être persuadé que le monde entier est contre nous, que tout doit être consommé, utilisé et maximisé comme on presse un citron. Notre ego n'a plus soif d'être chouchouté et ne se sent plus menacé à tous les tournants. Du coup, on économise une énergie phénoménale. On reste en roue libre dans la sérénité intérieure. C'est le contraire d'une voiture qui roulerait en première, l'accélérateur au plancher, donnant de brusques coups de freins, faisant un maximum de bruit tout en consommant un maximum d'essence, et qui n'arriverait pas au bout du voyage, parce que le moteur est en surchauffe permanente.

CHRISTOPHE : La paix intérieure est source d'économie d'énergie : nos forces intérieures sont plus intelligemment mobilisées, nous les gaspillons moins en gesticulations. Elles s'épuisent moins ; c'est important, car nous avons une quantité quotidienne d'énergie limitée, qu'il s'agisse des efforts physiques ou psychologiques. Au-delà d'un certain seuil, nous sommes «vidés», comme on le dit si bien ! Autre avantage : on ne pollue pas les autres avec nos impulsions, nos énervements, nos exigences et nos petitesses.

Par ailleurs, la paix intérieure est bonne pour notre écologie mentale ! Elle réduit non seulement les tensions entre les personnes, mais aussi à l'intérieur d'elles. Et du coup, elle les pousse vers les bonnes décisions : moins consommer, moins s'énerver, prendre le temps de réfléchir à ses véritables besoins, et non à ceux, mimétiques, de la société de consommation (si l'autre a ceci, je le veux aussi).

L'allègement de soi, le jardinage tranquille et bienveillant de notre vie intérieure (face à l'apparition et à la pousse régulière d'inquiétudes, de ruminations, d'obsessions, de servitudes...) nous prendra de moins en moins de temps et d'énergie et, au fil du temps, nous libérera pour tout le reste, tout ce qui n'est pas nous.

MATTHIEU : C'est une harmonie durable. Étant en harmonie avec soi-même, on se trouve aussi en harmonie avec les autres et avec son environnement naturel. Pas d'hyper-consommation, ni à l'intérieur ni à l'extérieur.

ALEXANDRE : Cette conversion intérieure reste finalement très humble. Il ne s'agit pas de se payer un virage à 180 degrés, mais, jour après jour, de poser des petits actes. Qu'est-ce qui me réjouit au fond du fond ? Comment faire circuler la vie ?

BOÎTE À OUTILS POUR TRAVAILLER À LA PAIX INTÉRIEURE

CHRISTOPHE

- *« Que la Force soit avec toi »* : À la formule célébrissime maintes fois répétée dans le film *La Guerre des étoiles*, nous pourrions ajouter « et que la paix s'installe en toi, car tu utiliseras alors beaucoup mieux ta force ! »
- *La paix intérieure n'engendre pas la passivité, mais l'engagement calme.* Elle ne débouche pas sur la monotonie, mais sur un regard affûté et sensible aux nuances, invisibles aux agités.
- *La paix intérieure augmente notre liberté* : Elle nous rend moins dépendants aux stimulants et excitants de la société de consommation (publicités, réseaux sociaux, distractions faciles et gratifiantes…).
- *Mais nous demeurons imparfaits* : Pas question non plus de nous censurer ou de nous stériliser, de nous priver de toute forme de folie, de dérapage, d'excès ou d'impulsivité. Tout peut arriver, et parfois même, ces dérapages peuvent être agréables sur le moment (boire trop d'alcool, trop dépenser, médire…). Mais l'art et l'habitude du travail sur la paix intérieure nous ramèneront plus rapidement sur la voie de nos vrais choix existentiels et de nos valeurs. Il ne se sera agi que de dérapages, et non de sorties de route ou d'accident grave…

ALEXANDRE

- *D'où vient ce besoin tenace d'ennemis à l'intérieur comme à l'extérieur ?* Pour sortir des tranchées et des bunkers, afin d'accéder à une authentique paix du cœur, identifions les champs de bataille, ce contre quoi nous partons en guerre, matin, midi et soir ! Osons déposer les armes,

447

jeter cuirasses et cottes de mailles! Optons délibérément pour la douceur, la tendresse et la non-violence!

- *Oser être soi*: Dans *Être et Temps,* Heidegger lance un vibrant appel: «La résolution en tant qu'oser être soi-même ne retranche pas le *Dasein* de son monde, elle ne l'isole pas pour en faire un «Je» lâché dans le vide.» Combien de nos peurs, de nos frustrations viennent d'une existence vécue à côté de soi, dissimulée sous les fantasmes, l'apparat, les rêveries, l'inauthentique, dans la fuite? Se réconcilier avec son être, approcher de la sérénité, c'est prendre le risque de quitter toutes les postures, oser chaque jour rejoindre un équilibre sans jamais s'installer dans une pesante fixation, dans de fausses sécurités. C'est aussi inscrire notre liberté dans notre vie, avec ce corps, ces traumatismes, ces blessures, ces mille et une ressources. Bref, c'est faire la paix avec tout ce que je suis sans forcément rêver d'être quelqu'un d'autre.

- *Accepter l'imperfection,* l'ambivalence qui peut habiter un cœur, les montagnes russes intérieures, c'est acquiescer au monde. Qui a dit que nous devions liquider tous nos problèmes pour couler des jours heureux? La paix, la joie se construisent avec les moyens du bord. N'en faisons pas d'écrasants idéaux qui nous assomment, nous découragent et sapent toute possibilité de progrès!

- *Repérons ce qui nous apaise véritablement,* ce qui nous console, nous nourrit et nous repose: un film, un spectacle, une rencontre, un acte qui nous réconcilie avec le quotidien et relance une dynamique. Écoutons ce que perçoit notre boussole intérieure.

MATTHIEU

- *Agrandir notre «espace» intérieur,* de sorte que les joies et les peines aient amplement la place de s'y déployer, sans être ignorées ni bouleverser notre paix profonde.

- *Acquérir une bonne connaissance de nos émotions*: Comment surviennent-elles? Comment reconnaître leur utilité sans être submergé par leurs débordements? Comment établir un dialogue intelligent avec elles, de sorte qu'elles ne troublent notre esprit outre mesure?

Comment, finalement, devenir expert dans la libération des émotions perturbatrices de sorte qu'elles se dénouent au moment même où elles surgissent?

- *Savourer la fraîcheur du moment présent,* la simplicité naturelle d'un esprit en paix.
- *Devenir moins vulnérables intérieurement*: Cela nous permet de nous ouvrir sans crainte aux autres.

« *Il y a quelques mois, en visite à Toulouse, je me suis aperçu, en me levant de table, que je ne pouvais plus marcher. Un ménisque s'était brisé et coincé dans l'articulation du genou. C'était très douloureux, mais par chance, grâce à des amis, j'ai pu faire une IRM le jour même et être opéré le lendemain. Pour ce faire, j'ai subi, bon gré mal gré, une anesthésie générale et suis resté endormi un peu moins de deux heures.*

Contrairement à mes attentes, au réveil, j'ai vécu une expérience très enrichissante. J'avais l'impression de ne pas être tout à fait là. J'étais dans un état d'esprit léger et lumineux. Mes premières pensées m'ont relié à mes maîtres spirituels. Pendant une bonne heure, leur présence a illuminé mon paysage mental. Je ressentais un état de félicité, de dévotion et de confiance sans mélange. J'étais seul dans ma chambre et je me suis mis à chanter doucement des mantras et des versets qui invoquent le maître. J'ai pensé aussi à des êtres chers.

Je me suis dit que si les choses se passaient aussi bien au moment de la mort, ce ne serait pas trop mal ! L'anesthésie était-elle une sorte de répétition générale ? Un tel moment était-il révélateur de ce qui est présent au plus profond de l'esprit, lorsque les cogitations qui encombrent le champ de la conscience sont silencieuses ? Tout compte fait, je me réjouissais d'être passé par cette anesthésie.

Plus tard, je me suis demandé si de telles expériences pouvaient être révélatrices de notre nature profonde. Ce sentiment de légèreté et de félicité était peut-être dû au fait qu'au réveil de l'anesthésie on ne réifie pas tout de suite le monde qui nous entoure. L'esprit n'est pas encore déformé par des myriades de constructions conceptuelles. C'est l'antipode de la rumination – une parfaite simplicité. Je me sentais comme un jeune enfant qui découvre la beauté de la vie avec un esprit neuf et transparent. »

Matthieu

16
NOTRE NATURE PROFONDE

Le fond du fond

CHRISTOPHE : J'ai fait une expérience de même nature il y a deux ans, à la suite d'une grosse opération : je me suis réveillé de l'anesthésie dans un état très étonnant, envahi par un profond bien-être – presque une euphorie de me sentir en vie –, et par un sentiment de gratitude envers les chirurgiens, les infirmières et infirmiers, la médecine. C'est inhabituel pour moi qui suis plutôt un anxieux, dont l'esprit commence toujours par se tourner vers le côté négatif ou préoccupant des situations. J'aurais pu être alarmé par les douleurs, les suites opératoires, par tous ces tuyaux et cathéters plantés dans mon corps, par les incertitudes sur ma santé et mon avenir. Mais non, sérénité et gratitude étaient au premier plan, sans aucun effort !

Je connais le travail sur la gratitude, c'est un entraînement que je pratique régulièrement et que j'apprécie, mais je ne l'avais jamais éprouvé aussi fortement, aussi physiquement, et surtout aussi facilement. Instantanément, je me suis demandé : « Ouh là, tu n'es pas dans ton état normal, est-ce que ce n'est pas l'anesthésie qui provoque ça ? » Et puis je m'y suis simplement abandonné. Cet état a duré assez longtemps, une bonne heure, tant que j'étais en salle de réveil, un environnement pourtant stressant. Puis il s'est doucement prolongé dans ma chambre tout l'après-midi. Sans doute était-il facilité par l'anesthésie, l'absence de douleur et le soulagement. Mais je me suis alors souvenu de ton expérience similaire, Matthieu, que tu m'avais racontée, et je me suis dit : finalement, pourquoi ne serait-ce qu'un phénomène artificiel, induit par l'anesthésie ? Ne peut-on penser aussi que l'anesthésie a eu un effet clarificateur, révélateur d'un fond existant, en dessous des inquiétudes, possibles aussi aux réveils d'anesthésie ?

MATTHIEU : Comme le vent qui chasse les nuages.

CHRISTOPHE : Et du coup, ce que je ressentais ne me semblait plus être un artifice mais une sorte de plongée dans une éventuelle « nature profonde », comme celle qu'évoque la tradition bouddhiste. La chimie de l'anesthésie n'aurait alors pas créé cet état, mais elle l'aurait facilité, permis, révélé.

MATTHIEU : Il serait intéressant de connaître la fréquence de ce genre d'expérience. Dans le cas de personnes habituellement tourmentées, qu'est-ce qui surgit en premier ? Francisco Varela m'avait également raconté qu'à son réveil après une longue opération de greffe du foie, c'est la pensée de son maître, Tulku Orgyen Rinpotché, qui s'était imposée avec une évidence incroyable. Il y a des années, j'avais accompagné un autre maître tibétain, Nyoshul Khen Rinpotché, qui s'était fait opérer de l'appendicite à Périgueux. J'étais auprès de lui lorsqu'il s'est réveillé. Il a prononcé trois fois le mot « *rigpa* »... « éveil, éveil, éveil ». Ce mot ne fait pas référence au réveil du sommeil ou de l'anesthésie, mais à l'éveil à la nature fondamentale de l'esprit. Il m'a demandé ensuite de lui lire quelques versets sublimes de grands maîtres du passé. Après quelques minutes, il a dit : « Bon, ça va », puis il est resté silencieux.

Dans le bouddhisme, on parle de la « nature de bouddha » qui est la nature véritable de l'esprit. Il ne s'agit pas là d'une simple vision optimiste de la nature humaine. Reprécisons ici ce que l'on entend par « nature de bouddha » : c'est la nature fondamentale de l'esprit, une sorte de « bonté originelle » qui se manifeste lorsque l'esprit est libéré des voiles de la confusion mentale, de l'ignorance et des distorsions de la réalité.

CHRISTOPHE : Après coup, j'ai cherché des études sur ce thème, je n'ai pas trouvé grand-chose. Il existe effectivement des publications médicales racontant des états d'euphorie après utilisation de lidocaïne par exemple, mais c'est différent de ce que nous avons vécu, différent de ce sentiment de paix et de clarté. Il y a d'autres moments où cet état peut se présenter : lors de certaines méditations, lors de moments existentiels forts durant lesquels nous sommes face à la nature ou au ciel étoilé, ou lors d'instants ordinaires, mais auxquels nous sommes parfaitement présents et qui font émerger en nous ces ressentis. Autant d'irruptions de sérénité non pas seulement venues des circonstances favorisantes, mais émergeant du plus profond de nous-mêmes.

ALEXANDRE : Miguel de Unamuno propose un diagnostic troublant : « Presque tous les hommes vivent inconsciemment dans l'ennui. L'ennui fait le fond de la vie, c'est l'ennui qui a inventé les jeux, les distractions, les romans et l'amour. » Qu'est-ce qui habite le fond du fond ? Une lassitude énorme, une angoisse lancinante, une insatisfaction tenace… ? Quelle est notre nature véritable ? Durant ma carrière, j'ai eu, à plusieurs occasions, le privilège de finir sur le billard. Au réveil, j'ai effectivement ressenti une extrême gratitude. Je me trouvais là, complètement shooté grâce à l'anesthésiste, qui ne s'était pas planté, grâce à l'urologue, grâce aux mains qui avaient préparé tout l'attirail qui passe par la tuyauterie. J'ouvrais les yeux grâce à une centrale électrique qui avait bien fonctionné. Bref, je m'ouvrais à une plénitude, à l'expérience sans

« La vraie liberté
suppose de lâcher
le désir de contrôler
et de posséder,
elle procède
d'un détachement
qui peut paraître
angoissant à certains
moments. »

réserve de l'interdépendance. Le caractère miraculeux de la vie, ce cadeau immense me sautait aux yeux. Je pensais aussi à tous les gens qui, passant sur la même table d'opération, n'avaient pas eu la chance de repartir de bon pied vers la grande santé.

La joie, ce détachement, le devais-je au Propofol et à son effet euphorisant ? Avais-je rejoint plus avant le fond du fond, et osons le mot, la nature de bouddha ?

MATTHIEU : Il ne faut pas aller trop vite non plus. Ce genre d'expérience au cours de laquelle les nuages des cogitations mentales sont momentanément dissipés nous permet d'avoir un aperçu du ciel de la nature de l'esprit, toujours présent derrière ces nuages. Mais de là à en conclure que le réveil de l'anesthésie nous permet d'actualiser la nature de bouddha… Ce serait trop facile !

CHRISTOPHE : Et dans ce genre d'expérience médicale, que nous avons tous trois vécue, il y a un mélange détonant : une confrontation à notre vulnérabilité, un environnement bienveillant, une impuissance transitoire du corps, une stimulation intense de notre esprit – aussi, peut-être, un petit coup de pouce médicamenteux… Et nous voilà tout à coup confrontés à un état mental puissant et inhabituel, dont nous avons du mal à penser qu'il n'est qu'une illusion !

ALEXANDRE : Les grandes traditions spirituelles n'ont de cesse de nous rappeler qu'il y a au cœur de l'homme une plénitude, une santé fondamentale, des ressources inouïes. Pourtant, lorsque nous ne sommes pas sollicités par l'activité ni soutenus par les copains, le point mort, la tonalité habituelle de notre être peut être gâchée par la tyrannie du désir, l'ennui comme disait Unamuno. Y aurait-il comme une cloison, un plancher qui nous empêche de puiser les trésors qui habitent au fond du cœur ? Comment descendre tout à fait, rejoindre la joie, la paix, le ciel immaculé de la conscience infinie ? C'est à ce déménagement intérieur que nous invitent sages et philosophes. Où avons-nous élu domicile ? Dans le mental ou au fond de l'intime à partir duquel nous sommes appelés à vivre ?

MATTHIEU : Je me souviens d'une femme qui me confiait : « Quand je regarde au plus profond de moi-même, je trouve de la tristesse. » C'est très désarmant d'entendre pareille affirmation. On ne peut pas mettre en doute ce que la personne ressent au plus profond d'elle. Il serait cruel et irrecevable de prendre ce constat à la légère et de proposer : « Eh bien, essayez d'être un peu plus gaie. » La personne ne demanderait pas mieux, mais elle ne voit pas comment y arriver. Une autre fois, j'ai rencontré un jeune homme, au Canada, qui m'a dit : « J'ai beau regarder encore et encore en moi, je ne trouve aucune raison de vouloir continuer à vivre. » On se trouve très démuni face à une affirmation aussi tragique.

Que dire ? On peut suggérer à de telles personnes de voir si derrière la tristesse, derrière cette totale absence de sens, elles ne peuvent pas appréhender une composante plus fondamentale de leur expérience : la faculté première de connaître. Celle-ci n'est pas altérée par la tristesse ni par tout autre état d'esprit spécifique. Cette « présence éveillée », ou « présence ouverte », correspond à l'espace de conscience au sein duquel tous les événements mentaux se produisent. En se reliant à cet espace, il devient possible de ne pas s'identifier à la tristesse ou à tout autre état mental afflictif. Il faut suggérer cette nouvelle approche avec délicatesse et patience, sans trop exiger de ceux qui ne trouvent aucune raison de vivre. Il est possible, malgré tout, que cette approche entrouvre une porte vers la liberté pour ceux qui sont ainsi prisonniers de leur propre esprit.

Quand on a réussi à mettre un pied dans la porte, et de préférence sous la direction d'un maître spirituel authentique, on peut ensuite devenir de plus en plus familier avec cette présence éveillée, qui se trouve au tréfonds de nous-mêmes tout en apprenant à se libérer des projections mentales.

CHRISTOPHE : Nous avons déjà évoqué le mode par défaut, ce fonctionnement de base, au repos, de notre cerveau : « ce que fait notre cerveau quand nous ne faisons rien ». Il correspond probablement, en tout cas sur le plan émotionnel, aux réseaux cérébraux que l'on active le plus souvent. Mais il n'est pas associé aux mêmes contenus chez tout le monde : on observe un hyper-fonctionnement de ce mode chez les personnes souffrant de schizophrénie, de dépression ou d'autisme, pathologies dans lesquelles les patients sont victimes de défilements automatiques de contenus mentaux et douloureux, qui les détournent en partie du monde extérieur.

D'où l'importance de l'entraînement pour orienter ce « fonctionnement en point mort » de notre esprit vers une vision plus ouverte, juste et équilibrée, et pas seulement autocentrée et crispée sur nos inquiétudes. Plus nous nous efforçons d'héberger dans notre esprit un certain type de regard sur le monde – posé, serein, soucieux d'objectivité, de vérité et de liberté –, plus nous aurons de chances que ce soit lui qui émerge spontanément quand nous ne faisons plus aucun effort mental, quand notre cerveau passe en « mode par défaut ».

MATTHIEU : Oui, les tendances habituelles résultent de l'accumulation de nos pensées et de nos émotions, qui s'ajoutent à nos prédispositions génétiques.

CHRISTOPHE : Et si l'on est sans arrêt en train de râler, de ruminer, de se tourmenter, de se flageller, alors c'est ce que moulinera notre cerveau en « mode par défaut », quand on cessera tout effort. Ces circuits tourneront tout seuls. Sur le long terme, rien de ce que nous laissons tourner dans nos esprits n'est anodin ! Notre liberté intérieure se joue aussi dans ces moments : si nous luttons pour que nos ressentis sombres ne prennent pas toute la place, si nous apportons aussi régulièrement à notre esprit des visions plus justes et sereines, alors, peu à peu, les efforts pour accéder à la « tranquillité d'âme » dont parlent les philosophes stoïciens seront plus faciles, spontanés.

ALEXANDRE : L'ascèse, la libération intérieure se heurte ici à une question des plus épineuses : avons-nous quelques marges de manœuvre pour influer sur l'état habituel de notre humeur ? Pouvons-nous modifier le point mort ou est-il réglé à la manière d'un thermostat qui maintient mordicus une température, que l'on ouvre les fenêtres ou non ? Bref, est-il possible de changer, de se départir des habitudes tenaces, de renaître plus léger ?

La neuroplasticité, encore

MATTHIEU : L'entraînement permet de modifier la ligne de base, le degré moyen de bien-être (ou de mal-être) auquel on revient entre les hauts et les bas de l'existence. Qu'il règne un calme plat ou que des vagues de quinze mètres de haut déferlent à la surface d'un océan, à court terme le niveau moyen d'une personne reste le même. L'entraînement de l'esprit revient à modifier graduellement le niveau de l'océan de notre expérience vécue.

ALEXANDRE : Celui qui se trimballe un fond dépressif ou anxieux, peut-il seulement envisager une modeste éclaircie ? Pouvons-nous escompter un léger mieux, une petite amélioration de notre point mort ? Le mode par défaut du cerveau paraît coriace, stable, dur comme du granit…

MATTHIEU : Il est stable tant qu'on n'y fait rien. Si on laisse les tendances perdurer, elles ne changeront pas toutes seules. Le psychologue Paul Ekman parle de la « plate-forme », ou ligne de

« Nous sommes
comme le pauvre
qui ignore qu'il
y a un trésor sous
sa cabane. Il est
à la fois riche,
puisque le trésor
lui appartient,
et pauvre, parce
qu'il ne sait pas
qu'il le possède. »

base, sur laquelle on se tient dans l'existence. Si on s'applique à transformer sa manière d'être par l'entraînement, on ressentira toujours des joies et des souffrances, mais le niveau de la plate-forme aura changé. Cela prend du temps, à moins que de grands bouleversements surviennent dans notre existence.

CHRISTOPHE: Pour répondre à ta question, Alex, je pense qu'il ne faut pas voir le réglage du thermostat comme quelque chose de rigide, «dur comme du granit» selon tes mots, qui ne pourrait pas être modifié. Si tu sais bricoler ton thermostat, tu vas changer le réglage. Et le moyen d'y arriver, c'est déjà de comprendre le modèle, de te dire que plus tu ressasses des pensées négatives, plus tu muscles ce mode par défaut négatif. Dès que tu ne seras plus en train d'agir, de te distraire, de regarder des films, ces circuits vont se remettre à tourner tout seuls dans le mauvais sens. Mais heureusement, ils sont vivants, plastiques et modulables. À condition d'accomplir certains efforts.

C'est toute la question de la liberté après l'esclavage : si pendant des années nous avons été les esclaves de modes de pensée douloureux et négatifs, la «liberté», au sens de l'absence d'efforts, verra revenir au pouvoir ces anciens dictateurs. La seule liberté féconde et garante de progrès pour nous sera une sorte de liberté surveillée et exigeante, le temps que nos anciens réflexes mentaux et émotionnels s'érodent. C'est-à-dire le temps que notre fonctionnement par défaut ait changé.

MATTHIEU: Ce niveau de base se modifie avec le temps, pensée après pensée, émotion après émotion, réaction après réaction, humeur après humeur. Une flambée de colère dure quelques secondes, une humeur morose quelques heures et un caractère anxieux des années. Mais rien n'est gravé dans la pierre. Les recherches portant sur la neuroplasticité confirment la possibilité d'une telle transformation.

CHRISTOPHE: Et je crois que c'est l'un des gros enjeux de la science psychologique de demain : apprendre aux humains à mieux configurer eux-mêmes leur propre fonctionnement cérébral. Par exemple, en psychologie positive, en s'entraînant à « ruminer » nos états d'âme positifs, nos regards positifs sur le monde. On ressasse souvent ce qui ne va pas, mais c'est important – sans pour autant se raconter d'histoires – de ressasser aussi le positif, de repenser aux bons moments de la journée, au bien qu'on a fait ou qui nous a été fait, etc. Non seulement parce que cela procure des expériences agréables, des ressentis agréables, et que c'est toujours bon à prendre, mais aussi parce que cela va mettre en place et faire tourner toute une circuiterie cérébrale constructive et réaliste. Il ne s'agit pas de se mentir, de vouloir croire que l'adversité n'existe pas, mais d'élargir inlassablement son regard pour reconnaître aussi tout ce qui va bien, tous les progrès déjà accomplis, et tout ce qui représente des sources d'espoir, de réconfort, d'énergie lucide et intelligente. Plus on multiplie ce type d'expériences et d'efforts, plus on a de chances que le mode par défaut soit rééquilibré vers le positif. Simplement, c'est véritable un travail et c'est très long !

ALEXANDRE: L'heureuse nouvelle c'est que tout n'est pas inscrit dans du marbre, que nulle fatalité ne pèse *ad vitam æternam* sur notre intériorité. Même le granit spirituel qui nous constitue peut se modeler. Patience, longueur de temps et méditation font plus que force ni que rage… Pas à pas, l'entraînement de l'esprit ouvre sur une conscience qui, au-delà des états psychologiques, s'accompagne de la paix, de la joie, d'une *inattaquable liberté*. Le défi, c'est d'y accéder en pleine tempête.

MATTHIEU: À la surface, une tempête fait rage, mais dans les profondeurs de l'océan, le calme demeure. Si l'on vit seulement les expériences de la surface, on ne cesse d'être ballotté par les vagues de la souffrance.

CHRISTOPHE : Oui, alors que souvent, quand on est roulé dans de grosses vagues, on a tendance à se débattre pour rester à la surface, et pas à accepter par moments de descendre au fond : on a trop peur d'y succomber !

MATTHIEU : Si l'on prend l'habitude de se relier à la profondeur, on acquiert une confiance et une force d'âme qui permettent de traverser avec aisance les aléas de l'existence. La faculté de revenir à la présence éveillée nous rend beaucoup moins vulnérables.

ALEXANDRE : Comment, en pleine pagaille, au cœur du tourment, ne pas s'identifier à la panique, aux tiraillements, aux passions ?

MATTHIEU : Il est clair que lorsqu'on est pris dans la tempête, il est bien difficile de se relier à la présence éveillée qui observe la tempête sans être emporté par elle. Ce qui est conscient de la panique n'est pas la panique. Si l'on envisage cette approche sur le long terme, il est désirable de s'entraîner à gérer nos tourments, conflits et tourbillons intérieurs, en commençant par les états mentaux plus aisés à traiter et en gagnant peu à peu en expertise. Par la suite, on sera mieux équipé pour faire face à de puissantes perturbations intérieures, souvent liées à des événements tragiques.

Dans de nombreux cas, on n'a d'autre choix que de travailler sur les émotions après qu'elles se sont apaisées. Avec un peu plus d'expérience, on pourra affronter les perturbations intérieures avant qu'elles ne soient devenues incontrôlables. On les verra venir et on saura mettre en œuvre les antidotes appropriés. Finalement, une maîtrise accrue de l'esprit permettra de traiter les émotions pendant qu'elles s'expriment, de sorte qu'elles ne sèment pas le trouble dans l'esprit.

Des moments de grâce

CHRISTOPHE : Mais quid des pires tempêtes de la vie ? Un parent qui perd un enfant, par exemple, ne veut pas aller tout au fond de l'océan, vers sa nature profonde d'apaisement total, parce qu'il a l'impression d'abandonner son enfant, même mort. De même que les parents désespérés s'accrochent parfois au cercueil de leur petit parce qu'ils ne veulent pas qu'on le mette en terre, certains « préfèrent » rester dans la souffrance. Parce que la souffrance du deuil, c'est malgré tout un lien…

MATTHIEU : J'ai déjà raconté l'histoire de cette femme à Hong Kong, qui avait retrouvé son jeune fils noyé dans la piscine. Dans l'heure qui a suivi, elle s'est dit qu'elle devait faire un choix, sans attendre : soit la mort de son enfant allait ruiner le reste de sa vie, puisqu'il n'y a rien de pire que de perdre un enfant, soit elle décidait de mener une vie constructive qui puisse lui apporter des satisfactions profondes sans pour autant diminuer l'amour indéfectible qu'elle ressentait pour son enfant. Elle a choisi cette seconde option. Je me souviens aussi du témoignage d'Andrew Solomon, dans son ouvrage *L'Atlas de la dépression*. Sa mère mourante l'avertissait : « Ne pense pas que si tu laisses la tristesse dévaster ta vie, ce soit un hommage que tu me fais. »

ALEXANDRE : Qu'est-ce qui pousse cette mère endeuillée, confrontée au pire du pire, à ne pas se laisser ruiner, anéantir par le chagrin ?

CHRISTOPHE : Ce serait instructif et utile de faire une investigation très précise, de rencontrer cette dame et de lui demander quel a été le cheminement de ses émotions, de sa pensée, minute après minute. À quel moment et comment a-t-elle pu commencer à envisager cette décision? Est-ce qu'elle a fait une expérience particulière?

MATTHIEU: C'est survenu comme une révélation. Elle a sans doute vu deux voies : l'une emplie de tristesse inconsolable, l'autre emplie d'amour.

CHRISTOPHE: Ce n'est pas seulement une vision intellectuelle. Pour s'imposer à nous, une pensée a besoin d'être «motorisée» par une émotion forte. En psychothérapie cognitive, nous disons souvent : «Plus forte est l'émotion, plus forte sera la cognition» (la pensée automatique). Lorsqu'une pensée jaillit à notre esprit comme une évidence, c'est qu'une intuition, une émotion incarnée, pousse derrière. Dans tous ces états de «révélation», fréquents par exemple dans les expériences mystiques, il se passe toujours quelque chose à un niveau corporel et émotionnel. À la manière d'un volcan qui ferait irruption et conduirait cette nature profonde vers la surface, comme une lave ou un magma. Et tout à coup, cette éruption viendrait à notre secours.

MATTHIEU: Des moments de grande félicité, d'amour ou de générosité entraînent souvent une ouverture intérieure. On se dit : «Ah, là, je me sens vraiment en harmonie avec moi-même.» Pour le bouddhisme, ce sont des lueurs de la nature de bouddha, comme celles de l'aube avant que le soleil ne brille dans toute sa splendeur.

CHRISTOPHE: Qu'est-ce qui s'est passé dans le cerveau de cette femme à l'instant où tout à coup, au milieu d'une tempête émotionnelle terrible, elle a pu voir clairement, effectivement, qu'il y avait devant elle, comme tu le disais, une voie de tristesse et une voie d'amour, une voie de mort et une voie de vie? On pourrait sans doute identifier des substrats cérébraux, si l'on explorait de tels moments par neuro-imagerie.

Sans doute y a-t-il plusieurs chemins pour accéder, au moins transitoirement, à ce sentiment d'harmonie. Nous venons d'évoquer la voie du tremblement de terre existentiel, la voie du deuil, dont la secousse émotionnelle permet ensuite à certains de modifier radicalement leur attitude. Mais il y a aussi des bouleversements calmes et discrets. Le jaillissement de cette nature profonde n'est-il pas aussi lié à tout ce qu'on essaie d'enseigner à nos patients, quand on leur dit : « Rendez-vous présents aux petits instants de grâce, ces instants où vous vous sentez en harmonie avec vous-même, avec les autres, avec la nature. Ces moments sont très précieux. Et chaque fois que vous avez la chance d'en vivre un, arrêtez-vous ! Ouvrez votre esprit, savourez, rendez-vous présent… » Ce faisant, on crée une petite rupture de continuité, une petite porosité entre d'une part notre petit monde habituel, où tout est logique, prévisible, explicable, et d'autre part le mystère que représente le fait d'être vivant et conscient, dans un environnement que nous croyons comprendre, mais qui nous dépasse. Et au fond, toutes ces pratiques répétées, qu'elles soient dans un contexte bouddhiste ou psychologique, créent des moments de porosité avec cette nature profonde…

MATTHIEU : Ma mère parle de la lumière qui passe par les fissures d'un mur.

CHRISTOPHE : Ta mère a toujours cette façon très poétique de parler de psychologie ! À chacune de mes rencontres avec elle, je repars avec une petite phrase à méditer ! Parler de nos fragilités comme de lumières qui nous éclairent est une image qui montre combien nos forces ne sont jamais bien loin de nos faiblesses, et nos ressources jamais très loin de nos souffrances… Et il ne s'agit pas d'une simple métaphore réconfortante : ses petites phrases ne sont pas des « illusions chaleureuses », mais des vérités. Dont souvent nous ne comprenons la portée exacte qu'avec le recul du temps…

Pour revenir à notre discussion sur la nature profonde, comment aller à sa rencontre ? On va à la rencontre de cette nature, on lui permet de nous toucher. Peut-être en s'inspirant de la géothermie : on creuse sous une maison pour profiter de la chaleur offerte par le sous-sol, par la chaleur des couches profondes de la Terre. C'est une ressource infinie de chaleur, présente potentiellement sous nos pieds, mais il n'y a que ceux qui ont fait l'effort de forer qui peuvent en bénéficier… Parfois, j'ai le sentiment que la méditation est à nos esprits ce que la géothermie est (ou pourrait être, dans un monde écologique idéal !) à nos maisons : un forage vers le plus profond de nous-mêmes, nous mettant en contact avec des ressources toujours présentes, mais cachées et peu accessibles sans un minimum d'efforts de notre part.

MATTHIEU : Nous sommes comme le pauvre qui ignore qu'il y a un trésor sous sa cabane. Il est à la fois riche, puisque le trésor lui appartient, et pauvre, parce qu'il ne sait pas qu'il le possède.

ALEXANDRE : Dans *Zadig*, Voltaire rapporte l'histoire d'un ermite qui, au moment de prendre congé, incendie la maison de son hôte pour le remercier. Sous les décombres, attendait un immense trésor. Adolescent, lorsque j'ai découvert ce conte, j'ai ressenti une sorte de mini-éveil, une révélation carrément. Derrière les coups du sort, le handicap, les tuiles quotidiennes pouvait se cacher – c'est Voltaire qui le disait – un enseignement, une richesse, un présent inouï. Magnifique invitation à considérer l'adversité, les pépins, les obstacles comme autant d'occasions pour déblayer le terrain, dire adieu aux illusions et descendre plus avant vers le trésor qui habite au fond du fond, sans tomber dans un dolorisme de forcené.

CHRISTOPHE : C'est une voie de changement psychologique que nous devons explorer davantage, nous, les psychothérapeutes.

Cependant, ce n'est pas la même chose que ce que proposent beaucoup de thérapies traditionnelles, qui encouragent à creuser, à aller jusqu'au fond des problèmes, en examinant inlassablement son passé et son nombril – ce qui est souvent intéressant, mais pas toujours fructueux. Là, il s'agit de descendre au fond de sa condition humaine, mais dans un état mental radicalement différent : en abandonnant toute prétention au contrôle et à la maîtrise, en lâchant prise et en faisant confiance, en se dépouillant de ses certitudes, et en s'efforçant de simplement observer et ressentir.

J'ai parfois l'impression que dans de tels moments, tout se passe comme si nous passions de notre petit jardin à un vaste espace naturel : dans notre jardin, nous pouvons nous sentir très bien, mais tout est sous notre contrôle, à notre portée. Dans la nature, ce sont les mêmes ingrédients, mais illimités ; nous n'avons rien à contrôler, rien à posséder, rien à obtenir. L'entraînement de l'esprit, c'est un peu du jardinage, nous faisons de notre mieux, avec ce que nous vivons, avec ce que nous sommes. Et de temps en temps, un décalage se produit, parce que nous vivons quelque chose de fort ou comme ça, pour rien. Ce décalage nous ouvre les yeux sur le fait que la nature profonde de notre esprit, de notre être, de notre âme – je ne sais quel est le bon mot –, se révèle un instant à nous. Nous basculons de notre petit jardin au vaste monde, nous sommes en même temps en haut d'une montagne, au cœur d'une forêt, et au milieu de vastes prairies…

On se sent forcément plus libre dans une vaste nature que dans un petit jardin. Un espace limité peut nous inspirer une certaine liberté, et nous avons besoin, au quotidien, de ce genre de sensation. Mais la vraie liberté va au-delà, elle suppose de lâcher le désir de contrôler et de posséder, elle procède d'un détachement qui peut paraître angoissant à certains moments. D'où l'intérêt de ces moments particuliers, peut-être donc des moments durant lesquels on découvre notre nature profonde ?

BOÎTE À OUTILS
POUR NOUS OUVRIR
À NOTRE NATURE PROFONDE

MATTHIEU

- *Garder l'esprit ouvert* : Vivre les moments clés de l'existence avec un esprit ouvert, en accueillant l'éventail des possibilités constructives pour soi-même et autrui.
- *Savoir discerner* : Laisser ce qui compte vraiment venir à la surface, du plus profond de la conscience.
- *Avoir confiance* : Quoi qu'il arrive, nous saurons utiliser les circonstances adverses comme des catalyseurs pour progresser sur le chemin spirituel et manifester davantage de bienveillance envers ceux qui nous entourent.
- *L'espace de l'interdépendance* : Replacer les événements qui nous affectent dans le contexte beaucoup plus vaste de l'interdépendance entre tous les êtres, qui, comme nous, vivent d'innombrables joies et souffrances.

ALEXANDRE

- *Contempler le petit personnage que je joue à longueur de journée*, regarder les étiquettes, les fonctions qui me servent à me définir, examiner la panoplie, le costard que j'enfile du matin au soir, pour oser aller nu à la rencontre du fond de l'être.
- *Prendre conscience du poids de l'éducation*, de la masse de préjugés, de la tonne d'illusions qui ont fini par s'interposer sur le réel. Juste repérer cette couche factice pour accueillir le quotidien tel qu'il se propose sans l'intervention de l'ego, des concepts et des mille attentes qui façonnent mon monde.

- *Découvrir les désirs profonds, les aspirations intimes qui m'habitent.* Qu'est-ce que j'attends de la vie ? Après quoi je cours si avidement ?
- *Accepter de perdre prise, de se délocaliser.* L'ego défend bec et ongles son territoire. Il établit des bornes, s'emploie à délimiter le monde. Dans sa lubie, il nous isole, nous confine à une solitude, à un éloignement. Ouvrir son cœur, sortir des frontières de son étroite individualité, c'est oser l'expérience de se jeter dans le vide, de nager en pleine liberté.

CHRISTOPHE

- *Découvrir ses ressources intérieures* : Cette « nature profonde » dont nous venons de parler n'est pas juste un débat théorique, mais une question pratique ! De notre mieux, n'oublions jamais toutes les forces et ressources qui nous habitent. Il ne s'agit pas d'une illusion : notre esprit est ainsi fait que, bien souvent, nous sous-évaluons nos capacités intimes à affronter l'adversité. Et puis il y a les forces et ressources qui nous entourent : l'aide et l'inspiration que peuvent nous apporter les autres. Nous sommes bien mieux équipés que nous ne le croyons… Mais pour accéder à ces ressources, externes et internes, le mieux est de ne pas se recroqueviller sur soi, ses peurs et ses amertumes, ses certitudes, positives ou négatives.
- *Et si rien ne vient ?* Si aucun signe tangible de l'existence ou de l'émergence de notre nature profonde ne se manifeste ? Eh bien, ce n'est pas grave ! Dans tous les cas, elle est là. N'oublions pas de vivre, d'agir, d'aimer, de travailler, de nous réjouir et d'aider les autres, de notre mieux. Et continuons d'être réceptifs à cette part profonde et universelle que nous portons toutes et tous en nous.

« *Matthieu : On raconte que le grand sage tibétain Droukpa Kunlek, qui vécut quelques années au royaume du Bhoutan, fut invité à faire des souhaits de bon augure pour les habitants d'une maison. Il dit alors : "Grands-parents meurent, parents meurent, enfants meurent." Cette déclaration fut accueillie par un silence respectueux, mais un peu gêné. Après quelques instants, le maître s'expliqua : "Eh bien, s'ils meurent dans cet ordre-là, il n'y aura pas de drame déchirant dans la famille."*

Alexandre : Donc... Le mieux que nous puissions souhaiter est : "Matthieu meurt, Christophe meurt, Alexandre meurt !"... Et je m'en tire bien !

Matthieu : Évidemment, Alexandre est hilare... Il s'en sort à bon compte, étant le plus jeune d'entre nous. **»**

Matthieu et Alexandre

17

FACE À LA MORT

CHRISTOPHE : J'aime beaucoup cette histoire, qui montre la mort comme un phénomène naturel et logique. Seule son irruption trop précoce en fait quelque chose d'anormal et de douloureux : ce qui nous touche, ce n'est pas la survenue même de la mort, mais le sentiment qu'elle arrive trop tôt par rapport à notre appétit de vivre, à toutes les choses qu'on a le sentiment d'avoir encore à faire et à vivre. Et c'est pourquoi nous sommes toujours en quête de réconfort face à la mort. Arnaud Desjardins expliquait que dans notre inconscient occidental, la mort nous fait peur parce qu'il nous semble qu'elle est la négation de la vie : on associe mort et vie comme un couple antagoniste. Mais dans certaines cultures, orientales notamment, quand on parle de mort, on met en avant un autre inverse : la naissance. Au lieu de percevoir la mort comme l'opposé de la vie, on l'appréhende comme l'opposé de la naissance, ou ce qui répond à la naissance. Un premier bénéfice de cette vision est de nous amener à percevoir la mort comme un passage et non comme un état. Même si on ne sait pas clairement vers quoi conduit ce passage...

Haut lieu du lâcher-prise

MATTHIEU : Sans même envisager la mort comme un passage, une vision saine de celle-ci nous conduit à comprendre, au plus profond de nous-mêmes, qu'elle est inévitable et que son heure est imprévisible. Tenir compte de cette évidence nous permet de donner à chaque instant qui passe toute sa valeur, même si cet instant consiste à ne rien faire ou à regarder des oiseaux voleter sur un arbre en fleur. Cette prise de conscience n'a rien de morbide : elle nous permet de mieux vivre et nous évite de gaspiller le temps comme de la poudre d'or qui coule entre nos doigts. Soyons assez intelligents pour reconnaître la valeur inestimable de chaque moment de vie et pour décider d'en faire le meilleur usage, en vue de notre bien et de celui des autres. Sénèque disait : « Ce n'est pas que nous ayons peu de temps, c'est que nous en perdons beaucoup. » Dissipons l'illusion qui consiste à croire que nous avons « toute la vie devant nous ». Ne nous voilons pas la face sur l'approche inéluctable de la mort. Depuis des temps immémoriaux, on n'a jamais entendu parler de quelqu'un qui ait échappé à la mort. Si l'on s'insurge contre cet état de fait ou que l'on feint de l'ignorer, on est mal parti.

Christophe parlait du contraste avec la naissance. Celle-ci est en fait le premier signe qui indique que l'on est mortel. Dès la naissance, chaque instant nous rapproche de la mort. Parmi tous les enseignements du Bouddha, on dit que ceux qui mettent en évidence l'impermanence de toute chose sont comme l'empreinte du pied de l'éléphant dans la forêt : la plus grande de toutes les empreintes. La réflexion sur la mort et l'impermanence est, en effet, celle qui nous tourne avec le plus de force vers la pratique spirituelle et nous incite à extraire la quintessence de l'existence au lieu de la dilapider en trivialités.

Dilgo Khyentsé Rinpotché racontait aussi l'histoire d'un sage du début du XXe siècle, un yogi marié à une femme nommée Apou dont il était très proche. « Si Apou disparaît, je ne resterai pas longtemps en ce monde », disait-il parfois. Un jour, alors qu'il était absent, Apou décéda. À son retour, ses disciples n'osèrent pas lui annoncer la nouvelle. Finalement, prenant leur courage à deux mains, ils dirent au maître : « Nous avons une très mauvaise nouvelle à vous annoncer : Apou est morte. » Le maître les regarda quelques instants avec une sorte de commisération puis leur dit : « Pourquoi prenez-vous cet air consterné ? N'avez-vous pas compris les enseignements sur l'impermanence et la fragilité de la vie humaine que je vous ai si souvent donnés ? » Être pleinement conscient de la réalité est la meilleure façon de ne pas se trouver en état de choc lorsqu'elle survient.

J'avais un ami qui travaillait pour Air India à l'aéroport de Delhi. C'était un Sikh, avec un turban et une belle barbe blanche, que j'avais rencontré par hasard à l'aéroport. À chaque fois que je passais par là, je lui passais un petit coup de téléphone et nous prenions une tasse de thé en attendant mon avion. Nous discutions souvent de philosophie et reprenions la conversation là où nous l'avions laissée. Un jour, il vient avec un air grave et me dit : « Le monde est injuste et je n'arrive pas à l'accepter. Mon père, qui était un homme particulièrement bon, est mort. Je ne peux pas comprendre cela. » Ne sachant trop comment l'aider, j'ai pensé à lui raconter cette anecdote de la vie du Bouddha. Un jour, une villageoise qui venait de perdre son enfant vint trouver le Bouddha et lui dit, désespérée : « Vous êtes l'Éveillé, s'il vous plaît, ramenez mon enfant à la vie ! » Après l'avoir accueillie avec bonté, le Bouddha lui dit : « Pour ce faire, j'ai besoin de cendres et de graines de moutarde provenant d'un foyer du village où personne n'est mort. » La femme alla de maison en maison, puis revint le soir vers le Bouddha en lui disant : « J'ai compris que personne n'échappe à la mort et qu'elle fait partie de la vie. »

ALEXANDRE : Comment vivre un brin détendu avec cette gigantesque épée de Damoclès qui se balance au-dessus de nos têtes ? Où trouver une minute de répit quand on sait que, d'un instant à l'autre, le fil de nos jours peut être brusquement rompu ? Comment se faire à l'idée que nous allons tous y passer sans dégringoler illico dans la noirceur, le découragement, tout en se donnant corps et âme à cette vie splendide, tragique et éphémère ? La peur de claquer, de perdre un proche, de souffrir, voilà un gros chantier ! Tant que la question n'est pas un tant soit peu apaisée, il est comme un état d'alarme permanent qui nous taraude. Haut lieu du lâcher-prise, de l'abandon, l'expérience acérée qu'en fin de compte nous ne présidons pas à notre destinée, que nous ne sommes pas les maîtres à bord, que nous sommes tous embarqués dans un train qui fonce vers le néant sinon Dieu, a de quoi nous faire froid dans le dos. Et si nous nous attardions quelque temps, face à face avec cet effroi muet ? C'est dingue tout ce que l'on peut faire pour fuir cette évidence, pour lutter contre l'inéluctable, pour essayer de bâtir un rempart contre ce qui, tôt ou tard, adviendra à coup sûr.

Le défi, c'est d'oser une joyeuse lucidité apte à nous réjouir le cœur et à nous faire aimer cette vie éphémère et fragile. Mais l'ego bataille ferme, l'idée même de périr l'insupporte ; il s'accroche, il résiste. D'où peut-être un grand risque d'épuisement. Le moi crève de trouille devant la perspective de son propre anéantissement alors que, comme dit Nietzsche, il s'agirait de s'en réjouir et d'accepter sans réserve ce monde qui comprend mon propre anéantissement. Philodème dégage l'horizon : « Recevoir, en en reconnaissant toute la valeur, chaque moment du temps qui s'ajoute, arrivant comme une chance merveilleuse et incroyable. » À ceux qui réclamaient à Augustin des prodiges, des signes, le saint rappelait que le vrai miracle se trouvait dans le quotidien : se lever le matin, ouvrir les yeux sur un monde extraordinaire, être pris dans cette immense humanité… Il me semble que derrière la peur de la mort peut se cacher la crainte de ne pas en avoir eu assez. « Il est mort trop jeune… » Le meilleur antidote ne serait-ce pas d'apprendre à ouvrir les bras, à accueillir chaque instant comme un don sans cette voracité et cette mentalité de banquier qui veut thésauriser et spéculer, qui ne désire qu'engranger, entasser, amasser ? Mais tout semble s'opposer à cette liberté intérieure :

la peur, l'instinct de conservation, l'attachement effréné à cette individualité bancale, la stupeur devant le vide, le néant...

Un mien ami, croque-mort de son état, a beaucoup fait pour m'aider à consentir à cet horizon certain. Le voir si généreux, si enjoué – ce qui n'empêche pas une certaine gravité – dans son métier, le regarder prendre soin des défunts, m'a réconcilié un peu avec la perspective que tôt ou tard nous allons tous y avoir droit. Dès que je me prends un brin trop au sérieux, jusqu'à désirer à tout prix l'immortalité, je tends illico l'oreille à la réplique cultissime des *Tontons flingueurs*. Sa pertinence toute métaphysique m'apaise sur-le-champ : « Alors, il dort le gros con ? Ben, il dormira encore mieux quand il aura pris ça dans la gueule ! Il entendra chanter les anges, le gugusse de Montauban... Je vais le renvoyer tout droit à la maison mère... Au terminus des prétentieux... »

Penser la mort pour aimer la vie

MATTHIEU : Un pratiquant bouddhiste est censé se demander chaque soir : « De l'aube ou de ma mort, qui viendra la première ? » Le grand sage Nagarjuna disait que l'on devait s'émerveiller à chaque expiration de pouvoir inspirer de nouveau. Cela ne veut pas dire qu'il faille se frapper la poitrine toute la journée en se lamentant : « Je vais mourir, je vais mourir ! » Il faut simplement donner sa pleine valeur au temps en l'employant pour progresser vers la libération de la souffrance. Il ne faut pas pour autant être obsédé par l'idée de faire un maximum de choses dans le minimum de temps. Ce qui compte, c'est de vivre pleinement chaque instant de notre vie, y compris lorsqu'on ne fait rien. Si vous n'avez que quelques jours à vivre, vous n'allez pas repriser vos chaussettes. Vous préférerez passer du temps avec des êtres chers et leur manifester de la bonté, et vous recueillir au plus profond de vous-même. C'est un triste spectacle que de voir ceux qui, à l'approche de leur mort, se fâchent avec leur famille, sèment la discorde entre leurs héritiers, s'accrochent à leurs possessions et quittent cette vie dans l'acrimonie et l'avarice.

CHRISTOPHE : « De l'aube ou de ma mort, qui viendra la première ? » : cette question est incroyablement forte ! Elle nous rappelle que la mort n'est pas planifiable, qu'elle peut survenir à tout instant. Le but n'est pas de nous rappeler quelque chose d'angoissant de manière gratuite, juste pour nous attrister ou nous faire peur, mais de nous pousser à mieux vivre sans rester focalisé sur l'idée de notre disparition ni sans vouloir la fuir. Dans une de ses plus belles chansons, *Le Testament*, Georges Brassens dit la même chose, à sa manière : « Est-il encore debout le chêne, ou le sapin de mon cercueil ? » Un jour, c'est certain, je serai mort. L'arbre qui va fournir les planches pour bâtir mon cercueil est-il déjà abattu ? Se trouve-t-il en planches chez le menuisier ? M'attend-il chez le marchand de cercueils ? Il faut vivre avec cela. Et vivre joyeusement.

Ce que tu dis de l'acceptation de la mort, Matthieu, est fondamentalement, universellement vrai, mais quand il s'agit de réconfort, j'ai l'impression qu'il y a des cas de figure différents. Si la mort est un aboutissement « normal » (comme dans le cas de la disparition des parents avant leurs enfants), les morts prématurées (comme celle des enfants avant leurs parents) nous apparaissent en revanche beaucoup plus choquantes. Perdre ses parents nous amène à devoir accepter ce qu'on appelle « le cours des choses » : ce qui est ancien disparaît avant ce qui est nouveau. Mais lorsque la mort n'obéit pas à ce cours des choses, quelque chose en nous se révolte : ce n'est plus seulement de la tristesse que nous avons à surmonter et à dépasser, mais de la colère, de l'incompréhension. Et je me demande si l'on peut apporter le même réconfort à toutes les personnes confrontées à ces différentes situations de deuil, ou s'il faut, forcément, ajuster nos discours ?

MATTHIEU : Accepter l'inévitabilité de la mort ne peut qu'accentuer notre appréciation de la vie humaine. Elle a une si grande valeur ! Il est tout à fait légitime de faire tout ce qui est possible pour éviter une mort prématurée. Qui plus est, on n'offrira pas le même type de consolation à une personne qui a perdu un parent centenaire qu'à celle qui vient de perdre son enfant. Dans le premier cas, la consolation serait d'inspirer ceux qui survivent à célébrer les qualités et les accomplissements de celle ou de celui qui a disparu et à évoquer les bons moments vécus ensemble. Dans le cas d'une mort prématurée, nous pouvons rendre hommage à la mémoire de l'être cher en accroissant notre bienveillance, notre compassion et notre aspiration au désir de se mettre au service des autres. Une amie, qui a perdu un jeune fils artiste, a créé une école où les enseignants mettent l'accent sur la créativité, l'expression artistique et le rapport harmonieux à la nature et aux animaux.

En ce qui nous concerne, il est souhaitable de nous familiariser avec l'idée de l'impermanence et de la mort, afin que nous ne soyons pas choqués lorsqu'elle survient et que nous puissions la vivre sereinement. Pour cela, il est important de comprendre que si la mort est certaine, le temps de sa venue est imprévisible : toute cause de vie peut se transformer en cause de décès. La plupart des activités auxquelles nous nous livrons quotidiennement – le travail, la nourriture, le sport, les voyages ou les loisirs – peuvent mal tourner et entraîner notre mort. Il importe donc de ne pas dévaloriser le temps dont nous disposons et d'extraire la quintessence de la vie humaine. Sinon, à force d'oublier que l'on va mourir, on oublie qu'on est en vie.

ALEXANDRE : Et si la mort revêtait une vertu pédagogique ? Nous apprendre la grande vie, nous révéler qu'à la limite rendre l'âme c'est s'extraire de notre individualité, de nos opinions, de nos croyances peut-être, de nos passions tristes, prendre le large ? Si elle nous inclinait à reconnaître, comme le souligne Schopenhauer, que la vie que nous portons et qui dépasse, et de loin, les frontières du petit moi, continuera de se déployer autrement après que nous aurons rendu notre dernier souffle ? Max Frisch vient congédier tout esprit de sérieux, toute la morgue qui peut entacher notre sujet. Dans *Questionnaires*, mine de rien, il nous interroge sur qui va mourir, qui craint de claquer. «Avez-vous déjà penser mourir et que vous est-il alors venu à l'esprit, écrit-il : a. ce que vous laissez derrière vous ? b. la situation internationale ? c. un paysage ? d. que tout a été vain ? e. ce qui ne se réalisera jamais sans vous ? f. le désordre dans les tiroirs ? » Derrière le trait d'humour se cache un lumineux enseignement : d'où vient ma peur de caner ? Quel est mon point de vue sur la mort et qui va vraiment mourir ?

Si l'on se place dans la perspective du défunt, comme l'a montré Épicure, il n'y a nulle perte, aucun chagrin, zéro regret. Le disparu n'est plus, il ne saurait déplorer une vie prématurément achevée. C'est toujours le moi qui se projette, qui vise l'immortalité, qui tremble pour le mort qu'il ne sera jamais. Sur le papier, l'argument paraît imparable : la mort c'est l'extinction des feux et donc partent en fumée avec le cadavre la peur, les manques, l'insatisfaction, toute conscience de soi peut-être. Pourtant, le plus habile des raisonnements n'arrache pas l'effroi de tout perdre. Puis-je seulement imaginer un monde sans moi ? Comment trouver un juste équilibre : savourer l'existence, me donner sans m'accrocher à la perpétuation de ma modeste individualité ?

CHRISTOPHE : Pour éviter la chute dans le vide, un acrobate sur une corde raide ne doit jamais oublier qu'il est en danger, mais il ne doit pas non plus se focaliser sur le risque de chute. Ainsi en est-il des vivants : ne jamais oublier la mort possible à tout instant, mais ne jamais nous focaliser sur elle… Une autre question que je me pose concerne l'éducation et la familiarisation avec la mort. Rien, absolument rien, dans notre mode de vie occidental, ne nous prépare à affronter cette idée. Et comme nous ne sommes pas préparés, c'est extrêmement angoissant pour beaucoup de gens. Le problème n'est pas la *mort* elle-même, puisqu'il s'agit d'un état dont nous ignorons tout, mais *l'idée de la mort*, du passage de la vie à la mort, et même de l'arrêt de la vie. C'est cela le point central : la peur de ne plus vivre, de perdre tout ce que nous aimons, tout ce à quoi nous sommes attachés, par le plaisir, le bonheur, l'amour. Séparation déchirante, tout de même !

ALEXANDRE : Après le déclin des religions, l'homme se retrouve à poil devant la perspective de sa propre fin. Sous l'angle du matérialisme, la vie risque fort d'apparaître comme un supermarché géant où il faut en profiter à tout prix avant la fin des soldes. Mais quand les lumières sont sur le point de s'éteindre, où trouver la consolation ? Vers quoi, vers qui diriger son regard ? Entre le déni et l'obsession, précisément, nous pouvons construire un rapport plus libre, plus léger à notre mortalité. Sans tomber dans la paranoïa, il vaut peut-être la peine de s'administrer à dose homéopathique quelque remède.

Mais y a-t-il vraiment des pratiques, des exercices spirituels qui soulagent celui qui craint de passer l'arme à gauche ? Pourquoi ne pas déjà tendre l'oreille aux stoïciens qui recommandaient d'agir, de parler, de penser comme des êtres qui pouvaient sur l'heure sortir de la vie ? Ici, la gravité nous enjoint de profiter, d'oser une certaine gaieté sans nous attarder dans le chagrin, les reproches, la critique. Puisque tout le monde va y passer, à quoi bon nourrir un esprit de sérieux, un goût pour la vengeance ? Durant la poignée de jours qui nous est offerte, pourquoi se tirer une balle dans le pied et dilapider un temps si précieux dans des rancunes, des ressentiments, de la haine et de la colère ? Il ne s'agit rien de moins que de nous réconcilier avec l'idée de notre propre fin, de nous familiariser avec notre impuissance.

Et l'espiègle Max Frisch de nous soumettre à la question : « S'il vous arrive par hasard de vous imaginer n'être pas né, cette idée vous trouble-t-elle ? » Eh oui, il fut un temps où nous n'étions pas même une poussière d'étoile et viendra un moment où nous serons... je ne sais quoi. Et si notre finitude pouvait nous aider à nous décharger des mille exigences que nous nous mettons sur les épaules ? Nous ne sommes ni Dieu ni le centre du monde et c'est en passagers dans un monde éphémère qu'il s'agit d'expérimenter la joie, le don de soi et la générosité.

CHRISTOPHE : Depuis le Bouddha et les philosophes stoïciens jusqu'à Max Frisch et aux auteurs contemporains, les écrits et réflexions ne manquent pas pour nous aider à apprivoiser, sinon à surmonter, nos peurs autour de la mort. Comment expliquer alors qu'aucune société n'ait décidé de promouvoir une éducation à l'idée que nous allons mourir, que les gens que nous aimons vont mourir, dans l'optique d'apprendre à mieux aimer la vie ?

ALEXANDRE : À Séoul, j'ai entendu parler de « *funeral parties* ». Il paraît que certaines entreprises organisent des sortes de fêtes où le client célèbre son propre enterrement. Allongé dans un cercueil, tout à la joie d'écouter le prêche de l'officiant et les discours de ses proches, il peut pour le coup se familiariser avec l'idée qu'il finira lui aussi entre quatre planches. L'exercice n'aurait, selon les organisateurs, rien de macabre. Il inviterait à relativiser les difficultés, à ressentir tout l'amour qui nous environne et à considérer ce qui a réellement du prix, de la valeur dans une existence. Je ne sais si la démarche procède du folklore, du marketing ou si elle s'inscrit dans un itinéraire spirituel.

CHRISTOPHE : C'est drôle, car l'empereur d'Autriche et roi d'Espagne, Charles Quint, avait fait de même : alors qu'il avait abdiqué de son trône et s'était retiré dans un monastère pour finir sa vie en prières, il avait organisé une répétition générale de ses funérailles, se faisant placer dans son cercueil et assistant à toute la cérémonie. Il voulait être prêt, et tout mettre en ordre avant son départ, autour de lui et en lui...

ALEXANDRE: La grande question demeure : comment intégrer le tragique dans le quotidien ? Comment vivre la mort, si je puis dire, dans la solidarité, en communion avec les autres ? Un ami m'a raconté que quand un de ses intimes avait été frappé d'une maladie qui ne lui laissait que quelques mois à vivre, il avait réuni toutes ses connaissances, sa famille en un grand repas pour envisager les semaines à venir et surtout écouter et partager les besoins de chacun, déposer les peurs, les craintes, sans tabou ni réserve. Au cœur de l'épreuve, j'aimerais recourir à ce fabuleux expédient, ces *banquets pour coups durs* : se rassembler, s'unir, repérer les ressources de chacun, s'ouvrir des blessures, éliminer les non-dits et avancer tous ensemble dans le présent. Mais gageons qu'il est nul besoin d'être à l'article de la mort pour s'octroyer quelques banquets solidaires, resserrer les liens et grandir dans la joie les uns avec les autres.

CHRISTOPHE: Ça peut sembler choquant, mais c'est important. Lorsque j'ai perdu mon meilleur ami, durant mon internat à Toulouse, il y a eu après son enterrement un grand repas dans la maison de ses parents, avec famille et amis. Tout le monde était effondré, mais tout doucement la vie s'est réinvitée dans nos cœurs, grâce à la bienveillance mutuelle et au sentiment partagé de notre fragilité humaine, tellement évident ce jour-là. Nous avions tous la conscience qu'en attendant que notre tour vienne, nous devions nous réconforter, nous remettre à vivre sans jamais oublier la mort. Et ce repas de deuil, qui me semblait au début déplacé, presque obscène, m'est apparu comme nécessaire et apaisant, pour que chacun ne reparte pas dans son coin, seul, désespéré et angoissé.

Cette coexistence entre l'inéluctabilité de la douleur et la nécessité du bonheur me fait penser aussi au grand malentendu qui affecte la façon dont on perçoit la psychologie positive. Ses aspirations à rendre notre vie plus belle ne relèvent pas d'une logique naïve, mais tragique. « Tragique » au sens où la mort, la nôtre comme celle des gens qu'on aime, est inévitable. Ce n'est pas parce qu'elle est notre fin ultime qu'il ne faut pas faire d'effort – « rien n'a de sens, tout est absurde, puisque nous allons disparaître ». Bien au contraire, ce doit être une source de motivation supplémentaire : « Puisque nous allons disparaître, ce serait encore plus absurde d'avoir eu auparavant une vie triste et creuse. » C'est parce que nous allons mourir que le bonheur compte, qu'il n'est pas un luxe, mais une nécessité, un moteur, une source d'énergie pour nous donner la force d'agir, de savourer, de faire le plus de bien possible, ou le moins de mal possible, autour de nous.

Et finalement, notre esprit, notre cerveau ne sont-ils pas obligés de fonctionner de cette manière, c'est-à-dire de prendre en compte ce qu'il y a d'inévitable, l'adversité, ou l'inéluctable dimension tragique dans notre vie, pour mieux l'apprécier ? Au fond, ces attitudes qui consistent à vouloir oublier la mort ou à la considérer comme un scandale ou à espérer qu'on va sans arrêt grignoter des années de vie en plus, ne sont-elles pas contre-productives pour notre bonheur ? C'est une formule que nous répétons souvent en médecine : faut-il s'acharner à ajouter des années à la vie, ou préférer ajouter de la vie aux années ?

De nombreuses traditions spirituelles et philosophiques s'inspirent de cette conviction. Mais, encore une fois, l'une des grandes méprises à propos de la psychologie positive et de la façon de la pratiquer consiste à croire qu'on va s'intéresser uniquement à l'aspect facile, lumineux, agréable de l'existence. C'est au contraire en acceptant régulièrement de se tourner aussi vers les côtés sombres, inquiétants, à première vue, que l'on construira notre aptitude au bonheur.

MATTHIEU: Beaucoup de gens comprennent la psychologie positive de travers et imaginent ou prétendent qu'elle consisterait à « positiver », lorsque l'on est atteint d'un cancer ou frappé par toute autre tragédie. En vérité, il ne s'agit nullement de se convaincre de voir la pauvreté, la maladie, la violence et autres formes de souffrances sous un jour plaisant. Ce serait complètement idiot. Il s'agit encore moins de cette soi-disant « pensée positive » promue par des ouvrages dénués de tout fondement scientifique, comme *Le Secret*, qui proclament qu'il suffit de souhaiter fortement quelque chose de « positif » pour que cela se produise. L'Univers n'est pas à la disposition de nos caprices.

La psychologie positive, la vraie, nous montre que les émotions positives comme la joie, la gratitude, l'émerveillement, l'enthousiasme, l'inspiration et l'amour sont bien plus qu'une simple absence d'émotions négatives. La joie, par exemple, est davantage que l'absence de tristesse. Cette dimension est source de profondes satisfactions et nous permet de construire notre force d'âme, à l'égard de l'approche de la mort notamment. Il ne s'agit donc pas de proclamer : « Chouette, je vais mourir ! », mais d'aborder la mort avec sérénité et avec le sentiment de plénitude que la liberté intérieure nous confère. Cette attitude nous évite de sombrer dans le nihilisme et le désespoir. Nous n'avons pas la liberté d'échapper à la mort, mais nous avons la liberté de mourir en paix.

CHRISTOPHE: Ça me rappelle une expérience que j'ai vécue lors d'une réunion sur les soins palliatifs où l'on m'avait invité à parler de méditation. Parmi les autres intervenants, un prêtre nous avait raconté une histoire bouleversante, montrant à quel point nous avons du mal avec l'approche de la mort, qu'il s'agisse de la nôtre ou de celles des autres, en particulier de nos proches. Ce prêtre rendait visite à une dame souffrant d'un cancer généralisé qui ne laissait plus guère de doute quant à son issue. Il était assis près d'elle, sur son lit, et lui parlait doucement. Le mari était un peu à l'écart, sur une chaise, écoutant sans participer à la conversation. La femme – qui avait déjà surmonté plusieurs cancers – dit au prêtre : «Mon Père, cette fois-ci, je crois que je vais mourir…» Le prêtre comprend que ce n'est plus la peine de faire semblant, de réconforter ou de parler d'autre chose. Il se penche doucement vers elle : «Vous voulez qu'on en parle?» Mais à ce moment-là, d'un bond, le mari se lève de sa chaise et se rapproche de son épouse pour dire, avec angoisse et véhémence : «Mais non, tu ne vas pas mourir!» Du coup, tout s'arrête. Le prêtre n'ose pas poursuivre sur cette voie, apparemment insupportable au mari. Et la dame non plus ; elle se laisse rassurer, sans rien dire. Tout le monde renonce à parler vrai. On discute d'autre chose. Deux jours après, elle meurt, sans avoir pu aller au bout de ses angoisses, sans avoir pu recevoir un véritable réconfort, au-delà des paroles lénifiantes et mensongères, dont nous avons aussi besoin dans ces moments, mais qui ne suffisent pas. Elle était prête, mais son mari ne l'était pas. Il a choisi pour elle. Mal? Comment le savoir…

Plus loin dans la discussion, le prêtre nous avait expliqué qu'il se sentait, lui aussi, souvent démuni face à la mort : «Comme je ne suis pas médecin, je ne peux pas dire aux gens : "Calmez-vous, je vais vous soulager, vous expliquer comment ça va se passer…" Car même en tant que prêtre, je ne le sais pas moi-même! J'ai la foi, mais Dieu ne m'a jamais contacté pour m'expliquer tout ça en direct! Je dois me débrouiller avec mes convictions, sans certitudes…»

Je me souviens à quel point je buvais ses paroles. J'admirais sa bonté et son humilité. J'étais épaté par ces bénévoles et ces soignants, qui, chaque jour, accompagnent leurs frères et sœurs en humanité, jusqu'aux portes de la mort, sans jamais savoir ce qu'il y a derrière, en se disant qu'un jour ce sera leur tour. Je suis sorti de la réunion dans un état second. Il pleuvait, j'allais me tremper sur mon scooter, mais je m'en fichais complètement. Il m'avait été donné, cet après-midi, de côtoyer les sommets et les abîmes, j'avais été invité à entendre ce qu'on n'entend jamais. J'étais bouleversé et comblé. Nous avions parlé de la mort toute la journée, et là, sans l'avoir cherché, j'avais le goût de la vie dans la bouche.

De la peur à l'acceptation

ALEXANDRE: Bien que Montaigne nous dise que la nature nous informera sur-le-champ de la façon de rendre l'âme, toute la vie est frappée par l'attente de ce passage, cette étape, cette fin peut-être. Peut-on apprendre à mourir? Dans la tradition philosophique, il y a au moins deux grandes écoles. D'abord, les stoïciens et bien d'autres qui nous invitent à ne jamais perdre de vue que nous allons claquer. Notre boulot, c'est de désamorcer, en s'y frottant, toute la panique, la peur, la hantise pour atteindre à cette liberté qui fait dire à Montaigne: «Je veux qu'on agisse et qu'on allonge les offices de la vie tant qu'on peut; et que la mort me trouve plantant mes choux, mais nonchalant d'elle, et encore plus de mon jardin imparfait.» Génial équilibre: profiter à fond de la vie, être tout à son affaire, glaner la joie même dans l'imperfection, et dans le même temps congédier toute triste résignation. Cet apprentissage du gai détachement ne procède pas d'une orthopédie de l'âme. Ce n'est certes pas la volonté seule qui peut nous arracher un consentement à la mort. Le dire oui surgit d'un cœur qui aime tant la vie, toute la vie, y compris son caractère éphémère.

Il y a aussi Spinoza. Dans l'*Éthique*, il écrit: «L'homme libre ne pense à rien moins qu'à la mort et sa sagesse est une méditation non de la mort, mais de la vie.» Celui qui fonce vers la liberté, selon notre auteur, ne saurait s'encombrer de passions tristes et d'idées noires. Exit donc la rumination pour se concentrer sur le progrès, l'allégresse, le *conatus*, à savoir notre puissance d'exister et d'agir. Dans une pure positivité, il se donne au présent, à l'éternité de l'ici et maintenant.

Mais peut-on seulement choisir une approche plutôt qu'une autre ? Puis-je décider un matin, en me levant, d'arrêter de broyer du noir et chasser cette idée qui me reste au travers de la gorge ? Plus que des conversions à 180 degrés, il nous faut faire avec les moyens du bord.

Dans le bouddhisme, on parle des cinq réminiscences. Ici, la pensée de la mort n'a rien de glauque. Comme « Matthieu meurt, Christophe meurt, Alexandre meurt », il s'agit de se réjouir d'être en vie, d'oser une attitude joviale et dynamique pour glisser dans le toboggan de la vie. Lutter contre l'inexorable nous laisse exsangues et fait de nous peut-être des morts avant l'heure, en tout cas, des douloureux chroniques, des insatisfaits majeurs, hélas. Le pratiquant est invité à se souvenir que : 1. *La souffrance est inévitable*, quoi que je fasse, je vais souffrir. 2. *La vieillesse est inévitable*, que je le veuille ou non, je vais *décrépir*. 3. *La maladie est inévitable*, j'ai beau me protéger contre toutes les belettes enragées du monde, détaler devant le moindre virus, je vais me ramasser des pathologies. 4. *La mort est inévitable*, aucune échappatoire, je vais un jour ou l'autre caner. 5. *Être séparé des êtres chers est inévitable*, c'est tragique, mais chaque vie humaine est confrontée au deuil, à la séparation.

Ces rappels n'ont rien de déprimant. Au contraire, ils dégagent la voie, déblaient le terrain et anéantissent les faux espoirs. Ils nous libèrent des vains combats, nous déchargent d'un poids immense et nous conduisent peut-être vers une heureuse acceptation. Sans déni, je connais les règles du jeu, les lois ontologiques, la nature de la réalité. Et comme le joueur d'échecs qui excelle dans l'art de bâtir sa victoire au sein même des contraintes, je peux inaugurer une liberté, une paix au cœur de ce monde chaotique, où rôde la mort et planent tant de menaces. Oui, je n'en ai peut-être plus que pour un jour, deux mois, dix ans. Oui, je vais grossir, comme tous mes proches et tous les êtres vivants, le rang des cadavres. Alors, pourquoi se faire du mouron au sujet d'histoires infra-secondaires, le regard d'autrui, le matériel... Prisonnier de la hantise de la mort, l'homme s'interdit toute joie de vivre. Adolescent, la première fois que je me suis rendu dans une discothèque, le spectacle m'a coupé la chique. En contemplant les êtres qui chantaient et dansaient sur la piste, j'imaginais leurs squelettes, assistant presque à une danse macabre...

Entre le déni et l'obsession, tout un art de vivre et de mourir est possible. Et là aussi, la solidarité peut rayonner. Mon ami croque-mort constate que beaucoup d'hommes et de femmes meurent dans un isolement absolu et qu'il y a de moins en moins de cérémonies pour dire adieu aux défunts. Tentation est grande, au cœur du désespoir, d'expédier ces rites qui, précisément, devraient avoir pour vocation de nous alléger, consoler, soutenir. Tu parlais hier, Matthieu, d'une crémation au Népal...

MATTHIEU : On dit souvent de quelqu'un qui a l'air particulièrement sinistre qu'il fait une « tête d'enterrement ». En Occident, de nos jours, la mort est dissimulée, escamotée, aseptisée. Puisque rien ne permet de remédier à cette échéance inéluctable, on préfère retirer la mort du champ de la conscience. De ce fait, lorsqu'elle se produit, on sera d'autant plus choqué qu'on n'est pas préparé. Et pendant ce temps, la vie s'épuise de jour en jour...

Il n'y a pas si longtemps, on mourait le plus souvent en famille et avec les amis proches, ce qui permettait également aux enfants de voir la mort comme une partie intégrante de la vie. Dans la culture bouddhiste, si un maître spirituel est présent au chevet du mourant, ce dernier meurt généralement en paix et ses proches sont réconfortés. Si, de plus, le mourant est lui-même un pratiquant expérimenté, on ne se fera pas trop de souci pour lui. Les bouddhistes de culture tibétaine ou bhoutanaise font habituellement de grandes cérémonies qui culminent par une crémation. On convie si possible des douzaines de moines et de nonnes ainsi que des maîtres spirituels. Comme je le racontais à Alexandre, il est fréquent de voir les gens revenir d'une crémation en disant : « Ça s'est bien passé ! » L'ambassadeur des États-Unis au Népal me confiait, à l'issue de la crémation d'une amie nonne américaine morte à Katmandou, qu'il n'avait jamais participé à des funérailles aussi sereines : « Cela ressemble davantage à une fête qu'à un service funèbre. » Il est vrai que dans la culture bouddhiste la mort est un passage et les prières d'un maître spirituel guident la conscience du défunt vers une renaissance durant laquelle il ou elle pourra continuer à progresser vers l'Éveil.

Un pratiquant fera de son mieux pour vivre longtemps afin de s'approcher de l'Éveil, de l'état de bouddha. Mais il fait aussi le vœu de poursuivre ce but dans toutes ses vies à venir. Qui voudrait vivre pour toujours ? Le problème du transhumanisme, nouveau concept à la mode dont nous avons parlé dans une précédente partie, est qu'il procède presque toujours d'une vision individualiste et narcissique qui espère continuer à dorloter son ego pendant des siècles. Être égoïste et ronchon pendant mille ans – épargnez-nous cela, de grâce ! Si c'est pour jouer cinq cents ans d'affilée à des jeux vidéo, à être témoin de la réélection de Donald Trump pour la trois centième fois et à assister au cinquante millième but de Lionel Messi… Quelle barbe !

Qui ne souhaiterait bien sûr éviter une mort prématurée et vivre de nombreuses années pour accomplir d'excellentes choses utiles aux autres ? Il n'en reste pas moins que savourer la valeur inestimable de chaque instant est fondamentalement lié au caractère éphémère de notre vie. C'est parce qu'elle ne dure pas que nous devons nous efforcer d'en extraire la quintessence

Sénèque disait :
« Ce n'est pas
que nous ayons
peu de temps,
c'est que nous en
perdons beaucoup. »

et éviter de la dilapider en vain. De toute façon, on ne peut échapper à l'impermanence qui est constitutive de toute chose : rien dans l'univers ne reste identique à lui-même deux instants consécutifs. Comme l'a fait remarquer le philosophe Miguel Benasayag, l'idée de ne plus mourir «prouve au passage que le ridicule ne tue pas...»

ALEXANDRE : C'est dingue tout ce qu'on peut mettre en place comme tintamarre mental pour tenter d'étouffer la peur de la mort, cette sorte de bruit de fond, cet état d'alarme inconscient ou non qui crée un sacré malaise, du mal-être à tire-larigot. Montaigne dit que si nous avons besoin de sage-femmes pour arriver dans ce monde, il en faudrait aussi pour le quitter, pour nous libérer. Or, comment notre société *gère* le grand départ ? La culture aide-t-elle à oser une solidarité, à donner du sens à ce qui peut apparaître comme un immense échec, le néant, le vide, le rien ?

CHRISTOPHE : Pourtant, les sociétés traditionnelles n'étaient pas avares de mythes sur la mort. Quand j'étais gamin, je me souviens avoir été frappé par les figures des Trois Parques, ces divinités qui décidaient des destins humains, et notamment la plus âgée des trois, qui tranchait avec ses ciseaux le fil de nos existences. Très impressionné aussi par la devise latine figurant sur les cadrans solaires – *Vulnerant omnes, ultima necat* : Toutes blessent, la dernière tue – rappelant que chaque heure nous rapprochait de notre fin. Un religieux m'avait raconté qu'autrefois les moines trappistes se saluaient souvent par la formule *Memento mori*, «Souviens-toi que tu vas mourir» ! Mais finalement, je ne crois pas que ces images et ces messages rendaient nos ancêtres plus malheureux que nous, plutôt plus lucides au contraire. Et plus motivés à cultiver ce qui comptait à leurs yeux, et donnait du sens à leurs existences : bonheur, lucidité, foi...

MATTHIEU : Effectivement, on ressent tout à fait ce que tu dis dans ce verset de Milarépa, le grand ermite tibétain du XIᵉ siècle :

Effrayé par la mort, j'allai dans les montagnes.
À force de méditer sur son heure incertaine,
J'ai conquis l'immortel bastion de l'immuable ;
À présent, ma peur de la mort est bien dépassée !

Dans une perspective nihiliste, si l'on pense que la mort ressemble à une goutte d'eau qui s'absorbe dans une terre sèche, on peut craindre l'anéantissement de soi-même. Dans les conversations que j'ai eues avec mon père, Jean-François Revel (*Le Moine et le Philosophe*), je lui ai demandé s'il ne pensait pas qu'il existe une sagesse, une connaissance, qui soit tout aussi valable dans l'instant présent que pendant d'innombrables potentielles vies futures. Je faisais allusion à la compréhension de la nature de l'esprit, ou encore aux causes profondes du bonheur et de la souffrance, qui ont une valeur extratemporelle, que l'on envisage ou non des existences à venir. Il m'a répondu que toutes les sagesses par lesquelles nous tentons de rendre l'existence supportable ont des limites, la plus grande de ces limites étant la mort. Convaincu que celle-ci était un anéantissement total de l'être, il voyait la recherche de la sagesse comme quelque chose de précaire et de provisoire et parlait donc d'une sagesse de l'acceptation, qui consiste à se construire dans la vie actuelle, par le moyen le moins déraisonnable, le moins injuste, le moins immoral, tout en sachant très bien qu'il s'agit d'un épisode provisoire. Cela est cohérent de son point de vue.

ALEXANDRE : Dans *Le roi se meurt*, Ionesco dessine un véritable art du bien-mourir, un viatique pour le dernier voyage. La générosité, le don de soi, voilà ce qui permet la grande descente de cet ultime toboggan vers le *je ne sais quoi*. Le défi ? Se laisser glisser, se donner à l'inconnu sans cette tonne de projections, de craintes et cette avidité si tenace qui résiste dans bien des cas, semble-t-il, jusqu'au dernier soupir. Le roi Bérenger Ier se sait condamné. Marguerite, la reine, l'invite à se laisser aller, à partir en paix, elle se fait psychopompe pour détacher l'âme de son mari de tous liens, de toutes entraves, de tous boulets.

Parfois, lorsque les tracas du quotidien se font trop lourds, je me jette au lit pour m'exercer à mourir. Dès lors, je crois entendre les mots de la reine Marguerite qui m'apaisent considérablement : «Donne-moi tes jambes, la droite, la gauche. Donne-moi un doigt, donne-moi deux doigts… trois… quatre… cinq… les dix doigts. Abandonne-moi le bras droit, le bras gauche, la poitrine, les deux épaules et le ventre. Et voilà, tu vois, tu n'as plus la parole, ton cœur n'a plus besoin de battre, plus la peine de respirer. C'était une agitation bien inutile, n'est-ce pas ?»

MATTHIEU : Qu'il y ait ou non une vie après la mort, la meilleure chose que l'on puisse faire, pour une vie ou pour mille vies, c'est de devenir un meilleur être humain. Dans tous les cas, on est gagnant.

ALEXANDRE : Un jour que je m'agitais en tous sens à l'idée que mon fils rende l'âme, un mien ami m'a doucement rappelé à l'ordre : ni Augustin, ni personne ne m'appartient… Mourir à soi, accompagner le cours de la vie à fond, c'est assurément apprendre à épouser l'impermanence, à quitter tout accaparement pour se donner pleinement. Méditer, c'est d'une certaine façon mourir à chaque expiration pour se laisser renaître. D'ailleurs, un bref coup d'œil sur un album de photos nous apprend que le petit bonhomme que nous étions à 5 ans, l'adolescent qui jadis se cassait la tête sur sa dissertation a disparu pour laisser advenir l'être que nous sommes aujourd'hui. Ce serait proprement tuer la vie que de vouloir se fixer, se figer dans une stase alors que l'existence est flux, continuité, radicale nouveauté. Là aussi, le moi qui sème n'est pas forcément celui qui récolte. Que reste-t-il du garçon que j'ai été, de la personnalité de mon enfance ?

MATTHIEU: La mort, comme la dégénérescence des objets matériels – le fait que le bois pourrisse, que le fer rouille, que les maisons tombent en ruine –, n'est que le reflet visible de l'impermanence subtile inhérente à tous les phénomènes. Rien ne reste identique à lui-même deux instants consécutifs, aussi rapprochés soient-ils.

ALEXANDRE: Dans le *Phédon*, Platon dit que philosopher c'est s'exercer à mourir (*meletê thanatou*, comme il le dit en bon grec). À ses yeux, le progressant doit se séparer du corps, des passions, se libérer, se délivrer des clous qui le condamne à l'esclavage, qui le maintiennent en prison. De là à voir dans le corps un boulet, une entrave, il n'y a qu'un pas… D'ailleurs, le mot « corps », *sôma*, se rapproche méchamment du terme *sêma*, « tombeau ».

Méditer sur notre finitude, sur l'impermanence n'a rien de triste, au contraire. Mourir à soi, expérimenter les changements continus de notre existence, c'est s'ouvrir à l'éternelle innovation qui se donne à vivre dans l'ici et maintenant. Mais le mental y rechigne, s'agrippant bec et ongles, il voudrait mettre la main sur du solide. Il cherche une sécurité, une fixité, quand tout est transitoire et que tout passe. D'où ce paquet de souffrances, cette alarme permanente, cette insatisfaction sans trêve.

MATTHIEU: S'il arrivait qu'une entité quelconque demeure identique à elle-même deux instants consécutifs, cela signifierait qu'elle a échappé à l'impermanence. Dans ce cas, elle resterait éternellement figée dans cet état. Effectivement, en distordant la réalité, c'est-à-dire en s'accrochant à l'idée que nous-mêmes, nos proches et nos possessions devraient durer, ne pas changer, et qu'ils sont vraiment « nôtres », nous alimentons les causes de la souffrance. Et en fin de compte, même si nous ne voulons pas abandonner nos possessions et notre vie elle-même, ce sont elles qui nous abandonneront !

ALEXANDRE: Un maître zen conseillait à ses disciples, à chaque fois qu'ils franchissaient le seuil d'une porte, de laisser derrière eux les identifications, les rôles, les attentes, les blessures, le paquet de représentations que chacun se trimballe jour et nuit. Exercice des plus concrets qui invite à se rendre disponible totalement à ce qui se présente, à ouvrir les bras sans retenue.

Une indispensable célébration de la vie

CHRISTOPHE: C'est beau cette image du seuil! Chaque nuit, entre la journée qui se termine et celle qui commence, se trouve une porte, un passage qui nous invite à tout savourer et tout remettre en jeu. Parfois, nous devons vivre, pour nous-mêmes ou pour des proches, l'expérience de la maladie grave, pour comprendre que ces pensées doivent être l'objet d'exercices répétés pour nous apporter de l'intelligence, du réconfort, et la liberté par rapport à l'obsession de la mort (qui nous asservit à la peur) ou à son amnésie (qui nous asservit à la fuite et la quête des plaisirs).

Il y a quelques années, j'ai été atteint d'une maladie potentiellement mortelle, qui a été soignée. Actuellement tout va bien – et j'espère que cela durera le plus possible! – mais à ce moment-là, j'ai évidemment été submergé par de nombreuses réflexions, préoccupations et inquiétudes. Et je me souviens de plusieurs choses. D'abord que je n'étais pas inquiet à l'idée de mourir, mais triste. Et ça, ça m'a beaucoup frappé. Je me disais: « Mince, finalement, j'aime vraiment la vie; ce serait dommage que ça s'arrête maintenant! » À cet instant, la perspective de ma disparition ne m'effrayait pas, ne me mettait pas en colère, mais m'attristait parce que j'aurais aimé rester encore un peu. J'avais ce sentiment tout à coup très fort (mais qui n'était pas conscient avant le diagnostic) qu'il me restait encore plein de belles choses à faire, à vivre, à ressentir. Il me semblait que ce progrès régulier que j'ai l'impression d'effectuer, année après année, pour être moins impulsif, moins égoïste, plus généreux, plus attentif, allait s'arrêter ! Je me disais : « Zut alors, c'est dommage, j'aurais aimé voir jusqu'où ça pouvait aller ! » Le bénéfice de cette expérience, c'est que cela m'est resté. À des années de distance, je crois que je pense chaque jour à cette chance que nous avons d'être en vie et de pouvoir savourer notre existence, même avec des chagrins et avec des souffrances. Dans la chanson *Le Testament*, dont je parlais tout à l'heure, Brassens évoque aussi la mort en disant « J'ai quitté la vie sans rancune / J'aurai plus jamais mal aux dents / Me v'là dans la fosse commune / La fosse commune du temps ». Voilà : la mort, c'est ne plus jamais avoir mal aux dents ; et la vie, c'est s'exposer au mal de dents. Le choix est vite fait...

Autre anecdote concernant ces histoires de vie et de mort : il y a certains patients, parmi ceux que je soigne, que je vois depuis que je suis arrivé à Paris, voilà plus de vingt-cinq ans. J'ai développé avec eux une relation durable et par bien des aspects, amicale. Quand j'ai eu ces problèmes de santé, ils ont remarqué que, tout à coup, je disparaissais des radars. Les secrétaires les appelaient en disant « désolé, il est souffrant », mais ils ont vite compris que ce n'était pas un simple rhume. J'en ai parlé avec un ou deux d'entre eux, pas pour me soulager, mais parce que je les sentais inquiets pour moi, et aussi parce qu'il me semblait que cela pouvait les aider par rapport à leurs propres peurs. Je me souviens d'une consultation avec une patiente, à qui je disais quelque chose comme : « Oui, j'ai un truc assez sérieux, d'où mes absences ; mais je vais avoir 60 ans, et ce n'est pas un scandale que je puisse disparaître maintenant. Le scandale, c'est qu'un enfant meure, que quelqu'un de 20 ans meure, qu'une jeune maman ou un jeune papa meurent et laissent des orphelins. Beaucoup d'êtres humains qui ont vécu sur cette Terre auraient aimé atteindre l'âge de 60 ans, donc je n'ai pas à me plaindre. » Elle m'a regardé avec des yeux tout ronds et m'a dit : « Mais vous parlez comme si vous étiez déjà mort ! Ça me fait peur, il me semble que vous n'avez plus envie de vivre. Il faut vous battre ! » Et tout à coup, elle m'a bousculé. Je me suis dit : elle a raison ! Ce que je crois être de l'acceptation – « voilà, si ça doit arriver, ça arrivera » – n'est-ce pas plutôt une espèce de résignation sourde ? Par sa spontanéité et son affection pour moi, elle m'avait extirpé de cette fausse sagesse et pseudo-acceptation dans laquelle je glissais sans m'en rendre compte. Et j'ai compris que je n'avais pas respecté cet équilibre vital, qui veut que, chaque fois qu'on travaille sur la mort, il faille travailler sur la vie. On se met en danger si l'on n'est trop dans l'acceptation de la mort, et pas assez dans la joie et dans l'envie de vivre.

Du coup, les jours qui ont suivi, chaque fois que j'allais marcher dans les bois, comme je le fais presque quotidiennement, je me contraignais à me dire, à chaque pas : « Je veux vivre, je vais vivre ; je veux vivre, je vais guérir. » Cette méthode Coué était à la fois dérisoire et très importante pour moi. Sans m'en rendre compte, j'avais fini par porter mes efforts sur la mort (comment bien mourir, pour ne pas faire de mal à mes proches notamment) plutôt que sur la vie. Toutes nos considérations sur la mort n'ont de sens que si elles s'accompagnent d'une attention au fait que c'est génial la vie ! Et qu'un de nos devoirs est de la savourer, quel que soit ce qui nous reste à vivre ; et d'aider aussi les autres à la savourer.

MATTHIEU : Tout à fait, accepter pleinement l'inévitabilité de la mort ne doit pas conduire à une résignation, mais à une célébration de la vie et du potentiel extraordinaire qu'elle nous offre. De ce fait, nous devons faire tout ce qui est possible et raisonnable pour rester en vie et ne pas nous dire : « Un peu plus tôt ou un peu plus tard, quelle importance ? » Pour celui qui se consacre au chemin spirituel qui mène à la liberté intérieure, chaque jour vaut la peine d'être vécu. Un sage tibétain disait qu'au début le pratiquant qui pense à la mort se sentira comme un cerf qui, pris au piège, se débat désespérément. Après avoir progressé sur le chemin, il deviendra comme un paysan qui a travaillé son champ avec le plus grand soin et n'a rien à regretter, que la récolte soit bonne ou mauvaise. À la fin, le pratiquant est serein et satisfait, comme celui qui a accompli une grande tâche.

L'exemple du cerf pris au piège me fait penser à ceux qui remuent la terre entière pour éviter de mourir – une cause perdue d'avance, qu'ils placent leurs espoirs dans le miroir aux alouettes du transhumanisme ou qu'ils soient prêts à se faire cryogéniser pour être conservés dans une chambre froide jusqu'à ce qu'on ait trouvé un traitement à leur maladie ou un élixir d'immortalité. Quant à l'exemple du paysan, s'il a bien planté son champ, enlevé toutes les mauvaises herbes, veillé à mettre des épouvantails pour écarter les prédateurs, s'il a fait tout ce qu'il fallait avec soin et amour, même si la grêle en détruit une partie, tout désolé qu'il soit, il n'a pas de regret, car il n'a rien négligé. Quel pire constat que de se dire : «J'ai gâché vingt ans de ma vie par négligence.»

Un ermite tibétain, Kharak Gomchoung, a passé des années dans une grotte. À l'entrée poussait un buisson d'aubépine qui accrochait sa robe chaque fois qu'il entrait ou sortait. Il a eu souvent envie d'arracher le buisson, mais aussitôt la pensée de la mort lui venait à l'esprit : «Qui sait quand je mourrai ? Mieux vaut consacrer à la méditation le temps que je passerais à arracher ce buisson.» Il a fini par atteindre une parfaite réalisation spirituelle. À sa mort, le buisson était toujours là… Si les méditants de cette envergure ne se permettent pas de gaspiller un seul instant, comment nous, qui avons tant à faire pour progresser sur la voie spirituelle, osons-nous nous complaire dans les activités les plus triviales ?

Pour celui qui a atteint une parfaite liberté intérieure, lorsque la mort vient frapper à sa porte, il lui ouvre sans la moindre hésitation, comme à une amie. Il est mûr, il est prêt, il ne s'est jamais voilé la face et aborde ce passage avec sérénité. C'est pour cela qu'un pratiquant bouddhiste souhaite mourir si possible avec toute sa lucidité, ce qui lui permet de mettre en pratique ce qu'il a intégré spirituellement tout au long de sa vie, sans être déstabilisé par les affres de l'agonie. Mon ami Francisco Varela était à la fois un grand neuroscientifique et un pratiquant chevronné du bouddhisme. Je lui ai rendu visite deux semaines avant sa mort. Il me disait qu'il s'affaiblissait chaque jour davantage, mais qu'il espérait préserver la qualité de la «présence éveillée» qui était au cœur de sa pratique spirituelle, celle que lui avait enseignée son maître, Tulkou Ugyen Rinpotché. Il redoutait de mourir avec l'esprit opaque, dans un «état glauque» comme disait Alexandre. Sa femme, Amy, m'a raconté qu'il est mort en méditation. Comme il était très faible, elle s'était assise derrière lui et le tenait dans ses bras afin qu'il puisse rester assis en posture de méditation, comme il le souhaitait. Il est parti en préservant la conscience claire de la nature de l'esprit. Pour un pratiquant, c'est la meilleure façon de mourir.

Un autre grand méditant dont j'étais très proche, Sengdrak Rinpotché, est mort d'une leucémie dans un hôpital du Népal. Il voulait rester dans son ermitage, mais ses disciples l'ont convaincu d'être hospitalisé à Katmandou. Très affaibli, il devait rester allongé la plupart du temps. Lorsqu'il a senti que le moment de la mort était venu, il s'est assis parfaitement droit dans la posture du lotus, les yeux grands ouverts, contemplant l'espace devant lui. Il a pris une grande inspiration, puis il a expiré, reposant dans la nature de l'esprit. Il avait demandé que l'on apporte son corps dans notre monastère. Il est resté pendant plusieurs jours assis dans la posture du lotus, comme s'il venait juste de mourir, sans raideur cadavérique. Son corps exhalait un léger et suave parfum et non l'odeur désagréable d'un corps qui commence à se décomposer.

ALEXANDRE: Mille mercis de rappeler que nous pouvons nous éteindre en paix, en toute quiétude et même joyeusement. Quotidiennement les films nous déversent des milliers de morts vécues dans la crispation, les spasmes. Toutes ces balles logées au milieu du front, ces cris d'effroi, ces terribles agonies, tous ces visages de cadavres déchirés par d'affreux rictus participent à peindre la mort sous les traits de la monstruosité, de l'atroce. La mort n'est donc pas forcément le lieu de l'échec et la grande faucheuse ne coupe peut-être pas toutes les espérances.

La maladie ou le handicap changent le regard sur la mort

CHRISTOPHE: Ce qui m'a beaucoup intéressé aussi dans mon expérience personnelle, ce sont toutes les interrogations qui ont surgi après que j'ai frôlé la possibilité de mourir et que je me suis rendu compte que ce n'était pas pour cette fois-ci. Seulement pour demain ou après-demain! C'est très banal, beaucoup de personnes ont vécu cela, et avoir été amené à réfléchir non de façon conceptuelle, mais expérientielle, en vivant dans son corps la menace, en l'entendant de la bouche des médecins, est très fécond. Il y a plusieurs options: vivre cette expérience peut laisser les gens définitivement anxieux, par rapport aux récidives, aux recommencements possibles de la maladie, à la réalité de la menace. Dans mon cas, j'ai l'impression que cela m'a fait du bien, sur le plan psychologique, que cela m'a ouvert les yeux et fait évoluer certaines de mes craintes. Finalement, j'avais sans doute, comme la plupart des gens, une petite préoccupation par rapport au vieillissement et à tous les désagréments et petites maladies qui l'accompagnent... Mais côtoyer une maladie potentiellement mortelle, avoir peut-être une bombe à retardement dans mon corps a modifié mon rapport à l'avancée en âge. Ce que je craignais hier, je l'espère aujourd'hui! Et à cet instant, je ne demande qu'une chose: pouvoir vieillir! Pouvoir ralentir, doucement me restreindre, me limiter, être plus dans la contemplation, moins dans l'action. Je n'aurais jamais pu dire sincèrement cela avant cette maladie.

Et cela me rappelle les conversations que j'avais eues, il y a longtemps, avec l'un de mes amis proches qui est très chrétien. Dans le christianisme, il y a une réflexion féconde sur le rapport que nous pouvons entretenir avec la mort, et sur la manière dont la foi peut nous aider à approcher cette idée de manière apaisée et intelligente. Mon ami me disait: « Le vieillissement, c'est une bénédiction finalement. C'est ce qui te prépare à la mort. Tu apprends peu à peu qu'il y a des choses dont tu vas devoir te détacher. Et au cas où tu ne comprendrais pas bien, où tu ne voudrais pas l'entendre, ta biologie, ton corps te le rappellent et te disent: voilà, prépare-toi à lâcher tout ça. Pas de façon méchante ou menaçante, mais comme un maître qui tire un peu l'oreille de son élève et le force à regarder des réalités qu'il ne veut pas voir. » Ce discours me paraissait intéressant et pertinent, intellectuellement. Mais je ne me doutais pas que je pourrais y adhérer un jour.

ALEXANDRE: Me coltinant un handicap à perpète, j'ai parfois du mal à envisager d'un cœur tout à fait léger la vieillesse qui gagne du terrain. Déjà, il faut se farcir la fatigue, la douleur, l'épuisement de certains jours. J'ai toutes les peines du monde à accueillir un mal chronique, un corps qui se déglingue et à *gérer* les occupations quotidiennes… Dieu sait dans dix, vingt ans! Toujours, le moi projette, fait des plans sur la comète, spécule… Je contemple ce corps usé et fourbu et y trouve l'occasion d'un lâcher-prise, d'un laisser-être, d'une invitation à profiter de l'ici et maintenant pour progresser sur le chantier de l'intériorité.

La menace de la mort peut n'être qu'un brouillard, une vague certitude désincarnée: je sais que je vais m'en aller, mais j'ignore l'heure, l'endroit et la manière. De même, nous pouvons entrevoir la paix de loin, sans vraiment l'expérimenter à fond. Il faut un sacré paquet de détachement pour découvrir, comme ton camarade, dans la mort un « ami qui viendra me trouver quand bon lui plaira ». T'entendre parler, cher Christophe, de ceux qui nous réconcilient avec la mort, de ceux qui nous accompagnent comme par la main vers la grande paix, est éminemment rassurant quand tant de craintes, de hantises planent sur ce moment qui nous attend tous. Pour ne pas mourir avant l'heure, inaugurons une spiritualité qui nous rende vivants, pleinement sains, avec les handicaps, les blessures, la maladie. Car tant qu'il nous reste un souffle, rien n'est à jamais foutu. Un mien ami qui se trimballait une pathologie des plus sournoises allait jusqu'à parler de décrépitude heureuse. Il voyait dans le déclin de son corps une école d'abandon. Le grand saut, l'extinction éventuelle des feux peut nous rappeler à l'essentiel. Pourtant, comme l'a montré Freud, nul homme ne parvient à imaginer sa propre mort tant nous nous croyons immortels.

MATTHIEU : Il faut une bonne dose d'aveuglement pour s'imaginer immortel. Je doute que beaucoup de gens soient stupides à ce point. Par crainte des assassins, les rois et présidents s'entourent de gardes du corps. Nous ferions bien de nous préoccuper du plus infaillible des assassins, la mort, qui peut se présenter à tout moment sans qu'aucun garde du corps ne puisse l'arrêter. Mon maître Dilgo Khyentsé Rinpotché disait : « Nul plaidoyer ne peut convaincre la mort d'attendre quelques années, pas même une seconde. Aucun guerrier, si puissant soit-il, tenant sous ses ordres toutes les armées du monde, ne peut la faire frémir. La plus grande des fortunes ne peut la soudoyer, et la beauté elle-même ne saurait la séduire. Rien au monde ne peut arrêter la mort. » Les gens passent des heures à préparer un voyage touristique. Pourquoi se préparent-ils si peu au « grand voyage » ?

ALEXANDRE : Si tout est voué à l'impermanence, si tout passe, à certaines heures de notre vie, il arrive étrangement que nous *sentions et expérimentions* que la mort n'aura pas forcément le dernier mot. Intuition incertaine, intime conviction que viennent sans cesse menacer la frousse et l'agitation.

CHRISTOPHE : Elle est importante, cette intime conviction, si fragile face à nos peurs de la mort et de la disparition. De notre mieux, efforçons-nous d'être attentifs à ces petites bouffées intuitives d'espoir, de les chérir, de les cultiver. Mais sans aveuglement non plus… Une dame âgée de ma famille, à l'approche de sa mort, était partie dans la fréquentation de cercles croyant à la réincarnation, à la vie après la mort, et s'inventait des tas d'histoires autour de ça. C'était peut-être réconfortant, mais il me semble que, dans son cas, cela faisait écran au nécessaire apprentissage de la finitude, à la nécessaire acceptation de sa mort prochaine. Elle se racontait des histoires pour ne pas affronter vraiment le problème. Mais peut-être ne pouvait-elle pas faire autrement ?

La foi et la mort

CHRISTOPHE : Matthieu, j'ai une question peut-être indiscrète, à laquelle tu n'es pas obligé de répondre… Tous mes amis chrétiens, pour qui la foi est un réconfort important, notamment par rapport à la mort, me disent qu'ils traversent aussi des moments de doute : parfois, tout à coup, ils ont peur que leur foi ne soit qu'une construction mentale. Comme si, finalement, ils avaient tout misé sur l'existence d'un Dieu plein d'amour et de bienveillance, sur la résurrection de la chair, etc. Et quand cette foi reflue, quand il y a des fissures, ils se mettent à douter en se disant : « Mais est-ce que tout ça n'est pas qu'une illusion ? » Là, ils sont un peu nus et inquiets, face au néant possible. J'ai lu récemment un ouvrage qui parlait des derniers jours de la vie des moines, basé sur des entretiens et une enquête auprès de religieux de huit monastères. Le livre montre à quel point, à l'approche concrète de nos derniers instants, tout ce que nous pensions être des certitudes peut tout à coup se fissurer. L'auteur y raconte que pour les chartreux par exemple, les jours d'enterrement sont des jours de fête : on y déjeune au réfectoire, comme le dimanche, et non seul dans sa cellule ; ils considèrent leur vie terrestre comme un « noviciat d'éternité ». Mais leurs derniers instants ne sont pas toujours exempts d'angoisse. Et toi, Matthieu, as-tu, de ton côté, des doutes par rapport à ta foi bouddhiste ?

MATTHIEU : Un pratiquant bouddhiste peut certainement douter de ses capacités de progresser sur le chemin et de vivre l'expérience de la mort paisiblement. Il, ou elle, s'interrogera également sur l'existence d'une continuité de la conscience après la mort, telle qu'elle est exposée dans le bouddhisme. Mais il est possible de dissiper logiquement ce doute, car les enseignements du bouddhisme ne font pas appel à un « mystère » fondamental, comme celui de l'existence d'un Dieu créateur dont la perfection est à jamais inaccessible aux êtres humains. Dans le cas du bouddhisme, chaque pratiquant a la possibilité d'actualiser la perfection de la nature de bouddha en suivant le chemin spirituel jusqu'à son point ultime. De même, la compréhension de la nature de la conscience et de sa continuité au fil des existences ne relève pas d'un dogme, mais de l'expérience directe du Bouddha et de pratiquants accomplis. En ce qui me concerne, j'ai entièrement confiance dans la validité du témoignage et des enseignements de mes maîtres spirituels. Cette confiance est née en vivant de nombreuses années auprès d'eux et en constatant qu'on ne trouve pas de « défauts dans la cuirasse » chez ces maîtres et dans leurs enseignements. Aujourd'hui, je n'ai pas peur de la mort – peut-être devrais-je être plus prudent ! – et j'espère la vivre en mettant sereinement en pratique les instructions que j'ai reçues. Je n'ai évidemment aucune assurance que ce sera le cas, ne pouvant prédire l'avenir, mais je suis plutôt confiant. Cette confiance me vient également d'une familiarité avec les enseignements sur l'impermanence et la mort, celle-ci étant dans la nature des choses. J'espère vivre le plus longtemps possible, mais à chaque fois que l'on me demande de réfléchir à une proposition, un projet, qui ne se concrétisera que dans un ou deux ans, je me dis toujours : « Oui certes, mais qui sait si je serai en vie ? » On me demande parfois, avec un air inquiet, si ma santé est bonne, et il m'arrive de répondre : « Non, je n'ai aucune maladie grave, si ce n'est l'impermanence ! » Rien de morbide à tout cela, bien au contraire ! Cette perspective confère une plus grande fraîcheur et une valeur accrue à chaque journée que j'ai la bonne fortune de vivre. Si je suis suffisamment lucide au moment de la mort, je compte bien faire la pratique qui consiste à mêler mon esprit à l'esprit éveillé de mon maître principal. Cette pratique, appelée *gourou yoga* (« union à l'esprit du maître »), a accompagné le méditant toute sa vie. À l'approche de la mort, il s'y adonnera de tout son cœur. C'est la meilleure façon de mourir.

ALEXANDRE : Le défi, la pratique, l'ascèse quotidienne serait peut-être de considérer la mort comme une amie qui nous aide à rejoindre l'essentiel, dès à présent ?

MATTHIEU : C'est bien dit. Quand on parle d'amie, cela ne signifie pas que l'on est super-content de mourir, mais que la stabilité et la qualité de notre pratique nous permettent de voir venir la mort non comme une ennemie qui déclenche la panique en notre esprit, mais comme une visiteuse qui ne bouleversera pas notre paix intérieure. Je t'accorde que c'est plus facile à dire qu'à vivre. En réponse à un journaliste qui lui demandait comment il envisageait sa mort, le Dalaï-lama répondit : « Je suis très curieux de voir ce qui va se passer ! » Venant d'une personne mille fois plus préparée à rencontrer la mort que la plupart d'entre nous, cela donne à réfléchir ! Cela dit, j'ai été témoin de nombreuses morts sereines. Il s'agissait parfois de personnes qui n'avaient pas de pratique spirituelle particulière, mais dont la sérénité venait du sentiment d'avoir bien vécu, de ne pas être prisonnier d'attachements trop puissants et de sentir que le moment était sans doute venu, alors que leur force vitale s'amenuisait. Il s'agissait aussi de pratiquants dont la sérénité venait de la confiance qu'ils avaient dans la stabilité de leur pratique, ou, mieux encore, de ceux qui avaient atteint une parfaite liberté intérieure.

ALEXANDRE : Il peut entrer peut-être pas mal d'orgueil et de peur dans le désir de réussir sa mort. Pour le pratiquant, comme tu viens de le montrer en évoquant la figure du Dalaï-lama, la paix n'est pas arrachée aux forceps. Elle est le fruit d'un long entraînement, d'une vie consacrée à la pratique, aux enseignements. Elle coule d'une source limpide et claire qui a su imprégner chaque acte de la vie quotidienne. Quant à Dieu, il est heureux qu'il ne soit pas un super-protecteur, une assurance-vie, du Prozac qui anesthésierait toute sensibilité et bazarderait la moindre peur. À mes yeux, la prière demeure le haut lieu de la gratuité. On s'adresse au Seigneur sans pourquoi, quand bien souvent nous ne nous entretenons avec Lui que pour Lui présenter nos doléances ou nos listes de courses (du bonheur, de la santé, la paix de l'âme, le moins d'emmerdements possible…). Au fond du fond, nous pouvons être profondément enracinés dans une grande confiance et, à la surface, connaître une agitation, des tourments sans nombre, une panique totale.

QUELQUES SOURCES
D'INSPIRATION FACE À LA MORT

CHRISTOPHE

Face à ce grand sujet intimidant, il est difficile de prétendre donner des conseils ! Mais voici au moins quelques citations qui nous inspirent… D'abord, cet extrait de la belle chanson de Claude Nougaro, *Berceuse à Pépé* :

> « Tu vas mourir, tu vas t'éteindre,
> Comme une lampe de chevet,
> Quand le matin commence à poindre,
> Quand le bouquin est achevé.
> Dors en paix, Pépé.
> Tu vas abandonner ton souffle,
> Les taches rousses de tes mains,
> Et repasser sans tes pantoufles,
> Le seuil du monde des humains.
> Dors en paix, Pépé. »

Tout y est dit de la mort arrivant doucement, logiquement, au terme d'une vie bien remplie, la mort comme le passage d'un seuil et l'abandon de notre corps.

Puis cette touchante épitaphe du poète Mathurin Régnier (1573-1613) :

> « J'ai vécu sans nul pansement,
> Me laissant aller doucement
> À la bonne loi naturelle,
> Et si m'étonne fort pourquoi
> La mort daigna penser à moi,
> Qui n'ai daigné penser à elle. »

Il n'applique pas tout à fait nos recommandations, mais c'est une autre option – vivre de tout son cœur sans penser au lendemain – qui semble lui avoir réussi !

MATTHIEU

« La mort ne s'attarde pas à considérer ce qui est fait ou reste à faire. »

Shantideva

« Entre les nuages de l'illusoire et de l'éphémère
Danse l'éclair de la vie.
Peux-tu affirmer que demain tu ne seras pas mort ?
Alors, pratique le Dharma ! »

Shéchèn Guialtsap

« Si cette vie que bat le vent de mille maux
Est plus fragile encore qu'une bulle sur l'eau,
Il est miraculeux, après avoir dormi,
Inspirant, expirant, de s'éveiller dispos ! »

Nagarjuna

ALEXANDRE

« La mort n'est rien pour nous, car tout bien et tout mal résident dans la sensation ; or, la mort est la privation complète de cette dernière. »

Épicure

« La mort est le moment de l'affranchissement d'une individualité étroite et uniforme, qui, loin de constituer la substance intime de notre être, en représente bien plutôt comme une sorte d'aberration. »

Schopenhauer

« *Nous autres psys, avons pour habitude de ne jamais juger nos patients – ou de nous efforcer de ne jamais le faire. Mais c'est parfois compliqué : je me souviens d'un homme qui était venu en consultation me demander de l'aide pour ses pulsions pédophiles. Il me disait n'être jamais passé à l'acte, mais sentait que c'était de plus en plus difficile de se contenir. Je ne l'ai pas soigné moi-même, car j'étais totalement inexpérimenté face à ce type de difficultés – je l'ai orienté vers un collègue. Mais notre rencontre était délicate pour moi, qui, comme tout le monde, suis habité par un jugement très défavorable sur la pédophilie, jugement qui me semble pleinement légitime, sur un plan moral. J'ai repensé alors aux propos d'un collègue américain, Jonathan Haidt, sur ces questions morales. Il disait en substance : si, face à une question, vous pensez qu'il peut y avoir légitimement plusieurs opinions et attitudes possibles, alors c'est que cette question ne relève pas pour vous de la morale, mais du goût personnel. Si, en revanche, vous pensez qu'il n'y a qu'une option possible, cette question est à vos yeux une question morale. Ainsi, avoir des rapports sexuels avant le mariage est une option désormais admise par la majorité des Occidentaux qui n'en font donc plus une question morale. En revanche, personne ou presque ne dira qu'avoir des rapports sexuels avec des enfants est une question de choix individuel qu'il faut respecter ; tout le monde en fait une question morale.*

Il me semble que la morale est indispensable non seulement au bon fonctionnement des sociétés, mais aussi à celui des personnes, et c'est pourquoi je suis heureux de vous écouter à ce sujet : un philosophe et un moine en savent sur ce point bien davantage qu'un psy ! »

Christophe

18
L'ÉTHIQUE

De quoi parlons-nous ?

CHRISTOPHE : Existe-t-il à vos yeux une différence entre la morale et l'éthique ? Si les deux mots existent, c'est qu'ils renvoient sans doute à deux dimensions dissemblables ? Mais en quoi ? Parler d'éthique est-il juste une manière plus chic et plus moderne de faire référence à la morale, mot qui semble peut-être plus désuet ?

ALEXANDRE : L'étymologie des deux termes se ressemble à s'y méprendre : « éthique » vient du grec *êthos* qui signifie « mœurs » et « morale » descend du latin *moralis*, relatif… aux mœurs. Au fil des siècles ces deux mots ont bien sûr pris des couleurs, des connotations différentes. Écoles, courants de pensée les ont teintés, interprétés de diverses manières. Mais bien des auteurs contemporains les considèrent comme des synonymes. Pour ne pas m'emmêler les pinceaux, j'avoue que j'en ferais de même.

Notons tout de même que de nos jours la morale a plutôt mauvaise presse risquant, bien souvent, à un catalogue de prescriptions, de codes de conduite, de dogmes, d'injonctions voire d'interdits alors qu'il s'agit de *bien faire l'homme*, de nous grandir.

Sur ce chapitre, les grands livres ne manquent pas : l'*Éthique à Nicomaque* d'Aristote, l'*Éthique* de Spinoza… Inépuisables itinéraires de libération, véritables allées de lumière vers le bonheur. Les philosophes nous prennent comme par la main pour nous conduire, pas à pas, vers la liberté et une profonde félicité. Là, réside véritablement l'enjeu crucial, le grand défi. À l'heure d'envisager les moissons de la sagesse, il est peut-être fécond de se pencher sur la question de la vie bonne, sur l'art de vivre qui fleurit les jardins du cœur.

MATTHIEU : Selon le *Grand Robert*, l'éthique est la « science de la morale ». Mais certains auteurs disent le contraire. Pour Michel Serres, par exemple, « l'éthique est du côté de l'idéologie, et la morale du côté de la science : objective ». Je pencherais plutôt pour la première interprétation, puisque dans les démocraties nous avons des comités d'éthique qui cherchent à être le plus objectif possible et prennent soin de s'appuyer sur les connaissances scientifiques les plus fiables. J'ai l'impression, comme Alexandre, que la morale, définie comme une connaissance du bien et du mal, est le plus souvent conçue sous une forme normative, soumise au devoir. Le risque étant de décréter ce qui est Bien et Mal dans l'absolu, de façon désincarnée, et de ne pas tenir compte du contexte et des situations humaines telles qu'elles sont vécues. Il me semble plus juste de ne pas fonder l'éthique sur le Bien et le Mal, considérés comme des principes écrits en lettres de feu dans le ciel, mais plutôt sur le bien et le mal que l'on cause aux autres en termes de bien-être et de souffrance. En cela, l'éthique est une science du bonheur et de la souffrance, alliée à un désir d'intégrité et de cohérence morale. Une éthique empreinte de lucidité, d'impartialité et de bienveillance exige que l'on soit affranchi de nos partialités, préjugés et conditionnements. Il s'agit donc bien de l'une des moissons de la liberté intérieure.

Le problème d'une éthique dogmatique est que les principes sur lesquels elle repose ne sont pas nécessairement justes, équitables et universels. Dans son livre *What's Wrong with Morality* (Les Torts de la moralité), Daniel Batson raconte comment les membres du Ku Klux Klan fouettaient jusqu'au sang des citoyens qui n'allaient pas à l'église le dimanche, pour ensuite aller écouter prêcher l'amour du prochain ! Lors de génocides ou de guerres de religion, nombre de tortionnaires réussissent à se convaincre que leurs victimes méritent leur sort et que les sévices qu'ils leur infligent sont une bonne chose. Ils se déculpabilisent également en adhérant à l'opinion et à l'ordre social de la majorité, celle qui prêche l'oppression et la persécution, et, lorsque c'est le cas, en «obéissant aux ordres». L'histoire est remplie de gens qui ont commis les pires atrocités au nom de la morale.

L'absence d'éthique se caractérise par un manque de considération pour les conséquences qu'ont nos actes sur le sort d'autrui. C'est le triomphe de l'égocentrisme qui, selon les cas, ignore les autres, les instrumentalise sans vergogne pour promouvoir ses intérêts, ou leur nuit, volontairement ou par manque d'attention à leur condition. Au bout du compte, tout le monde y perd, car les actes et paroles qui blessent autrui finissent également par avoir des conséquences néfastes pour soi-même.

ALEXANDRE : André Comte-Sponville, dans *Valeur et Vérité*, apporte de l'eau à notre moulin. Il précise que la morale a trait à l'ensemble de nos devoirs. Elle répond à la question : «Que dois-je faire ?» et vise l'universalité. L'éthique, à ses yeux, est «l'ensemble réfléchi de nos désirs». Sa question privilégiée réside dans le «comment vivre ?». D'où son inscription particulière dans un individu ou un groupe. Si, nous dit le philosophe, la morale a son sommet dans la sainteté, l'éthique est un art de vivre «qui tend vers le bonheur et culmine dans la sagesse».

Il me plaît qu'éthique et morale s'incarnent dans des exercices spirituels, dans un don de soi. Quand le narcissisme, l'égoïsme nous portent à instrumentaliser l'autre, à le considérer comme un moyen, il s'agit d'inaugurer une liberté qui nous arrache aux bornes de l'individualité, de l'intérêt. Ici, il est bon aussi de se rappeler la leçon de Spinoza. Ce ne sont pas les index pointés, les accusateurs, qui rendent l'homme meilleur, mais une lucide compréhension des mécanismes qui nous enferment dans les passions tristes ; d'où l'invitation de l'auteur de l'*Éthique* à ne pas haïr ni railler, mais à repérer et comprendre la nature des affects afin d'atteindre à la vraie liberté qui est béatitude.

Une éthique incarnée

MATTHIEU : Dans un opuscule sur l'éthique, Francisco Varela cite le philosophe canadien Charles Taylor selon qui : « L'éthique, ce n'est pas seulement ce qu'il est bien de faire, mais ce qu'il est bon d'être. » Comment faut-il comprendre cette distinction ? Dans des circonstances où l'on n'a pas le temps de peser indéfiniment le pour ou le contre, on réagira spontanément, de manière morale ou non, en fonction de notre manière d'être telle qu'elle s'est construite au fil des années.

À la lumière de cet aphorisme philosophique, on comprend le lien qui existe entre l'éthique et la liberté intérieure, celle-ci étant affranchie de l'emprise de la haine, de la jalousie, du dogmatisme. Le dogmatisme peut se muer en carcan : l'idée qu'il ne faut jamais mentir, même pour sauver la vie d'un fugitif poursuivi par un assassin, comme dans l'exemple célèbre de Kant, n'est pas une réponse contextuelle et adaptée à une situation vécue. Pour Kant, mentir est répréhensible, quelles que soient les circonstances, car l'acceptation du mensonge détruirait l'idéal de la vérité pour l'humanité tout entière. Il pratique ainsi une éthique désincarnée. Le bouddhisme adhère à une éthique naturelle fondée sur la liberté intérieure et inspirée par la bienveillance, une éthique qui surgit spontanément du fond de soi-même, libérée des dogmes infrangibles.

Si un enfant tombe à l'eau, la quasi-totalité des gens se précipitera pour le sauver – à quelques exceptions près, dans le cadre d'un génocide, par exemple, où un membre du clan des oppresseurs laissera froidement l'enfant de l'ethnie persécutée se noyer. Autre exemple d'un comportement immoral spontané qui reflète une disposition intérieure portée à la malveillance, dans un aéroport, j'ai feuilleté le «Journal d'une psychopathe» (je ne l'ai pas acheté parce que ce livre, paru en anglais, m'a écœuré dès les premières pages). L'auteure y raconte qu'alors qu'elle travaillait dans une piscine elle a vu une souris tomber dans le bassin. Elle a observé la souris, impassiblement, jusqu'à ce que l'animal se noie, épuisé. Puis elle a repêché le cadavre et, souhaitant prendre un jour de congé, a annoncé à l'entrée: «La piscine étant contaminée, elle sera fermée aujourd'hui. »

La liberté individuelle consiste à faire ce que l'on veut, tant que cela ne cause pas de tort à autrui. On peut certes définir une ligne de conduite personnelle concernant les comportements qui n'affectent que soi (ils sont rares!) afin de ne pas avoir honte de soi-même. Mais le garde-fou de l'éthique est celui qui nous dissuade de sciemment nuire à autrui.

Les religions ont généralement des points de vue très tranchés sur les grandes questions éthiques, comme l'euthanasie ou l'avortement. Dans le bouddhisme, les réponses dépendent du contexte vécu. Interrogé sur ces questions, le Dalaï-lama répond souvent: «Décrivez-moi la situation de cette personne. Après quoi, nous pourrons réfléchir.» On va s'interroger sur les conséquences en termes de bien-être et de souffrance.

CHRISTOPHE: Notre morale doit certes être incarnée, mais elle doit aussi être travaillée! Nos comportements ne découlent pas automatiquement de nos valeurs morales. Aller à l'église, au temple, à la mosquée, à la synagogue ou dans n'importe quel lieu de culte et être d'accord avec les préceptes moraux de notre religion ne garantit pas que nous nous comporterons toujours bien. Nous avons à fournir des efforts constants de translation de la théorie à la pratique. Et les autres peuvent aussi nous aider en ce sens, par un contrôle social des comportements moraux.

« Il est bon
de se rappeler
la leçon de Spinoza.
Ce ne sont pas
les index pointés
qui rendent l'homme
meilleur, mais
une lucide
compréhension
des mécanismes qui
nous enferment dans
les passions tristes. »

Une remarque naïve me vient d'ailleurs à l'esprit : il me semble que la morale n'est ni nécessaire ni suffisante pour faire le bien. Pas suffisante, parce que, comme je viens de le dire, c'est la mise en actes de la morale qui est souvent chez nous le maillon faible. Mais pas nécessaire non plus, car parfois nous pouvons adopter des comportements moraux sans avoir reçu d'enseignement ni subi de contrainte morale préalable.

En prenant le problème à l'envers, je réfléchissais par exemple aux moments où il peut nous arriver de faire du mal aux autres. Il me semble qu'on le fait d'autant plus qu'on s'est coupé d'un certain nombre de veilleurs intérieurs, qui sont notamment les garde-fous émotionnels. Une des constantes dans le travail que je fais avec mes patients sur les émotions (sur l'intelligence émotionnelle, l'attention prêtée aux émotions) procède de l'idée qu'en général nos émotions veillent sur nous et peuvent, entre autres, nous aider à aller vers davantage d'éthique – l'éthique consistant, comme tu le disais, Matthieu, à ne pas faire de mal à autrui, voire à lui faire du bien, autant que possible.

J'ai la conviction que lorsque nous allons bien, nous sommes capables d'être attentifs aux petits signaux émotionnels, tout au fond de nous, qui régulent nos impulsions agressives. Pour peu que nous ne soyons pas profondément déséquilibrés par nos souffrances, nos émotions savent très bien nous avertir que nous sommes en train de mal faire. Elles nous le signalent souvent avant et pendant : à moins d'être un pervers psychopathe, nous ne nous sentons pas bien quand nous faisons du mal à autrui. Et elles nous le signalent toujours après : d'où la culpabilité. On travaille souvent en psychothérapie sur la culpabilité excessive, mais, malgré tout, c'est une chance extraordinaire d'être capable de ressentir de la culpabilité. On ne fait jamais de mal aux autres dans une ambiance sereine et tranquille à l'intérieur de nous-mêmes, et si l'on était plus attentifs à ce qui se passe en nous, les moments où l'on fait du mal à autrui diminueraient considérablement. D'où le rôle déterminant de l'équilibre et de la liberté intérieure, qui contribuent à faire de nous des animaux plus éthiques. Et des efforts à conduire en ce sens.

Je pense par exemple à l'examen de conscience. On entend par là le fait de prendre le temps de se demander chaque soir si l'on a fait le bien, si l'on a fait le mal, et comment. C'est une pratique tombée en désuétude, qui semble un peu «catho», culpabilisante aussi. Mais notre société n'est-elle pas allée trop loin dans le désir de libérer nos contemporains de la culpabilité? Parce que, une fois de plus, bien régulé, c'est un sentiment intéressant.

Je me souviens de deux patients à qui j'avais proposé de travailler sur l'examen de conscience. Puisque la culpabilité vous tourmente, leur disais-je, alors explorons-la jusqu'au bout, faisons un test, pendant quinze jours. Tous les soirs, vous allez vous demander : qu'est-ce que j'ai fait de mal aujourd'hui, mais aussi qu'est-ce que j'ai fait de bien? Pour voir, d'abord, si le «mal» est réel ou fantasmé ; et ensuite pour ne pas oublier de voir le bien. Ils devaient tenir un petit journal d'examen de conscience, mais en fait je me suis aperçu qu'ils étaient incapables de trouver le «bien» qu'ils avaient fait. On observe exactement la même chose avec les patients qui n'arrivent pas à relever des moments de bonheur. En reprenant leur journée, je leur montrais qu'ils avaient aussi été capables d'actes de gentillesse.

Parfois, on fait du mal aux autres sans s'en rendre compte : on n'est pas assez attentif à quelqu'un qui ne va pas bien alors qu'on ne l'avait pas remarqué, ou on a des paroles dont on n'a pas conscience qu'elles peuvent être blessantes. Au fond, c'est un peu inévitable quand on vit au milieu des gens ; ce sont les frottements du réel, liés à toute vie sociale. Le seul moyen de ne pas faire de mal serait de rester isolé dans sa cabane, de ne pas avoir d'interactions avec les autres. Ou d'adopter des prudences qui compliqueraient énormément notre vie. Cela me fait penser aux pratiquants de la religion jaïne en Inde : un de leurs principes centraux est l'Ahimsa, le désir de ne faire souffrir aucun être vivant. Du coup, les plus impliqués d'entre eux ont toujours un masque sur le visage, pour ne prendre le risque de ne pas avaler un insecte, et avancent parfois en balayant le sol devant eux, pour n'en écraser aucun. Altruisme très louable, mais un peu compliqué au quotidien, tout de même!

De la difficulté d'une éthique sincère et de l'éthique altruiste

MATTHIEU: Daniel Batson que je citais précédemment a beaucoup travaillé sur l'altruisme. Son livre, plus récent, sur la morale passe en revue de nombreux travaux de psychologie comportementale dont les résultats sont très intrigants. Plusieurs axes de recherche décrivent la manière dont le sens moral se développe chez l'enfant, bousculant quelque peu les idées reçues. Il s'avère que s'ils arrivent à dissimuler leur comportement, la plupart des enfants hésitent peu à se comporter d'une manière qui aurait attiré la réprobation des adultes, accompagnée d'une punition, s'ils avaient été pris en flagrant délit – chaparder le jouet d'un autre enfant par exemple. Le plus souvent, l'enfant ferait donc peu de cas de la morale en ce qui concerne ses propres actions. En revanche, si un *autre* enfant lui vole son jouet, il va généralement protester haut et fort en clamant qu'il est très «mal» d'agir ainsi. Conclusion: l'enfant promulgue la morale quand ça l'arrange pour s'assurer que les autres se comportent décemment à son égard, mais n'est pas gêné d'y contrevenir quand il peut le faire impunément.

De même, devenus adultes, nombre de gens donnent des leçons de morale, tout en se comportant en catimini à l'opposé des préceptes qu'ils professent. Ils deviennent experts en hypocrisie morale. Cela exige que l'on se trompe soi-même pour ne pas ressentir trop de culpabilité, laquelle est un sentiment déplaisant. Afin de rester en paix avec soi-même, on trouve donc des justifications très accommodantes. Comme le souligne Daniel Batson, dans de tels cas, on a besoin de rendre ses fautes morales invisibles aux yeux d'autrui et à soi-même.

La morale serait donc le plus souvent utilisée comme un instrument pour astreindre les autres à se comporter de manière éthique envers soi, et se protéger des comportements indésirables qu'ils pourraient nous infliger. L'intégrité morale existe, certes, mais elle serait faible chez la plupart des individus, surtout lorsqu'elle a un coût en matière d'avantages personnels.

Dans le *Gorgias* de Platon, Calliclès soutient que, dans la société, les faibles se servent de la morale pour réguler les actes des puissants ou des plus capables. Socrate n'est pas du même avis, mais il semblerait que Calliclès soit dans le vrai…

Pour en revenir à Daniel Batson, je dois vous avouer qu'au premier abord sa conclusion m'a décontenancé, surtout venant du premier psychologue qui a montré, par des protocoles scientifiques rigoureux, que l'altruisme véritable existait bel et bien, et qu'aucune explication plausible fondée sur l'égoïsme ne permettait de remettre en cause les résultats des vingt-cinq types d'études qu'il a menées, quinze ans durant. Batson distingue d'ailleurs la morale de l'altruisme, dont le but ne consiste pas à agir selon des principes moraux mais à accomplir le bien d'autrui. Pour le bouddhisme notamment, la compassion ne procède pas d'un jugement moral, elle vise à remédier aux causes de la souffrance, quelle que soit la forme qu'elle puisse prendre.

Quelques mois après avoir lu le livre de Batson, lors d'une rencontre de l'Institut Mind and Life organisée en mars 2018 à Dharamsala, le lieu de résidence du Dalaï-lama en Inde, j'étais avec une quinzaine de spécialistes de la petite enfance et de l'éducation. L'un de nos amis, Ilios Kotsou, m'a fait part d'une recherche scientifique très éclairante. Les chercheurs étudiaient le

« Vivre en commun
exige un sacrifice
pulsionnel.
Je ne peux pas
étrangler ma voisine
qui m'a fermé
la porte au nez,
ni dévaliser la librairie
du quartier. Il y a
des lois, des consignes
à respecter. »

harcèlement à l'école. Ils se sont livrés à une investigation appro-
fondie de l'état d'esprit de deux catégories d'enfants : les harceleurs
et les défenseurs. Il s'est avéré que les harceleurs étaient tout aussi
capables de raisonnements moraux que ceux qui défendaient les
opprimés. Ils étaient bien conscients du caractère « immoral » de
leurs actes, ce qui peut paraître surprenant. Je me demandais donc
pourquoi les harceleurs continuaient à perpétrer des actes qu'ils
considéraient eux-mêmes, et lucidement, comme immoraux.
L'étude, dont je parlais, m'a apporté une réponse très éclairante :
le harceleur éprouvant une satisfaction perverse à abuser de sa
victime peut être conscient de l'aspect immoral de ses attitudes,
mais il n'éprouve aucune pitié pour sa cible, du fait que bienveillance et malveillance sont mutuellement incompatibles dans le
même courant de pensée. Les défenseurs, eux, venaient au secours
de ces mêmes victimes mus par la compassion et la bienveillance.

D'autres chercheurs ont relevé l'importance de l'influence des
parents dans le comportement des enfants en matière de morale.
Plus les parents sont eux-mêmes cohérents en matière d'éthique
et ont une relation chaleureuse et bienveillante avec leurs enfants,
plus ceux-ci seront enclins à se comporter éthiquement.

Ces travaux semblent donc montrer qu'une éthique sans bien-
veillance reste lettre morte. Au cours de mon modeste exposé, à
Dharamsala, j'ai tenté de formuler les modalités d'une éthique
bienveillante. Elle commence par la constatation que, dans la
mesure du possible et sauf exception, je ne souhaite pas souffrir.
On peut alors raisonner comme suit :
- Je ne souhaite pas souffrir.
- J'accorde de la valeur à cette aspiration.
- Je suis concerné par l'accomplissement de cette aspiration.
- Je vais donc éviter ce qui peut causer la souffrance et accomplir
  ce qui me libère de la souffrance.

Ce raisonnement allie la motivation de ne pas souffrir au discernement qui m'éclaire sur qu'il convient de faire et de ne pas

faire. L'éthique consiste tout simplement à appliquer le même raisonnement à autrui : les autres ne souhaitent pas souffrir ; j'accorde de la valeur à leur aspiration ; je suis concerné par leur sort et je m'abstiens des actes qui causent leurs souffrances. On allie ainsi une motivation altruiste au discernement quant aux conséquences de nos actes sur autrui. S'il est souvent difficile de prédire les conséquences à long terme de nos actes, il est toujours possible d'examiner sincèrement notre motivation et de vérifier qu'elle est bien empreinte d'altruisme.

On pourrait arguer que l'enfer est pavé de bonnes intentions : on peut très bien vouloir faire le bien et manquer complètement de discernement dans l'accomplissement de cette louable intention. C'est pourquoi il faut s'affranchir de l'égarement et des distorsions de la réalité.

ALEXANDRE : *Que dois-je faire ?* (question de morale) ; *Comment vivre ?* (interrogation éthique) : ces deux chantiers peuvent ouvrir un itinéraire de libération. Augustin et sa fameuse formule *Dilige et quod vis fac* (« Aime et fais ce que tu veux ») montre bien la centralité de l'amour, de la charité. À ses yeux, si nous demeurons enracinés dans l'amour, nous ne pouvons que nous diriger vers le bien. Dans une lettre célèbre, il indique la voie : « Ce court précepte t'est donné une fois pour toutes : Aime et fais ce que tu veux. Si tu te tais, tais-toi par Amour, si tu parles, parle par Amour, si tu corriges, corrige par Amour, si tu pardonnes, pardonne par Amour. Aie au fond du cœur la racine de l'Amour : de cette racine, rien ne peut sortir de mauvais. » Nous voilà avisés. Plus besoin de corset moral, de règles de vie, de mode d'emploi.

Le hic, c'est que nous ne sommes pas encore des saints, que diverses motivations peuvent nous tirailler et nous revoilà plongés dans le thème de l'acrasie. Même avec la meilleure volonté du monde, comment arracher toute volonté de puissance, toute colère, tout mensonge, tout égoïsme ? Le combat paraît rude. À nouveau, d'un côté, la meilleure part de soi qui voit le bien, l'approuve, le désire ardemment, et les petitesses du quotidien, les faux pas, les dérapages. D'où peut-être l'intérêt d'une éthique, d'une morale, d'une boussole pour avancer, progresser, car, comme l'a bien vu Aristote, c'est en forgeant que l'on devient forgeron, c'est en pratiquant la tempérance, le courage, la justice, la modération, que l'on acquiert, chemin faisant, ces vertus.

Pourquoi agit-on moralement ? Calliclès, Nietzsche, Freud et bien d'autres viennent traquer les véritables motivations qui nous portent à *bien* agir. Sommes-nous vertueux, obéissants, « comme il faut », par peur du rejet, par conformisme, mus par un désir de plaire ou sommes-nous, comme l'appelait de tous ses vœux Augustin, réellement habités par une charité sans bornes qui nous porte naturellement au bien ? Enjeux éthiques et moraux assurément, immense défi qui vient décaper tout vernis et fait naître une liberté, un amour qui se donne pleinement, nuement, sans fards ni chichis.

MATTHIEU : André Comte-Sponville nous dit : « Nous n'avons besoin de morale que faute d'amour. » Si l'on est à l'écoute de la bienveillance inconditionnelle, la question de l'éthique est réglée, puisqu'il devient inconcevable de nuire sciemment à autrui.

ALEXANDRE : Foncer vers la liberté, quitter le point de vue étriqué de nos préjugés, élargir un cœur se vit toujours en situation. L'existence nous présente tous les jours des choix, parfois cornéliens. À quoi, à qui tendre l'oreille ? Vers où aller ? Que faire ? Évidemment, l'éthique comme la morale ont trait à la félicité, au vivre-ensemble, au bien commun. Sauf à sombrer dans une jungle sociale ou à tenter de confectionner notre bonheur repliés dans notre coin, nous sommes promis à une existence solidaire.

Dans les grandes lignes, l'éthique consiste à *bien faire l'homme ou la femme*, à grandir, à se perfectionner ensemble, à épanouir toutes les ressources qui habitent un cœur. Elle se traduit en un art de vivre, dans une ascèse, des exercices spirituels qui nous guident et nous conduisent vers la vie heureuse. Essayer de pratiquer la vertu, se mettre en route, c'est croire comme Aristote que le bonheur, le souverain bien, est ce en vue de quoi nous accomplissons toutes nos actions. Si je vis en société et non au fin fond d'une cabane, c'est bien parce que je pense que tous ensemble nous pouvons accéder à une joie, une paix, une grandeur que je ne saurais atteindre seul. Voir dans la morale seulement un carcan, un ramassis de consignes qui nous brimeraient, c'est oublier qu'on ne saurait bien vivre dans l'anarchie. D'où plein d'interrogations : Qu'est-ce qui me conduit à me rapprocher des autres ? Pourquoi je vis en compagnie de mes *congénères* ? Est-ce par peur, par horreur de la solitude, par curiosité ou par amour, don de soi ? Vivre en commun exige, comme l'a montré Freud, un sacrifice pulsionnel. Je ne peux pas étrangler ma voisine qui m'a fermé la porte au nez, ni dévaliser la librairie du quartier, ni faire une razzia à la pâtisserie du coin. Il y a des lois, des consignes à respecter.

Cependant, éthique et morale ne sauraient se réduire à la simple obéissance à une règle extérieure. Elles doivent trouver leur racine, leur origine dans l'intériorité, au cœur de l'intime. Tu citais tout à l'heure Kant qui nous propose une morale qu'on pourrait appeler du devoir. On connaît son célèbre impératif catégorique : « Agis de telle sorte que ton action puisse être érigée en loi universelle. » Mais que faire des cas particuliers ? Si je ne dois pas mentir, quelle aurait été l'action juste si, pendant la guerre, j'avais abrité des Juifs et que la Gestapo m'avait demandé si, oui ou non, j'avais hébergé des fugitifs ? Sans démonter le kantisme qui est bien plus complexe qu'on se l'imagine, on peut voir qu'il n'y a pas de règles figées qui nous couperaient de la vie, comme dirait le Dalaï-lama, et feraient de nous des mécaniques, des robots.

À côté de la conception morale de Kant, il y a l'option

conséquentialiste. Pour résumer, dans un choix, est juste l'alternative qui engendre les meilleures conséquences. Le hic, c'est bien sûr les critères qui serviront à déterminer le meilleur. Et comment éviter de sombrer dans des calculs d'épicier ? Une philosophe britannique, Philippa Foot, dans les années 1960, donne un fameux exemple qui sera repris par une de ses collègues, Judith Jarvis Thomson. Imaginons un tramway lancé à vive allure qui fonce sur cinq badauds qui ont le malheur de se trouver sur sa trajectoire. Un expédient peut tous les sauver. Il y a non loin de là un pont et sur ce pont un homme de forte taille. Il suffirait de pousser *malencontreusement* le gaillard pour que, dans sa chute, il active le levier de l'aiguillage et détourne ainsi le convoi fou, évitant au passage la mort de cinq parfaits innocents. Bien sûr, il y aurait un effet collatéral, la mort de ce brave gars. Que choisir ? Vers quelle alternative pencher ? Épargner cinq vies en sacrifiant ce malheureux ou ne jamais traiter qui que ce soit comme un moyen, pour le dire à la Kant ? D'où l'on voit que le calcul purement rationnel ne parvient pas toujours à apporter une solution. D'ailleurs, que serait une solution idéale ?

Écouter la boussole intérieure

ALEXANDRE : Sans trancher entre le kantisme et le conséquentialisme, nous voyons qu'une des bases de l'éthique et de la morale (pourquoi distinguer à tout prix ces deux termes…) exige de se rendre disponible, de quitter son point de vue étriqué. Nous pouvons devenir de véritables ayatollahs de notre vision du monde, l'imposer, partir en croisade, devenir des prosélytes de notre système d'évaluations. Entre un relativisme écervelé et l'absolutisation frénétique de nos jugements, gageons qu'il y a une place pour la liberté, la charité, la compassion.

Quant aux valeurs, aux jugements moraux, au bien et au mal, Nietzsche, dans *Ainsi parlait Zarathoustra*, parle des trois métamorphoses. D'abord, il y a le chameau, bête de somme qui ploie, qui plie sous les fardeaux, qui s'impose des devoirs et en redemande, pourrait-on dire. Puis vient le lion, qui rugit, s'insurge, se révolte, brise les tables des lois. Dans l'allégorie nietzschéenne, il y a enfin l'enfant qui joue avec le monde, retrouve l'innocence du devenir, qui crée.

L'innocence du devenir... Voilà qui dégage l'horizon quand la fausse culpabilité, les idéaux, les jugements implacables peuvent nous paralyser. La liberté de l'être humain se faufile entre les tentatives de réduire notre action à des modèles, à des schémas. Il n'y a pas de modes d'emploi pour bien agir. Toujours, nous sommes conviés à descendre, à oser rejoindre le fin fond de l'intériorité pour écouter notre boussole intérieure. À quoi prêtons-nous l'oreille matin, midi et soir ? À des commandements importés ? À la voix d'un ego blessé ? Se lancer dans les défis éthiques, oser la voie de la liberté, n'est-ce pas désobéir aux appels d'un moi pour se rendre disponible à la boussole intérieure qui laisse large place à l'autre et ne saurait s'enfermer sur elle-même ?

CHRISTOPHE : J'aime bien cette idée de boussole intérieure. Tous les travaux vont dans ce sens : notre boussole intérieure est naturellement tournée vers le bien. Chaque fois qu'on peut se connecter à elle, elle nous montre la bonne direction : quand on fait le bien, on se sent bien ; et quand on se sent bien, on fait le bien. Le problème, c'est que cette boussole peut être affolée par des perturbations émotionnelles. Chaque fois qu'on laisse la colère, la peur, la tristesse prendre une trop grande place en nous, cela crée de nouvelles polarisations mentales qui vont affoler l'aiguille de notre boussole. Et nous conduire vers des directions erronées. Elles sont transitoires, et quelques jours, quelques mois, ou quelques années après, on se dira : « Mais j'ai été dingue d'aller vers ça, de négliger mes valeurs, mon éthique, les intérêts des autres, etc. » Une fois de plus, on retombe sur l'importance de la clarté et de la paix nécessaires au recul et au discernement, pour prendre rapidement conscience de l'affolement de nos repères intérieurs.

ALEXANDRE: Écouter la boussole intérieure, voilà l'un des enjeux majeurs, le ressort de l'ascèse et de la méditation. Dépasser le cadre étroit de nos repères, des caprices, des intérêts personnels pour plonger au-delà de la peur, des lointains échos du passé, des conditionnements, des habitudes. Certes, il ne suffit pas de prêter l'oreille à sa conscience pour résoudre l'intégralité des dilemmes éthiques et avoir réponse à tout, ce qui nous enfermerait dans un solipsisme moral. Mais force est de constater que nous sommes happés par toutes sortes de sirènes : la complainte de la culpabilité, le diktat du qu'en-dira-t-on, la voix des remords, du *ne fais pas ci, ne fais pas ça.* Tout le défi réside dans le dialogue entre l'intériorité et les autres, l'universel et le singulier.

CHRISTOPHE: À propos de cette articulation des repères extérieurs et des repères intérieurs, il semble que les règles sociales imposées de l'extérieur ne puissent fonctionner que si elles correspondent à des structures cérébrales, à des sortes de pré-valeurs intérieures, souvent indiquées par nos réactions émotionnelles. Ainsi, l'altruisme et la fraternité peuvent être facilement appris à un enfant parce que son cerveau y est prédisposé. Mais prédisposition ne veut pas dire obligation : sans éducation, ou avec une éducation de sens inverse (poussant à l'égoïsme et à la compétition), ces tendances innées resteront dormantes, ou pourront même être durablement désactivées.

MATTHIEU: La morale par obligation est faite d'une série de grandes règles, adoptées par tout le monde et par toutes les religions (ne pas tuer, ne pas voler, ne pas mentir). Mais quand ces règles sont gravées dans la pierre des lois sans être réellement intériorisées dans les mentalités collectives, et qu'elles ne tolèrent aucune exception, elles peuvent amener à nuire. C'est là que la boussole intérieure doit montrer le cap. L'exemple du grand sage indien Nagarjuna me vient à l'esprit. Son comportement était éthiquement parfait. Une année, une famine se déclara dans son village. Tandis que les villageois commençaient à mourir de faim, un riche brahmane thésaurisait d'immenses quantités de riz et autres céréales dans ses granges. Nagarjuna organisa un cambriolage desdites granges (tout en laissant bien sûr au brahmane de quoi survivre) et sauver le village. Déontologiquement c'était du vol; du point de vue de l'éthique bienveillante, c'était une nécessité.

Aristote disait aussi que l'on devient vertueux en *pratiquant* la vertu, ce qui permet d'intérioriser la morale jusqu'à ce qu'elle s'exprime spontanément dans nos comportements. Mais cette intériorisation, comme toute autre forme d'entraînement de l'esprit, requiert des efforts soutenus. S'efforcer systématiquement d'imaginer ce que l'autre ressent augmente notre sollicitude à son égard et nous incite à nous comporter de manière éthique. La lecture de grands romanciers sociaux – Balzac (*La Comédie humaine*), Hugo (*Les Misérables*), Dickens (*Oliver Twist*), Harriet Beecher Stowe (*La Case de l'oncle Tom*), Upton Sinclair (*La Jungle*), Steinbeck (*Les Raisins de la colère*) – éclaire notre empathie, aiguillonne notre révolte contre l'injustice et nourrit notre sens moral.

ALEXANDRE: Dans *La Généalogie de la morale*, Nietzsche dit que nous ne nous connaissons pas, nous qui cherchons la connaissance... Que désirons-nous véritablement? Quelles valeurs orientent nos actions? Pourquoi nous livrons-nous à l'altruisme, à la pratique? Est-ce par désintérêt, par pur don de soi? Comment décaper les préjugés, les a priori, les traumatismes qui façonnent notre vision du monde et nos choix? Avancer vers la liberté passe peut-être inévitablement par une petite généalogie de notre morale toute personnelle, car derrière l'acte le plus désintéressé du monde peuvent s'immiscer une volonté de puissance, une soif d'emprise très coriace, un désir de compensation, un besoin de réparation, peut-être. Enfant, à l'institut, je voyais défiler les bénévoles. Une fois par an, nous recevions la visite de quelques politiciens. Je me souviens encore de ces hommes qui cherchaient du regard quelque approbation en serrant la main aux *pauvres handicapés*. Nulle réciprocité, aucun lien ne se tissait ce jour-là.

MATTHIEU : Comme ceux qui font de la charité pour convertir des gens pauvres. En Inde, dans les années 1970, on appelait « *rice Christians* » ceux qui se convertissaient au christianisme en échange d'un sac de cinquante kilos de riz.

CHRISTOPHE : Oui, la morale ressemble au départ, ou de l'extérieur, à un ensemble de contraintes, mais ces contraintes doivent être librement choisies et non seulement imposées. D'autre part, elles ouvrent un espace de liberté plus grand que celui offert par l'absence de règles morales. Ce dernier état est ce que l'on appelle l'« anomie », une absence de normes théorisée par le sociologue Émile Durkheim. Cette anomie semble prisée de nos sociétés modernes et relativistes (tout point de vue est défendable, il ne faut pas juger, etc.), où il est souvent « interdit d'interdire », selon le célèbre slogan de mai 1968. Mais il semble, comme le montrent les travaux sur les sociétés matérialistes, qui sont des sociétés de la consommation et du relativisme anomique, qu'elle débouche sur davantage d'anxiété et d'égoïsme, qui sont deux formes de perte de liberté. Et à l'inverse, comme l'écrit Rousseau : « L'obéissance à la loi qu'on s'est prescrite est liberté. »

MATTHIEU : Si, pour se traduire en actes cohérents, la morale doit être imprégnée d'altruisme, il importe que, conjointement aux efforts altruistes, nous nous libérions du joug de l'ignorance, des poisons mentaux et du sentiment exacerbé de l'importance de soi. Un comportement moral sera donc, à l'égal de la sagesse et de l'amour altruiste, l'une des moissons principales de la liberté intérieure.

BOÎTE À OUTILS POUR UNE ÉTHIQUE QUOTIDIENNE

ALEXANDRE

- *Socrate est notre maître* quand il nous invite à nous connaître nous-mêmes et à aiguiser notre sens du vrai pour nous écarter allègrement de ce qui nous plombe et nous conduit dans des culs-de-sac. Le suivre, moissonner dans la liberté, c'est peut-être déjà prêter l'oreille à notre boussole, à ce « démon » pour reprendre son terme, cette voix intérieure qui agit comme une alarme, un messager, un guide.

- *La leçon de Nietzsche* : Chacun se dépêtre peut-être dans une mythologie toute personnelle. Il se peut que nous ayons décrété au fil du temps ce qu'est le bon, le bien et le mal, où se trouve le bonheur, quelle est la règle de conduite qu'il faut suivre mordicus. Philosopher « à coups de marteau », comme dirait Nietzsche, c'est examiner les valeurs, les points de vue auxquels nous tenons pour voir s'ils nous élèvent, s'ils nous grandissent ou nous plombent, nous figent, nous ratatinent.

- *Une nécessaire bienveillance* : Si le sentiment de culpabilité peut être un tonique garde-fou qui nous empêche de foncer droit dans le mur, la honte, le mépris de soi ne rend personne meilleur. Quel regard jetons-nous sur nos faux pas, sur les travers des autres ? Sommes-nous des procureurs, des juges implacables ? Et si nous considérions les rechutes, les terrains acrasiques de notre vie avec les yeux d'un mécanicien bienveillant qui s'engage corps et âme à retaper les tôles froissées ?

- *Un questionnement* : Qu'est-ce qu'une vie bonne ? (Question éthique et… morale par excellence.) À quoi aspirons-nous au plus profond de notre être ? Pourquoi ne pas nous livrer à un exercice stoïcien en nous imaginant sur notre lit de mort ? Qu'est-ce qui a réellement du prix dans notre existence ? Quels comportements, quelles actions incarnent la quintessence de ce que nous sommes ?

MATTHIEU

- *Examiner sincèrement notre motivation* : «Suis-je sur le point d'agir de manière entièrement égoïste ou en prenant le sort des autres en considération ? Ai-je à l'esprit quelques individus ou le plus grand nombre ? À court ou à long terme ?»
- *Ensuite, mettre en jeu le discernement* : Il conduit à prendre la décision la plus avisée pour le bien du plus grand nombre, sur le long terme.
- *Fonder notre éthique sur une bienveillance inconditionnelle* : Quelle serait la meilleure décision à prendre si je n'avais en vue que le bien des autres ? Ensuite, considérer de manière réaliste comment nous pouvons combiner cette vision avec nos capacités d'action, l'énergie et le temps dont nous disposons et nos propres aspirations à être heureux.

CHRISTOPHE

- *L'éthique nous est bénéfique* : La morale est indispensable à toute vie en société, mais aussi à notre équilibre intérieur. L'anomie, cette absence de règles régissant nos comportements sociaux, aboutit forcément à de l'anxiété chez les individus (voyez les problèmes psychologiques des «enfants-rois», mal cadrés par leurs parents et refusant toute règle et toute contrainte) et des violences mutuelles au sein des groupes.
- *L'examen de conscience* : Si l'on n'est pas philosophe, une façon simple de faire vivre l'éthique en soi est l'examen de conscience, cette introspection conduite à la lumière de la morale : régulièrement se demander quel Bien et quel Mal nous avons fait autour de nous. Pourquoi, comment ? Et en tirer les leçons.
- *Écouter nos émotions* : Elles nous mettent souvent sur la piste ! Si nous avons «mal agi», si nous avons inutilement fait souffrir, il est rare que nous nous sentions heureux. Et à l'inverse, lorsque nous avons fait du bien, nous nous sentons toujours mieux. C'est simple, finalement !

« *À peine de retour de Corée où j'avais passé trois ans à tenter de m'initier à la méditation et à fréquenter les Évangiles, je me suis retrouvé nez à nez avec un étrange personnage qui m'a fait froid dans le dos. Je traversais une zone de turbulences assez carabinée qui me rendait un brin sensible et pour tout dire très fragile. Dans les pissotières d'un restaurant de Lausanne, tandis que je soulageais ma vessie, un gars est entré. On aurait dit une véritable scène de saloon. En me regardant droit dans les yeux, il m'a lancé : "T'es pas viril, Jollien! On vit dans un monde en guerre! La gentillesse, la bien-veillance, les Bisounours, on en a marre!"*

Sur le coup, je n'ai pas eu la force de dégainer quelques répliques bien senties pour lui signifier que, par exemple, la générosité est tout sauf mièvre, qu'au contraire elle procède d'un sublime courage, qu'elle est de la dynamite bien capable de faire péter les égoïsmes, la brutalité, la soif de vengeance, en douceur. J'aurais rêvé de lui rétorquer façon Tarantino : "C'est bon, mec? T'as tout dit? On peut passer à autre chose?" Pourquoi des levées de boucliers quand il s'agit de promouvoir le non-égoïsme, le don de soi et la cessation de tout combat? Aujourd'hui, la rébellion ne se trouve-t-elle pas justement du côté de l'altruisme, de la douceur, de la générosité? Nous faudrait-il devenir durs parce que le monde est dur? Que répondre aux esprits chagrins, aux âmes de shérifs, aux cow-boys qui exaltent l'affirmation de soi, la puissance…? Pourquoi diable associer la non-lutte à une lâcheté? N'y a-t-il pas une peur énorme derrière la volonté de se réfugier sous une armure, à adopter une posture de guerre? "T'es pas viril!…"

Insécurisé au possible, ébranlé, chancelant, je suis sorti des cabinets avec le sentiment d'une immense vulnéra-bilité. Pratiquer la solidarité, considérer l'autre comme un coéquipier embarqué sur la même galère, n'allait donc pas de soi… Ce soir-là, j'ai ressenti une immense solitude. **»**

Alexandre

19
LA BIENVEILLANCE INCONDITIONNELLE

CHRISTOPHE : Comme quoi, les philosophes philosophent partout, même dans les toilettes ! Diogène, qui urinait volontiers en pleine rue, aurait aimé ton histoire ! Souvenez-vous, les amis, lorsque nous faisions la promo de notre précédent livre, le nombre de fois où nous avons été interpellés (plus poliment, certes) sur ce thème de la bienveillance naïve dans un monde où guerres et malveillances ne manquent pas… C'est toujours le même malentendu : parce que le monde est dur, il faudrait être dur, ou plutôt n'être que dur, tout le temps. Difficile pour beaucoup de personnes de comprendre qu'on peut s'activer pour changer le monde tout en s'efforçant de rester bienveillants. Et que c'est justement parce que le monde héberge déjà suffisamment de violence qu'il faut aussi des humains bienveillants pour le rendre vivable. C'est l'un des principes de la nouvelle génération de recherches sur la psychologie positive : le bonheur non pour oublier le malheur, lui faire écran, ou se démobiliser, mais plutôt pour mieux affronter l'adversité, pour y puiser la force d'agir…

Naïve, la bienveillance ?

ALEXANDRE : Le moins que l'on puisse dire, c'est que le cowboy des pissotières m'a sacrément secoué. Sa réaction m'interpelle, décape et révèle peut-être le risque de faire le beau, le gentil, même sur le terrain de la spiritualité, d'adopter un altruisme de façade comme un paravent pour éviter les coups quand la véritable compassion se situe ailleurs, au fond du fond et se moque du désir de plaire.

CHRISTOPHE : La scène que tu décris était vraiment une rencontre féconde ! C'est drôle comme de petits moments brefs et désagréables peuvent nous pousser à réfléchir sur des choses importantes ! Il est néanmoins vrai que ces histoires de posture peuvent être agaçantes. Je vois parfois cela dans les milieux de la méditation : ces maîtres ou ces élèves qui arborent toujours un sourire éthéré aux lèvres, comme pour mieux montrer leur différence et leur zénitude. J'appelle ça la zen-attitude. Parfois, c'est presque « trop » : trop onctueux comme on le disait autrefois de certains ecclésiastiques, trop permanent, trop systématique, trop en désaccord avec ce que l'on sait des conflits et des luttes d'ego en coulisses de leurs associations et organisations. Faire le beau avec sa bienveillance, cela existe aussi. Certaines photos mises en avant sur les réseaux sociaux me mettent mal à l'aise : on a l'impression que la pose est prise pour « maximiser » le regard bienveillant… Mais bon, peut-être certaines personnes disent-elles aussi la même chose à propos de nos propres photos ! La bienveillance n'a rien à prouver, elle n'a pas à s'afficher, à s'exhiber. Et elle n'empêche pas les conflits ni les désaccords : elle fait simplement en sorte qu'on n'en rajoute pas dans le registre agressif ou rejetant.

ALEXANDRE : À une autre occasion, j'ai quelque peu pété un câble, incapable de *gérer* l'émotion. Au milieu d'une rame archibondée, dans le métro, alors que je rentrais avec mon fils d'une superbe balade sous un soleil magnifique, je me suis pris de plein fouet les soupçons d'un passager qui, après m'avoir dévisagé de la tête aux pieds, m'a prévenu : « Éloigne-toi de ce gosse ! Si tu t'en approches encore, je te préviens, j'appelle les flics. » Comment expliquer gentiment à ce monsieur qu'il n'y avait pas de problème, que j'étais l'heureux papa de ce garçon ? Pourquoi ne pas y aller carrément et le remercier pour sa sollicitude ?

Sur le coup, c'est un homme paniqué qui a réagi comme si une ancienne révolte se réveillait. Chamboulé, triste et secoué, je n'ai rien trouvé de mieux que de hurler en plein wagon : « Pauvre type, tu te rends compte du paquet de préjugés que tu te trimballes. Je suis son papa, je suis son papa ! Tu m'entends, je suis son père ! » Non, il ne suffit pas d'arborer la politesse, la courtoisie, pour être vraiment bon. Le cow-boy des pissotières comme le gars dans le métro m'invitent à jeter un regard un brin généalogique sur les véritables motivations qui me poussent à rencontrer l'autre. Les gentillesses, la civilité, l'empressement ne sont pas une monnaie d'échange pour obtenir un retour sur investissement. Oser aimer sans pourquoi, gratuitement, voilà le défi du quotidien qui se joue au milieu des grincements, des frictions, du stress et de l'incompréhension, parfois !

CHRISTOPHE : Elle est sacrément violente, ton histoire dans le métro ! Le réel, dans les pissotières ou dans le métro, ne prend pas de gants pour nous rappeler que ce monde est bien perfectible ! Comme tu le dis, c'est un défi quotidien, un travail de chaque instant pour encaisser ces agressions sans devenir agressifs nous-mêmes. Les personnes qui nous agressent ne sont pas en règle avec elles-mêmes, bien évidemment. Et elles le font payer à leur entourage, qu'il soit de passage, comme dans ta rencontre avec le cow-boy des pissotières ou le gars dans le métro, ou qu'il soit habituel ; il y a des risques que tes deux interlocuteurs soient encore plus pesants et agressifs avec leurs proches et leurs collègues. Étonnamment, beaucoup de personnes sont très attachées à leur colère et à leur haine, et les transmettent à autrui comme pour valider leur vision du monde. Tout simplement parce que derrière leur colère et leur haine, il y a leurs peurs et leurs souffrances. Et renoncer aux premières les obligerait à affronter les secondes…

Visages de la bienveillance

ALEXANDRE : Un jour, tu m'as donné une sacrée leçon, Matthieu. Je donnais une conférence en ta compagnie et, lors des questions, un homme s'est fendu d'un discours qui n'en finissait pas de finir. L'agacement de certains participants était palpable et je ne savais que dire, craignant de heurter notre interlocuteur. Je me souviens de tes mots : « Sans vouloir vous interrompre le moins du monde, je pense qu'on va s'arrêter là. Merci et bonne soirée à tous ! » Je m'enfermais dans la posture de celui qui écoute, qui comprend, qui accepte tout alors que la liberté intérieure, le courage, la compassion réclamaient une attitude bien plus subtile. Vivre par-delà la peur de déplaire nous conduit à un amour plus pur, plus libre. Il y a peut-être deux sortes d'indépendance à l'endroit du qu'en-dira-t-on, la suffisance d'un Trump qui se fout éperdument de l'opinion des autres, et la liberté du sage, du saint qui s'est affranchi. Souvent, les maîtres zen usent d'une douce fermeté pour désorienter l'ego du disciple quand la flatterie l'enchaînerait à perpétuité à l'insatisfaction sans le guérir jamais. Une compassion infinie n'exclut pas, au contraire, une exigence. Elle respecte le prochain, le prend au sérieux, l'aime.

MATTHIEU : Je crois qu'il est utile de distinguer affabilité et bienveillance, fermeté et dureté. La bienveillance doit toujours être présente, inconditionnellement. Même quand on est confronté à un cow-boy des pissotières, on ne peut pas répondre par l'hostilité, on ne peut pas vouloir sciemment du mal à cette personne. Rien de bon ne peut en sortir, rien qu'une escalade de la violence.

La gentillesse est l'expression normale de la bienveillance quand les gens se comportent de manière décente les uns envers les autres, ce qui est le cas la majorité du temps. Au lieu de montrer une tête renfrognée au tout-venant, on l'aborde avec gentillesse. La gentillesse est le visage de la bienveillance.

La bienveillance est une attitude intérieure; la gentillesse est une manifestation extérieure que l'on peut déceler dans nos expressions faciales, notre posture corporelle, et le ton de notre voix. L'idéal serait d'aborder tout le monde avec bienveillance et d'accueillir l'autre par un sourire. Dans ton histoire, Alexandre, tu sors de l'urinoir et avant même que tu aies pu exprimer la moindre bienveillance, le cow-boy te rentre dans le chou. Si tu tentes de le désarmer par un sourire, il y a peu chance que cela marche : le gars veut à tout prix casser la vaisselle. C'est donc plutôt la fermeté qui s'impose. Tu n'as rien à te reprocher, tu restes intérieurement calme, bienveillant, mais droit dans tes bottes. L'irruption d'un grossier personnage n'a aucune raison de remettre en question la justesse de ton attitude intérieure et donc de te déstabiliser. Pour sûr, c'est plus facile à dire qu'à vivre face à un rustre qui n'a rien à cirer de la bienveillance.

Dans des circonstances appropriées, la bienveillance peut donc s'exprimer par la fermeté. Il est vain de sourire benoîtement à notre agresseur. Mieux vaut être ferme avec lui, sans animosité, afin de ne pas encourager sa manière d'être et d'agir.

La dureté, en revanche, blesse autrui. On durcit son esprit et on dégaine, comme tu le dis, avec une rafale de paroles acerbes. Ton interlocuteur sera peiné ou se mettra en colère. Dans ce dernier cas, l'escalade de l'agressivité est mise en branle.

Quant à la tolérance, elle peut, selon les cas, être une preuve d'ouverture constructive ou de passivité néfaste. Un médecin « tolère » un fou furieux au lieu de le tabasser, parce que sa mission est de le soigner. Mais personne n'est censé accepter l'inacceptable et la tolérance ne doit pas engendrer une attitude permissive au regard de l'injustice, de la discrimination, de la violence… L'ouverture d'esprit va de pair avec un certain calme et permet d'accepter la réalité comme point de départ vers un changement désirable. Si l'on n'est pas soi-même emporté par le maelström des passions, on sera plus apte à considérer posément la meilleure marche à suivre. Ton cow-boy était sans doute tout aussi cow-boy avec ses proches et avec ses collègues au travail. Réagir avec un wagon de dynamite n'aurait rendu service à personne, ni à toi ni à lui, ni à ses victimes passées et futures. Cela ne veut pas dire qu'il faille se transformer en paillasson : il est bon de conserver sa dignité, puis de considérer le meilleur antidote à sa grossièreté.

Dans le cas de l'incident du métro, je comprends très bien que tu aies explosé d'indignation. La rudesse et le manque total de tact, de maturité et de discernement de cette personne font mal rien que d'y penser – même si quelque part son intention première n'était pas de nuire. Tu as vécu ainsi deux extrêmes : ne pas réagir face au cow-boy et péter les plombs face au type du métro. Tu t'es rendu compte a posteriori que ni l'une ni l'autre de tes réponses n'étaient idéales. Les réactions face à des provocations de ce genre sont souvent des indicateurs des progrès accomplis et du chemin qu'il nous reste à parcourir. Peu à peu, en amplifiant notre liberté intérieure, nous apprenons à conserver notre équilibre sur la voie du milieu : une assurance tranquille, une bienveillance discrète, mais solide, quelques mots simples et posés, accompagnés d'un sourire confiant montrant que l'on ne tombe pas dans le piège de l'agressivité, peuvent désarmer la brutalité voire l'hostilité de la personne qui vous provoque ou vous agresse. Si cela marche, tant mieux. Sinon, on évite au moins de tomber soi-même dans le panneau, d'être happé par la spirale ascendante de la violence au sein de laquelle tout le monde est perdant. Dans le cas du métro, j'imagine que si tu avais dit, calmement, mais à voix haute de manière à être entendu de tous : «Monsieur, merci de vous soucier de cet enfant qui n'est autre que mon fils et que j'aime de tout mon cœur», il aurait été mortifié d'avoir agi de manière si violente et inappropriée.

Une manière inattendue de réagir, un coup de culot, peut parfois décontenancer l'agresseur. Un témoin direct m'a raconté une anecdote à propos de Trungpa Rinpotché, un maître tibétain, que tu as beaucoup lu, Alexandre. Il a longtemps vécu aux USA et n'hésitait pas à s'affranchir des conventions ordinaires. Un jour, la personne qui le conduisait s'est arrêtée à une station-service sur une autoroute. Pour une raison futile − il n'était pas bien garé −, un énorme type, avec un chapeau de cow-boy (encore un !), s'est approché de la vitre ouverte, du côté où était assis Trungpa Rinpotché, et, avec une attitude menaçante, lui a déversé un torrent d'injures. Il se trouve qu'un enfant avait laissé un pistolet à eau dans la voiture. Trungpa Rinpotché s'en est saisi, l'a pointé vers l'homme et lui a aspergé le visage en disant calmement : « *You, chicken !* » («Eh, toi, poule mouillée !»). Le mélange de stupéfaction et de peur sans doute (on sait qu'aux États-Unis beaucoup de gens sont armés et font malheureusement souvent usage de leurs armes) fut tel que l'homme, médusé, contempla Trungpa Rinpotché quelques instants sans rien dire, puis s'écarta, laissant partir la voiture. Il faut évidemment être suprêmement sûr de soi pour se risquer à ce genre de réplique !

Une des moissons de la liberté intérieure est donc de pouvoir maintenir une parfaite lucidité à tout moment, sans se laisser emporter par les flots troubles de la confusion mentale. Cela nous permet aussi d'avoir un esprit spacieux qui accueille avec aisance toutes sortes de circonstances, favorables ou adverses, sans en être indisposé. Cette liberté permet de surcroît d'avoir un jugement fiable sur les meilleures réponses à apporter aux situations conflictuelles.

Bienfaisance et bienveilleurs au quotidien

CHRISTOPHE : Trungpa Rinpotché avait mis en veilleuse son logiciel mental de bienveillance et activé celui de l'humour ! Mais pour celles et ceux qui ne sont pas des maîtres, réfléchissons sur les étapes pour aller vers davantage de bienveillance...

Il y a la bienveillance naturelle, envers les gens que nous aimons et ceux que nous connaissons. Nos efforts consistent juste à la garder vivante, même les jours de fatigue et de mauvaise humeur ; ce qui nous permettra de constater d'ailleurs que se montrer tranquillement bienveillant nous fait du bien et nous remonte souvent le moral. Parce que cela nous défocalise de nous-mêmes, et qu'en général, cela nous fait vivre des moments agréables, des émotions positives.

Puis il y a la bienveillance envers les inconnus que l'on croise et qu'on ne reverra jamais, qui nécessite que nous ayons notre petit logiciel cérébral de bienveillance déjà allumé dans notre tête ; d'où l'intérêt de petits exercices – de « pratiques » comme tu dis souvent, Matthieu – de méditations matinales sur ce thème.

Un peu plus difficile sans doute, la bienveillance envers les gens différents de nous, par leur comportement, leur philosophie de vie, leur culture. Je me souviens d'une discussion avec un patient : il me racontait qu'il avait tendance à ne faire l'aumône qu'aux gens qui *faisaient* quelque chose – aux musiciens par exemple, dans le métro – mais qu'il ne donnait rien à celles et ceux qui passaient en réclamant une petite pièce. Et plus ils étaient agressifs, moins il donnait. Il se disait : je ne donne qu'aux gens qui le « méritent ». Mais en fait, cette réaction (que j'observe parfois en moi) a quelque chose d'absurde : elle part de nos besoins à nous, au lieu de partir des besoins de l'autre. La bienveillance n'a rien à voir avec l'approbation ; en tout cas, elle ne doit pas se limiter aux personnes obéissant à la même logique que nous. Concernant l'aumône, cette logique a aussi quelque chose d'absurde : ce sont souvent ceux qui ne sont même pas fichus de jouer de la musique ou de se montrer polis qui sont le plus en difficulté sociale, et ont le plus besoin d'aide. Il y a donc un côté paradoxal à donner selon les mérites estimés de l'autre ou selon notre humeur – si on est de bon poil on donne, si on est de mauvais poil on ne donne pas. Tout cela constitue des obstacles qu'il nous faut surmonter. Même si je comprends bien la logique du patient qui se disait : je préfère encourager les comportements adaptés plutôt que les attitudes inadaptées. Mais la bienveillance a aussi pour mission de corriger des inégalités et des détresses, pas de valider un ordre social.

MATTHIEU : La pratique de l'altruisme et de la compassion n'a pas pour but de récompenser une bonne conduite, et son absence n'est pas une sanction punissant des comportements répréhensibles. L'altruisme et la compassion ne sont pas fondés sur des jugements moraux, même s'ils n'excluent certes pas ces jugements. La compassion en particulier a pour but d'éliminer toutes les souffrances individuelles, quelles qu'elles soient, où qu'elles soient, et quelles qu'en soient les causes. Considérés de la sorte, l'altruisme et la compassion peuvent être impartiaux et illimités.

ALEXANDRE : Le maître zen Dainin Katagiri rappelle que pour le bouddhisme il est trois formes de don : le soutien matériel – vital pour celui qui est dans le besoin –, la transmission de l'enseignement – quoi de plus précieux qu'écouter le Dharma –, et enfin le don de la non-peur. Lorsque je bataillais contre l'addiction, enlisé dans une vie clandestine, la mort dans l'âme, j'ai souvent rêvé d'une polyclinique, d'un guichet où je serais accueilli avec mon paquet de blessures, de projections et d'attachements, sans jugement. Parfois, le quotidien nous apporte ses médecins, ses guérisseurs, ses mécanos de l'âme qui nous donnent la force de croire en la bonté de la vie et de nous mettre en route vers la grande santé. Les sages, les maîtres, Jésus comme le Bouddha, sont de puissants libérateurs. Dans l'Évangile de saint Luc, 5, 31-32, nous pouvons lire ces paroles de Jésus : « N'ont pas besoin de médecin les bien-portants, mais ceux qui vont mal. » À notre tour, nous pouvons, quelles que soient nos blessures, avec les forces du jour, devenir des polycliniciennes ou des polycliniciens, nous aimer les uns et les autres et nous retaper ensemble.

CHRISTOPHE : Il y a aussi une notion qui m'intéresse, c'est celle d'un « devoir » de bienveillance. Puisqu'on est à une époque où l'on parle beaucoup de « devoir d'ingérence », par exemple, n'y a-t-il pas, pour tout humain, une notion de bienveillance conçue comme un devoir lié à toute forme de vie en société ?

Depuis quelques années, on voit paraître des publications sur des individus qu'on appelle les « *toxic handlers* », ce qu'on pourrait traduire en français par les « bienveilleurs ». Ces observations portent souvent sur des salariés en entreprise qui se montrent régulièrement bienveillants avec leurs collègues, qui vont vers celles et ceux qui ont du mal au boulot, déminent les souffrances liées au travail ; mais il peut y avoir des bienveilleurs dans tous les groupes humains. De manière naturelle, ces personnes réconfortent, aident et dispensent de la bienveillance autour d'elles, chaque jour, à petites doses, de manière discrète, sans se mettre en avant, et souvent sans même en parler, tant cela leur paraît normal, tant cela fait partie de leur manière d'être, de leur vision du monde. Cela rejoint la « banalité du bien » dont parle souvent Matthieu. Ces gens sont souvent invisibles, jamais reconnus pour le rôle qu'ils jouent en tant que dispensateurs de bienveillance, parce qu'ils ne le font pas pour se mettre en avant ni parce que c'est leur métier, mais juste parce que c'est leur nature et qu'ils considèrent cela comme normal.

Quand on comprend ce concept et qu'on regarde autour de soi, on constate qu'il y a beaucoup de bienveilleurs, et que s'ils disparaissaient, les groupes sur lesquels ils « veillent » se casseraient la figure. C'est ce qui se passe quand, dans une famille, un bienveilleur meurt : tout à coup, la cohésion s'effrite, tout le monde se dispute. La mort de mon grand-père, auquel j'étais très attaché et qui m'a transmis beaucoup de ses valeurs, a provoqué dans notre famille une espèce de catastrophe écologique sur le plan relationnel et émotionnel : des conflits sont rapidement apparus, qui n'ont plus guère cessé ensuite… De même, dans un service hospitalier où je travaillais autrefois, une infirmière de l'accueil était partie à la retraite, et son absence s'était nettement sentie dans l'ambiance de travail, parce que c'était une grande dispensatrice de bienveillance. Le genre de personne qui, chaque fois que quelqu'un se plaignait à elle, essayait de pousser à arrondir les angles, au lieu de souffler sur les braises.

ALEXANDRE : Lumineuse invitation à devenir des « bienveilleurs », à veiller au bien, à œuvrer au bien. Parfois, en pleine pagaille, je crois entendre cet appel : « Dans une zone de conflits, quand il y a du grabuge dans l'air, tu te fais illico *casque bleu*. Tu fonces gentiment sur le champ de bataille et tranquillement, tu essaies de sécuriser tout le monde, tu démines, tu apaises sans jamais jeter de l'huile sur le feu, et quand ta mission est accomplie tu te retires tranquillement sans demander quoi que ce soit. Ton salaire, c'est la paix ! » Toutes les traditions spirituelles invitent à la non-violence, à la compassion, au respect absolu de l'altérité. Saisissant contraste avec ces chroniqueurs télé, véritables snipers, payés pour dézinguer leurs invités.

Le « bienveilleur », le polyclinicien, avec ses coups de main, sa présence, grâce à un mot, une attention vient peut-être rappeler à celles et ceux qui désespèrent la bonté de la vie. Il aide le progressant à s'inscrire dans une dynamique quand le découragement, la noirceur peuvent gagner du terrain. J'admire beaucoup ces thérapeutes du quotidien, ces secouristes de l'âme qui soulagent, épaulent, soutiennent jour après jour celles et ceux qui pourraient ployer sous les coups du sort.

J'ai pour ma part essayé un petit stage dans un service de soins palliatifs. Désireux de prêter main-forte, j'ai totalement surestimé mes capacités. Sur le moment, je savais me montrer bienveillant, à l'écoute. Je crois que je faisais plutôt pas mal mon boulot, mais de retour à la maison, je n'étais que peur, angoisse, demandant mille fois par jour à mes enfants s'ils ne souffraient pas de maux de tête. Hanté par l'idée qu'ils me claquent dans les mains, happé par l'émotion, et pour tout dire au fond du trou, je m'enlisais, incapable de faire circuler la confiance, la joie, la détente.

CHRISTOPHE : Ce que tu dis est important : la bienveillance peut parfois s'exprimer en régime de croisière, sans effort, mais il y a aussi des circonstances où elle nous est difficile : face à des situations très douloureuses et émotionnellement remuantes, comme ce que tu vivais en soins palliatifs. Mais à mon avis, ce n'était peut-être pas la bienveillance le problème, ce qui te déstabilisait c'était la montée d'angoisse que provoquait cette confrontation régulière à des personnes souffrant de maladies mortelles ; personne ne peut rester intact et tranquille dans ces circonstances.

Mais tu as aussi parlé d'un type de circonstances où la bienveillance est difficile : face à des personnes agressives, de manière délibérée, par exemple pour faire de l'audience à la télé ou dans les médias. Ce que tu dis, Alex, des commentateurs télé dont le boulot est de dire des méchancetés, me rappelle la discussion que nous avons eue sur l'entraînement de l'esprit. Non seulement le principe de ces mises à mort publiques pour faire rire les spectateurs est moralement gênant, mais cela rejoint aussi ce qu'on disait sur l'entraînement de l'esprit. Le problème de la médisance, de la malveillance, c'est qu'elles nous exercent à voir les mauvais côtés des êtres humains, elles nous apprennent une sorte de claudication du regard : on est borgne, on ne voit plus que les mauvais côtés des autres, leurs faiblesses, leurs défauts. Et face à ces défauts, que fait-on ? On se moque, on chambre, on

« La haine n'a pas
de bon côté, zéro.
C'est l'ennemi par
excellence, l'ennemi
du bien-être,
l'ennemi de la bonté,
le geôlier de la liberté
intérieure. »

met à distance (« nous, on n'est pas comme ça, on est des malins ») et finalement on rejette ! Ces émissions n'ont rien d'anodin, et sous prétexte de faire rire ou de provoquer un pseudo-débat, elles stimulent nos plus mauvais côtés. Et à force de ne pas cultiver la fonction de bienveillance, on devient aveugle, on n'est plus capable que de faire fonctionner ces mauvais côtés en nous, et de ne plus voir qu'eux chez les autres.

ALEXANDRE : Reste à savoir pourquoi cette corrida qui flatte nos plus bas instincts fait mouche ? Pourquoi pouvons-nous rester accrochés, saisis par cette nouvelle forme de jeux du cirque ?

CHRISTOPHE : C'est étrange, effectivement. Peut-être parce que la violence et le rejet social nous angoissent beaucoup en tant qu'humains. Du coup, notre attention est aimantée par ce genre de scènes, comme si notre cerveau archaïque y cherchait des informations pour sa propre survie : en regardant attentivement des horreurs, réelles ou symboliques, peut-être cherchons-nous à comprendre comment pouvoir y échapper nous-mêmes si un jour elles nous arrivaient ? Peut-être considérons-nous inconsciemment que c'est utile de voir les défauts des autres, de les repérer, de pouvoir s'en protéger, les corriger.

MATTHIEU : Il y a une sorte de gratification immédiate, de plaisir pervers dans ce spectacle, ce que les Allemands appellent « *Schadenfreude* », la satisfaction malsaine de voir d'autres personnes tourmentées, ridiculisées, blessées même. Il y a une sorte de jouissance voyeuriste et tacite, sans doute en lien avec une certaine forme de cruauté latente en nous, devant l'humiliation, le rabaissement ou la mise en échec du bouc émissaire ainsi exhibé. On essaie aussi de retaper son ego en nullifiant l'autre. C'est le contraire de l'élévation que l'on ressent lorsqu'on admire et se réjouit du fond du cœur de la bonté, de la générosité, et de l'excellence de quelqu'un d'autre. On a envie de suggérer à ces metteurs en scène médiatiques, descendants des organisateurs des jeux d'arènes romains, de s'élever au niveau des qualités de leurs cibles au lieu de s'acharner à les réduire à leurs faiblesses.

CHRISTOPHE: Et cela nous rassure peut-être sur notre supériorité, ou du moins, notre non-infériorité. Il y en a pour tout le monde! Les narcissiques se disent: «Quels nuls, moi je suis plus malin que ça!» Et les inquiets et complexés se disent: «J'espère que j'arriverai à ne pas me laisser rabaisser comme ça!» En tout cas, la persistance de ce genre de programmes et notre complaisance à leur égard sont de vraies questions. On devrait éteindre le poste tout de suite, se dire «qu'est-ce que c'est que ce délire?». Mais trop souvent, on a cet œil mauvais qui s'éveille, cette oreille complaisante qui se tend… Je ne regarde pas souvent la télé (sauf les matchs de rugby!), mais, quand au hasard de mes zappings, je tombe sur ce genre de programme, je prends toujours un peu de temps pour regarder; je me justifie en me disant que c'est pour essayer de comprendre leur succès. Mais peut-être y a-t-il en moi aussi ce voyeurisme…

ALEXANDRE: La bienveillance inconditionnelle nous invite à dynamiter notre exclusivisme, nos particularismes. Nous sommes conviés à embrasser un amour universel, rien de moins. Sans espérer des renvois d'ascenseur, de la gratification, jettons-nous à l'eau! Sur ce chemin, Philon d'Alexandrie nous prête un sacré coup de main. Il enjoint de ne jamais oublier que celui que nous rencontrons, même et peut-être surtout le cow-boy des pissotières, mène sans doute un combat intérieur. Tôt ou tard, il va mourir à son tour. Lui aussi est pris dans le samsara, tiraillé sans doute par de terribles tourments. Oui, nous sommes tous des coéquipiers et un aveuglement spirituel nous fait perdre de vue l'interdépendance. Toutes et tous, nous sommes intimement liés.

Gratuité et délicatesse de la bienveillance

ALEXANDRE : Alice Miller, dans un livre au titre évocateur, *C'est pour ton bien. Racines de la violence dans l'éducation de l'enfant*, nous interroge sur nos motivations et le danger d'imposer sa vision du monde à autrui. Altruisme, bienveillance, générosité ne peuvent être que gratuits, pur don, sans attentes. Pourtant, dans le creuset du quotidien, il est difficile de se débarrasser de cette mentalité de grand trésorier qui spécule, attend, réclame des retours sur investissements. Parler de bienveillance universelle, c'est bien sûr exclure toute exception. Mais comment embrasser dans notre amour pour les êtres humains un Bachar el-Assad, un Hitler, un bourreau, ou plus prosaïquement l'individu qui nous a fait souffrir ? Peut-on vraiment les considérer comme des êtres souffrants, jouets serviles de leurs passions tristes, victimes d'incommensurables blessures ?

Il peut entrer dans une certaine bienveillance une bonne dose de paternalisme et beaucoup d'artifices. Il n'y a peut-être pas de mode d'emploi, de marche à suivre. Lorsque, par exemple, on me demande comment aborder une personne handicapée dans la rue, bien sûr je reste coi. Il n'existe guère de règles, de protocoles pour tendre la main. Le défi, c'est d'être au plus près de soi, de rester attentif aux besoins de l'autre sans projeter. Et si maladresse il y a, elle fait peut-être moins de dégâts que la mécanicité de qui essaierait de suivre un protocole : pour aider un infirme, procéder étape par étape : point 1, point 2, point 3.

CHRISTOPHE : Je ne suis pas d'accord avec toi à 100 %, Alexandre : parfois, recevoir quelques informations simples sur les besoins de telle ou telle personne, dans tel ou tel genre de situation, peut nous rendre service, et nous éviter quelques erreurs. Expliquer à quelqu'un que, quand on a un cancer, on est agacé de s'entendre demander «comment ça va ?» ou qu'une personne handicapée apprécie qu'on soit spontané avec elle, cela peut aider à bien faire, ou à ne pas démarrer sur une gaffe liée à la méconnaissance plus qu'à la malveillance ou à l'indifférence. Bien sûr, il ne s'agit pas d'appliquer ensuite un protocole de manière automatique, en étant finalement absent à autrui. Car la bienveillance commence par la présence à l'autre, par l'attention prêtée à qui nous avons en face, et pas par la projection sur l'autre de nos propres besoins, de notre propre vision du monde. Il y a une nécessité, aussi, dans la délicatesse de la bienveillance pour qu'elle ne soit pas du paternalisme, de l'intrusion, du non-respect d'autrui finalement, et de ses besoins.

ALEXANDRE: Ce qui est sûr, c'est que la bienveillance, comme tu le dis, exige une délicatesse, un tact infini. Pour ne pas imposer d'en-haut une aide qui pourrait être perçue comme une humiliation alors qu'il s'agit de se donner entièrement, d'être là, ouvert et disponible. Toujours, ce défi : témoigner de la bonté de la vie au cœur de l'épreuve, épauler, soutenir et s'éclipser au besoin sur la pointe des pieds. Swâmi Prajnânpad donne une clé magnifique pour faire du lien un haut lieu de la liberté, de l'apaisement et de la générosité. Il nous rappelle qu'« aimer quelqu'un, c'est l'aider à relâcher ses tensions ». Intuition formidable qui peut se décliner en un exercice éminemment pratique : dès que j'entre dans une pièce, aussitôt que je rencontre un proche, un ami, un collègue, un inconnu, me demander illico ce qui peut véritablement l'apaiser.

La tendance habituelle nous incline bien souvent à dévisager l'autre, voire à le juger carrément. Quitter le règne de l'intérêt et de la consommation, pour oser une attitude un brin plus contemplative, n'a rien de mièvre, de *fleur bleue*. Au contraire, cette approche inédite exige une lucidité, du cran, un sacré courage : voir que la vie est tragique, qu'elle s'accompagne d'un paquet de solitude, de maladies, d'injustices et qu'elle se termine par la mort sans se laisser démonter ni aigrir. La réponse au tragique culmine assurément dans la solidarité, loin du repli, de la méfiance et du soupçon. Pour s'y engager, il s'agit de quitter cette logique sécuritaire qui nous pousse à défendre bec et ongles notre territoire. Se réduire aux bornes de son individualité, c'est se couper de la fécondité des rencontres, tarir les sources de vie et morfler à coup sûr. Notre job, c'est d'appliquer au quotidien ces grands principes, et là, c'est une autre paire de manches…

MATTHIEU : La bienveillance peut s'exercer en deux temps. Commencer par aborder l'autre avec une attitude fondamentalement bienveillante. Ensuite, faire une pause intérieure et laisser à notre discernement le temps de mûrir pour comprendre quelle est la manière la plus judicieuse d'apporter un peu de bien-être à la personne qui est en face de nous, sans précipitation, sans imposer quoi que ce soit et sans envahir son intimité.

L'indifférence et la malveillance

CHRISTOPHE : Une autre façon de comprendre la bienveillance consiste à se demander quels sont ses contraires : la malveillance ? l'indifférence ? Peut-être la première façon de ne pas être bienveillant est-elle l'indifférence ou la neutralité. Un cran plus loin, il y a la malveillance, qui pousse à se focaliser sur ce qui ne va pas, à nos yeux, chez l'autre, et à en tirer prétexte pour ne pas se montrer bienveillant à son égard.

MATTHIEU : Le contraire de la bienveillance est clairement la malveillance : la volonté de nuire à quelqu'un. L'indifférence n'est pas exactement l'opposé de la bienveillance, même si, comme Martin Luther King le disait : « L'inaction des bons n'est pas moins nuisible que l'action des méchants. » Le contraire de l'indifférence, c'est être concerné par le sort d'autrui. L'indifférent n'a peu ou pas de considération pour ceux qui ne font pas partie de ses proches, pour la société en général et, moins encore, pour ceux qui vivent loin de lui, ailleurs dans le monde. L'un des moteurs de la bienveillance consiste à accorder de la valeur à autrui. Les persécutions et les génocides commencent tous par une dévalorisation de l'autre, suivie d'une déshumanisation de ceux que l'on décide d'éliminer. Du coup, on les traite de «pestes», «vermines», «cancrelats». De même, on réifie les animaux en en faisant des objets de consommation, des machines à fabriquer des saucisses.

CHRISTOPHE: Oui, l'indifférence vient souvent de ce qu'on n'accorde pas assez de valeur à autrui. Je pense qu'il y a aussi une indifférence par impuissance: au bout d'un moment, on n'arrive plus, par exemple, à faire face à tous les gens qui demandent de l'argent dans la rue. Certains jours, tout en pensant que j'ai tort, que je ferais mieux de leur donner un peu d'argent, je me dis que ce n'est pas la solution, que ça n'en finira jamais. Alors, je me sens tout à coup impuissant, et je me replie dans une espèce d'indifférence. Je n'ai pas l'impression que je leur accorde moins de valeur. Mais je commets, bien sûr, une erreur: ce n'est pas parce que la misère et la détresse n'ont pas de fin qu'il faut renoncer à faire inlassablement sa part.

Naviguer entre l'inconfort de l'adversité et la somnolence du bien-être

ALEXANDRE: Avancer à grands pas vers la liberté, oser une pacification intérieure, c'est tordre le cou à toute velléité belliciste, repérer les guerres civiles quand elles font rage, quand elles nous déchirent, nous épuisent. Comment se vacciner contre le besoin d'adversité, d'ennemi qui peut se tapir dans les tréfonds d'une personnalité?

En Corée, j'ai eu la chance de rencontrer une nonne zen. À 40 ans, atteinte d'un cancer incurable, elle rayonnait d'une joie étincelante. La grande santé progressait en elle, même si, physiquement, elle s'éteignait de jour en jour. Elle m'a confié avoir longtemps considéré sa maladie comme l'ennemi à abattre. Courant droit à l'épuisement, elle ne vivait que pour lutter, terrasser le mal, jusqu'au jour où elle a décidé, m'a-t-elle dit, d'entrer dans la paix avec comme préalable la cessation du combat. Convertissant son regard pour ne plus considérer sa situation comme un adversaire, mais y déceler le lieu d'une transformation possible, d'une pratique, d'un message, elle s'était allégée d'un poids considérable, d'une exigence insoutenable. Empressons-nous d'ajouter qu'il ne s'agissait pas pour elle de se résigner ni d'abandonner tout traitement, mais au contraire d'œuvrer à la santé sans ferrailler matin, midi et soir contre les obstacles.

La disparition d'un ami après avoir lutté contre les affres de la toxicomanie m'a aussi beaucoup chamboulé. Pourquoi cet homme mettait fin à ses jours alors même que tout semblait enfin aller bien en lui et autour de lui ? Serait-ce qu'après les épreuves le bonheur n'est jamais aussi prometteur que ne le laissaient entrevoir nos désirs ? Faut-il aussi des ressources infinies pour se coltiner le quotidien, la banalité, le *calme plat* ? Les questions demeurent… Peut-être qu'il est plus facile de conjuguer le bonheur au conditionnel qu'au présent, d'où la célèbre phrase de Pascal : «Ainsi nous ne vivons jamais, mais nous espérons de vivre ; et, nous disposant toujours à être heureux, il est inévitable que nous le soyons jamais.»

MATTHIEU : Les obstacles de l'adversité sont faciles à identifier, ce qui nous aide à les surmonter, tandis que les obstacles créés par la réussite, les plaisirs, le confort illusoire du «tout va bien» sont plus sournois, émollients, car plus difficile à repérer.

CHRISTOPHE : Dans nos vies, ce sont plus souvent les difficultés et les adversités qui nous font progresser que les succès et les facilités. C'est bien dommage, mais c'est ainsi que nos esprits fonctionnent ! Nous avons besoin de succès et de confort, car cela nous gratifie et nous nourrit en émotions agréables : bien-être, estime de soi et gratitude… Mais nos réussites ne nous amènent pas forcément à remettre en question ce que nous sommes et ce que le monde est. Il nous faut pour cela la morsure de l'échec ou de l'impuissance. La morsure, de temps en temps, pas la dictature constante !

Nous avons à naviguer entre l'inconfort de l'adversité et la somnolence du bien-être. L'idéal de la sagesse et de la liberté intérieure est bien, comme tu le disais Matthieu, de naviguer en permanence entre deux écueils à notre liberté intérieure : l'asservissement aux détresses liées à l'adversité (abattement ou colère) ou l'habitude, puis la dépendance, aux conforts liés à l'absence d'adversité.

MATTHIEU : Le bouddhisme nous dit qu'il faut aussi savoir identifier le bon ennemi : si quelqu'un vous frappe avec un bâton, vous ne vous mettrez pas en colère contre le bâton, mais contre la personne, sans prendre conscience qu'elle est manipulée par l'animosité comme le bâton par la main. L'ennemi véritable, le seul envers lequel on peut être sans merci, c'est la haine ou, dans d'autres cas l'avidité, la jalousie, l'orgueil, etc. Cette guerre-là vise à triompher de la souffrance.

CHRISTOPHE : Mais faut-il parler de « faire la guerre » ou de « travailler » ? « Ennemi » est-il le bon mot ? En médecine, par exemple, ce vocabulaire guerrier est souvent utilisé : « se battre contre la maladie », « faire la guerre au cancer »… Je suis toujours assez mal à l'aise avec ce genre de discours et la vision qu'il sous-entend. Il me semble qu'il fait passer à côté d'un certain nombre de vérités : la maladie n'est pas un ennemi ni un adversaire, mais un déséquilibre, l'altération des mécanismes subtils qui maintiennent la santé en nous (la santé est un petit miracle, comme la vie !). Prendre soin de soi, pacifier ses émotions de peur ou de colère, cela me semble plus efficace que mener une guerre stressante contre un ennemi imaginaire.

MATTHIEU : Pourtant, n'est-il pas légitime de considérer la haine comme un ennemi ? À la différence d'un adversaire ordinaire, qui ne nous nuit pas en permanence et qui peut parfois devenir un ami, la haine, la convoitise et l'arrogance nous nuisent tout le temps et à cent pour cent. La haine n'a pas de bon côté, zéro. C'est l'ennemi par excellence, l'ennemi du bien-être, l'ennemi de la bonté, le geôlier de la liberté intérieure.

L'autobienveillance

MATTHIEU : L'autobienveillance consiste à souhaiter se libérer des causes de la souffrance et à se vouloir du bien, ce qui n'est pas la même chose que d'être égoïste.

ALEXANDRE : À côté du narcissisme, reste donc une large place pour cet amour de soi, ce joyeux acquiescement à ce que nous sommes au fond du fond qui ne va pas sans une exigence, un élan vers le progrès, une détermination à déraciner du cœur tout germe de haine, de repli sur soi, d'égoïsme et de guerre.

CHRISTOPHE : L'autobienveillance consiste à ne pas ajouter une guerre intérieure aux difficultés extérieures. Et à adopter envers soi-même une attitude juste, au sein de laquelle on est à la fois lucide et amical envers sa propre personne. La relation d'amitié est bienveillante : comme on veut leur bien et qu'ils le savent, nos amis acceptent nos critiques parce qu'ils ont compris qu'on cherchait à les aider, même en les dérangeant dans leur confort ou leurs certitudes. Mais on se dit les choses en face.

L'autobienveillance a été identifiée comme une composante essentielle de l'estime de soi : elle est ce qui permet de se réparer et de progresser. Et, comme l'hétérobienveillance, elle est une attitude très pragmatique, pas du tout naïve ni idéologique : elle est le cadre exigeant et sécurisant qui permet la plus grande liberté intérieure. On ne craint pas d'échouer ni de décevoir, du moins on ne ressent pas ces craintes de manière obsédante ou paralysante. Elle aussi a intérêt à être inconditionnelle, et non suspendue à nos éventuels « mérites ». L'inconditionnalité est en amont : quoi que je fasse, on m'accorde de la bienveillance *a priori*, on ne porte pas de jugements malveillants (critiquant la personne et non le comportement) et orthopédiques (voulant formater à une seule et unique façon de faire). On accorde de l'intérêt à ce que je fais et ce que je suis. Cependant, l'inconditionnalité n'exclut pas le jugement et les conseils a posteriori : encore une fois, elle n'est pas l'absence de jugement, mais l'absence de jugement a priori.

Qu'est-ce que la bienveillance inconditionnelle ?

CHRISTOPHE : La bienveillance inconditionnelle est un idéal et un principe, comme le sont la démocratie ou la fraternité. Il reste ensuite à les mettre en œuvre dans le monde réel. Par exemple, est-ce que l'existence d'un Hitler, d'un Pol Pot ou d'autres tyrans sanguinaires remet en question la pertinence, l'importance et même la nécessité de cet idéal ? Je ne le crois pas. Leur arrivée au pouvoir doit plus à leurs talents politiques, ou aux circonstances dramatiques qui régnaient alors dans leurs pays, qu'à une éventuelle bienveillance à leur égard, naïve ou excessive.

MATTHIEU : Oui, talent politique ou machiavélisme dénué de toute forme d'empathie et de bienveillance. Bachar el-Assad est un type abominable. Faut-il l'écrabouiller et le torturer à son tour ? La bienveillance ne consiste pas à lui dire : « Vous êtes un chic type, continuez ! » Elle consiste à le considérer à la façon d'un médecin expert, qui se rend très bien compte de l'étendue de la folie furieuse de son patient, qui commence par l'empêcher de nuire, puis se demande s'il y a un moyen de le soigner. La meilleure chose que l'on pourrait souhaiter à un individu ignoble, c'est que cesse son ignominie. Si l'on est soi-même libre de la haine, on pourra envisager les meilleurs moyens de minimiser les souffrances à court et à long terme. À long terme, cela implique diverses formes d'assistance pour améliorer l'éducation, le niveau de vie, le statut de la femme, le respect des droits de la personne, etc. Autrement dit, il faut neutraliser le mal et soigner ses causes, en excluant la haine, le sentiment de vengeance, et toute autre forme de désir de nuire. Si l'on applique la loi du talion, « œil pour œil, dent pour dent, disait Gandhi, le monde sera bientôt aveugle et édenté ». Il ne s'agit pas là de faiblesse ou de négligence. Toutefois, une personne qui m'a écrit à la suite de notre premier livre m'a exposé une tout autre approche de la loi du talion, qui lui a été expliquée par un rabbin. Au lieu d'une formule de vengeance, cette loi peut être comprise et pratiquée comme un principe de réparation : si je fais perdre la vue à une personne, je dois lui remplacer l'œil que j'ai blessé en la guidant lorsqu'elle se déplace ; si je casse une dent à une personne, je dois réparer cela en découpant moi-même sa nourriture, et ainsi de suite.

La « bienveillance universelle » ou « inconditionnelle » n'est pas une noble utopie. Tous les êtres sans exception veulent éviter la souffrance. Si nous souhaitons du fond du cœur que leurs aspirations s'accomplissent, notre motivation bienveillante devient par là même universelle. La bienveillance inconditionnelle consiste donc à n'exclure personne de notre cœur. Le cercle de notre bienveillance commence par s'agrandir et ses limites finissent par s'évanouir, comme l'espace qui contient tous les êtres. Même si dans les faits, nous ne pouvons pas accomplir le bien de tous, chaque être qui se présente dans le champ de notre attention est l'objet de cette bienveillance.

Certains philosophes avec lesquels je me suis entretenu, Jonathan Haidt notamment, pensent que c'est une position angélique. Ce dernier me disait que la bienveillance doit s'appliquer à nos proches et que cela n'a pas de sens de vouloir inclure l'ensemble des êtres. Pourtant, en étendant notre bienveillance à tous, nous n'aimons pas moins nos proches, nous les aimons mieux, notre bienveillance étant beaucoup plus affinée. Si, au lieu de briller de tous ses feux sur tous, le soleil décidait de ne briller que sur certains, les quelques rayons restants les éclaireraient et les réchaufferaient moins bien, parce que son rayonnement s'en trouverait diminué. Celui qui n'aime qu'une petite partie des êtres ne dispose que d'une bienveillance partiale et étriquée. Qui plus est, lorsque les circonstances de la vie placent certains êtres plus près du soleil de notre bienveillance, comme s'ils se rapprochaient physiquement de notre astre, ceux-ci reçoivent naturellement davantage de chaleur et de lumière. Mais cela ne se fait jamais au prix d'une exclusion. La bienveillance exclut donc la partialité, le sectarisme, le dogmatisme, et la discrimination, qui sont autant de maux de notre société.

BOÎTE À OUTILS
POUR UNE BIENVEILLANCE
INCONDITIONNELLE

CHRISTOPHE

- *La bienveillance est comme ces petits brins d'herbe* qui parviennent à pousser entre les dalles de béton : même si on a l'impression qu'il n'y a pas de place, ce sont toujours eux qui finissent par gagner.
- *Il est précieux de dissocier la bienveillance de ses jugements.* Tous les humains la méritent. Elle n'est pas une récompense, mais une reconnaissance de leur humanité. Soyons aussi bienveillants que possible, même avec ceux qui sont différents de nous, même avec ceux que nous jugeons malfaisants. La bienveillance ne peut qu'éveiller ou réveiller leur humanité (et leur culpabilité).
- *Soyons des « bienveilleurs », le plus souvent possible :* De notre mieux, saupoudrons nos journées et nos rencontres de regards, de gestes, de paroles de bienveillance. Quand les arbres produisent de l'oxygène, quand les humains produisent de la bienveillance, la Terre et l'Humanité se portent mieux.

MATTHIEU

- *Efforçons-nous d'élargir sans cesse le cercle de notre bienveillance* afin d'y inclure le plus grand nombre d'êtres possible. Souhaitons que le jour vienne où aucun être ne sera exclu de notre cœur.
- *La bienveillance inconditionnelle n'est pas hors d'atteinte :* Tous les êtres désirent éviter la souffrance et parvenir au bonheur. Pour que cette aspiration bienveillante s'étende de fait à tous les êtres, il suffit de souhaiter sincèrement qu'elle s'accomplisse.

- *La bienveillance en action* : Simultanément, accroissons peu à peu la mise en œuvre de cette bienveillance au travers de nos paroles et de nos actes.

ALEXANDRE

- *La bienveillance tient du don, de la gratuité* : Le véritable amour n'assène rien, ne nous enjoint à rien d'autre qu'à ce que nous sommes au fond du fond. Être bienveillant, c'est bien sûr vouloir le bien de l'autre sans désirer le faire entrer dans le moule de mes a priori, de mes étiquettes, ne jamais mettre la main sur sa liberté, vénérer sa singularité, sa différence. En aucun cas, il ne s'agit d'imposer une vision du monde, une manière de vivre. Aider mon prochain, c'est s'extraire de mes projections, me donner carrément, me rendre totalement disponible sans juger ni rien exiger en retour.
- *La bienveillance est subversive* : Il entre dans la bienveillance une sacrée dose de subversion, de rébellion même : tordre le cou à toute velléité de violence, de vengeance, de volonté d'emprise, d'autoritarisme, ne jamais laisser les passions tristes gouverner nos vies. Cette audace fondamentalement active, sagace, invente, sans cesse innove… sans jamais rien imposer. Elle prête l'oreille aux véritables attentes, aux profondes aspirations de chacun dans un accueil radical. Cette femme, cet homme que je rencontre ici et maintenant, de quoi a-t-il véritablement besoin ? Que désire-t-il au fond de son cœur ?
- *Le Kärcher de l'amour* : Chögyam Trungpa disait : « *Dirt never comes first.* » La saleté, les traumatismes, les blessures, la brutalité, la méchanceté, l'hostilité ne sont jamais premiers dans un cœur. La bienveillance décape, elle passe gentiment au Kärcher de l'amour tout intrus, tout parasite qui ronge les êtres. Cultiver un cœur bienveillant, c'est trouver l'audace de voir plus loin que les souillures pour rejoindre inlassablement la bonté primordiale.
- *La générosité procède d'une intelligence du cœur, d'un esprit de finesse, d'une légèreté* : Le Bouddha, quand il prodigue l'enseignement du sentier octuple, cette voie qui conduit à la liberté inconcevable,

souligne l'importance et la valeur de l'action juste. Tendre la main, épauler un être appellent du tact, une délicatesse, un infini respect. Il ne s'agit pas de bricoler en matière de solidarité. Loin du paternalisme et de la condescendance – la bienveillance n'est pas l'affaire des lourdauds.

LA MOISSON
A-T-ELLE ÉTÉ BONNE ?

MATTHIEU : Nous arrivons au terme de nos entretiens, même si nos dialogues et nos amitiés se poursuivront tant que nous serons en vie – souhaitons-le de tout cœur ! Nous sommes des « progressants », comme aime à le dire Alexandre, des explorateurs enthousiastes de la liberté intérieure et de la bienveillance à l'égard du plus grand nombre, autant que nos capacités nous le permettent. Il me semble que nous sommes d'accord sur le fait que la conquête de la liberté intérieure ne peut avoir que des conséquences salutaires sur nous-mêmes et sur les autres. Une moisson nourricière. En nous affranchissant des rets de l'ignorance, de la confusion et des constructions mentales qui n'apportent que misère et mal-être, à la manière d'un paysan qui aime son travail, nous avons le sentiment d'œuvrer à la meilleure moisson possible. Cette moisson n'est pas celle d'une monoculture intellectuelle ; elle naît des semailles des multiples qualités humaines qui poussent grâce à la terre fertile du potentiel que nous avons en nous, à l'eau de la bienveillance et au soleil de la persévérance, apportant une belle récolte de sagesse, de joie, de liberté intérieure et de plénitude qui nous permet d'apprécier chaque instant qui passe.

ALEXANDRE : Comme le rappelait Chögyam Trungpa, nombre de nos tourments, de nos souffrances proviennent de notre incapacité à lâcher prise, du refus de voir le monde tel qu'il est, et du paquet de névroses qui se recyclent d'instant en instant. Toujours, nous avons besoin de repères, de l'espoir de sortir du chaos, d'atteindre un sol ferme. Pourtant, c'est ultimement dans le quotidien, avec les moyens du bord, quand tout bascule autour de nous, qu'il s'agit d'apprendre à danser, à faire l'expérience que la vie gagne du terrain, au fond du fond.

Chaque fois que je prends l'avion, je reçois une leçon de zen en observant hôtesses et stewards. En pleine zone de turbulences, quand tout tangue, lorsque les chariots se mettent à danser la java, le personnel de bord garde un sourire qui, en lui-même, témoigne de la bonté de la vie et donne une profonde confiance.

Pour oser le grand saut, pour se donner à l'existence et s'ouvrir à la liberté, loin des peurs, des traumatismes et des occlusions de l'âme, il faut assurément des coups de pouce, des mains qui se tendent, des oreilles qui écoutent, du soutien, des amis dans le bien.

Sans votre soutien, votre fraternité, votre confiance, cher Christophe, cher Matthieu, sans les polycliniciennes et les polycliniciens qui m'épaulent jour après jour, sans ma famille qui m'apprend au quotidien l'amour inconditionnel, sans la foule des «bienveilleurs», je ne donnerais pas cher de mes efforts vers la grande santé et la paix. La solidarité, voilà ce qui nous affranchit.

Sur le point de conclure provisoirement ce chaleureux échange, j'aimerais remercier du fond du cœur toutes celles et ceux qui m'aident à continuer cet itinéraire de libération. Pour l'heure, avec mon infinie gratitude, ce petit viatique de maître Trungpa : «Lorsqu'on développe la véritable compassion, on ne sait plus si l'on est généreux envers soi-même ou envers les autres, car la compassion est la générosité de l'environnement, sans direction, sans "pour moi" et "pour les autres". Elle est pleine de joie, de joie spontanée, de joie constante dans le sens de la confiance, dans la mesure où la joie contient de fabuleuses richesses. »

CHRISTOPHE : C'est intimidant de conclure ! J'ai toujours du mal avec cet exercice, comme avec toute forme d'adieux… J'espère de

« Pour se donner
à l'existence
et s'ouvrir à la liberté,
loin des peurs,
des traumatismes
et des occlusions
de l'âme, il faut
assurément des
mains qui se tendent,
des amis dans
le bien. »

tout cœur que nos échanges amicaux, spontanés et sincères, toucheront nos lectrices et nos lecteurs comme s'ils étaient eux aussi nos amies et amis. Ce qui est le cas, d'une certaine façon, puisque nous partageons beaucoup de valeurs communes. Puissions-nous leur donner l'envie de continuer à progresser, à avancer sur ces chemins de la liberté intérieure et de la fraternité. J'espère que nous aurons su montrer que ce cheminement est non seulement enrichissant, mais aussi accessible et passionnant.

Il y a peu, je bavardais avec ma plus jeune fille à propos de son avenir professionnel. Et j'évoquais avec elle ce conseil donné un jour par je ne sais quel PDG de grande entreprise, souvent cité en exemple dans les écoles de management ou de commerce. En général, leurs propos ne sont pas ma tasse de thé, car trop tournés vers le succès et la performance, mais là, ce n'était pas si mal vu ! Il disait en substance : « Le secret de la réussite ? Travaille dur, et sois sympa avec les gens. » Je crois que c'est aussi le secret d'une « bonne » vie, une vie sage, heureuse et généreuse : « Travaille sur toi et fais le bien autour de toi. » Matthieu, je te repasse la parole, pour notre dernier message, emmène-nous sur les cimes !

MATTHIEU : Pour conclure, de même qu'au début de notre nouvelle série de rencontres nous avons engendré une motivation altruiste, le temps est venu de distribuer notre moisson à tous ceux avec lesquels nous partageons cette existence. Dédions-leur tout ce que nous avons pu engendrer de bien et de bon au cours de nos rencontres, tous les actes bienveillants que nous avons accomplis dans le passé et que nous accomplirons à l'avenir. Puissent ces moissons contribuer à soulager les souffrances qu'ils endurent dans le présent et à éradiquer les causes de leurs souffrances à long terme – l'ignorance, la haine et autres toxines mentales. Souhaitons que perdurent ces bienfaits, à la manière de semailles lancées à la volée sur le terreau fertile de l'infinité des êtres !

REMERCIEMENTS

Nous mesurons pleinement la dette de gratitude que nous avons envers Catherine Meyer pour ses patientes et expertes relectures des diverses versions du manuscrit. Elle nous a tant aidés à mettre de l'ordre dans nos idées et a amélioré considérablement la présentation du texte.

Merci de tout cœur à Delphine, qui nous a si chaleureusement accueillis à deux reprises dans les montagnes suisses, nous permettant de dialoguer dans la plus joyeuse sérénité, ainsi qu'à Pauline qui nous a reçus avec tant de gentillesse à Saint-Maurice pour un épisode de nos entretiens.

Nos remerciements vont également à Sandra et Aurélie pour avoir soigneusement transcrit les enregistrements de notre dialogue et à Bertille pour son aide efficace lors de la relecture.

Ils sont aussi acquis à Carisse Busquet qui a attentivement relu notre manuscrit et nous a fait de nombreuses suggestions des plus pertinentes.

Enfin, nous ne saurions exprimer suffisamment notre reconnaissance à nos éditrices et éditeur Sophie de Sivry, Nicole Lattès et Guillaume Allary, qui nous ont suivis avec bienveillance tout au long de ce travail, comme ils l'ont fait pour nos précédents ouvrages, ainsi qu'aux équipes de L'Iconoclaste et d'Allary Éditions qui ont œuvré à la création de ce livre.

Alexandre remercie tout particulièrement Corine Jollien, Romina Astolfi, Bernard Campan, Fréderic Rauss, Olivier Rogeaux, Jean-Bernard Daeppen, Firmin Manoury, et Mathieu Blard de l'aider au quotidien.

DES MÊMES AUTEURS

CHRISTOPHE ANDRÉ, ALEXANDRE JOLLIEN, MATTHIEU RICARD

Trois amis en quête de sagesse, L'Iconoclaste et Allary Éditions, 2016.

CHRISTOPHE ANDRÉ

AUX ÉDITIONS L'ICONOCLASTE

Mon programme anti-dépression, 2018, avec Mademoiselle Caroline.

La Vie intérieure, 2018 (avec un CD d'exercices).

3 minutes à méditer, 2017 (avec un CD d'exercices).

Se changer, changer le monde, 2013, avec Jon Kabat-Zinn, Pierre Rabhi et Matthieu Ricard.

Méditer, jour après jour. 25 leçons de pleine conscience, 2011 (avec un CD d'exercices).

De l'art du bonheur, 2010, nouvelle édition.

AUX ÉDITIONS ODILE JACOB

Et n'oublie pas d'être heureux. Abécédaire de psychologie positive, 2014.

Sérénité, 25 histoires d'équilibre intérieur, 2012.

Les États d'âme. Un apprentissage de la sérénité, 2009.

Imparfaits, libres et heureux. Pratiques de l'estime de soi, 2006.

Psychologie de la peur. Craintes, angoisses et phobies, 2004.

Vivre heureux. Psychologie du bonheur, 2003.

La Force des émotions. Amour, colère, joie, 2001, avec François Lelord.

La Peur des autres. Trac, timidité et phobie sociale, 2000, avec Patrick Légeron.

L'Estime de soi. S'aimer mieux pour vivre avec les autres, 1999, avec François Lelord.

Comment gérer les personnalités difficiles, 1996, avec François Lelord.

AUX ÉDITIONS DU SEUIL, COLL. « POINTS »

Méditations sur la vie, 2017, avec Anne Ducrocq.

Je résiste aux personnalités toxiques (et autres casse-pieds), 2011, avec le dessinateur Muzo.

Je guéris mes complexes et mes déprimes, 2010, avec le dessinateur Muzo.

Je dépasse mes peurs et mes angoisses, 2010, avec le dessinateur Muzo.

AUTRES ÉDITEURS

Les Pensées qui soignent, Belin, 2017, avec Michel Le Van Quyen.

Qui nous fera voir le bonheur, Le Passeur, 2014, avec Martin Steffens.

ALEXANDRE JOLLIEN

La Sagesse espiègle, Éditions Gallimard, 2018.

Vivre sans pourquoi : itinéraire spirituel d'un philosophe en Corée, L'Iconoclaste, Éditions du Seuil, 2015.

Petit Traité de l'abandon. Pensées pour accueillir la vie telle qu'elle se propose, Éditions du Seuil, 2012 et « Points Essais », n° 755, 2015.

Le Philosophe nu, Éditions du Seuil, 2010 et « Points Essais », n° 730, 2014.

La Construction de soi. Un usage de la philosophie. Éditions du Seuil, 2006 et « Points Essais », n° 680, 2012.

La Philosophie de la joie, commentaire de Bernard Campan, livre sonore, Éditions Textuel, 2008.

Le Métier d'homme, Éditions du Seuil, 2002 et « Points Essais », n° 705, 2013.

Éloge de la faiblesse, Éditions du Cerf, 1999, Marabout, 2011. Ouvrage couronné par l'Académie francaise.

MATTHIEU RICARD

ESSAIS

Plaidoyer pour les animaux, Allary Éditions, 2014.

Plaidoyer pour l'altruisme, NiL Éditions, 2013.

Chemins spirituels. Petite anthologie des plus beaux textes tibétains, NiL Éditions, 2010.

L'Art de la méditation, NiL Éditions, 2008.

La Citadelle des neiges, NiL Éditions, 2005.

Plaidoyer pour le bonheur, NiL Éditions, 2003.

Les Migrations animales, Robert Laffont, «Collection Jeune Science», 1968.

ŒUVRES COLLABORATIVES

Pouvoir et altruisme, avec Tania Singer, Allary Éditions, 2018.

Cerveau et méditation, avec Wolf Singer, Allary Éditions, 2017.

Vers une société altruiste, avec Tania Singer, Allary Éditions, 2015.

Se changer, changer le monde, avec Christophe André, Jon Kabat-Zinn et Pierre Rabhi, L'Iconoclaste, 2013.

L'Infini dans la paume de la main, avec Trinh Xuan Thuan, NiL Éditions, 2000.

Le Moine et le Philosophe, avec Jean-François Revel, NiL Éditions, 1997.

PHOTOGRAPHIES

Un demi-siècle dans l'Himalaya, Éditions de la Martinière/Yellow Korner, 2017.

Visages de paix / Terres de sérénité, Éditions de la Martinière, 2015.

Hymne à la beauté, Éditions de la Martinière/Yellow Korner, 2015.

108 sourires, Éditions de la Martinière, 2011.

Bhoutan. Terre de sérénité, Éditions de la Martinière, 2008.

Un voyage immobile. L'Himalaya vu d'un ermitage, Éditions de la Martinière, 2007.

Tibet. Regards de compassion, Éditions de la Martinière, 2002.

Himalaya bouddhiste, avec Olivier et Danielle Föllmi, Éditions de la Martinière, 2008.

Moines danseurs du Tibet, Albin Michel, 1999.

L'Esprit du Tibet, (1996), réédition Éditions de la Martinière, 2011.

TRADUCTIONS DU TIBÉTAIN

Le vagabond de l'Éveil, La vie et les enseignements de Patrul Rinpoché, Padmakara, 2018.

Shabkar, autobiographie d'un yogi tibétain, Padmakara, 2013.

Dilgo Khyentsé Rinpotché, *Au cœur de la compassion*, réédition Padmakara, 2008.

Dilgo Khyentsé Rinpotché, *Les Cent Conseils de Padampa Sangyé*, Padmakara, 2003.

Dilgo Khyentsé Rinpotché, *Le Trésor du cœur des êtres éveillés*, Le Seuil, coll. «Points Sagesses», 1996.

Dilgo Khyentsé Rinpotché, *Au seuil de l'Éveil, Padmakara*, 1995.

Dilgo Khyentsé Rinpotché, *La fontaine de grâce*, Padmakara, 1995.

Dilgo Khyentsé Rinpotché, *Audace et compassion,* Padmakara, 1993.

TABLE

Fondation Matthieu Ricard
pour faire progresser l'altruisme dans le monde

Matthieu Ricard reverse l'intégralité de ses revenus – photographies, conférences et droits d'auteurs de tous ses livres – à l'association Karuna-Shechen qui accompagne depuis plus de vingt ans les plus démunis en Inde, au Népal, au Tibet et bientôt en Europe.

Concrètement, le livre que vous tenez entre vos mains permet donc à un enfant au Népal d'être scolarisé pendant une semaine, à deux personnes handicapées de recevoir un acte médical ou à une famille indienne de bénéficier d'un potager biologique pendant une saison.

Vous pouvez vous aussi soutenir les activités de Karuna-Shechen et la Fondation Matthieu Ricard.

www.fondation-matthieuricard.org

Crédits photographiques : © Beloukha

Fabrication : Marie Baird-Smith
Mise en page : Soft Office
Révision : Marie Sanson, Emmanuel Dazin

ISBN : 978-2-37880-054-3
N° d'impression : 1800459
Dépôt légal : janvier 2019